Alain Damasio

LA ZONE
DU DEHORS

Gallimard

La Zone du Dehors a paru pour la première fois
aux Éditions CyLibris en 1999,
dans une version légèrement différente.

Né à Lyon en 1969, Alain Damasio a habité le Vercors et la Corse avant d'aller chercher, avec sa compagne et ses enfants, le vent des calanques marseillaises. Il écrit peu, par exigence. Il a longtemps vécu d'études socio-économiques avant de trouver dans le scénario (TV, jeux vidéo — dont le récent *Remember Me* — et cinéma avec *Windwalkers*, l'adaptation en film d'animation de *La Horde du Contrevent*) de quoi financer les trois années d'écriture pure que lui demande chaque roman. Homme engagé, cet intermittent de la militance affûte ses armes à la forge philosophique (Deleuze et Nietzsche) et en nourrit ses combats concrets tout autant que ses livres.

Il est l'auteur de deux romans au succès phénoménal, *La Zone du Dehors* et *La Horde du Contrevent*, et d'une quinzaine de nouvelles, dont certaines ont été recueillies dans *Aucun souvenir assez solide*.

Au bruissement inaudible, éternel et secret du dialogue
entre la marmotte et le grizzli,
À Boule de Chat, Boule de demi-animal chat,
Boule d'Ours
À bébé ourse bleue, triple chat à patte d'ours,
graine d'ours,
barouf et groumpf,
À roucoulade de viande, barbiturique,
rigolade à cheval,
Au petit marmotteau à poil ras, au Toulkours,
À la bourrasque verdâtre et bleue,
Au Mouk des lits,
et à la combinaison, au brassage et à l'épuisement
de tous ces noms possibles,
J'offre et
je dédie
ce livre.

I

La Volte respire ici

> La caméra volante nous pistait depuis notre entrée sur l'anneau périphérique. Dès la rampe, j'avais déconnecté le pilote et poussé le bobsleigh à deux cents — silence moteur, vent liquide coupant la peau avec, aux tripes, cette sensation de flécher comme un missile à travers la nuit pour aller briser, compact, les blocs rouges de la Zone du Dehors.

Dans l'habitacle, l'alarme intégrée, comme une pulsation, mais pitoyable, bippait chaque seconde un peu plus vainement que nous avions dépassé tout seuil de sécurité. *« À la vitesse actuelle, le risque d'accident mortel est multiplié par trente. Nous vous recommandons de ralentir sensiblement… »*, répétait en boucle le conseiller vocal, mais sa diction de comédien clastré n'était déjà plus qu'un râle dans le sifflement de l'air et j'étais trop vif maintenant, trop concentré sur ma trajectoire pour l'écouter.

— La caméra revient sur nous ! Accélère !

À la voix, je rectifiai mes rétroviseurs et avisai, d'un coup d'œil, le drone à une centaine de mètres derrière nous. Ses rais bleus pleuvaient sur la piste, il gagnait indiscutablement sur nous, comme un orage approche.

— Accélère, Capt !

— Si je passe la barre des deux cents, les radars du rail vont se déclencher…

— Elle nous rattrape !

— Je suis à bloc !

Une nouvelle fois, je recadrai mon rétroviseur. Méduse en suspension au-dessus de la route, ses câbles déroulés jusqu'au sol magnétique pour y laper le courant, le drone fondait sur nous, inexorable, laissant sur la piste des copeaux d'étincelles.

— Ferme ton casque ! Verrouille chaque carré de peau ! Bouge la tête et tout ce que tu peux pour fausser l'identification !

Désespérément, j'écrasai le levier contre le tableau de bord. Mais le bob ne gagna pas un kmh. J'étais à fond, complètement à fond. Le drone accéléra encore. Il se trouvait à présent à une trentaine de mètres derrière nous et ses rais léchaient presque la queue du glisseur. Je n'y réfléchis même pas. Ça me percuta. Un souvenir de gosse. Une ruse, un truc de bobeur. Je n'avais rien à perdre.

D'un coup de reins, me jetant de tout mon poids sur le volant, y mettant ma toute hargne, je plaquai violemment le nez du bobsleigh vers la piste magnétique. Il y eut — une fraction de seconde — comme une résistance, une sorte de rebond de l'aimantation, puis le bobsleigh fut aspiré vers le sol et il se mit à accélérer à une vitesse vertigineuse, fusant littéralement sur l'acier plein. Instinctivement je me cramponnai, désarçonné, au volant, et les flashes se mirent à crépiter à une fréquence stroboscopique sur le rail de sécurité. C'était comme un éclatement d'étoiles à la volée, un tir aveuglant de balles de lumière, qui nous criblaient. Centrifugé sur sa courbe, fluide, fuselé, le bobsleigh ne tanguait maintenant plus. Il trouait la nuit visqueuse comme un obus serein, insensible au drone, aux flashes crus, à la vitesse même, avalant l'espace, sans que je puisse rien faire pour infléchir sa ligne, pour ralentir ou pour freiner.

— Wwaaooouuu !! Capt, on l'a largué !

« Boule de chat » (comment la surnommer autrement ? Son appellation officielle — je ne disais même
pas « nom » parce que les gens n'avaient plus de nom
avec le Clastre, les gens n'étaient plus prononçables —
était Bdcht : Boule De CHaT. Et c'était tellement ça :
une boule de poils et de griffes qui, hirsute, déboulait
sur ma vie) frissonnait contre mon dos. Euphorique, je
me retournai pour voir ses cheveux couleur d'asphalte
filer sous le casque, jouir de sa bouche dont le pourpre
intense perçait la visière, et la rassurer d'un sourire. Elle
se contenta de planter ses griffes dans mon blouson et je
me dis qu'elle ne savait pas ce qui l'attendait…

— Ne te réjouis pas trop vite ! Il y a une sécurité
réseau…

Je n'eus pas le temps de finir ma phrase. Le bobsleigh, puissamment, freina. Comme s'il avait coupé une
plaque d'herbe. Il réaccéléra pourtant sur une dizaine
de mètres, dans un sursaut magnétique, puis décéléra à
nouveau, terriblement, en moins de cent mètres, et vint
s'aimanter comme une ventouse au sol. Bloqué.

— Qu'est-ce qui se passe ? Il n'y a plus de courant ?

— Ils ont démagnétisé la piste !

— Qu'est-ce qu'il faut faire ?

— Porte !

D'un cri, la porte disparut dans la carrosserie du
biplace. Je sautai sur la piste, les yeux rivés au ciel.
Comme je l'avais espéré, la caméra était bien invisible,
d'aussi loin que l'on scrutait en arrière. La coupure électromagnétique l'avait comme nous désactivée, et tant
que la piste resterait inerte, il n'y avait aucun risque
qu'elle nous rattrape. Soulagé, j'invitai Boule à descendre du bobsleigh pour se dégourdir les jambes. Le périphérique était parfaitement désert à cette heure. Les
sept pistes, dont les couleurs reproduisaient les anneaux
de Saturne, luisaient comme du marbre huilé. Un léger
bruissement d'oxygène montait de la ville. Au nord, au-

delà de l'astroport, encore obnubilée par la masse du Cube, Saturne se levait en silence. Des vaisseaux tournoyaient dans le contre-jour, traçant de vastes cercles que trouaient, par salves, les transporteurs qui fuyaient vers Cerclon II et III. Retenant notre souffle, nous attendîmes comme des enfants. Ce fut là en très peu de temps. D'abord l'arc lacté des anneaux puis, progressivement, le globe troublé de la planète qui débordait de toutes parts autour du Cube, qui diluait son cuivre…

— Putain…

La planète venait de sortir du cosmos noir et elle montait maintenant sur la ville, gigantesque, couvrant tout l'horizon nord, si proche qu'on avait l'impression que sa sphère roulait déjà sur l'astéroïde. La nuit s'était éclaircie mais, comme toujours, sans qu'on puisse parler d'un jour véritable. Ce qui rehaussait la surface du Dehors, ce qui brillait sur les toits vitrés de Cerclon était moins une lumière qu'une lueur, d'un orange pâle, crépusculaire, qui rasait les reliefs et teintait la brume, mais n'éclairait à vrai dire pas, soulignait plutôt. M'assurant que la piste était toujours neutre, j'enjambai la tranchée des glisseurs et amenai Boule jusqu'au rail extérieur de sécurité.

— Voilà où nous marcherons dans une demi-heure, si tout se passe bien. Et voilà ce qu'il va falloir passer : la ligne du Dehors.

> Je regarde en bas. Au pied du mur massif qui porte la route où nous nous tenons, une épave calcinée. Vingt mètres plus loin, ils sont là, ceux que Capt m'a désignés : les grands poteaux incurvés qui marquent la limite ultime de la ville. Espacés tous les dix mètres, ils ressemblent à une armée de phallus au garde-à-vous. À leur base, pour matérialiser la frontière du dedans et du Dehors, un pointillé de diodes rouges qui court sur les deux cents kilomètres de circonférence de Cerclon : « les gouttes de sang d'une vie en pointillé, la nôtre », blague Capt. Je le revois dans ce bouge de métallos au fond de la nuit, avec

toutes ces bouteilles de brax brisées à ses pieds, sa voix cassée qui tintait dans les éclats de verre et ce brouillard de sons et de fumée que rien n'arrivait à percer... Et je le vois là, devant moi. Et je retrouve, par éclairs, quelque chose dont j'avais oublié depuis cinq mois jusqu'au nom : la joie de vivre. Amis ? Amants ? Peu importe ce qu'il veut en m'amenant ici. Peu importe ce qu'il adviendra de nous deux plus tard. Je le découvre et je devine seulement qu'il va me porter au-delà de moi-même. Et c'est tout ce que je veux.

> Le Dehors : avec son fouillis de cratères, sa terre rouge et ses rochers rares, je ne connaissais aucun paysage, même en crevassant ma mémoire, traquant ce que mon adolescence sur Terre y aurait pu graver, qui en égalait l'éclat brut et rugueux. Par comparaison, le dedans — Cerclon — cette coquette prison construite au compas, lisse et aplanie, notre bonne ville de Cerclon avec sa gravité constante, son oxygène homogénéiquement bleu qui suintait des turbines, ses tours sans opacité, ses avenues sans ombre, blanches de la peur des angles morts, Cerclon, petite enclave sur astéroïde inhabitable, petit miracle technologique pour vie humaine possible, je n'en avais jamais supporté la putride sagesse, encore moins l'architecture bonasse, cette ergonomie du confort, glissante et flasque, qui rendait les corps amorphes à force de facilité, à force d'évidence et d'humanité. Le Dehors était simplement la vérité de cet astéroïde : 99 % de sa surface. Le monde tel qu'il avait été, incohérent, âpre et vital, un sol à ridiculiser un siècle de topologie, une couleur de sang vieux, troublée de brume, de lèvre sombre, de vin lourd, avec cette mobilité du vent dans la poussière et cette apesanteur anarchique, qui vous montait parfois l'estomac à la gorge et qui vous faisait le pas leste.

Regarder le Dehors, rien de moins reposant, de plus éloigné de la contemplation tant l'atmosphère y était instable, le sol agité, les pierres en mouvement, la couleur incertaine. Pourtant, j'y puisais à chaque fois une sorte de paix, de joie active qui me poussait à y aller, quel que fût le danger, à y revenir et à y emmener ceux que j'aimais. Boule de Chat, je la connaissais à peine, mais j'avais très vite voulu l'embarquer. Ce soir, elle était bien là, comme elle l'avait promis. Venue. Nous nous retrouvions en tête à tête pour la première fois, un peu dans l'œil du cyclone, à se demander quand reviendrait la trombe, quoiqu'étrangement, je fusse moins anxieux que troublé par notre rencontre, en proie aux flottements de la séduction plus qu'à la peur du drone. Elle avait enlevé son casque, lâché ses cheveux mouillés de sueur et elle me souriait par moments, comme ça, par plaisir, avec sa bouche espiègle. Je ne crois pas que je lui plaisais. Je ne crois même pas qu'elle était venue pour moi. Mais à coup sûr elle avait trop longtemps fantasmé sur le Dehors et j'étais la seule personne, m'avait-elle dit, qui ait jamais accepté de risquer le passage avec elle.

> Je n'ai jamais été aussi proche d'y être. J'en ai mal au ventre tellement j'en ai envie. Je veux y courir toute nue, tout de suite, courir à en crever, loin, loin, le plus loin possible de cet anneau, jusqu'à m'enrouler dans l'épaisseur de la brume, là où ils disent qu'on ne respire plus sans avaler du feu, que ça flambe à l'intérieur, que ça te tapisse les bronches de Nox et que tu cales en spasme. Moi, je veux respirer cette brume, et Saturne, et cette clarté intacte du ciel qu'on nous a volée. Le Dehors, hein ? Personne ne veut y emmener personne. « Seul, on peut passer ; à deux, trop dangereux », ils plastronnent… Mais c'est un discours de rumeur et de lâches. Deux ennemis de Capt… Il est venu à mon concert. Nous avons été prendre un verre, puis deux, plusieurs, trop — assez pour passer une bonne soirée. Je l'ai harcelé pour qu'il m'avoue tout ce qu'il sait sur le Dehors. Et il en sait extraordinairement long. Il prépare une série de

cours sur l'Extériorité. À six heures du matin, il a brusquement sorti de sa veste un texte qui s'intitule *le dehors de toute chose* — ce texte qui fait que je suis là ce soir. Je l'ai gardé sur moi. Je le relis sans cesse. Si proche de lui, il me paraît, avec ce rythme coupé, cette guerre à coups de points. Ça commence comme ça — j'en connais des bribes entières :

« *Que Je ne soit pas un autre. Que jamais il ne le devienne. Voilà la stratégie de fond d'un gouvernement moderne.*

L'assignation à personnalité. chacun sait qu'elle commence au sortir du ventre de notre mère. avec l'acte de naissance. qu'elle découle du prénom et du nom. qu'elle s'inscrit dans le dossier psychologique. signe le livret scolaire. s'étire sur le parcours professionnel répertorié par ce Clastre qui nous hiérarchise tous et qui nous attribue place. case. et rang. et s'exhibe au bout sur la Carte. qui a fini par ramasser sur une simple puce l'ancienne et presque rassurante dispersion des pièces d'identité. du permis de conduire. du carnet de santé. des cartes de séjour. de travail. d'allocation. de crédit. et jusqu'au dossier professionnel. jusqu'au casier judiciaire. Épingler chacun à sa personnalité. À sa biographie archivée. À son identité claire et classée. Que l'on prend soin de prélever tout au long de notre vie. Sans violence mais sans fléchir. Voilà qui permet de fixer les têtes. n'est-ce pas. de les arrimer à elles-mêmes comme on visse le fou à sa folie — une folie savante de bulletin psychiatrique avec ses notes et ses normes. ses seuils minima *et* maxima. *ses moyennes et ses écarts à la moyenne… tout ce qu'un appareil rodé de savoir peut produire pour ordonner le désordre. Confisquer le rapport à soi dans l'épaisseur d'un dossier jamais clos. Vous dire qui vous avez été. comment vous êtes. et qui vous devrez être. Non pas mutiler. non pas opprimer ou réprimer l'individu comme on le crie si naïvement : le fabriquer. Le produire de toutes pièces. et*

pièce à pièce. Même pas ex nihilo *: à partir de vous-mêmes. de vos goûts. désirs et plaisirs ! Copie qu'on forme.
tout simplement.*

　　*Se libérer, ne croyez surtout pas que c'est être soi-même.
C'est s'inventer comme autre que soi. Autres matières :
flux, fluides, flammes… Autres formes : métamorphoses.
Déchirez la gangue qui scande "vous êtes ceci", "vous
êtes cela", "vous êtes…". Ne soyez rien : devenez sans
cesse. L'intériorité est un piège. L'individu ? Une camisole. Soyez toujours pour vous-mêmes votre dehors, le
dehors de toute chose. »*

　　— Salut Nevdb ! Rien mis en boîte ce soir ?
　　— Non. Trois radieux qui longeaient la Ligne vers
l'antirade, c'est tout.
　　— Tu les as entrés dans le Terminor ?
　　— Correct. J'en ai paramétré deux par le visage et j'ai
codebarré l'autre. C'est en route.
　　— C'est pas ceux du mois dernier, deux petits et un
cyborx avec le bras infecté ?
　　— Si, je crois que c'est ça.
　　— Alors, t'as perdu ton temps. Ils sont déjà banqués.
J'ai reçu l'écho ce matin : pas de prime. Ils sont hors
Clastre depuis cinq ans.
　　— Dans le doute…
　　— Surveille quand même les écrans 126 A et B :
ils couvrent le coin où il y a l'épave. Pas mal de gazés
essayent de passer par là. Ils sont un peu protégés par la
caisse, alors ils tentent leur chance…
　　— Tu t'occupes de la tranchée magnétique ? Il y a eu
une mise hors-tension aux tronçons 124 à 132, justement.
Un excès de vitesse apparemment.
　　— Ça presse pas…
　　— Si.
　　> Depuis dix minutes déjà, nous sommes bloqués sur
l'anneau. Par prudence, nous restons à côté du bobsleigh

en cas de réactivation. Capt veut à tout prix profiter de
l'accalmie pour me détailler à nouveau le quadrillage
optique qu'il va falloir déjouer, dès que nous aurons
atteint le tronçon 193 — le plus propice, d'après lui, à un
passage en douceur au Dehors. J'essaie de mémoriser.

— Penche-toi en avant, je t'explique (il débite l'ensemble à toute vitesse) : de ce côté de la barrière, nous
sommes sur l'anneau. L'anneau, c'est un vigiglisseur toutes les dix minutes. C'est deux cents caméras volantes,
une par kilomètre, et deux cents fixes. C'est enfin une
douzaine de délateurs potentiels, des obsédés qui font
trois tours de cercle par nuit, prêts à signaler tout ce qui
s'arrête plus de trente secondes sur cet anneau. OK ?

— OK.

— De l'autre côté, c'est le mur. Une turbine d'oxygène tous les cinquante mètres, comme tu l'entends. Pas
de caméra dedans. Mais si tu t'amuses à mettre le pied
sur la grille de projection du gaz, tu passes à la postérité
avec ta statue bleue toute faite — on n'a plus qu'à te
mettre sur un socle.

Il prend un caillou et le lance sur la turbine qui se
trouve en contrebas. Le caillou n'a même pas le temps
de toucher la grille : il rebondit sur le flux d'oxygène,
tournoie quelques secondes en l'air et se pulvérise.

— OK ?

— OK.

— Les poteaux de la Ligne : au sommet, une caméra
panoramique, modèle Arach 16, angle de prise à
150 degrés, pivotable entièrement, 10 degrés par seconde
— en 36 secondes, elle a fait le tour. Champ volumique :
deux mètres par dix par cinquante : à partir de cinquante
mètres dans le Dehors, tu es hors champ. OK ?

— OK.

— Bon, maintenant, juste devant la Ligne de diodes
rouges, il y a un rail. Sur ce rail passe une caméra glis-
seuse toutes les quarante secondes. On l'entend à peine

venir. Elle passe pile au moment où la panoramique est
orientée dos au mur — pour couvrir le mur, justement.
Enfin, dernier danger : les sinueuses. Ce sont des caméras volantes, des drones autoporteurs, certains scientifiques, les autres de surveillance, qui sillonnent toute la
nuit les abords de la Zone du Dehors. Ils peuvent passer n'importe quand, n'importe où, tourner, revenir, une
véritable torture... La seule chose à faire, en gros, est de
les abattre. Tu as tout retenu ?

— Comment on va passer ?

> Pour la centième fois, machinalement, je jetai un
regard en arrière. Mais avant même la vision, ce fut le
son qui m'avertit. Un grésillement enflé, paniquant, qui
montait de la piste et se propageait... La remise sous
tension électromagnétique... Au loin, derrière nous, à
peut-être cinq cents mètres, mais avec une netteté telle
qu'il semblait à portée de main, le drone s'était réac-
tivé. Il monta lentement au-dessus de la piste, délovant
ses câbles et, éclairant d'un seul jet tous ses faisceaux,
reprit sa position de vol... Boule sauta la première dans
le biplace. Je me jetai sur les commandes, enclenchai le
levier pour léviter... Rien.

— Démarre, qu'est-ce que tu fous ?

Je réenclenchai le levier, le poussai à fond vers le haut,
mais le bobsleigh resta inerte. Derrière nous, le drone
approchait...

— Démarre !

— Il est sous verrou magnétique ! Ils ont aimanté la
plaque !

— Passe en aéroporté !

Sans prendre le temps de dire merci, je cherchai du
pied droit la pédale, me rappelai que Slift était gau-
cher, la trouvai et l'enfonçai d'une ruade. Le vrombissement du bob sous la poussée, le souffle infernal, puis
la secousse — c'est tout ce dont je me souviens, avec la
sensation du drone à une encablure et la peur immaté-

rielle du rayon bleu, balayant, qui palpait nos casques volés, à la recherche d'un codebarre.

— Zigzague ! Sors de la tranchée ! Sors !

Boule continuait à crier des ordres par le canal court du casque et le son percutait mes tympans, et portait. D'un coup de volant, en augmentant l'aéroportance, j'arrachai le bobsleigh à la tranchée magnétique et partis dans de grands S glissés sur la largeur des six pistes de l'anneau, traqué par le drone, qui se calquait sur mes moindres écarts, comme s'il avait maintenant un repère, secret, qui l'aimantait sur ma trajectoire. Chroniquement ses faisceaux couvraient le bob et à chaque fois, il fallait gesticuler en hystérique, de façon inhumaine, avec des à-coups, torsions, saccades, des gestes improgrammables, indécomposables, pour fausser les cadrages d'identification qui se substituaient automatiquement à la lecture du code introuvable. Mais aussi pénible, ce traçage assidu du drone signifiait, à chaque nouveau balayage, qu'il n'avait pas réussi le précédent, et ça nous rassurait tout en nous glaçant. Boule n'ouvrait plus la bouche. Elle se concentrait sur ses gestes, et ses sursauts décalaient le bobsleigh, à chaque retour du drone. La prochaine sortie, à plus d'un kilomètre, à la pauvre vitesse qu'autorisait le coussin d'air, cette technologie de radieux nostalgique, était, si on s'acharnait à l'atteindre, la certitude d'être cadré pour de bon. Alors j'eus une idée. Une bonne. La première.

— Passe-moi le casque de rechange !

— Où ça ?

— Sous ton siège ! Je vais tenter un demi-tour ! Juste avant que je vire, tu lances le casque de toutes tes forces, loin devant ! Il est codebarré…

— Tu vas faire demi-tour sur l'anneau !!?

J'attendis que le drone soit calé derrière nous. J'adoptai pour quelques secondes une trajectoire rectiligne, puis — brusquement — je coupai l'aéroportance : le bob s'effondra sur l'asphalte de la piste 4. Tandis qu'il y raclait, très rudement, perdant en trente mètres toute sa vitesse, le drone nous passait en trombe au-dessus de la tête…

— Balance, Boule ! Maintenant !

Le casque de rechange fusa sur le sol et, avec l'élan du bob, s'en alla glisser sous les faisceaux du drone qui, immédiatement, s'y fixa : un codebarre, un bon codebarre, prioritaire sur logiciel…

Un coup de volant, tête-à-queue, demi-tour, je réenclenchai l'aéroportance et accélérai à fond, en sens inverse sur l'anneau. Pas un glisseur en face, pas un vaisseau, heureusement, à cette heure.

— Le drone fait demi-tour. Il nous suit !

— Je sais. Mais maintenant il ne nous rattrapera plus !

Le silence de Boule était sans équivoque. Elle se retenait de le hurler, mais il n'y avait aucune raison que le drone, sous dix secondes, ne soit pas à nouveau sur nous. Et elle avait diablement raison. Il ne nous lâcherait pas, jamais. En tout cas, tant que nous serions dans son champ opératoire, c'est-à-dire sur l'anneau… Remontant le périphérique à contresens, je plongeai résolument à la corde, avec à présent la ville endormie à ma droite, et à ma gauche, invisible à cause de l'inclinaison montante des pistes, le Dehors.

— Tu veux vraiment y aller, au Dehors, Boule ?

— Je veux !

— Par tous les moyens ?

— Tous !

— Alors sors tes ailes et branche le circuit d'ox dans ton casque. Nous y allons, princesse !

> Aussitôt dit, Capt ralentit et, comme un cinglé, il braque pleine gauche, perpendiculaire à la route ! Le bobsleigh coupe les bandes orangées de la piste 2, puis la 3, 4, 5, 6… remontant le tremplin naturel que forme la pente et il se dirige vers la tranchée magnétique — piste 7 — fonçant tout droit sur le petit muret qui la

protège ! Je n'ai pas le temps de crier. Je ferme les yeux.
On va s'écraser.

> Jamais je n'aurais tenté seul cette folie si Slift, avec
ce bob-là, ne l'avait déjà réussie tellement de fois qu'à
force de l'entendre, il avait fini par me convaincre que ce
n'était pas *absolument* dingue : « Tu traces droit devant,
dans le muret, plein pot. Tu enfles l'air dessous, ça fait
boum — comprimé — le bob décolle. Il saute le rail
comme une fleur et tu te retrouves six mètres au-dessus
du Dehors, en quasi-apesanteur. Après, tu tiens la gîte
avec tes cuisses, deux trois coups de reins pour rectifier,
tu gardes le bob bien à plat en l'air, il tombe doucement, t'amortis au coussin, bam, bam, bam, trois quatre
rebonds dans le sable et t'es posé. Saturne ! »

Ça se passa à peu près comme ça. Dans les grandes
largeurs... Je piquai en effet le bob sur le muret et je
poussai le volume d'air au maximum. Le bobsleigh gicla
par-dessus le rail et il fila d'un trait à travers les poteaux
de la ligne du Dehors, dans un silence époustouflant.

— Yaahah ! Superbe ! Tu vois ça, Boule ? C'est
splendide !

Ce fut splendide dix secondes... Le Dehors qui
s'ouvre, le sable ponçant la carrosserie et les étoiles furtives — et nous désinvoltes qui déclinions en souriant
sur notre trajectoire parabolique... BAM ! Lourdement,
le bob alunit sur la tranche et partit aussitôt en vrille
comme s'il voulait visser les nuages... Les arceaux !
— fermer la cage d'arceaux ! — à peine le temps d'y
penser que le bob s'était retourné, incontrôlable, il tour-
noyait, il spiralait dans l'espace, retombant et remontant, de rebond en rebond, sans vouloir s'arrêter...
Finalement, il s'échoua sur le flanc à un bon kilomètre
de la Ligne, dont les diodes rouges restaient visibles malgré la brume. Martelés aux épaules, salement secoués,
nous nous écroulâmes, Boule et moi, à plat dos dans le
sable, pour récupérer...

— Caméra 125 A ! (rien) ; 125 B ! (rien) ; 126 A ! (rien) ;
126 B ! (rien) ; Péricirculaire locale ! (La fameuse épave
du collègue : rien, — évidemment, les passeurs savent que
si on va surveiller un coin, c'est bien celui-là…) Volante
14 ! (deux glisseurs) ; Volante 15 ! (une voiture) ; Volante
16 ! Volante 17 ! (encore un excès de vitesse, rien à foutre,
tout est automatique…) ; Volante 58 ! Volante 102 !
— Touché !

> Dire que tout se jouait, face aux caméras, en quel-
ques secondes…

Tout ? Bien peu de choses en fin de compte : un bout
de main capté par une panoramique, un morceau de
regard à travers la visière… Et puis après ? La plupart
du temps, passeur habile ou pas, on ne s'en rendait même
pas compte. Notre œil brillait dans l'angle d'un écran et
l'écran dans la rétine d'un veilleur. Et après ? L'œil capturé était « banqué », comme ils disaient, c'est-à-dire gravé
sur noyau dur. On figeait le meilleur plan fixe ; on entrait
l'image dans le Terminor, module *identification*. Un cogi-
ciel de morphométrie mesurait notre œil dans toutes ses
dimensions : longueur, largeur, courbe de l'ellipse, nature
et équation de l'orbite… et rectifiait de lui-même les distorsions optiques dues au verre grossissant du casque.
Cette topographie micrométrique se trouvait ensuite
combinée avec l'analyse spectrale des couleurs, l'ensemble
converti en une carte chiffrée, la carte comparée aux sept
millions de paires d'yeux de Cerclon. L'identification du
passeur était — neuf fois sur dix — au bout… Et alors ?

Alors rien. On vous fusillait debout contre un mur ?
Une milice maquillait votre assassinat en suicide ? Vous
écopiez d'une amende ? d'un blâme ? d'un article ?
Non. Pénétrer dans la Zone du Dehors ne constituait
en rien un délit. J'avais fait faire les recherches par mes
étudiants : le Dehors, juridiquement, n'existait pas.

Ce qui ressortait des statistiques policières montrait un lien net entre aspiration au Dehors et délinquance : 84 % des délinquants questionnés reconnaissaient avoir pénétré au moins une fois dans le Dehors (contre 4 % parmi la population globale de Cerclon). Conséquence : le passeur était un délinquant potentiel. Corollaire : banquer tous les passeurs, les surveiller et les pister devait permettre de limiter, voire de juguler à sa source la délinquance. Pas besoin de barbelés, au contraire : il suffisait de nous laisser venir… L'architecture de la Ligne du Dehors remplissait, par sa légèreté même, ce rôle parfait de filtre-à-délinquant. Savant était le dosage symbolique qui, s'il stimulait l'infraction par la mise en scène d'une Limite (la Ligne), la rendait toutefois héroïque dans l'affrontement au quadrillage optique, lequel inspirait à tout passeur une terreur d'autant plus vicieuse qu'elle était abstraite. Savante était la stratégie policière que servait ce dosage symbolique : permettre, et mieux, rendre probable une infraction mineure pour repérer et isoler, au sein d'une population énorme, la petite portion d'individus qui, cédant à cette infraction sans conséquence, révélaient leurs dispositions rebelles et se désignaient par là comme délinquants potentiels pour des infractions futures à prévenir.

J'avais compris ces choses depuis cinq ans. Elles formaient même le socle d'un cours sur *Rendre probable : une catégorie majeure du pouvoir*, cours que mes collègues bien assis sur leur gros fessier kantien qualifiaient de paranoïde. Mais j'enculais ces dociles connards et je m'obstinais à défier la Ligne, comme si la franchir en toute conscience décuplait en moi la jouissance du passage. Boule se releva à mes côtés, brossant le sable orange sur sa combinaison, et sa voix coupa net mes réflexions.

— Qu'est-ce qu'on fait maintenant ?

— Ajuste bien ton casque et entraîne-toi à respirer avec. Ta bouteille te donne trois heures d'autonomie.

Normalement trois heures. Mais si tu te mets à respirer trop vite, si tu paniques, tu peux la vider en deux heures. Imagine que ça nous arrive au milieu du Dehors…

— Et alors ?

Avant que j'aie pu réagir, elle s'était envolée. Sans emphase : envolée ! Elle était partie en courant, toute à sa joie, oubliant complètement qu'avec une pesanteur divisée par dix, chaque foulée devenait un bond et chaque bond un vol !

— Fais attention aux rafales ! Si tu montes trop, tu peux te faire rabattre sur des blocs ! Te blesser ! Fais gaffe !

Autant être honnête : mon conseil n'eut pas plus d'écho qu'un clapotis dans le bocal de mon casque. Elle avait coupé sa transmission dans un rire et s'était enfuie, plus libre que jamais. Elle avait dû être gymnaste — et c'était encore une des choses que je découvrais, car après quelques essais pour jauger la gravité et la force du vent, elle enchaîna une série invraisemblable de roues, puis de sauts de main, qu'elle ponctua par des saltos arrière dont la rigueur m'impressionna. La plaine où nous avancions, bosselée de buttes, trouée de cratères, avec çà et là, comme jetés, des blocs de latérite qui rythmaient la voie, était une merveille lunaire, que la présence de Boule, avec son corps noir voltigeant, ne faisait qu'aviver. En m'élançant derrière elle, avec des bonds rasants, ricochant sur le sable comme une pierre ailée, j'avais l'impression de poursuivre une boule d'encre qui, de place en place, éteignait et rallumait la brume.

— Viens Capt, je vais te montrer ce que je sais faire !

Elle avait rétabli sa connexion. Elle m'attendait au pied de trois blocs d'à peu près six mètres de haut et assez proches les uns des autres.

— J'ai fait deux ans d'acrobatie quand j'étais au lycée…

— J'avais compris !

— Mate bien l'enchaînement et donne ta note à la fin !

Elle se mit dos au premier bloc et s'élança : saut périlleux arrière ! Je vis sa silhouette monter, pivoter impeccablement et retomber sur ses pieds au sommet du premier bloc. Je m'apprêtais à applaudir, mais déjà elle avait bondi — saut périlleux fluide cette fois — bras écartés — pour atterrir au sommet du second. Puis vrille souple en bouchon — placidement — du second au troisième bloc ! J'étais soufflé. Ses mouvements étaient élégants et facétieux, elle souriait, mutine, je ne pouvais pas la lâcher des yeux.

— Alors combien ?

— Euh... 8 !

— C'est tout ? Et toi, qu'est-ce que tu sais faire ?

— Footballeur !

— Vas-y ! Montre !

Je pris deux pierres assez rondes et les laissai tomber sur mes pieds. Et je commençai à jongler, pied droit, pied gauche, cuisse, amorti de la poitrine avec en prime quelques ailes-de-pigeon, sous le regard intrigué de Boule. Jongler avec des cailloux était naturellement impossible en gravité terrestre, sauf à se blesser, mais dans le Dehors, c'était comme jouer avec des balles de tennis, avec en plus cette facilité de la lenteur de chute qui permettait de frimer. Boule redescendit. Malgré les cachets de gravis qu'elle avait pris, ses viscères étaient sérieusement brassés. Elle avait des vertiges, mais ça allait. Plutôt bien même pour quelqu'un qui n'avait jamais connu l'apesanteur. Elle était surexcitée et voulait jouer à tout ce qu'on jouait avec Kamio, Obffs ou Slift. Mais le temps passait. Il fallait avancer. Elle s'y résigna dans un désarmant sourire.

— Où m'emmènes-tu, chevalier ? En haut de cette montagne ?

— Oui, mais j'ai changé l'itinéraire. Nous allons accéder au massif par la voie la plus dure, qui est aussi la plus belle. Je tiens à te faire découvrir la plus incroyable merveille naturelle que tu aies jamais vue.

— Quelle est cette merveille, chevalier ?

— Toi.

Elle rougit, brève et délicieuse. Et se reprend vite.

— Ne parle que de ce que tu connais….Quelle est cette merveille ?

— La rivière de pierre.

— La quoi ?

> Je n'insiste pas. Je n'arrive pas à me former la moindre image de ce qu'il veut me montrer, mais le nom me suffit, terreux comme ça, médiéval. Il m'indique la direction et je marche en tête. Nous tournons tout à fait le dos à Cerclon. À la distance où nous sommes à présent, le halo électrique de la ville ne porte plus. Rien désormais ne peut nous rappeler la civilisation, ni même qu'elle ait existé. Sans oser l'avouer à Capt, je me sens plus qu'étrange. L'effet de l'apesanteur ou trop d'ox dans le casque ? J'ai des vertiges assez prodigieux qui me tourbillonnent le cœur, comme si saoule, avec du tangage dedans la tête… Impression de lever, de pas pouvoir longtemps rester en terre, car remplie de gaz, diluée au mètre cube, que je suis… Ce que je découvre n'aide pas… on bouffe de l'orange de nuage et tout le temps des trous inclinés, de la cuvette de roc, du bloc en touffe, poussé du sable, pas trop stable quand t'y regardes de près ? Quand c'est dallé, ça tinte sous la botte en phonolithe, par endroit fendu profond, du brut d'impact, ou les cratères qui se décalent qui baissent qui montent ? Je sens par instant fondre le verre qui sépare réel/irréel et je perds du repère, trop pour ne pas me marrer… et vouloir aller au bout… Si massif, viril, tout ici, dans le pétrifié solide, en même temps vapeur et plume… de chez fluctue… Nous nous enfonçons dans le Dehors… ça j'ai vu… droit devant… que le danger est plus palpable, plus excitant, *now*. De la baie écrasée… cette terre rouge profonde… cette brume de mandarine évaporée… d'orange brûlée… j'en ai envie comme d'un fruit… j'en ai une faim qui me fait mouiller de la bouche…

> Boule s'arrêta un instant. Puis je la vis valser salement, en longs pas chassés, et se mettre à courir jusqu'à
une dune de sable qui se décalait, doucement, sous les
bourrasques, assez loin devant nous. Je crus d'abord
qu'elle était tombée. Qu'elle avait buté sur une pierre
puisque je ne la vis soudain plus. Je n'entr'aperçus ensuite
qu'une forme tourneboulant dans le sable comme un
chaton devenu furieux jouant avec sa queue, pris de courtes détentes et de convulsions, sauvagerie et souplesse
enlacées, et je compris qu'il se passait quelque chose
d'extrême qui la transperçait. J'étais resté trop loin : cent
mètres peut-être pour pouvoir voir, pouvoir comprendre.
Je me précipitais et j'allais bientôt la rejoindre lorsque je
fus stoppé net par une vision fulgurante : elle était nue !
Intégralement.

Le sable, maintenant étale, s'était tu… Et elle s'était
levée. Sa silhouette animale flamboyait debout, son
corps serti dans un mur d'étoiles, avec sa poitrine de
haute pomme qui les provoquait en silence. Vénus. Elle
ne bougeait pour ainsi dire plus, altière à l'égal d'une statue, mais son marbre avait des frissonnements de fauve,
seulement perceptibles à ce que frémissaient ses seins et
le creux de son ventre sous l'afflux d'air qui l'emplissait.

Je ne réalisai rien. Ni qu'elle avait enlevé son casque
et qu'en deux ou trois minutes à ce rythme de longue
inspiration qu'elle avait pris elle serait tout à fait roide,
ni qu'elle s'était mise nue devant moi alors que je la
connaissais à peine, ni qu'une sinueuse pouvait passer à
ce moment-là et encore moins que cette fille était, enfin
quoi, avec un recul minimum, c'eût été évident : cette
fille était illuminée !

Je me plantai là, arbre de peu. Ses cheveux, d'eux-
mêmes semblaient s'être déliés et ils ruisselaient sur sa
nuque et ses épaules nues. Instinctivement, je fis glisser
la visière de mon casque, et la laissai ouverte comme on
laisse entrer. J'oubliai… Pourquoi j'étais là, qui elle était,

où j'allais, ce que faisaient nos deux corps au milieu de
nulle part par une nuit de Saturne plein — et tous ces
autres repères pour paumés de l'existence, religieux, bou-
lets geignards et cervelets mous… J'oubliai… Respiration
en suspens. Je ne vivais plus que pour cette forme qui
avait comme émergé d'entre les nuages pour venir se
poser là, pur aérolithe de grâce dont la courte verticalité,
coupant l'étendue qui se défroissait au regard, pouvait
seule, par sa délicate présence, donner sens à l'espace.

Ne songeais pas à l'appeler, plus à l'approcher, moins
encore à la toucher tant le paysage, autour d'elle, d'une
manière presque palpable, s'apprivoisait à ses formes,
en lui jetant sur les épaules comme des draps de brume.
Une chose, seule, tournait en moi, sans que je réagisse
encore, ni ne puisse rien : que l'excès qui la projetait
cette nuit à la crête de son existence, là où l'on joue sa
vie, où l'intensité des sens, poussée à l'extrême, devient
incandescence — et brûle tout, que cet excès, si beau,
elle sache y survivre.

Une bourrasque, il y eut. Puis deux. Trois. Plusieurs
bourrasques se succédant, à mesure plus toxiques. Elles
venaient face à nous, du Dehors long, chargées de Nox
et de mort. Sur l'horizon, la blanche torche fut soufflée
comme une bougie. Le rêve s'effaça.

> … je respire, ça y est, je respire, quelqu'un — c'est
Capt, je le vois maintenant — m'a retrouvé mon casque…
il me remet ma combinaison… je sens ses mains chaudes
qui me font du bien sur ma peau… combinaison remise,
je n'ai plus froid… plus… j'aspire, j'avale de l'air bon
dans la trachée… je relève la tête… tout est couvert de
neige… puis ça passe… ça fond de partout… les couleurs
des fruits reviennent…

— Qu'est-ce… ? Tu as eu un vertige ?

— Je sais pas. Je ne sentais plus rien… J'étais en feu
de haut en bas… Si tu n'avais pas été là, je crois bien
que…:

— Aucun risque… Je ne t'aurais pas laissée mourir après ce que tu m'as montré…

— Montré ? Moi ? Tu veux parler de *quoi* en particulier ?

> Je vis l'éclat coquin de ses prunelles bleues et vertes briller à travers la visière du casque. J'étais décontenancé par son alliage d'ironie et de candeur, par ce qu'elle allumait et douchait d'un mot, farouche au moment même où elle semblait s'ouvrir. Elle mit sa main dans la mienne et me tira pour avancer plus loin, vers la rivière de pierre. Elle avait déjà récupéré. J'étais plus qu'excité. Ça s'annonçait… bien ? Mieux sans doute que je ne l'aurais cru.

— Toujours rien, Nevdb ?

— Rien du tout.

— Et vers l'épave ?

— L'épave, l'épave ! Les passeurs sont pas plus lobotomes que nous, mec. Si tu connais un peu la Ligne, tu sais qu'il y a trois passages à peu près jouables : l'épave, l'hexaturbine du secteur 1 et la zone derrière le Cube, là où c'est tellement radioactif que l'image saute tout le temps. Mais ces zones-là, ils se doutent bien qu'on va les surveiller en premier. Et surtout l'épave qui est la plus tranquille…

— J'suis pas sûr. Ils s'disent peut-être aussi que justement on pense qu'ils n'oseront pas passer par là. Va savoir !

— Va save, ouais. De toute façon, je vais faire tourner une sinueuse par là-bas, on verra bien.

— Tu veux que j'la programme ?

— Non, non, je vais la piloter en manuel, ça m'occupera les mains.

— Et ça t'évitera la tripote !

La marche jusqu'à la rivière devait durer une demi-heure. C'était le temps que je mettais avec Slift — plus

avec Kamio parce que Kamio adorait le sable de cette
zone et en ramenait toujours quelques sacs écarlates
pour les jeter sur ses tableaux-dalles, sa fameuse série
des « hors de ». Elle se fit en silence. L'intensité de ce qui
s'était passé nous surplombait. De la hauteur où elle nous
avait soulevés, nos corps d'après paraissaient petits et nos
gestes étriqués. Quant aux mots, en agiter la poussière me
semblait plus que vain, non qu'ils manquassent en moi
pour exprimer ce que j'éprouvais, mais plutôt par l'excès
de ceux qui me montaient du ventre, noués comme des
pelotes de fils que ma langue n'aurait su délier.

J'avais tellement de souvenirs qui me prenaient à la
gorge ici... Quand j'étais venu seul, la première fois,
et que je fouillais tous les rochers un peu hauts pour
y débusquer les caméras que mon imaginaire y avait
mises ; la nuit où nous nous étions complètement enterrés dans le sable avec Slift, pour déjouer une sinueuse ;
celle où Kamio et moi avions gravé dans la terre, à la
barre de fer, avec des lettres de dix mètres de long :
« LA VOLTE RESPIRE ICI » — c'était resté
bien une semaine, ça se voyait du périphérique et ils
l'avaient même filmé pour *l'Événement* afin d'alarmer
les familles. Et toutes ces fois où j'avais essayé de respirer sans masque, où j'avais hurlé ma révolte du haut
des collines, toutes ces nuits à discuter du cosmos avec
Cerclon, Saturne et les bolides célestes pour modèle...
La mémoire de mes joies se conservait en suspens dans
les particules de la brume et la brume, à chaque raid,
me rappelait à moi, à ma révolte fondamentale, à ma
viscérale liberté. Le Dehors, c'était chez moi... (Non !
Pas « Mon Jardin » ! Le jardin, ce carré nostalgique,
gazonné à la terrienne, pour bourges du secteur 2, avec
ses martiens télétondeurs, c'était précisément la conception de l'Espace que je haïssais par-dessus tout : espace
à soi, acheté-volé, qui mimait la liberté sur dix mètres
par dix, en la tuant). La noblesse du Dehors venait de

sa démesure même. Qui pouvait dire « Mon Dehors » ?
Personne. Sauf à rire. Le Dehors ne pouvait appartenir à quiconque et le gouvernement lui-même n'avait
jamais songé à se l'approprier. Trop immense, trop changeant, trop violent : ingérable. Une vraie sauvagerie de
rocs, d'éclats d'aérolithes et de cratères brisés à coups
de météores, avec des dalles saignées au sable sec, des
collines brutes striées au râteau des vents cosmiques et,
face au ciel, les crêtes, déchiquetées d'ammoniac et de
gel. Espaces perdus… Le Dehors était irrécupérable :
à cause des ouragans cosmiques, à cause des pluies de
météores incessantes, à cause des vapeurs de Nox… à
cause de tout. Les sondes de cartographie que le gouvernement y lançait régulièrement ne revenaient généralement pas, soit que le Nox les bouffât aux trois quarts, que
les trombes de vent les projetassent au sol, soit qu'on
ne savait pas trop… Celles qui revenaient donnaient de
toute façon des cartes inutilisables. La définition la plus
claire que les pouvoirs avaient finalement donnée au
Dehors tenait en un mot : Zone. Et ce mot était le grand
sac qui enveloppait tout, qui ne cherchait surtout pas à
décomposer cette complexité mouvante de formes et
de forces qui, au reste, faisait peur. La Zone du Dehors,
c'était simplement ce qui n'était pas Cerclon : un non-
Cerclon si l'on voulait. Un non-lieu… un non-lieu pour
tous les délinquants, les tueurs et les fous furieux. Pour
tous les voltés dont j'étais.

Ici régnait l'espace, le désert minéral sans bordure, une
immensité qui ne prenait humaine dimension que par la
trace, précaire, des pas — et le mouvement. Arpenter.
Vagabonder, bondir, vagabondir pour exister ! Chaque
fois que j'y retournais, que je m'enfonçais à travers les
nappes, quelque chose sortait de la brume pour me dire
que c'était là que j'habitais, là que je deviendrais ce
que j'étais, que c'était là que mon âme rouge flotterait
toujours.

II

Hors de moi

— Qu'est-ce que c'est que ce bruit ?
> Capt ne me répond pas. Il a un petit rire.
— Qu'est-ce que c'est ?

Depuis que nous longeons le piémont du massif, la brume est revenue, plus épaisse que jamais, au point qu'il est impossible, à plus de vingt mètres, de rien distinguer hormis, lorsqu'ils surgissent, les boulders. Des troncs d'ogre pétrifiés. De repères ne subsiste que ce bruit, qui se colporte au gré du vent par bribes croissantes, ce fracas, clair et lourd, de tambour réverbéré, qui roule là-bas en s'assourdissant, avant de s'élever à nouveau, par vagues, avec d'étranges chocs flaqués. Plus nous avançons, plus nous approchons de cette source grondante qui nous résonne dans les casques. Ça ne ressemble à rien de connu, vraiment. C'est un son continu et profond, trop vivant pour être celui d'un moteur, trop heurté pour être une rivière. Quelque chose du troupeau de bêtes des reportages terriens, comme si les boulders s'étaient remis en marche du fond de la planète, fracturant la croûte lunaire — et qu'ils fonçaient vers nous en rhinocéros de pierre. Le vent a singulièrement forci et la brume part maintenant en lambeaux, éclaircissant l'espace. Devant nous, une dépression de terrain, d'où voltige une sorte d'écume de latérite. Le bruit n'a jamais été aussi net.

— Approche-toi de la rive, Boule, mais évite de te baigner !

J'avance jusqu'au bord de ce qui pourrait être une digue et je regarde en bas. Il me faut de longues secondes pour réaliser vraiment ce que je suis en train de voir. Il y a là, à cinq mètres sous mes pieds, au beau milieu de ce qu'il faut bien appeler le lit d'une rivière, une terrible masse de choses qui… coulent, oui, qui descendent sous le vent, mais avec une lenteur… Comparable à un torrent, mais sans eau : un flot strictement minéral, de graviers secs et d'éclats de pierres, avec du sable qui flue à travers, en manière de liant. Bou-dou-boum-cha-ga-dac, ça fait, avec de longs passages de basse où les blocs roulent dans le sable et soudain la caisse claire quand les galets cassent… Dans les coudes dallés, les graviers rissolent sur la roche et débordent… Il n'y a pas à proprement parler de berge en face et les pierres suivent surtout une ligne de vent, en creusant leur propre lit.

— La rivière de pierre… Elle vient des montagnes… Nous allons la remonter jusqu'à sa source…

— Et si on la descendait ? Tout au bout ! Pour voir où elle va !

— Elle ne va nulle part. Avec Kamio, nous l'avons longée toute une nuit vers l'aval. Elle se perd dans le désert. Elle n'a jamais trouvé sa mer.

> Nous remontâmes donc la rivière, à contrevent, dans un blizzard rouge de latérite dont les grains tintaient sur nos casques, jusqu'au canyon qui entaillait le massif. Entre Boule et moi, ce fut un moment magnifique parce que nous faisions des sauts croisés d'une berge à l'autre, déviés par le vent, sans craindre les éclats aux tibias et que nous remontions ainsi sans y penser, pris à notre jeu, en ne quittant pas des yeux et des oreilles cette rivière de brique et de poudre rouillée qui poussait sans hâte sa rocaille comme les dés d'un gobelet. Mal équarris, roulés tel quels, les quartiers de pierre guerroyaient dans une

cavalcade suspendue, pleine de répit, que crevait leur entre-choc, sous nos pieds. En pénétrant entre les hautes murailles du canyon, je forçai Boule à se plaquer contre la paroi. La pente s'accusant, la rivière devenait torrent et les blocs, quoique chutant lentement, étaient bien plus lourds — suffisamment pour que dans l'étroitesse du défilé, la probabilité de se faire broyer la colonne passe le seuil mineur.

— Tu as vu la cascade là-haut ?

— Oui. Ce n'est pas là qu'on va passer !?

— Nous allons escalader la paroi à partir d'ici, sans trop s'approcher. Il arrive que des rafales projettent les pierres très loin, alors autant être prudent.

— Capt…

— Oui ?

— La falaise fait bien cent mètres…

— Cent cinquante mètres.

— Nous n'avons même pas de corde ! Tu crois que…

— Ici, ton corps pèse six kilos, tu saisis ? Si tu chutes de trente mètres, c'est comme si tu tombais de trois mètres… Et encore, tu as dix fois le temps de te rattraper ! Les risques sont minuscules. Et puis tu vas voir : dans un quart d'heure, nous sommes en haut !

— D'accord, pas de problème !

> Je ne suis pas trop rassurée. Tout là-haut, la cataracte de pierres se déverse dans le canyon. Des blocs de la taille d'un glisseur font trembler la terre sous leur impact… Ça fait vibrer les cuisses…

> Je la regardais se tendre. Suggestive, sa combinaison noir fasciste laissait deviner son corps contre le tissu frotter et je me figurais sa nudité de nacre s'y exciter. Un lambeau de poème s'agitait : « Je te rêverais suintante, éclatante de mouille, avec mon sexe souple sinuant comme un doigt et, pour caresse, le frôlement de nos paumes déferlantes en drapeau. » Entrouvertes, je pressentais ses lèvres, sa bouche humide écartée dans

la mienne, et bientôt dégorgeante de houle… Je bandais
à ne plus savoir où la ranger. Respirant à fond, je me
décidai à grimper en tête pour ne plus sentir ses seins
nus s'agacer sur la toile qui l'effleurait…

Lorsque j'atteignis le sommet, ce fut comme toujours
l'éblouissement. Du plateau, le panorama se déployait
à trois cent soixante degrés alentour. L'immensité du
Dehors, de cette face cachée qu'à cause du massif on ne
pouvait voir de Cerclon, s'offrait enfin à nous. Le vrai
Dehors, c'était, le pur. Celui qu'aucun regard ne souillait,
qui broyait les sondes d'une main… Celui qu'on ne
coloniserait jamais… Du côté de la civilisation, je me
mis à scruter la mer de brouillard. On ne distinguait
rien. À peine les boulevards et l'anneau vacillaient-ils
par moments et mêlaient leurs fleuves de bougie dans le
lointain… Quelques sinueuses se bousillaient les projecteurs à serpenter dans l'ammoniac… Elles erraient sans
but, au hasard… Elles paraissaient perdues…

> Je m'en souviens maintenant : dans mes rêves, le
Dehors était une vaste plaine de sable et de vent où
les pierres se soulevaient d'elles-mêmes, flottaient…
et parfois, des gens passaient et essayaient de les attra-
per avec des épuisettes. Drôle de vision, tant ce que je
découvre à présent frôle l'hallucination…

— Capt, d'où viennent toutes ces pierres ? C'est incroyable ! Qu'est-ce qui alimente ce lac ? Où est la source ?

— Là-haut. Dans le cosmos. Toutes ces pierres sont
des météorites…

— Mais elles devraient fondre dans l'atmosphère en
entrant…

— Certaines fondent. Mais l'atmosphère est mince ici.
On est loin du bon matelas d'ox de Cerclon !

— Et qu'est-ce qu'on voit là-bas, en direction de
Jupiter, ces espèces de…

— Ça n'a pas de nom. Kamio appelle ça le Nakkarst.
Au-delà on entre dans l'invivable. Pyrite Square. Le

champ magnétique est si puissant qu'aucun drone n'est jamais parvenu à en sortir. Ils sont littéralement aimantés au sol. Du minerai pur. Des métaux qu'on ne sait même pas analyser.

Fascinée, je fais quelques pas pour tenter de me fondre dans ce monde, d'acclimater en moi sa présence brute, jusqu'à la ressentir aux os. Au premier plan s'étend un lac de blocaille, qui vibre, sans raison. Il occupe un vaste cratère peu creusé dans lequel, sans cesse, par séries, pleuvent des pierres, en foudre lente.

> Boule de Chat se tenait au bord de la falaise, immobile. Elle dégageait cette même intensité, cette même présence de fauve souple qui m'avait tant impressionnée. Ses formes crevaient la combinaison. J'avais une furieuse envie d'elle. Je m'approchai, sans certitudes autres que la splendeur du moment, l'élégance du lieu et l'évidence de mes sensations. Sous sa nuque, je glissai timidement ma main… Je la sentis onduler sous la caresse… Sans même se retourner, elle fit glisser d'un geste net — presque brusque — la combinaison de ses épaules, dégageant tout entier son buste et m'amenant à prendre fermement ses seins au creux de mes paumes. Un peu vite pour mes rêves, nous nous retrouvâmes allongés sur le sable frais du Dehors. Et nous le fîmes. Au bord du lac de pierre, avec le roulement entêtant des blocs et l'écho des fracas dans la coulée pétrique. Ce fut… érotique ? Difficile à dire… Il y eut beaucoup de coups de casque qui nous firent beaucoup rire, et à peine si je voyais son visage à travers ma visière, sa bouche qui m'excitait tant et que je ne pouvais prendre ou goûter. Nos corps rebondissaient sur le sable de temps à autre, virevoltaient au-dessus du sol, se lovaient dans les airs et retombaient mais j'adorais cette sensation de n'avoir plus de poids, de pouvoir la soulever, de la caresser suspendue, frémissante et de tourner autour d'elle fluide et sans butée — et j'entendais ses cris, dans mon

casque, ses gémissements qui coulaient en moi comme une eau. Au moment où elle me sentit jouir, elle se retira pour voir mon sperme flotter dans l'espace comme un sirop, se sphériser, et partir au goutte à goutte sous les bourrasques.

— Alors, ta sinueuse, qu'est-ce ça donne ?

— Ta putain d'intuition était bonne. Regarde.

— Quel écran ?

— Minute, je zérote. J'l'ai faite tourner derrière la Ligne, vers l'épave. J'ai zoomé à 400. Regarde.

— Ah ouais, c'est net. C'est des traces fraîches ?

— Je veux ! C'est de ce soir, vers 3 heures.

— C'est à combien de la Ligne ?

— 1 240 mètres. Mais j'ai essayé de les remonter jusqu'à la Ligne. Ça ne part pas de l'épave. Du coup, y a un gros hic que je pige pas…

— Quoi ?

— 126 A ! 126 B ! Voilà. Observe bien le sol. Si tu vois quelque chose, tu me dis parce que moi j'ai regardé dix fois et je vois rien : pas de trace de pas, que dal ! Je veux bien qu'il y ait du vent ! Mais comment ça se fait que les pas ne commencent qu'à un kilomètre ?

— Tu veux que je te dise ?

— Vas-y.

— On voit que tu débutes, mon pote. Y a des gars malins, quand ils passent, ils traînent une planche avec des ficelles pour effacer les marques sur le sable. Toi, tu vois que du feu, c'est tout lisse. Quand ils sont assez loin, ils planquent leur planche et ils sont peinards. Tu percutes ?

> Assise, le dos contre sa poitrine, je contemple, ahurie, ce lac où pleuvent les bolides, attirés du cosmos par on ne sait quelle force mal connue des scientifiques. Dès qu'elles touchent le cratère — chlac ! — les météorites

éclatent en cinq quartiers, bilboquant vers le haut puis elles retombent lentement comme une grêle, débaroulant rebond après rebond l'entonnoir de la rivière. Elles finissent par enfouir leur grumeau dans ce flot ininterrompu de cailloutis, de sable et de poussière que la pente et le vent propulsent jusqu'au bord du plateau — bord d'où le torrent minéral plonge enfin dans le vide — et le silence — en une prodigieuse cascade parabolique. Je suis des yeux chaque bolide et pour chacun, comme me l'a suggéré Capt, je fais un vœu. Mais à la vitesse où les aérolithes tombent, j'ai fait des vœux pour cinquante ans ! Et le seul qui compte en ce moment — que Capt m'aime pour autre chose que mon corps — je l'ai fait plus de dix fois ! Je voudrais qu'il me recherche, qu'il me croie digne d'un partage de fond, pas seulement de sensations, pas uniquement. Alors je reviens vers la parole et les mots :

— Parle-moi du Dehors… Parle-moi de ce que tu ressens quand tu viens ici… Qu'est-ce que tu viens y trouver…

> Je me décale, sorti de la grâce de l'instant, la question m'énerve, elle suinte une forme de journalisme fouinard bien que j'y sente autre chose aussi, sous la voix de Boule. Finalement, j'avale, nerveux, une bouffée d'ox et ça sort comme d'un cours, dense et calé, comme si ce concept de dehors, tellement ventral pour moi, je ne pouvais en parler qu'avec distance.

— Ce qui est certain, c'est que le Dehors, je ne viens pas le visiter comme un parc, pour y faire une balade ! Je viens le chercher *en moi, ici*, parce qu'il est d'abord en nous, avant d'être cette sauvagerie qui nous donne le goût d'être et de nous battre ! Le Dehors, c'est l'intime vent, court, vif, qui flue au fond de nos tripes. Il circule en nous, il serpente entre tous nos atomes de matière, accélère, décélère, jaillit, donne du rythme, agite ! Et la matière cherche à le calmer, à le mettre en cellule,

veut le bloquer, le fait buter. Elle fixe. Elle assigne. Si
elle bouge, c'est comme le sang, par les réseaux établis.
Alors que le Dehors, qui vient de nulle part, eh bien
va partout, court-circuite les réseaux, il lie ce qui ne l'a
jamais été : les reins aux seins, la bouche aux mains, les
mains au monde… Il nous aère. Il nous troue le ventre,
le cœur. Creuse le crâne. Et chaque fois qu'un vide se
fait, que ça se déchire du dedans pour s'ouvrir, même
un tout petit peu, alors passe un vent, quelque chose
fuit, qui fait appel d'air, ça vit. Ce que je viens chercher
ici, c'est cette sensation que l'espace prolifère en moi,
comme un cancer qui ferait sa propre place, avec de
l'air. Le Dehors entre, m'ouvre, il météorise, il oxygène
et ainsi se forme la pensée, ainsi la sensation, lorsqu'elle
est neuve ou inouïe.

— Et ça vient à chaque fois ?

— Quoi ?

— Chaque fois que tu viens ici, des nouvelles idées te
viennent, des émotions que tu n'avais jamais eues ?

> Il se calme et me regarde avec une grande douceur,
comme s'il était subitement épaté que je sois là, sidéré
de n'être pas seul.

— Non. La rivière même, il m'arrive de ne plus être
capable d'y trouver le moindre intérêt. « Déjà vu vingt
fois », je me dis, même si le bruit me surprend à chaque
fois. Il faudrait pouvoir sans cesse s'articuler avec l'extérieur, comme toi. Se déloger à coups de latte de son
égocentre et de ses petits soucis — bondir hors de soi. Je
suis « hors de moi », la plus belle des expressions. Colère
et ouverture. Toi tu y arrives, je crois, parce que tes désirs
sont en prise avec la face fluide des choses. Ton corps vit,
échange. Tout peut y entrer et sortir.

— Tu ne te sens pas comme ça, toi ?

— J'aimerais l'être, Boule, j'aimerais. Je le deviendrai
peut-être. Mais un devenir pareil est l'œuvre d'une vie,
si tu veux à la fois *comprendre* et *sentir*. Je crois être

doué pour *comprendre*, moins pour sentir. J'essaie pourtant, j'essaie vraiment de recevoir toutes ces forces, ici, tout ce que je peux saisir : Saturne et le soleil, les blocs, l'ox froid, la couleur orange, le sable, n'importe quoi, j'essaie — et toi bien sûr, toi que je découvre avec tes sourires, tes yeux qui flottent, tes gestes et tes bonds, ta chaleur. J'essaie d'accueillir. Accueillir ce que dégagent les gens, un étudiant, ce qui sort d'un livre ou d'un comédien sur une scène, d'un moteur… Mais tous ces flux arrivent en nous gorgés de pouvoirs, chargés de savoirs et il faut sans cesse s'orpailler de l'intérieur pour ne pas s'encrasser. Et garder les pépites pourtant, puisqu'on a aussi cette poudre d'or dans le sang.

— Tu crois que…

— Et tout cela n'est rien, parce qu'on donne aussi. Qu'on agit. Parce qu'on se bat. Parce que je suis en guerre et que chacune de mes actions donne des prises aux pouvoirs, peut leur permettre de m'empoigner et de me coucher, leur permettre de me récupérer. Alors mes Dehors restent un peu dans leurs sacs de peau, Boule, je te l'avoue… Je ne les compose que par bribes avec les forces vives, avec ceux que j'aime, avec le cosmos. Je me méfie… C'est la tristesse de notre monde : devoir se méfier. Savoir que toute liberté est aliénable à notre insu, toute liberté en sursis. Pas parce qu'un flic t'attendrait à chaque coin de rue pour te jeter en prison. Plutôt parce que tout le monde est devenu un peu flic : les mômes, les parents, les amis… les amants… Notre démocratie, peut-être qu'elle est réussie en cela : tout le monde un peu flic, il n'y a plus de monopole réel du flicage. Mais tout le monde si modestement, si petitement, que personne n'est vraiment à abattre — mais personne ne sent vraiment bon non plus.

Il se relève avec lenteur, pose sa main sur mes épaules et dit :

— Il faut qu'on rentre.

— On prend le même chemin ?

— Surtout pas. Les sinueuses scannent les empreintes dans le sable. Si nous revenons par le même chemin, nous sommes sûrs d'en trouver une qui nous attend, voire toute une escadre…

— Ils ne peuvent rien contre nous, de toute façon. Ce qu'on fait n'est pas illégal.

— Illégal, non. Simplement *anormal*. Ce qui est bien pire.

— On va faire une boucle ?

— Oui, c'est un peu long mais ça descend en pente douce. Après, on file en arc de cercle et on termine à un kilomètre de l'épave. Ta jauge est à combien ?

— Une heure dix.

— La mienne aussi. C'est un peu juste, mais ça ira. On devrait mettre une heure.

Capt part devant. Le chemin longe l'à-pic qui domine le Dehors et je marche presque en crabe pour ne pas le quitter des yeux. Je les ferme toutefois par moments pour m'assurer que le paysage demeure en moi, que, revenue dans Cerclon, quelque éclat de sa grandeur continuera à y étinceler. Assez rapidement, nous quittons le cratère, passons un col et commençons à redescendre jusqu'à la plaine.

> Je craignais le retour. Il était rare qu'une sinueuse ne coupe nos traces de l'aller et, le faisait-elle, qu'un vigile la reprenait en manuel pour la faire tournoyer tel un vautour autour du périmètre repéré. Mon expérience sur ce point demeurait jusqu'à présent marquée par la chance : sur la vingtaine de raids que j'avais risqués dans le Dehors, je n'avais été intercepté que deux fois. La première avec Slift, près d'une dune de sable où nous avions juste eu le temps d'ensevelir nos corps ; la seconde seul, au milieu de la plaine, la sinueuse fondant sur moi en ligne droite, à basse altitude. J'avais attendu qu'elle fût à une cinquantaine de mètres de moi, l'œil dans la visée laser, qui suivait

le réacteur droit. Une balle avait suffi : l'aileron s'était déchiqueté en vol. La sinueuse s'était mise à tourner sur elle-même, avait eu plusieurs soubresauts spiralés, puis s'était écrasée en feuille morte sur le sol. Je me trouvais à trois cents mètres de la Ligne. Je me souvenais avoir sprinté comme un fou, sauté la Ligne, récupéré mon glisseur et fusé à deux cents sur l'anneau, priant pour qu'une volante ne me rattrapât pas et ne figeât définitivement mon visage dans la banque « population dangereuse » du Terminor (je ne connaissais pas le nom exact. Peut-être était-ce « délinquants potentiels », « sursitaires », « individus à coefficient de dangerosité supérieur à 18,4 »…) Peu importe : l'idée était que j'entrais dans la catégorie des gens sur écoute et filature vidéo et que, tôt ou tard, ce « suivi personnalisé » déboucherait sur le désastre : la découverte de mon activisme politique — et très vite de mon rôle majeur dans la Volte.

Mais cela encore n'était rien, c'était la rançon de la lutte. Je l'acceptais. Parce que les services d'investigation, avec leur subtilité retorse, ne m'arrêteraient pas tout de suite. Ils savaient attendre. Ils attendraient. En tant que meneur de la Volte, j'étais le code qui décryptait tous les sas qu'ils souhaitaient voir s'ouvrir. Ils passeraient en filature 24/24… Ils doubleraient ma vie de l'épaisseur d'un film, cousu dans mon dos, me suivant à mon insu, et, de fil en aiguille, ils remonteraient à travers moi jusqu'au cœur de la Volte, démontant et démantelant le mouvement entier. Vision de cauchemar : moi indic *donnant* ce qui m'était le plus cher au monde.

Croiser le champ d'une caméra équivalait donc pour moi à entrer en religion : ne côtoyer plus aucun volté, proscrire mes amis, me borner à n'être qu'un professeur d'université irréprochable et banal. Au moins pendant un an… C'était, d'après mes sources, la durée minimale de suivi. Après, s'ils n'avaient rien remarqué d'anormal, ils classaient.

> Durant la descente, de ressaut en ressaut, Capt ne
décrocha plus un mot. Il était absorbé et absent, déçu
peut-être ? Je ne savais pas s'il attendait que je parle,
s'il espérait que je me taise, s'il était ailleurs et où. Avec
qui ?

— Capt, je me demandais : le glisseur, on va en faire
quoi ?

— Hein ?

— On va le laisser où il est ?

— On n'a plus le choix. Ils l'ont forcément déjà
repéré, scanné et archivé. Ils l'enlèveront dans les pro-
chains jours.

— Ils vont lire la boîte noire.

— C'était un glisseur nettoyé : j'avais fait extirper les
puces passives, la géolocalisation et évidemment la boîte
noire. Ça m'ennuie beaucoup, parce que j'y étais attaché. C'était une machine libre, en quelque sorte.

— Ça devient rare...

— Oui.

> Les duretés de la Loi avaient fait long feu. Ce qui
régnait aujourd'hui, c'était l'oppressante souplesse
des stratégies policières, l'adaptabilité des tactiques de
contrôle, la manie sécuritaire. Règne de l'usage.

Les gardiens de la paix ne servaient plus à rien. La
paix, c'était la traçabilité. Le bon flic, c'était devenu
celui qu'on ne voyait pas : le caché, le lâche... Sa
bedaine cognait contre des bornes de vision. Sa voix
dirigeait des machines. Son âme ? Un quadrillage opto-
électronique... Une mémoire morte saturée de fichiers
de suivi, de contréchos, de grilles de coefficients rem-
plies en fonction de l'importance de ce qui était vu et
entendu. L'humain du pouvoir refluait dans les pesti-
lences du voyeurisme. Voir sans être vu. Écouter sans
être entendu. Sanctionner sans que le sanctionné puisse
opposer son humanité à la sanction, puisse négocier.

Pouvoir dissymétrique. Qui effaçait la résistance plus qu'il ne la matait.

Comment résister à une autorité qui jamais directement ne se manifeste ? Flinguer des caméras ? Une de tuée, dix autres vous mettaient en joue. Une fois *shooté*, vous vous retrouviez de fait en liberté conditionnelle. Ils appelaient ça « prévention ». Et ils avaient cent fois raison : un tueur de caméra, un adepte du Dehors, c'était presque toujours un volté — et la Volte offrait depuis dix ans la seule vraie résistance aux aigres-douceurs de la démocratie cerclonnienne.

— Non.

— Le gars a effacé ses traces avec une planche. Sur plus d'un kilomètre. Après, il a planqué sa planche et il a continué sans eff…

— Mais on les voit de la sinueuse, j'te dis !

— On voit quoi ?

— Des traînées bizarres ! Comme s'il s'était couché, des cuvettes…

— Espacées ? Des cuvettes espacées et rien entre ?

— Des traces pas claires, ouais, et pas continues, des sortes de raclements qui…

— D'accord, mec, d'accord, j'ai pigé ton truc. Ça fait combien de temps que tu bosses sur la Ligne ?

— Ça fait…

— Pas longtemps. Parce que l'astuce, j'te dirais pas que je l'ai vue dix fois, mais…

— Explique !

— Le gars a sauté par-dessus la Ligne.

— Quoi ? À pied ?

— Avec un aéroglisseur. Il a sauté le rail et il a atterri loin derrière la Ligne, en profitant de l'apesanteur…

— On ne m'a jamais appris ce truc-là en formation !

— T'es jeune, mec. T'es là pour apprendre. Si tu veux t'assurer du truc, tu pilotes une sinueuse au-dessus de la zone. Tu verras plusieurs trous dans le sable, là où le glisseur a ricoché. Et si tu cherches bien, dans un rayon d'un kilomètre autour des pas, tu trouveras le glisseur. Généralement, ils l'ensevelissent. Mais pas toujours. Tu veux qu'on regarde ?

— Ça ouais ! Ça me troue !

— Surtout que repérer un glisseur, même nettoyé, qui a passé la Ligne, ça peut nous faire gagner 3 000 à 4 000 places au Clastre, au bas mot... Allons-y. Prends-la en manuel, ta sinueuse.

Arrivés dans la plaine, ma jauge indiquait quarante minutes. Celle de Boule aussi. Nous respirions de la même façon. Après une demi-heure d'une marche morne, nous atteignîmes le dernier rocher avant la Ligne. Sans attendre, je balayai la Ligne du regard. Chaque poteau, chaque caméra, une à une. En une fraction de seconde, juste par l'inclinaison de la tête, la forme exacte du champ, je la devinai. Je voyais le cône oblique, presque en hologramme, jaillir de la caméra, se déformer par bonds successifs, s'aplatir, s'allonger... À concentration maximum, je parvenais à visualiser les champs de trois caméras, parfois quatre, et à sentir les cônes glisser dans l'espace, se frôler et se disjoindre, laissant libres ces parcelles d'espace vide où nous devions nous faufiler.

— Boule, maintenant tu vas rester là et attendre que j'atteigne l'angle mort, sous le pylône. À mon signal, tu fonces, en suivant exactement la ligne que je vais te tracer au sol. Tu ne cours pas tout droit, tu ne t'écartes pas de la trace, même si ça te paraît aberrant — surtout si ça te paraît aberrant.

> Capt est tendu comme un câble. Il guette. Subitement, il bondit en avant. En plusieurs pas chassés, une incompréhensible série d'esquives et trois reculades, il atteint le pied du pylône où il se hisse aussitôt.

— 237 A ! 237 B ! 238 ! 240 ! Péricirculaire !

> Boule sentait la peur. Je la rassurai par quelques mots coulés dans son casque. J'attendis la configuration propice et lui donnai le signal.

— Avance, suis ma trace, dévie surtout pas ! Saute maintenant ! Prends ton élan ! Saute, bordel de Zeus ! Le plus haut possible, saute !

Elle prit trois pas d'élan et s'arracha du sol comme un chat. Grâce à l'apesanteur, elle s'éleva en cloche, très haut, passa deux bons mètres au-dessus du mur et fut sévèrement rabattue par la gravité de l'anneau sur la route. Le plus dur était fait. Elle était passée… Inexplicablement, je marquai le pas. Je me laissai glisser au bas du poteau. La prison urbaine gisait devant moi, avec ses mégatonnes de béton, de verre et d'acier trempé qui écrasaient le sol sous la gravité artificielle. Je n'avais aucune envie d'y retourner. À cette distance d'ailleurs, le mur qui portait l'anneau périphérique m'empêchait d'apercevoir quoi que ce fût. Et quoi que ce fût de toute façon, c'était invariablement mou, lisse et gris bleu.

— T'arrives au bon moment : je suis en train de remonter les fameuses traînées.

— Et alors ?

— Alors, t'es un chef. Regarde comme on voit bien le glisseur.

— Je t'avais dit. Eh, mais c'est un vieux bob ! Attends un truc…

— Quoi ?

— Zoome avant vers l'anneau, on dirait qu'il y a une forme sous le poteau…

— C'est l'ombre, non ?

— Non, non, en haut à gauche du cadre, sous la panoramique… Zoome, j'te dis, y a un gars — Regarde !

Je pris mon élan. La gravité sentait déjà la ville. Je décollai, frôlai le rail et atterris, péniblement, dans la tranchée des glisseurs.

— Monte, cadre plus haut, le gars a sauté !

J'avais tellement peur de voir une volante sur l'anneau que je n'avais même pas vérifié derrière moi, près de la Ligne que je venais de quitter. Je levai la tête bêtement ! Je n'avais pas remarqué la sinueuse à dix mètres de moi, en contrebas… La sinueuse s'éleva jusqu'à hauteur de l'anneau dans une placide terreur. Je me jetai derrière le muret, le casque cognant le béton, sortis en hâte le calibre et je me retournai, accroupi, la main calée sur le muret, prêt à abattre la caméra. Trois balles, indiquait la diode. J'étais invisible. Je visai…

— Là, y a une tête derrière le muret, monte, monte encore…

Je tirai.

— Putain !
— Qu'est-ce t'as tripoté ? C'est tout noir !
— Rien, j'te jure, rien !

Boule qui s'était aplatie à cent mètres de là, sagement, pour m'attendre, se releva presto et accourut vers moi.
— Qu'est-ce que t'as fait ? Sur quoi t'as tiré ?
— J'allais être dans le champ !
— Quel champ ?
— Une sinueuse !
— Qu'est-ce qu'on fait maintenant ?
— On va avoir les drones au cul !
— On replonge dans le Dehors ?
— Surtout pas ! On calte au dedans. Jette ton casque

sur la route. Les logiciels sont programmés pour guider les drones dessus, en priorité. Ça peut les ralentir.

Agrippant Boule, je l'entraînai aussi vite que je pus de l'autre côté de l'anneau. Je me sentais atrocement lourd. Nous n'aurions jamais le temps, jamais… Il faudrait que je descende aussi les volantes… Il me restait deux balles… Nous traversâmes les sept pistes sous les sirènes des quelques glisseurs qui passaient par là. Pas de volante ! Nous atteignîmes le rail intérieur, l'enjambâmes : cinq mètres en dessous, un champ de blé rapide. Une chance. Je sautai avec les repères du Dehors et je m'écrasai comme une masse dans la terre. Puis ce fut la course à deux à travers les épis de blé rapide, la peur au ventre, jusqu'aux éoliennes, en priant pour qu'ils ne décrochent pas une volante en manuel…

— T'as rien touché, t'es sûr ? Le réacteur ? La focale ? La lumière ?

— Rien !

— Repasse ! Zérote le passage ! Stop, mec, stop ! Ça doit suffire, vas-y. Passe l'image au ralenti, vas-y doucement, avance… Regarde mec, vise là-haut sur le muret…

— Un calibre ! Il nous a défoncé la gueule avec ! Le primitif… Eh ! On voit la main ! Regarde : on voit la putain de main d'enculé du tireur !

— Où ça ? Ah ouais !

— On l'a eu, Ggrob ! On l'a niqué, bien profond, il est cramé, cra-mé !

— Exact, mon pote. Et qui c'est qui l'a eu ?

— C'est moi, c'est moi !

— Tu te fous de ma gueule ? Qui t'a dit de faire une macro sur les traces ? Qui t'a dit de zoomer sur le poteau ? Qui c'est qui t'a dit de cadrer plus haut ?

— Ouais, d'accord, OK, OK, c'est toi. Mais on partage, hein, on partage ? C'est moi qui pilotais, c'est moi qui… Ggrob…

— Ouais ?

— Et si on lui collait une volante au cul, en manuel ? Il doit encore être sur l'anneau !

— Laisse tomber !

— J'vais lui mettre une volante, j'vais la…

— T'excite pas comme un puceau ! T'as sa main, ça te suffit, non ? Rentre-la dans le Terminor, paramètre et essaie de trouver le mec. Si on le trouve, on gagne 50 000 places au Clastre. Chacun ! À tous les coups ! Et j'te parle pas de la prime… Quand tu pièges un mec hors ligne, c'est du fois 5, fois 6…

Nous rentrâmes à pied. De retour dans Cerclon, nous remontâmes toute l'avenue du président A 2062, puis, par une série d'obliques, nous arrivâmes au pied de mon immeuble, sans avoir été inquiétés. Il était 6 heures et le soleil se levait. Un vocicode, deux sas, un seuil palmaire et un iricode plus loin, nous étions dans mon appartement. Je n'eus pas le temps de me changer : quelqu'un sonnait au visiophone. Par précaution, je débranchai l'écran.

— Oui ?

— Monsieur C-A-P-T-P ?

— Lui-même.

— Je m'identifie. Je suis le drone Hectar 8-16, chargé de la récupération et de la remise des objets trouvés sur les portions 108 à 116 de l'anneau périphérique. Nous avons récupéré cette nuit à 02:44 un casque homologué dont le codebarre indique que vous en êtes l'acquéreur. Si vous ne l'avez pas cédé à une tierce personne, il vous revient de droit. Souhaitez-vous le récupérer ?

— Quel est le numéro du casque ?

— 4096-2398-6182-5629.

— J'ai vendu ce casque il y a trois ans. Il n'est plus à moi.

— Dans ce cas, pouvez-vous nous communiquer, si vous le connaissez, le nom de la personne à laquelle il appartient désormais ?

— Je n'en ai aucune idée. Elle a été surclastrée et je ne sais plus son nom.

— Nous nous excusons de vous avoir importuné. Au revoir, monsieur Captp.

— Au revoir… Merci pour votre sollicitude.

> C'était la première fois que je venais chez Capt. Il habitait dans un de ces vieux immeubles de la zone 5 qui n'avaient pas le réseau dans l'ascenseur, où l'on allumait encore la lumière à la voix, et dont on sentait, au son que faisaient nos pas sur la moquette mauve, que le tapis d'air censé les amortir ne fonctionnait plus depuis longtemps. Il remmura le visiophone avec colère. J'étais anxieuse.

— La sinueuse t'a vu ?

— Je ne crois pas. Je me suis planqué derrière le muret. Enfin… Je ne sais pas…

— Tu veux dire qu'elle t'a peut-être eu ?

— J'en sais rien, fous-moi la paix ! Il fallait bien que je vise ! Elle a peut-être pris un bout de casque.

— Ou ta main.

— Ou ma main ! Je n'avais pas remis mes gants, merde ! Boule, si elle m'a eu… Tu ne te rends pas compte… Tu veux dormir chez moi ?

— Je n'ai fait que te suivre. Je peux rentrer chez moi.

— Reste.

— Le drone, c'est grave ?

— Aucune importance. C'est un service collectif. Par contre, la sinueuse… Toute la Volte risque d'être foutue en l'air à cause de mes conneries…

— La Volte ? Tu fais *vraiment* partie de la Volte ?

— Impossible.

— Quoi impossible ?

— Sur aucune image, je n'ai la main complète. À cause du flingue, on voit que les troisièmes phalanges et un peu le revers. On pourra jamais le retrouver.

— Retraite l'image.

— Comment ?

— Retraite-la en effaçant l'arme.

— En automatique ?

— Bien sûr.

— C'est fait.

— Fais un complément de partie manquante.

— C'est où ?

— Menu reconstitution.

— Reconstitution ! Je demande la pigmentation et les poils ?

— Non, juste la forme. Après, ça complique la recherche. On affinera si ça ne suffit pas. Dis-lui de valider.

— Valide ! Ça y est, on a la main entière, il l'a complétée !

— Sauf que si tu l'envoies comme ça dans le Terminor, tu ne trouveras rien.

— Il la faut à plat, doigts écartés, c'est ça hein ? Je l'ai appris en formation.

— Tu demandes un projeté à plat, c'est dans le menu formatage. Puis tu calibres ton image en 10 par 20, c'est le standard identification. Non… là, tu l'as mise en 20 par 10. Voilà… C'est bon maintenant. Tu peux envoyer.

— Comment ils arrivent à avoir les mains de tout le monde en banque ? C'est fabuleux quand t'y réfléchis !

— Ils ont les yeux aussi, la structure de ton dos, ton réseau nerveux, ta diffusion thermique, les bras, les pieds, tout ce que tu veux. Tous les deux ans, pour la visite médicale du Clastre, les docteurs te foutent à poil et ils font tourner un appareil autour de toi. Tu as dû y passer ?

— Oui, mais j'me souviens pas.

— Tout le monde y passe, de A jusqu'à Qzaac. Des millions de photos. Ils entrent tout ça dans le Motor et voilà…

— Il me met : « pas d'identifié ». Qu'est-ce que je lui dis ?

— « Identifiés approchants » et tu valides.
— Identifiés approchants ! Valide !

1-lettrés	2-lettrés	3-lettrés	4-lettrés		5-lettrés		
P	Qh	Jkv	Agpu	Lfng	Adrtg	Kphuw	Ttocv
		Zno	Crtf	Orjr	Captp	Mlmvs	Uejfw
			Cwap	Ospa	Dvdnc	Nhhyi	Udgle
			Esdl	Sklr	Gruiq	Prpgp	Xjnxi
			Fqbx	Wvbt	Hilpx	Qilua	Zaffs

— Tu l'as ta liste, mon gros. Notre suspect est dedans.
— T'as vu qui sort ? Un ministre ! Notre grand patron :
P ! C'est trop con, non ? Ces logiciels sont trop cons !
— Je vais montrer ça aux collègues, ils vont être sciés.
P ! Y a trente gus sur sept millions qui ont à peu près la
même main et il est dedans ! T'imagines ? Lancer un
suivi sur P ! Tu imagines la crise ?
— Je vois surtout qu'on a un suspect à serrer.
— Alors allons-y. Y a des noms qui te disent quelque
chose là-dedans ? Zaffs, c'est un zébré ça. Il peut pas
être en cage et dans le Dehors, çui-là…
— Zno… Cwap… Ospa… Connais pas… Sklr…
Captp… Qilua… Uejfw… Xjnxi… Non, ça me dit rien
du tout.
— On va faire simple : on va tous les banquer. Et on
va faire les recherches…

III

Volte / Molte

— D'une certaine façon, je dirige la Volte.

— Tu diriges ? Je croyais que la Volte n'avait pas de chef.

— Prends « diriger » au sens d'orienter, si tu préfères. Je fais partie du Bosquet.

— Qu'est-ce que c'est que ça, « le Bosquet » ?

— C'est… le poumon du mouvement. Nous sommes cinq. Dans la mesure du possible, nous essayons de coordonner les actions, d'ajuster ensemble les forces pour qu'elles se cumulent plutôt que de s'annuler. On impulse des idées, on organise les débats en assemblée large. Bref, on tente de donner un minimum d'efficacité au joyeux bordel du mouvement.

> Dès que la conversation s'était faite plus précise, Capt avait mis de la musique. Il venait de poser un des haut-parleurs sur ses genoux. Dire ce qui en sortait, réussir à en extraire une note ou un accord — était-ce envisageable ? — revenait, pour ma sensibilité de musicienne, à remonter à la nage un torrent de vomi. Vainement, je cherchais un sens à ces coulures de métal éraillé, à ce flot rouillé de stridences, à ces brouhahas, cris, larsens, bruits de marteaux qui fracassaient le rythme hors de toute mesure… Comment pouvait-il écouter cela ? J'essayais de déchiffrer l'hologramme du groupe. J'y parvins à

grand-peine tant le graphisme se voulait délibérément
noir et brouillon. Il y avait « ø'†'ø).◊.(∂µ¢ », mais impossible de dire s'il s'agissait du nom du groupe, de l'al-
bum ou d'un code de téléchargement. Et en dessous :
« N'ak'k'arst 3'9 ». Il lui fallait du bruit pour couvrir sa
voix, soit ; et piéger par là d'hypothétiques micros. Mais
pourquoi m'imposer cette monstruosité sonore ?

— Tu crois que tes amis peuvent dormir avec un bruit
pareil ? Tu ne voudrais pas mettre du classique ? Du
soap ? Ce serait plus reposant. Je suis éreintée…

— Le classique, il y a trop de silence. Trop mou, c'est
mauvais. J'aime qu'on donne une voix à l'acier, au minerai qu'on torture pour en faire des poutres et des pylônes.
Là, si tu écoutes, tu entends le chrome brut qui résiste,
qui s'arc-boute, qui grince… Suis les guitares : elles
découpent des plaques à coups de riff, elles scient, et en
contrepoint : les larsens, le synthé, eh bien ! ils rendent la
rage, la matière première qui hurle devant le laminoir…

N'importe quoi ! Je le laissai parler mais, à ma mine
amusée, il comprit que je me moquais de lui et il n'alla
pas plus loin. Il enchaîna sans rancune sur la Volte… Et
ce qu'il me raconta alors me fit oublier son mauvais goût
flagrant et son oreille de barbare. Il parla près d'une
heure sans s'arrêter, sans que je l'interrompe — et je ne
songeais même pas à le faire tant son histoire me cap-
tivait. Au bout d'une heure, je ne pouvais plus le regarder de la même façon. Il avait grandi, épaissi, mûri. Une
drôle de veine verticale, que pour la première fois je
remarquais, saillait d'entre ses sourcils jusqu'à son grand
front, et à chaque difficulté qu'il affrontait, elle se mettait à respirer. Plus il réfléchissait, plus la veine enflait,
plus elle devenait artère et grossissait… Par éclairs,
j'eus la vision d'un tuyau qui irriguait son cerveau, qui
y faisait affluer les volumes considérables de sang dont
il alimentait sa puissance intellectuelle. Son corps en
semblait tari, et toute l'énergie concentrée dans sa tête ;

son front se plissait, vibrait et sa voix jaillissait, bien tim-
brée, avec des accents clairs qui scandaient convictions
et concepts puis retombaient sous des tonalités sourdes qui se noyaient dans la fureur radrock. À certains
moments, il se levait, serrait une balle dans ses mains
et la lançait contre le mur, avec force, tout en parlant,
le haut-parleur coincé sur l'épaule. Il semblait oublier
ma présence, ne me regardait plus… et subitement se
rasseyait, me regardait à nouveau, souriait, au rythme
de ses pensées. Mais quoi qu'il fît, il était toujours là,
intense, et lors même que son corps s'avachissait sur le
lit, que ses yeux s'éteignaient, sa voix cinglait encore et
son front frappait les concepts comme des balles.

Il me raconta l'essentiel de la Volte : son histoire, ses
courants, ses actions. Je comprenais à l'écouter à quel
point les médias avaient cherché à défigurer la réalité
du mouvement — car c'était un mouvement, et pas
un parti, ce à quoi ils s'efforçaient de le réduire. Et
avec quelle violence Capt les combattait, eux et les 1- et
2-lettrés : toute la fange gouvernementale, les hauts-
esclaves, les journalistes et les industriels, ce qu'on aurait
appelé le système autrefois…

L'ensemble de ce qu'il me révéla sur la Volte, je
pouvais le monnayer très cher aux renseignements
généraux… Un discret appel à la délation, diffusé en
holovision le mois dernier, le laissait entendre… « Si
vous disposez, ou croyez disposer d'informations d'importance concernant l'organisation terroriste connue
sous le nom de *La Volte*… » Capt savait cela. Il savait
surtout qu'il pouvait me faire confiance. Tout simplement parce que le fait même de me l'accorder, cette
confiance, valait en mon cœur tous les millions. Parce
que dans cette confiance, sa liberté entière s'y mettait,
telle une offrande, en jeu et que cette liberté était ce
qu'il avait de plus précieux.

> Pourquoi je lui racontais tout cela ? Après tout, qu'est-ce que je savais d'elle ? Qu'elle était étudiante, fille de 4-lettrés (et rejetant bien sûr ses origines bourgeoises), qu'elle avait vingt-trois ans, qu'elle jouait du violon laser à un niveau professionnel et qu'elle détestait Cerclon. Ça ne prouvait pas grand-chose. Elle pouvait très bien travailler pour le ministère de l'Ordre public, en free lance, comme le faisaient certaines étudiantes. Pourtant, je l'avais fait suivre par Obffs pendant trois semaines et il m'avait amplement rassuré.

Elle était si fraîche… Si visiblement sincères, ses réactions ! Je la voyais bouger dans l'espace, petits gestes, subreptices, petits coups de patte, vifs, courbes, pour s'attacher un verre. Elle ne cachait ni ne cherchait à cacher et l'eût-elle voulu, tout son corps se serait cabré pour faire mentir le masque. Sa nature, je la pressentais instinctivement comme son visage, et son visage avait les éclats d'un lac ouvert. Tout, à sa surface, s'y imprimait : les rides furtives du vent, le ciel qui se reflète, les nuages si blancs, ou ces cercles nés de la pierre qu'on jette, et qui s'élargissent à mesure qu'elle s'enfonce et descend. Si un mot-soleil d'un sourire aussitôt l'empourprait, un mot dur, aussi vite, portait une marque à ses joues. Il y propageait une minuscule onde de choc, incoercible grimace, qu'elle accusait au creux de ses pommettes, petite flaque d'eau troublée de pluie.

Tout s'imprimait, oui ; mais tout, aussi miraculeusement, se dissipait : le visage après le mot redevenait pur, lisse le lac. À nouveau, elle était disponible. Elle se mettait à l'écoute du monde. À nouveau l'eau de ses yeux s'ouvrait, sa bouche s'offrait en pourpre pâlissant, en attente. Toute de sursauts, de primesauts et de grâce, l'extrême mobilité de son visage suspendait pour un temps ses virevoltes… Elle se hissait alors au charme durable d'une statue. Pose fragile toutefois. Pause qu'un rien rompait : une plaisanterie mal reçue, un sourire un

peu fade… Par moments, par une sorte de doux sadisme,
je provoquais ces ruptures. Comme un enfant joueur
aux poings serrés de sable qui, s'approchant du lac, lui
en lance à la figure une pleine poignée, je lançais mes
phrases. Sur-le-champ, elle se mouchetait d'impacts, elle
était criblée, grêlée par une effroyable tempête. Grêlée
par quoi ? Par quelques grains ! Quelques grains d'ironie qu'un lac un tantinet gelé aurait laissés crisser sans
même les sentir. Mais rien en elle n'était gelé, solide. Si
elle recevait tout, ce n'était pas par quelque passivité,
c'était au contraire qu'elle vivait tout, tout de suite, sans
retenue, sans réserve. Elle était *présente*. Pleinement.
Elle ne retenait rien, elle n'anticipait rien, elle voulait
simplement être là, maintenant, et elle y était. Je ne
racontais rien d'extraordinaire : je lui racontais la Volte,
nos problèmes, je lui parlais de Zorlk. Mais son écoute
me donnait l'énergie d'en parler, d'être là moi aussi, de
l'éprouver incroyablement belle. Le magma qui tourne-
boulait dans son ventre, son lac frais qui la couvrait, je
les sentais entrer en moi… Il entrait un peu de lave en
fusion qui me caressait le ventre de l'intérieur, semblable à une main chaude, et un peu de sa bouche fraîche,
de ses gestes frais qui coulait dans mon sang usé par la
lutte des caméras. Je continuais à parler, je n'arrêtais pas
de parler, comme pour faire, par ce flot, refluer cette
douceur qui m'envahissait et à laquelle je savais ne plus
pouvoir longtemps résister.

L'acte de naissance de la Volte, insistai-je, avait coïn-
cidé avec ce qui, dans l'optique du gouvernement, aurait
dû signifier son acte de décès politique : la condamnation à mort de Zorlk. Sans chef, le feu de la révolte ne
pouvait à leurs yeux vitrés de technocrates que s'éteindre et mourir, comme des braises qu'on disperse. Il en
avait été bien sûr tout autrement. Loin de s'en trouver
désespéré, le mouvement s'était au contraire révolté
de l'injustice de cette mort et y avait puisé des raisons

supplémentaires de se battre. Beaucoup de jeunes nous avaient rejoints, notre influence avait grandi d'année en année et cette montée en puissance laissait présager d'excellentes choses. Mais je n'en tirais par ailleurs qu'une satisfaction relative.

Zorlk mort, la Volte s'était souvent bornée à réchauffer les vieux ingrédients de la contestation. Tracts et pétitions sages, slogans robotaggés au sol, manifestations hologrammées où l'on gonflait la masse des participants avec des queues de foule 3 D indécelables à l'image, la lutte volutionnaire, malgré les exhortations d'une poignée de factieux dont j'étais, s'en tenait à des méthodes démocratiques — dépassées dans une société où le mot avait, depuis vingt ans déjà et avec la plus criante discrétion, été soigneusement lavé de son contenu. Pour Kamio, Brihx et moi, pour Slift plus encore, le combat que nous avions mené depuis la mort de Zorlk ne répondait en rien aux ambitions libératrices que la Volte s'était fixées. La faute aux militants ? Comment les accuser d'un manque d'ardeur dont ils faisaient à chaque occasion la preuve contraire ? Certes, le mouvement, en gagnant en importance, s'était dilué, et les structures hiérarchiques verrouillées par la stature inattaquable de Zorlk avaient volé en éclats pour libérer une foultitude de groupuscules aussi actifs que désordonnés. Mais cette anarchie avait été voulue, et loin d'affaiblir la Volte, elle avait élargi notre spectre d'attaque et nettement assoupli nos méthodes — souplesse dont l'Évolte (l'ancienne organisation de Zorlk) avait, reconnaissaient aujourd'hui certains, un peu manqué. La comparaison s'arrêtait pourtant là. Pour tout le reste, l'Évolte restait pour moi un modèle encore inapprochable. Un tel groupe, lié comme nous l'avions été, pire que lié : compact, j'en rêvais toujours pour la Volte. Peut-être étais-je encore trop cérébral pour faire pousser du lien, sans doute n'avais-je pas le charisme de Zorlk… L'aurais-je jamais ? Comment savoir ? Et quelle importance puisque nous voulions justement sortir de ces schémas, échapper du même bond à l'hypertrophie des ego et à la tentation des pyramides.

Zorlk, au sommet de sa force, était une incandescence… Quand il arrivait sur ses glisseurs au vaisseau, c'était comme si la coque elle-même cessait de résonner pour l'accueillir : on le regardait déboucher du tunnel avec sa grâce virile de patineur de vitesse, on écoutait, sans même s'en rendre compte, le chuintement des coussins d'air sur la piste d'acier et il courbait sa course splendidement jusqu'à l'estrade. Personne n'avait jamais glissé avec une célérité, une précision aussi époustouflantes (Slift peut-être, aujourd'hui). Ce respect qu'il inspirait à tous ne devait rien à la crainte ni aux discours. Il n'aimait pas parler. Il me soufflait l'idée et me demandait de développer à la tribune, moi ou Kamio — qu'il appelait « le poète ». Sa force, je n'avais vraiment saisi en quoi elle consistait que bien tard, trop tard, après son exécution. Sous cette réputation de pur homme d'action à laquelle il acceptait sciemment qu'on le résume, il avait réussi à masquer jusqu'à la fin son système de valeurs. Ce système n'avait qu'une exigence, qui relevait plus d'un goût supérieur et subconscient que d'un principe : ne se laisser faiblir par aucune de ces considérations morales et pudibondes qu'on appelait « les droits de l'homme », « les droits de la femme », « les droits de l'enfant », « le respect de la propriété », « la liberté réciproque »… En clair, tout ce que trois millénaires de judéo-christianisme avaient cumulé dans la conscience clapotante des femmelettes, des retraités et des impotents, qui tous votaient, et qui, trois cents ans après l'invention du robinet, en étaient encore à croire à l'eau sainte des bénitiers et à l'innocence des confessions.

Combien la Volte, loin de cette exigence aujourd'hui se trouvait ! Nous n'en finissions pas de débattre des limi-

tes à ne pas franchir… du terrorisme avec lequel nous
ne devions pas être confondus… (alors que les médias,
poussés par un gouvernement trop heureux d'abriter ses
stratégies de contrôle derrière les « justes peurs » de la
population, alimentaient depuis longtemps la confusion :
« terroristes », nous l'étions pour le grand public)… du
respect des convictions des autres… Bref, de la morale,
du bien et du pas bien, du mal et du plus que mal… C'est
là que Zorlk nous manquait : lorsqu'il vivait, sa présence
suffisait à balayer toute question morale. Non qu'il les
éludât au profit d'impulsions de guerre, mais son goût
lui tenait lieu d'éthique — et son goût était impérial. À
beaucoup d'égards, il me rappelait Nietzsche : un être
capable de discerner derrière chaque système, sous chaque action, la volonté de vie affirmative qui pouvait en
sourdre, des instincts malades et dégénérés. Quel autre
critère invoquer ? Quelle autre morale ? Celle-là était
l'ultime, celle-là décidait tout et les discussions n'avaient
au fond d'autre but que de dégager ces forces — vitales
ou morbides — à l'œuvre sous nos choix… et d'autre
effet, le plus souvent, que de les enfouir plus profond
encore pour finir par les noyer dans un magma brûlant de discours qu'il fallait alors, de débat en débat, à
rebours, refroidir et épurer pour les y retrouver. C'est
pour ça que ça durait si longtemps, que chaque action
prenait autant de temps à se décider… Les militants
avaient beaucoup de principes. Ils étaient plus que sincères dans leur révolte. Mais leur faisait défaut ce goût
supérieur, fulgurant, qui tranche avant de penser, qui dit
avant de parler, pas parce que penser ou parler ne servaient à rien, plutôt parce qu'ils venaient trop tard et ne
faisaient que réverbérer dans le métal des mots l'intime
conviction du corps qui comprend et qui sait. La force de
Zorlk, c'était qu'il pensait avec son corps.

Il y a quelques mois (je l'avouai à Boule de Chat), à
la suite d'une assemblée interminable, qui traitait de la

lutte antivirtuelle, de ses buts, de ses moyens, blablabla, j'en étais venu à me demander quelle espèce de morgue avait pu nous pousser à nous baptiser la « Volte » à la mort de Zorlk. « L'Évolte », avions-nous tranché à l'époque, ne pouvait, dérivation oblige, aboutir qu'à une « Évolution », une réforme, alors que ce que nous voulions, nos petits poumons gonflés par le vent des émeutes, c'était une Volution pure, sauvage, mue par ses propres forces, ou autrement formulée : « désincarcérée de son affrontement avec le pouvoir » telle que le proclamait notre manifeste.

Brihx, Obffs, Slift, Captp, Kamio. Nom de code : BOSCK, le Bosquet. Nous étions le dernier pentagone, les derniers à l'avoir vu vivant, après son arrestation. Était-ce de là que nous tirions notre ascendant sur les quatre mille activistes de la Volte ? Je n'en étais pas certain. Toujours est-il que les militants nous avaient suivis après sa mort et que notre charisme n'en avait que forci depuis.

J'avais encore envie de lui parler de la réunion de demain, mais je compris aux plis de son corps que notre raid dans le Dehors, les caméras et la peur, enroulés au long serpent de mes doutes, avaient achevé de l'épuiser.

— On se couche ?

— Si tu veux. Tu n'as plus rien à me dire ?

— Tu… Ça t'intéresserait d'entrer dans la Volte ?

— Tu veux dire : de faire partie du mouvement, de militer avec vous ?

— Oui. Il y a une réunion d'action demain soir. Très importante, c'est sur les accès sélectifs, la traçabilité des corps dans la ville. Je pense qu'il va s'y passer des choses décisives.

— On dort ensemble ?

— C'est toi qui choisis.

— Il y a beaucoup de femmes dans la Volte ?

— Mille cinq cents, à peu près, je ne sais pas exactement.

— Sur combien en tout ?

— Quatre mille. Ça t'intéresse ou pas ? Tu peux répondre franchement.

— Bien sûr que ça m'intéresse ! Je prendrai ma carte demain.

— Il n'y a pas de carte. Surtout pas. Pas de code, pas de norme, pas de puce passive, rien.

— C'est ça ! Et votre QG, c'est journée portes ouvertes tous les samedis. Fous-toi de ma gueule ! N'importe qui pourrait vous infiltrer !

— Notre validation est purement humaine…

— Ça, ça me convient. Je veux bien me soumettre…

> En riant, je me mis toute nue et me glissai dans son lit. Il éteignit la lumière. J'écoutais le bruit de ses vêtements qui glissaient vers la moquette et je sentis bientôt son odeur entrer dans le lit et m'envelopper. Elle électrisa ma peau bien avant qu'il ne me touche, elle m'embrassa longuement avant sa bouche… Et mon parfum piqué de sueur lui rendit son baiser, lui rendit caresse pour caresse. Peut-être n'avions-nous pas besoin de faire l'amour pour savoir que nous nous aimions. Sans doute n'en avions-nous plus la force. Alors nous nous endormîmes en vrac parmi nos odeurs. Et pendant toute une nuit, dans mon sommeil ajouré, je sentis Capt contre moi, couché en long vers le dehors, vibrant secrètement comme une digue dense qui aurait eu deux bras.

> Le lendemain, je me levai difficilement et préparai un semblant de petit déjeuner. Les trois radieux qui dormaient dans la chambre ovale s'étaient levés comme d'habitude à l'aurore pour aller vendre leurs plaques au cercle industriel. Nous étions tous les deux. Boule vint me rejoindre dans la cuisine, drapée, avec une délicieuse nonchalance, dans la couette. Elle me parut, au petit matin, plus belle que je ne l'avais encore vue. La

nuit avait glissé en elle, dans le modelé de ses formes, sous sa peau, une douceur si évidente que son corps en semblait liquide de sensualité. Des chuintements flûtés s'écoulaient de sa bouche et venaient m'embrasser à chacun de ses mots, son regard me caressait, ses seins étaient voluptueux... Leur éloquence suppléait aux paresses de la mienne et me ramenait un peu de cette nuit que la fatigue nous avait volée, si bien que j'y risquai bientôt une main, puis mes lèvres qui, de leur fondant, avaient faim et soif. Ses seins frémirent doucement. Je m'enroulai avec elle dans la couette. Nous y creusâmes avec nos cœurs une sorte de petite grotte, et nous nous oubliâmes.

Quand nous sortîmes de la grotte, il était déjà tard. Le déjeuner était froid et je retrouvai mes soucis. Ce soir, il y avait réunion. J'expliquai ce qu'il en était à Boule, le pourquoi, le pour qui et le comment — mais après le lui avoir expliqué, je ne pouvais plus cesser d'y penser, de me parler à moi-même et de soupeser l'idée audacieuse de Slift qui me taraudait...

L'idée d'une action-choc nous était venue après la nouvelle vague des « accès choisis » qui avait déferlé sur Cerclon, à la demande d'associations de défense du citoyen et des commerçants eux-mêmes, 4-lettrés pour la plupart et pour la plupart plus attachés à leur fric qu'un électron à son atome. L'accès sélectif existait depuis l'origine des Cerclons. En tant que concept, il n'était à mes yeux qu'une extension à l'être humain de la traçabilité des marchandises. Devenue exhaustive depuis 2020, cette traçabilité couvrait la totalité du cycle de vie du produit, de sa fabrication jusqu'au recyclage, en passant par le stockage, l'achat, la consommation dans les foyers et la mise aux ordures. La fameuse brique de lait qui disait à votre frigo qu'elle était périmée. Alléluia ! L'accès choisi en offrait une déclinaison urbaine et politique, présentée comme une « gestion

intégrée de la circulation citoyenne en milieu ouvert ».
Traduire : réguler/strangler. Contrôler les corps/incor-
porer le contrôle. L'outil était resté longtemps cantonné
aux banques, aux administrations publiques et aux
entreprises stratégiques pour lesquelles une justifica-
tion sécuritaire avait le mérite de ne pas paraître totalement infondée. Mais en moins de cinq ans, les « points
de sécurité » — en fait des sas, des seuils, des bornes,
des portes et des portiques — avaient coupé un peu partout tout trajet un peu fluide, un peu libre, toute errance
éclairée. Et il n'était pas jusqu'aux centres de rencontres,
aux salles de jeux et aux immeubles d'habitation qui ne
trouvassent un excellent mensonge pour imposer leur
implantation. Le système, fierté de l'entreprise multipla-
nétaire Défordre — qui jouissait dans ce domaine d'un
très démocratique monopole — avait pour modèle une
version élégante, propre au marbre lissé des halls, notre
cible : la porte-mâchoire à ouverture verticale qui s'ouvrait par le milieu, le pan supérieur s'enfonçant dans le
plafond, le pan inférieur sous le sol. À peine passé, un
râle d'air pulsé, auquel je ne m'habituais pas, vous signifiait que la porte venait de joindre ses gencives en une
grimace hermétique et blindée. Pchii ! Roouu ! Pchii !
Roouu ! Comme si ouvrir et fermer sa gueule était pour
la machine un effort, un effort qu'il fallait rendre palpable et audible à tous. D'ailleurs les portes faisaient
de plus en plus de bruit, et les neuves bien plus que les
anciennes. Défordre ne faisait que suivre les recommandations du gouvernement sur « l'harmonisation
des rapports homme/technologie », tarte à la crème des
plates-formes politiques depuis vingt ans, et qui aboutis-
sait au fond à humaniser les moteurs et à les faire respirer en athlètes…

   L'accès sélectif se bornait en acte à peu de chose. Il
suffisait, pour les bons citoyens, d'avoir en poche sa
carte, au doigt sa bague ou sur l'ongle de l'index son

codebarre (un choix souvent réservé aux cadres) pour
que s'ouvre la porte. Pour les très bons citoyens, la puce
identitaire, greffée à vie, suffisait. Pour les autres, les
mauvais citoyens, les radieux qui n'avaient depuis longtemps plus de carte, ceux qui l'avaient oubliée, perdue
ou prêtée, ceux dont le solde bancaire était négatif, les
horaires de travail décalés, les droits aux parcs limités,
les zones de silence proscrites, la jolie herse restait close.
Impossible d'entrer. Les jeunes naïfs qui tentèrent, au
tout début du dispositif, de se coller derrière le bon
citoyen pour passer avec lui s'en tirèrent, pour les plus
heureux d'entre eux, avec une fracture de la clavicule.
Les autres... l'hôpital les récupéra. Sans bruit, sans cri,
sans association de défense du citoyen, ils méditèrent
quelques mois les vertus de l'accès sélectif sur un lit propre et blanc. Pas de récidiviste connu.

Quitter son travail trop tôt, récupérer son gosse trop
tard et toute une multitude de microsituations anodines
mais anormales, vous condamnaient à faire ce que tous
les radieux faisaient : errer dans les rues neutres, seul
hors-champ encore pur. Très rapidement, il était devenu
flagrant pour la Volte que l'invention, si bénigne à l'origine, des accès sélectifs restaurait de façon implacable
ce contrôle physique de la cité dont tout gouvernement
rêvait, mais qu'aucun n'aurait eu les moyens politiques
d'imposer de lui-même. Conjonction de la pugnacité
d'un groupe industriel, de l'avidité sécuritaire des nan-
tis, des subventions bienveillantes du gouvernement et
de la passivité du peuple, les points de sécurité avaient
en une poignée d'années aboli... la liberté de circuler.
Naturellement n'était-ce pas une abolition univoque et
dictatoriale, un couvre-feu général clouant les bonnes
gens aux poteaux des portiques. L'abolition ne concer-
nait que les citoyens « atypiques », ou leur synonyme :
les pauvres. Elle se contentait au fond d'instituer une
ligne de partage entre ceux qui *pouvaient* bouger et

ceux qui outrepassaient indûment ce droit en se présentant au mauvais moment, au mauvais endroit, sans être
identifiables, sans assez d'argent, et dont la faute insigne
tenait en l'absence d'une fine striure noire et blanche
sur l'ongle de leur index droit. Brillante technologie,
n'est-ce pas, apte à gérer la traçabilité de sept millions
d'habitants sur un disque de trente kilomètres de rayon,
en temps réel, et à géolocaliser instantanément, point
par point, les délinquances... Brillante régulation plus
efficace que ne le fut jamais aucune discipline et qui
vous surplombait de son impassibilité électronique.

À neuf heures du soir, après un repas banal, un cours
banal sur Fivt, « le néo-Heidegger », et la banale série
des trottoirs-roulis bourrés de badauds, je retrouvai
Boule dans un café banal. À la revoir, ma morne journée
s'évanouit dans son sourire et je me sentis à nouveau
plein de force. Nous partîmes ensemble pour la réunion.
Elle avait lieu dans le vaisseau désaffecté qui nous servait d'hémicycle. C'était un grand vaisseau de transit
qui s'était écrasé dans la radzone en 2076. Inutilisable,
il avait été enseveli et ses accès bouchés. Zorlk avait eu
l'idée de creuser un tunnel pour y accéder et d'en faire
le quartier général de l'Évolte. Sa forme de galet avec
un sol incurvé au bas duquel nous avions installé une
estrade et, dans la pente, quatre cents sièges (d'origine)
disposés en amphithéâtre, en faisaient un lieu adéquat
pour les débats (mais plus encore pour le cirque !) tout
en nous mettant à l'abri de la police.

Je guidai Boule dans la friche industrielle de la
radzone et nous arrivâmes à l'entrée du tunnel, où
Baaer faisait le guet. Je lui présentai Boule et lui confir-
mai qu'elle était affranchie. Je saisis le premier barreau
de l'échelle, descendis les six mètres de puits et débouchai dans le tunnel d'accès. Boule me rejoignit et nous
arrivâmes ensemble dans le vaisseau. Il y avait ce soir
beaucoup de monde, plus que pour les assemblées larges

habituelles, mais ce n'était pas pour m'étonner. Les précédentes assemblées avaient été particulièrement tendues et des menaces de schisme au sein du mouvement planaient depuis plusieurs mois. Je dis à Boule d'aller s'asseoir près de Obffs.

— L'étudiant qui programme le robotag là-bas ?

— Oui. Il paraît tout fou au premier abord, il parle vite et s'enflamme pour un rien. Mais il est très chaleureux, tu verras. Et il te connaît déjà…

Boule se dirigea vers Obffs et lui tapa sur l'épaule. Son visage s'éclaira avec une violence presque enfantine et il l'embrassa avec une exubérance toute terrienne. Sacré Obffs… Je lançai la réunion sans tarder. Ordre du jour unique : l'accès sélectif.

La première idée qui germa se situait dans la droite ligne de ce que nous faisions depuis trois ans. Elle venait de Ushlf, un ancien zébré que beaucoup surnommaient Flush à cause de cette manie qu'il avait de bomber la moindre dalle nue avec la *Trace* de la Volte : un disque rouge — symbole de Cerclon — transpercé par les cinq lettres de feu courant vers le Dehors.

Flush proposait de peindre le maximum de portiques et de sas de sécurité, à la main et bien sûr au robotag automoteur. Avec quoi ? Des mâchoires sanglantes marquées du nom des ministres : A, B, C, D, E… des « sens interdits aux marginaux », des « coupez pas, je bouge encore ! », des visages de flic, des « 1984 = 2084 », etc., l'essentiel étant d'utiliser l'effet d'ouverture/fermeture des demi-portes et sa symbolique latente de grille close. Ouais…

Slift piaffait. Faussement avachi dans ce qui avait dû être un fauteuil de pilotage, son profil de lame semblait prêt à bondir sur Flush et à lui enfoncer sa bombe dans la gorge jusqu'à ce que, de biopeinture, il s'en obstrue la trachée. Nous devions être dans les quatre cents voltés : tous les fauteuils étaient pris. Le brouhaha inhérent aux

assemblées larges ronronnait sur les parois du vaisseau
enseveli. De jeunes militants, avec le sérieux agaçant de
cette jeunesse, chuchotaient l'idée de Flush à leur noteur
vocal, ce qui emplissait illico la coque de psalmodies
d'église — chose que Slift, en dépit de tous ses efforts, ne
put supporter qu'avec une bordée d'insultes dont il finit
par couvrir la messe. Kamio le reprit au vol ; ils s'engueu-
lèrent ; je les calmai. Les militants, interloqués, avaient fait
silence. Scène typique. Sauf que là, tout allait basculer…

> J'attends. Va y avoir un molteux, claro, pour
l'ouvrir…

— Si tu n'es pas d'accord avec Flush, tu n'as qu'à proposer autre chose ! Toi, Slift, tu ne fais que critiquer et
tu ne proposes jamais rien. Propose ! Moi, je trouve que
l'idée de Flush a le mérite…

> Hors de toute mesure, Slift se leva. Le militant qui
l'avait interpellé était en train de tagger avec d'autres
une énième couche de slogan sur le mur de la scène.
D'un coup de calibre, Slift tira une semonce magnétique
dans leur direction. Le pot leur explosa à la figure. Les
taggeurs dégoulinaient de bleu.

— Mouchez-vous la truffe, les chiots, et secouez bien
les poils, ça va coller dur dans 8 secondes, c'est écrit sur
le pot…

L'assemblée se tut, estomaquée.

— Propose, propose, hein !? Regarde ton cul, connard :
il est comme ta face, il dégouline de merde. Alors lève-le
ton cul ! Déscotche de ta cuvette de chiotte avant que la
merde t'y englue ! Et c'est valable pour tout le monde !
Je vous entends glavioter dans vos casques depuis deux
plombes et vous vous prenez pour des volutionnaires ?
Vous êtes fiers d'être ici ? Costauds, hein ? Vous vous
sentez baraqués avec votre peinture bio ? À dessiner des
ronds ? À faire dans le symbole ? « À dire des choses ? »

Slift avait pris possession de la scène et mobilisé

toute l'écoute du vaisseau. Il baissa un peu la voix puis remonta en puissance.

— Ce que j'ai à vous dire, moi, ça loge pas dans un pot de peinture. Ça tient pas dans un tag. Ça logerait même pas sur un mur long de 10 kilos. Ça se communique pas, ce que j'ai à dire. Ça passe dans l'air, ça vibre dans le gars d'en face, en bootbass, ou ça vibre pas. Avec Capt, ça vibre, avec Obffs, ça vibre… Mais avec vous, les moltonnés, je sais pas, ça s'écrase direct sur vos combis en similitouffe, ça sonne plus, ça rend rien… Les points de sécurité, vous en blablatez comme si c'était une idée ! Une *idée* ! C'est du concret, un point : du plein fer, du massif ! Ça prend direct sur le corps, ça mord pleine chair ! Vous dites : « c'est une grille de prison », « c'est une frontière qui sépare les riches des pauvres ». Vous causez digicartes, iricodes, « contrôle trop-injuste des mouvements, circulations mé-ta-ca-na-li-sées » et vous sortez ensuite le robotag pour signer sur le sol, à votre place ! Moi, quand je sors de la rade, je fais pas dix mètres sans être bloqué. Ils me cadrent, les costumés, ils codebarrent, ils scannent, ils biomètrent… Les poteaux me gueulent « stop ! », « passe ! », « patiente ! », « bouge, débouge, gicle, engage-toi, dégage ! ». Et c'est tout ce que ça vous fait ? Vous avez déjà essayé, vous, les indexés, de vous faufiler par un portique sans carte ?… Ces portiques, c'est une Hache ! Vous connectez ? Une Hache ! Et ça découpe des espaces, des libertés, des vies ! Et on va le montrer, ça ! On va le rendre physique à tous dans cette putain de cage mouvante de ville !

— Comment ?

— Comment ? On va foutre partout — à l'entrée des rues, des périfs, en résidence, en cosmarché, partout ! — des lames diamants sur les portes ! Ouais, des lames qui coupent sévère, et on va voir si les bien-lettrés, ils percutent pas.

Il y eut des hurlements dans la salle, des bravos sauvages, « à mort ! », des militants qui secouaient frénétiquement la tête comme pour en sortir l'horrible idée mais le vacarme, loin de la disperser sur les mille cris épars, galvanisa toute la rage explosive de Slift :

— La Volte, c'est foutre le feu ! Vous percutez ? C'est planter des vigiles, troufionner du flic, et profond ! La Volte, c'est faire sortir le sang ! Ouais, les gars, ouais ! On deviendra jamais rien ni pour P ni pour quiconque si on rougit pas les moquettes ! Le tag, ça marque pas, ça marche plus, ça s'efface… Sur des sols lisses, il n'y a plus que le sang qui tache. Chlac ! la main… Coupe… Chlaac ! le bras… Coupe coupe… Tranche la lame… Chlac ! la tronche qui roule sur le marbre ! Et on foutra des grands coups de pied dans ces tronches qui roulent, on pataugera dans des flaques de tripes avec des bouts de corps partout, partout et là, là — on verra qui a la trempe de signer !

Trois gars applaudirent à tout rompre. Trois. Je m'en souviens. Dans un silence de faux. Les autres regardaient Slift comme on observe un fou, avec une fascination glacée.

— Maintenant bavez autant que vous voulez, je vais agir !

Il enfila d'un geste son Parnox et sortit en glissant par le tunnel central.

« Il faut l'arrêter », « Il a raison », « Il va tuer l'image de la Volte », « Il n'a pas le droit », « Il a tous les droits », « Assassin ! », « Il ne le fera pas », « Boucher ! », « Héros », « Il va se dégonfler » fusaient dans les altercations maintenant déchaînées. Mais très vite, au milieu de ce tohu-bohu, émergeant du premier cercle de fauteuils ceignant l'estrade d'acier, la chétive silhouette de Kamio se fit voir. Mince, corps et visage tendu des contradictions souterraines qui toujours l'agitaient, lui donnant ce calme énergique qui le faisait respecter, il

monta sur la scène et d'un maître geste des deux bras
apaisa l'assemblée : il allait parler. Et quand Kamio
demandait la parole, tout volté, du plus frileux combattant à l'extrémiste sliftien, se calmait pour écouter.
J'aimais beaucoup Kamio. Moins pour ses convictions,
fermes sur le fond, mais qu'étiolait cet indécrottable
respect de l'homme qui conduit parfois au réformisme,
que pour son honnêteté foncière face aux gens, aux choses et aux problèmes qu'il affrontait. Loyal envers tous,
droit comme la justice ne saurait l'être, il incarnait pour
beaucoup quelque chose comme un sage et n'en tirait
d'ailleurs d'autre orgueil que celui de dire. Dire ce qu'il
pensait. Un homme de parole, Kamio, avec l'entière
majesté de ce titre.

— Slift est un modèle. Son propre modèle. Il ne cesse
d'aller au bout de ce qu'il peut. Et c'est en cela qu'il est
grand. Il ne s'agit pas, pour aucun de nous, de suivre ce
modèle, de chercher à en imiter la facture ou la force. Pas
que nous en soyons incapables. Nous aussi savons trancher. Et nous trancherons des bras et des têtes, et nous
pataugerons dans le sang normé si cela est juste. Mais
est-ce juste ? Un cadavre de plus rendra-t-il notre humanité meilleure ? L'innocent, même aux mains pleines,
même bourgeois, vaut-il donc tsar, vaut-il tyran ? Sa mort
libérera-t-elle Cerclon du contrôle des corps ? Du confi-
nement urbain ? De l'incessante assignation à résidence
de nos vies ? C'est ça qu'il faut trancher et il faut le trancher avant toute tête, pour soi. Slift l'a fait. Et demain
peut-être verrez-vous un vieillard taillardé en holovision,
un vieillard taillardé par la Volte et il faudra l'assumer
ou partir. La Volte a besoin des mots, quoi qu'en dise
Slift. Pas des mots d'ordre certes, ni des slogans, mais
des mots de désordre, des mots-grenades qui éclatent le
sens et ouvrent les cervelles à de nouvelles pensées. Elle
a encore plus besoin d'actes, je vous l'accorde, mais d'actes qui fassent sens justement, d'actes sensés. Slift n'est

ni un héros ni un boucher : c'est un homme, un homme
de convictions, et qui a choisi. Il est libre ; chacun l'est ici,
dans ce vaisseau, et ne comptez pas sur moi pour entraver quiconque, assassin compris. Anarchiste je suis, vous
le savez, anarchiste je reste. Soyons nos propres maîtres,
décidons ; discutons si cela nous aide à décider. Et notre
jugement, tout dernier qu'il soit, réservons-le à nous-mêmes, pour nous-mêmes et personne d'autre.

    La discussion eut lieu, belle comme souvent et comme
souvent interminable. Mais moins qu'aucune autre gratuite. Les lames ne se contentèrent pas de découper
des espaces et des vies. Empoignées par la Volte, elles
se retournèrent sur elle pour la trancher en deux. De
part et d'autre de la lame gisait un morceau de graisse
molle — la Molte — et se dressait une boule d'énergie — la Volte — la nouvelle Volte, épurée par le schisme.
En explosant, Slift avait, sans vraiment le savoir, dyna-
mité le compromis qui avait tant bien que mal cimenté
les actions du mouvement depuis plusieurs années. Ce
compromis, parce qu'obtenu au terme d'infinis débats,
faisait presque toujours la part belle aux beaux parleurs,
c'est-à-dire aux humanistes et aux timorés, dont les
idées valaient le langage : elles étaient saines, et propres,
et justes ; elles n'avaient aucune force, rien… elles ne
portaient rien. Je les laissais parler, dérouler leurs longues phrases… Je n'avais pas besoin de les écouter. Il
suffisait de les entendre, d'entendre le balancement de
leurs voix et l'harmonie reposante de leurs timbres…
Ces gens-là ne feraient jamais la Volution. Ils puaient
l'équilibre. Il fallait en finir avec cette gangrène. Je fis un
signe à Obffs et Kamio, pour qu'ils m'appuient en polyphonie, pour qu'ils donnent du rythme si je m'enferrais
trop. Puis je pris la parole :
    — Qu'est-ce que nous avons fait ces deux dernières
années ? (signe à Obffs).

— Trois commandos, douze performances poétiques, quatre manifs de cinq mille personnes, huit campagnes d'affichage, vingt-deux pétitions et deux manifestes...

— Voilà le bilan. Et qu'est-ce qu'elles ont donné ces actions ?

— Rien !

— Exactement, rien ! (protestations dans la salle, chez les molteux). Et pourquoi ? Parce que nos actions sont molles, archiprévisibles. Elles sont chiasseuses. En deux ans, nous n'avons pas remué un flic, pas saboté le moindre système, même pas cassé une caméra, nous n'avons inquiété personne ! Je vais vous clouer une chose : sans violence, aucun pouvoir ne s'est jamais senti menacé. Vous lisez, vous êtes des gens cultivés, vous connaissez l'histoire... Sans violence, le peuple ne réagit jamais ! Sans violence, pas de Volution possible ! Voilà la stricte et dérangeante vérité. Vous, vous êtes là à rêver tout haut, à croire que la Volution se fait lentement, dans les consciences, pas à pas, avec des slogans, du papier et des mots. Mais sur quoi porte l'aliénation aujourd'hui ? Que fait la pub ? Qu'est-ce qu'ils font, vos copains incitateurs, qui vous vendent des glisseurs au détour d'une conversation ? Ils travaillent au sentiment. Ils analysent puis reconstruisent vos sensations, vos émotions, vos désirs et vos peurs. Mais eux le font lentement, doucement, avec tendresse et tact, ils opèrent sous anesthésie générale. Alors comment la Volte doit-elle combattre ça ? Lentement, aussi, doucement ?

— Nous n'avons pas l'omniprésence des médias, nous, pour éclairer les consciences !

— Nous n'avons que l'éclat de nos ruptures ! Que notre fureur ! Alors il faut surprendre, jaillir, déjouer, fracturer les routines, que ça explose, qu'on frappe vif ! Décalés les gars ! Discontinus !

— Tu essaies de nous dire que les pouvoirs que nous affrontons sur Cerclon sont nouveaux ?

— Oui, parce qu'ils opèrent directement sur nos corps.
Par des accès imparables, des prises, des plugs. En passant
par les cinq sens, mais aussi par la chaleur et le froid, par
les champs de gravité et à présent par le réseau nerveux,
parce qu'il conduit l'électricité ! Tout ce que la science, la
science salope, découvrira encore pour nous manipuler.
Ils nous bouffent par là. Moi, mon but, c'est d'empêcher
que les gens soient vidés de tout ce qui bat et bout en
eux ! Mon but, c'est que les gens vivent debout !

> La salle entière s'agitait, réveillée. Capt commençait
à forer dans l'axe de sa pensée. Obffs et moi tentions de
l'accompagner au mieux, en coupant, en relançant par
des fusées. Les moltés intervenaient par salve, avec une
mauvaise foi évidente.

— Tu veux que les gens vivent en les tuant ?

— Tu veux du sang frais, toi aussi ?

— Je veux qu'on soit violent, oui. Pas pour le sang.
Mais parce qu'on se bat contre une société de consensus
massif. Plus un consensus est mou, plus il est puissant,
plus il absorbe les attaques, moins on peut le déstabiliser. Nous sommes face à un gros bloc de gélatine et de
glu. Vous lui donnez un coup de couteau…

— Il avale le couteau, calai-je à temps.

— Vous lui donnez un coup de boule…

— Il vous avale le crâne.

— C'est un ventre qui peut tout gérer, tout digérer,
même la révolte ! Même nos cris ! Notre résistance, il s'en
nourrit… Car c'est la seule chose qui bouge encore dans
la glu, le seul spasme de vie. Sans le vouloir, nous sommes
devenus leur électrochoc, nous les maintenons à niveau…

— La seule solution, c'est de dynamiter le ventre.
Et la dynamite, c'est la Volte ! acheva Obffs, un peu
soudainement.

Une molteuse se mit à vagir du fond de la salle :

— Vous allez tuer le mouvement avec votre dynamite.
On a mis quatre ans à reconquérir un début de crédibilité

auprès du public, et vous voulez tout faire sauter. Il faut être patient. Nous devons agir de façon responsable…

Puis ce fut le déchaînement inévitable d'opinions de toutes sortes qui volaient d'un bout à l'autre du vaisseau, se coupaient, choquaient, s'encourageaient et s'insultaient dans un formidable bordel.

— Ce que vous proposez, c'est tout, tout de suite. La Volution sans préparation. Mais personne n'y est prêt, même pas vous. Notre mouvement prend chaque mois un peu plus d'ampleur ; les jeunes sont avec nous, beaucoup ne font plus confiance aux médias et nous écoutent. Il faut aller sur le terrain au lieu d'agiter des grenades. Moi, tous les jours, je milite contre les critères du Clastre et…

— C'est pas contre les critères qu'il faut militer, c'est contre le Clastre lui-même.

— Fridg a raison. Il faut être patient. La colère, c'est une réaction infantile et dangereuse…

— Tu crois qu'on peut faire une révolution sans colère ?

— Il faut savoir qui nous sommes : nous ne sommes pas des pyromanes, à mettre le feu à la ville pour le plaisir de la voir flamber…

— Les immeubles en plastique, ça flambe pas !

— Pourquoi nous sommes-nous baptisés la Volte ? On dirait que personne ne s'en souvient ici ! Notre but n'est pas d'éliminer le pouvoir, ou alors dites-le-moi, parce que, moi, je m'en vais…

— Casse-toi !

— Laissez-moi parler !

— On la connaît ton histoire !

— Notre but — je n'invente rien, nous l'avons écrit dans le manifeste, vous comme moi — consiste à…

— … brûler le manifeste !

— … consiste à construire, *en dehors des pouvoirs*, à côté, et surtout pas *contre* eux, une communauté d'in-

dividus responsables, avec d'autres valeurs… Si nous
avons enlevé le *Ré* de *Révolte*, n'était-ce pas pour signifier que nous voulions échapper à ces affrontements
sans fin avec le système ? Que nous refusions de nous
épuiser à le combattre, parce qu'à force de le combattre,
nous savions que nous deviendrions à son image : violents, cruels, hiérarchisés… Que sais-je encore ?

— C'est pas le problème…

— Je suis désolée, c'est le problème ! Que notre but
n'était pas de détruire mais de construire, pas de critiquer mais de proposer autre chose. Pour être brève :
d'être libre face aux pouvoirs, de ne plus tenir compte
d'eux au lieu de s'aliéner à la haine qu'ils suscitent.

— S'il fallait suivre Slift, de toute façon, toute la Volte
serait déjà encubée…

— Capt le défend parce qu'ils sont carte et code…

— Capt l'a toujours défendu, il est aussi saturné que
lui…

> Au bout de deux heures de débat et de cancane-
ments, il devint clair que, sous la multitude des conflits,
se dégageaient deux grandes conceptions de la Volution ;
qu'elles étaient inconciliables ; et qu'il fallait trancher.
Par le vote ? Il y eut un autre débat pour savoir si l'on
devait voter, puis un vote sur le vote, ce qui eut le mérite
d'émerveiller Boule de Chat.

Je m'époumonai une dizaine de minutes à stopper
les discussions puis, voyant que je ne m'en sortirais pas,
j'empruntai à Obffs son calibre et tirai au plafond. La
salle, d'un coup, se tut. Les parois du vaisseau grésillè-
rent. Un peu de terre dégoulina du plafond jusqu'au sol.
L'assemblée, éberluée, me regarda.

— Nous allons voter. Je crois que tout le monde a
compris qu'on ne peut pas continuer comme ça. Il faut
trancher une fois pour toutes. Que ceux qui sont pour
une Volte patiente, modérée et raisonnable, bref pour

continuer le même type d'action que nous menons
depuis quatre ans, indiquent « M » à leur noteur. Que
ceux qui sont pour une Volte percutante, incisive, qui
recourra s'il le faut à la violence, indiquent « V ». Autant
vous l'annoncer tout de suite : si les « M » l'emportent,
je démissionne, je quitte la Volte.

Il n'y eut aucune protestation. Je n'avais fait qu'énon-
cer l'évidence. Très rapidement, la salle s'emplit des
murmures des militants qui, la bouche collée à leur
micro, disaient « aime » ou « vé ». Le système de comp-
tage affichait, voix après voix, en temps réel, les résultats
sur le cadran rouge du fond de la salle, avec à côté le
pourcentage de militants qui avaient déjà exprimé leur
vote. Je le scrutais avec angoisse :

M : 24 voix • V : 16 voix • Votes exprimés : 10 %…

M : 106 • V : 123 • Votes exprimés : 58 %…

M : 177 • V : 217 • Votes exprimés : 100 %.

Nous avions gagné.

Les molteux du fond de la salle, en bons démocrates,
se levèrent en silence. Certains serraient un petit disque
rouge, marqué « √olte », dans la main. Ils le jetèrent sur
l'estrade en partant. Les petits disques roulaient sur
le sol comme des pièces. Ils s'accumulaient et les gens
partaient. À la fin, il n'y eut plus aucun modéré dans la
salle. Le sol de l'estrade flamboyait. Un colosse bedon-
nant, un de ces réformateurs à l'esprit de synthèse qu'on
voyait souvent à la tribune, se retourna au moment où il
allait prendre le tunnel, revint sur ses pas et nous mit en
garde avec solennité :

— Écoutez-moi, vous tous ! Je connais Capt. J'ai bien
observé ce sociopathe de Slift, et Obffs aussi, et Kamio,
sous ses airs de sage, j'ai vu clair en lui. Ces grosses têtes,
si vous les suivez, ils vous mettront des grenades dans les
mains. Ce qu'ils veulent, ce n'est pas ce que vous voulez, ce n'est pas la démocratie — ils s'en moquent bien
de la démocratie — c'est l'anarchie, mais au pire sens du

terme… Ce qu'ils veulent, c'est… c'est… le chaos, voilà.
Et ils mettront cet astéroïde à feu et à sang pour l'obtenir ! Vous savez ce que vous allez devenir, vous tous,
là, qui restez ? Des terroristes. C'est dans la logique des
choses. Au début, peut-être ne ferez-vous que bousculer ;
puis vous bousculerez un peu plus fort ; puis vous blesserez, par mégarde au début, sans le faire exprès ; puis vous
blesserez sciemment. Et à la fin, vous tuerez. Vous verrez : un jour, vous tuerez ! « La fin justifie les moyens »,
hein ? C'est ça que vous pensez. Alors je vous répondrai
ce que répondait à cela un honnête homme du vingtième
siècle : « Cela est possible. Mais qui justifiera la fin ? »

Il partit sous une bordée de sifflements, piquetés d'applaudissements et de bravos dont je ne savais s'il fallait
les attribuer au sarcasme ou à l'émotion. Lorsque, enfin,
le tunnel ne résonna plus de ses gros pas, Kamio me
demanda la parole. Je la lui cédai en toute confiance. À
défaut d'être original, il fut fulgurant :

— La Molte est morte. Vive la Volte ! Maintenant,
place à l'action. Brihx, à toi !

— Je propose que nous nous divisions en vingt-huit
groupes de dix. Ça fait quatre par secteur. Nous suivons
l'idée de Slift. Dès cette nuit, nous allons fixer des lames
sur toutes les portes-mâchoires qui seront à notre portée. Mettez-en dans vos immeubles, là où vous travaillez,
là où vous connaissez, partout où vous pouvez le faire
sans vous faire repérer. On fait le point ici même demain
soir, à dix heures. Bonne chance à tous !

— Comment on va se procurer les lames ?

Brihx retourna sa solide tête carrée vers Kamio et
moi, interloqué. Il ne s'était bien sûr pas posé la question. Nous agissions comme d'habitude dans la plus
totale improvisation. Je vins à son secours :

— Qui est métallo ici ? Qui bosse à l'astroport ?
(Une cinquantaine de doigts se levèrent.) Vous avez

bien des morceaux de tôle, chez vous ou aux hangars, de la ferraille ? (Ils hochaient la tête : « Ouais, on a. ») Répartissez-vous le boulot ; découpez-les, poncez, affûtez, faites ce qu'il faut. Il est sept heures. Il faudrait qu'à… disons minuit à peu près, chacun de nous ait quatre ou cinq lames à fixer.

— On va les fixer comment, justement ?

À mon tour, j'étais sur la sellette. Kamio me souffla la réponse.

— … Soudure au laser. Je pense que c'est ce qu'il y a de plus rapide. En plus, c'est silencieux.

— Et les groupes, on se met comme on veut ?

— Vous vous entendez, les gars ? On dirait des gosses ! C'est un mouvement ici, c'est pas un parti. Vous avez oublié ? Les chefs, c'est vous. C'est à chaque groupe de s'organiser. Vous voyez souvent ma gueule à la tribune, d'accord. Mais ce n'est pas pour ça que je vais m'arroger le droit de vous dire ce qu'il faut faire ! Je vais essayer de me démerder, comme vous.

La réunion close, je sortis en dernier du vaisseau, remis en place la plaque de tôle qui bouchait le puits et je pelletai, avec Brihx, la couche de terre indispensable pour en masquer l'entrée. Boule m'embrassa avant de rentrer chez elle. Elle avait compris que j'allais passer la nuit à souder des lames et elle avait souri. Soit ! Slift était parti en chercher une vingtaine chez des radieux qui lui devaient un glisseur. Il n'y avait plus qu'à l'attendre. Avec Brihx, nous grimpâmes au sommet de la plus haute cuve. Là, à trente mètres de haut, les jambes pendant dans le vide, assis sur la passerelle circulaire, nous dominions du regard la radzone où s'évanouissaient une après l'autre les ombres acérées de la Volte.

Le sort en était jeté. Le mouvement passait un cap. Brihx tourna ses yeux bleu sombre vers moi, me sourit et il me tapa sur le ventre, manière de tendresse pour me dire qu'il était là, avec moi, avec nous. Qu'il s'était passé

quelque chose de crucial ce soir. J'en étais ému. Pour qui
le connaissait dans ce qu'il avait de rare, ce geste disait
tout : l'intensité de son amitié, la force de cet instant, sa
confiance, toute sa pudeur aussi. Je n'avais pas besoin
de le regarder pour savoir que ses yeux brillaient et il
n'aurait pas aimé que je le regarde. Mais il savait que
j'étais noué dans la même émotion que la sienne, que
nous étions de la même eau, cette eau que contenaient
nos yeux, et que, quoi que le futur nous assène, on ne se
lâcherait pas, jamais.

IV

Coupons-réponses

> Dans le silence, nos regards balayaient l'étendue de
la radzone pour y guetter le retour de Slift et, invariablement, ils venaient buter sur le Cube, dont l'énorme
bloc se zébrait par moments, par endroits, de la lumière
des vaisseaux attendant de se poser. Le Cube était décidément le seul édifice qui dans cette ville donnait une
idée de la grandeur. Il surplombait Cerclon au point
qu'il n'était pas un lieu d'où l'on ne se sente écrasé par
sa masse de métal plombé — écrasé et élevé à la fois. En
levant les yeux, j'essayai d'apercevoir son sommet, à huit
cents mètres d'altitude, m'aidant de la lumière des transborduriers. Mais en dépit de leurs cent cinquante mètres
de long, les vaisseaux ne parvenaient guère qu'à rayer
la nuit d'un trait blanc. Le Cube servait de dépotoir illimité aux trois Cerclons, ainsi qu'aux stations orbitales de
Saturne, récupérant depuis un demi-siècle tout ce dont
nos sociétés n'avaient plus que faire. Un monument au
Mort pour les ordures, en plaisantait Kamio. Il est vrai
qu'on y plaçait les condamnés à mort… Dans les bouches
d'aspiration réparties sur le kilomètre carré du sommet,
les transborduriers déversaient pêle-mêle leurs milliers
de tonnes de déchets alimentaires, d'écrans, de merdes
électroniques, de machines-outils, de produits chimiques
et surtout, scellés de plomb, les résidus radioactifs de

l'industrie nucléaire. Je m'usais les yeux sur la cascade de détritus sans arriver à y distinguer autre chose qu'un flot noir et informe que brisaient, de temps à autre, des masses invraisemblables, tronçons d'immeuble parfois ou d'usine et vaisseaux hors d'usage…

Officiellement sain, ne comportant, d'après les experts, que des objets solides et nulle forme vivante, le Cube ne cessait, malgré les démentis répétés, d'alimenter les plus insolites rumeurs. Dans la Volte même, nombreux étaient ceux qui affirmaient que Zorlk y était encore en vie. Il avait été condamné à mort pour son meurtre ahurissant du ministre de l'Ordre public. La sentence avait été déclarée exécutoire en un temps record. Il avait été incubé… c'est-à-dire enfermé au cœur du Cube, par un tunnel expressément creusé puis rebouché, et laissé, dans un noir qu'on supposait absolu, au milieu de l'enfer, pour y crever… De quoi ? Ni de faim ni de soif… Personne n'avait la chance ou la force d'aller jusque-là. L'intérieur du Cube était une sorte de magma solide où s'affrontaient des forces dont la violence avec laquelle s'éventraient les parois de plomb sous la pression des déchets donnait seule une idée. Régulièrement se déchirait le quintuple mur qui fermait les quatre faces du cube. Les pyracides s'activaient pour découper la hernie et les repousseurs magnétiques pour ramener les rebuts dans l'édifice — mais le lendemain, ça recommençait ailleurs, sans qu'aucun expert fût à même de dire si le Cube tout entier n'exploserait pas un jour sous l'intensité de ses champs magnétiques, ou sous la férocité mécanique des compactages, ou si, très simplement, une réaction thermonucléaire partant du Cube n'effacerait pas Cerclon I de la surface de cette planète !

— Tu penses à Zorlk, hein ?

— Chaque fois que je regarde le Cube. Je me dis qu'il a survécu. Qu'il y est.

— Il y est. D'une certaine façon. Pour nous, il y est.

— Tu te dis pas, parfois, qu'il a pu survivre ?

— Sûr. Sa chair a résisté à l'acide, mec, et ses muscles au gorx, même s'il infeste chaque carré de tôle, même si c'est un gorx foudroyant qui tétanise en trois heures, grand max. Il a aussi tenu à quatre-vingts degrés, juste en interceptant une carotte d'oxygène liquide, tiens, pour se refroidir. Quant aux radiations et aux maladies, pas de soucis… Il est solide, le Zorlk. À l'heure qu'il est, il est debout, crois-moi, et il marche tranquille là-bas dedans…

— T'es con.

C'était dérangeant pour mes convictions. Mais la logique ne pesait rien face à l'espoir, face à cet enthousiasme fou qui me prenait aux tripes lorsque quelqu'un, brûlé par sa conviction, me disait : il vit ! Sans effort, je me mettais quelquefois à rêver, à l'imaginer en mutant immunisé capturant des blocs de chrome qu'il avalait… Il grandissait, il forcissait dans le Cube et un jour, il l'engloutirait tout entier de l'intérieur, tel un titan dévorant sa maison. Il s'avancerait dans Cerclon en piétinant les tours de verre. Il arracherait du sol les tours panoptiques et les broierait dans ses poings. Il déterrerait le vaisseau de la Volte et il l'enverrait comme un disque dans le cosmos pour y porter la Volution…

Il fallait pourtant l'accepter : Zorlk était mort. Je n'en voulais pas au Cube. Il était à sa hauteur. Ses parois, impeccablement équarries, mais rugueuses à force d'éventrement, percluses de sutures, de fentes et de trous laissés par la lenteur des compactages, rendaient à la puissance le plus brut des hommages. L'Acier — durci par le gorx au point qu'il en était industriellement irrécupérable — y était plein, massif — inoxydable et beau.

— Écoute ce bruit soufflé : ce n'est pas le glisseur de Slift ?

— Je crois que si. C'est parti pour le pire, tas de briques !

Après cette nuit de doux dingues où nous avions soudé pas moins de trente lames, dont deux énormes à l'entrée de l'unique bureau de poste du secteur 5 (dont les caméras extérieures étaient en examen annuel à l'usine), deux lames assez bien camouflées, soudées comme toutes les autres à même la porte, de part et d'autre de la fente, je me levai très excité. (J'eus un petit pincement en regardant ma couette vide et me demandai ce que Boule avait bien pu penser de la réunion d'hier. Elle n'avait rien voulu me dire en sortant du tunnel, si ce n'était qu'elle viendrait ce soir à la réunion de bilan. Je ne cherchai pas à m'appesantir.) Sans prendre le temps de m'habiller, je me précipitai sur la petite boîte noire qui contenait mon terminora, gueulai « Journaux » dans le micro, puis « Cerclon Express », puis « Tout le journal ». J'enfilai pantalon et slip d'un bloc, puis maillot-chemise-pull d'un autre bloc froissé. L'imprimante m'avait déjà tiré un exemplaire du plus sûr torchon à scandales de l'astéroïde. Je le parcourus. Rien sur la Volte. Je demandai l'heure au terminora : il était midi. Trop tôt, pensai-je. La réactualisation des informations devait survenir à une heure. Mieux valait mettre l'holovision. « Terminora ! L'holovision ! Attends… non… deux dimensions seulement, pas le relief… Deux dimensions ! Deux ! Deux bordel ! La télévision quoi ! » Putain de machine… Il n'était pas rare que le matin, elle reconnût mal ma voix. Je me crispai à répéter dix fois le même ordre sans qu'elle réagît. Ou alors, si elle réagissait, elle branchait le visiophone à la place du téléphone et je dictais le numéro de mes amis à la rue… (De surcroît, sans être *vocoréac*, selon l'expression à la mode, la généralisation de la commande à la voix, si magique qu'elle fût, me semblait insidieuse. Elle avait supprimé l'ancien rapport aux objets, ce corps-à-corps, même stupide, avec la machine, les boutons, les claviers que l'on martelait... On ne touchait plus à rien : on parlait et le monde s'animait. De fait, nous nous prenions tous un peu pour des dieux — ou pour des flics : il n'y avait qu'un petit pas... Comme disait Slift : « Le plus grand flic du monde, c'est Dieu, puisqu'il n'existe pas. » Le pire est que nous finissions par y prendre goût, à ce ton paresseux de flic, à ces petites jouissances de chef que rien ne venait contrer. Le ton était descendu dans la rue, il pointait de façon récurrente dans les discussions. Les gens prenaient plaisir à se le faire remarquer et ils en riaient. Mais progressivement, de moins en moins de monde y prêtait attention. C'était devenu un tic commun : commander sans résistance...

Je me résolus à appuyer sur le bouton et guidai l'image-écran au pied de mon lit. Je pris l'holocommande, canal 208. Le générique de *l'Événement* tonitrua dans ma chambre. Un disque rouge orangé que je reconnus tout de suite vint s'afficher brutalement. Et sur la droite, en lettres rouges qui couvraient tout l'écran : LA VOLTE FRAPPE.

Le commentateur : « *Les images qui vont suivre ont été prises par les caméras de surveillance de la poste du secteur 5. Elles sont à la limite du soutenable. Nous recommandons par conséquent aux personnes sensibles qui nous regardent en holovision de régler leur écran en mode télévision, afin d'atténuer un possible effet de choc. La scène a été tournée à 8:34, quelques minutes après l'ouverture de la poste. L'attentat a été revendiqué par la Volte.* »

La caméra de surveillance filmait l'entrée. Elle cadrait... la porte-mâchoire sur laquelle nous avions soudé les lames, mais de l'intérieur et légèrement en plongée, si bien qu'à moins de le savoir, il était encore impossible de repérer les lames sur l'écran. Je ne savais pas ce qui m'attendait ; j'étais tout entier dans l'écran.

De lourdes et lancinantes secondes s'écoulèrent... Il ne
se passait rien. À l'écran, les mâchoires s'ouvraient et se
refermaient sans accroc, très normalement, pour laisser
entrer les gens. La tension montait, montait pourtant,
montait en flèche... On pressentait qu'il allait se passer
quelque chose de terrible, mais quoi ? Quoi ? La voix
avait cessé de commenter. Elle laissait la porte seule
articuler sa terreur avec de l'air pulsé, et la porte parlait, elle essayait de dire quelque chose, de nous prévenir. L'écran scandait les secondes avec la porte, tantôt
sombre, tantôt baigné d'une lumière bleue qui diffusait
dans l'encadrement, au rythme des morsures. À la cinq
ou sixième ouverture, la panique me saisit. Une belle
enfant d'à peine dix ans venait d'apparaître devant la
porte. Sur-le-champ, je compris ce qui allait se passer.
Une vision. Elle s'avança, titubant presque. Il y avait
quelqu'un derrière elle, une jeune femme qui lui faisait
signe d'avancer encore : sa mère. Elle s'avança donc. La
mâchoire s'ouvrit. Elle allait passer, calmement, lorsque,
sans raison apparente, elle s'arrêta sur le seuil. Avait-elle
vu les lames ? Attendait-elle sa mère ? Elle se tenait
prostrée dans l'encadrement de la porte. On entendait
une voix, derrière elle, qui lui criait quelque chose. Elle
ne bougeait pas. La voix cria encore et tout bascula.
Oubliant la mécanique implacable de la technologie
Défordre, perdant toute raison, la jeune femme s'avança
vers sa petite fille ! Ce fut foudroyant. La mâchoire cla-
qua avec une férocité inouïe. Un instant, je crus que la
fillette avait été coupée en deux. La moitié de son corps,
son tronc, dépassait de la porte. Son visage était transpercé de douleur. La porte la serrait à hurler entre ses
dents. En remontant, la lame de la mâchoire du bas avait
dû peler ses tibias, rogner ses genoux et l'on devinait
qu'elle devait s'être... enfichée dans la chair, les cuisses,
parce que la fillette avait basculé en avant — son corps
était coincé, horizontal, entre les mâchoires, à un mètre

de haut. On ne voyait pas de sang, pas de sang… Il devait couler de l'autre côté, le long de la porte, il coulait… La mère devait… Je gueulai « ouvrez la porte, ouvrez-la ! », comme si j'étais dans l'écran, mais je n'y étais pas, j'y étais hier… Je… La mâchoire se desserra. À une vitesse affreuse, elle ramena le corps enfiché vers le sol. Il s'affala sur le marbre dur. Blanche sortait la chair, la graisse, en boule, de deux taillades profondes derrière la cuisse. La nausée me venait, la morve, les larmes me noyaient les yeux. Par instinct, la fillette chercha à se hisser avec ses petits bras, à se dégager de la porte, mais ses manches glissaient sur le marbre trop lisse, elle se crispait de désespoir, elle glissait, elle rampait sur l'hygiène du monde. Et personne ne l'aidait, personne, la poste était pleine de machines, déserte, pareille à toutes les postes. La voix de sa mère déchirait l'espace, suraiguë, la suppliait d'avancer… Elle fut recouverte par une autre, celle, rogue, d'un synthétiseur vocal : « Veuillez dégager la porte, s'il vous plaît, afin de ne pas entraver le bon fonctionnement des battants… — Je répète, veuillez dégager la porte s'il vous plaît — Attention à la fermeture automatique des battants ! ». Ce qui se passa alors, je ne pourrais jamais en oublier les images. La mâchoire inférieure jaillit du sol et s'encocha sauvagement dans les chevilles de l'enfant. Les chevilles furent happées vers le haut, entraînant les jambes et le tronc ployé en arc à l'envers. Les deux jambes craquèrent comme du bois sec dans un jet d'air pulsé. La traction violente des cuisses, en porte-à-faux, venait d'ouvrir la fracture. Deux bouts de fémur avaient crevé la peau et sortaient à nu. Elle glapit. La mâchoire se desserra à nouveau… lâcha l'enfant d'un mètre sur le marbre.

Je n'eus pas le courage… Je hurlai « éteins ! éteins ! » au terminora. En hystérie j'entrai, me frappai la tête contre les murs, frappai… frappai… frappai… jusqu'à ce que tout vibre au fond de mon crâne, se fracasse, gre-

lotte de morceaux de verre… À bout de force, la tête
éclatée, je m'effondrai dans une demi-inconscience, avec
ces mots qui me crevaient le ventre :
« LA VOLTE FRAPPE, LA VOLTE FRAPPE… »

Lorsque je me relevai, il était 13 h 30. J'avais un cours
à 14 heures. Je téléphonai à l'université pour l'annuler,
prétextant un début d'ammoniaquite. La voix affable
de l'hôtesse me répondit que, d'après mon quota, j'avais
encore droit à neuf absences et que, par conséquent, il
n'y avait pas de problème. « Prenez soin de vous », me
dit-elle en raccrochant. J'avais beau savoir qu'elle était
payée pour « m'être agréable » (en gros, un quart des
actifs sur cet astéroïde était payé pour être agréable aux
gens, un petit quart pour travailler, et la moitié restante
pour contrôler ceux qui étaient agréables et ceux qui travaillaient…), sa gentillesse me fit du bien. J'étais en état
de choc. Des sentiments incohérents tournaient, tournaient et hoquetaient en moi… J'avais honte, peur aussi,
atrocement, fier j'étais, j'assumais l'action, je me haïssais… Ma tête tintait, claquait pleine de lames… Y revenait la fillette, par flashs, avec ses yeux qui s'invaginaient
à l'intérieur de la souffrance, qui se révulsaient pour
m'accuser… la culpabilité, des reins, l'horrible culpabilité
remontait par bouffées, l'ivresse étrange du corps sec-
tionné au milieu d'elle, la honte me corrodait comme un
acide… Le fémur brisé, l'impression, j'avais l'impression,
qu'il était dans ma cuisse… toute de verre que ma jambe
craquait… Sensation à rebours, la même à rebours, de la
fillette avec l'arc de l'os, à l'envers, qui allait…
    J'essayais de reprendre souffle, de relativiser, de
me dire qu'elle serait vite sur pied, qu'à notre époque,
une fracture, même ouverte, se réparait à merveille, et
vite — que… Je pensais à sa mère, à ce qu'elle avait dû
voir, à ce qui resterait pour toujours en elle… je pensais
à la fillette, chaque fois qu'elle entrerait dans un bâti-

ment... Peut-être qu'elle ne voudrait plus entrer nulle part, plus sortir... J'avais agi sans former d'image, sans imaginer ce qui pouvait se passer... Les lames, je les voyais juste claquer, effrayer les gens, leur faire associer quelque chose comme point de sécurité et guillotine... Jouer sur les représentations alors ? Comme un publicitaire : manier des symboles, lobotomiser ? J'avais voulu ça ? Non... Nous avions voulu leur rendre visible, palpable cette barrière qu'ils passaient sans même y penser, les forcer à la voir, les acculer à la sentir... qu'ils la vivent ainsi que les marginaux la vivaient : féroce, ignoble... J'avais conçu qu'elle pût blesser, entailler, mais jamais comme cela. Jamais avec cette cruauté. Pourtant... pourtant je sentais au fond de moi que je ne l'avais pas exclu. Je crois même que je l'avais... entrevu.

En tout état de cause, j'assumais. Il fallait absolument que j'assume. D'excuses, je n'en avais aucune. J'assumais l'action, j'acceptais toutes les conséquences de l'action, jusqu'aux plus imprévisibles terreurs. J'assumais les fillettes découpées par la Volte, toutes les femmes, tous les vieillards, tout ce qu'avait pu faire et ne pas faire l'ensemble du mouvement... Et qu'est-ce que ça pouvait foutre deux jambes cassées, deux petites jambes de gosse de riche que la biochirurgie pouvait ressouder en vingt minutes ? Elle était vivante, c'était l'essentiel. Sept millions de personnes ne pouvaient plus circuler librement, vivaient comme des animaux tatoués, comme des packs de lait à puce passive, géolocalisés jusque dans leur cuisine, se faisaient dicter là où était leur place et à quel moment c'était leur place, se faisaient interdire l'entrée d'un cinéma parce qu'ils étaient censés être identifiables, parce que leur compte était à découvert, parce que... Est-ce que ça ne valait pas deux jambes cassées, est-ce que ça ne valait pas quatre bons milliers de jambes cassées même ?

Mais, mais, mais... j'entendais les bouches normées :

si le système ne nous fait aucun mal, si sa raison d'être ne consiste qu'à gérer les déplacements, et à les gérer pour le bien de tous, alors pourquoi blesser au nom de sa douceur ? Question spécieuse. Face à une aliénation des menues doses douces et continues, il n'était de rupture que brutale. Ou sinon se résigner, mettre un casque virtuel sur la tête, s'éclater loin du monde, dire « c'est comme ça, je n'y peux rien, je juge que tout est bien, amen… ». Le système ne gênait après tout que les *gens vivants*, ceux qui ne supportaient pas que leurs mouvements fussent orientés au nom d'une régulation sociale. Ceux qui résistaient. Distribuer quelques tracts ? Autant cracher dans l'Espace. L'ambition de la Volte, aussi vaniteuse fût-elle, avait été de contrebalancer en une nuit, une seule, vingt ans d'empoisonnement homéopathique. Idiot c'était, idiot… mais que faire d'autre ? Oui, la fillette était innocente, oui son corps n'était pas rouage mais victime du système. Elle ne méritait pas ça. Nous nous servions d'elle, de sa souffrance pour remuer les tripes et les consciences. Mais la Volution ne pouvait se faire avec des caresses. Ou alors il eût fallu caresser tout le monde…

Petit à petit, j'avais sorti la tête de l'eau et le vent des concepts, y soufflant, glaçait mes cheveux mouillés, me faisait le front froid. Il en était toujours ainsi chez moi. Mes sentiments se retournaient comme des crêpes. Les concepts affleuraient, l'émotion s'y enlaçait, tout basculait très vite de l'un à l'autre.

Deux heures après le choc, les sentiments repassaient en moi à la manière de plats froids. Les fémurs commençaient à craquer dans un passé lointain. Ils ne m'affectaient plus. Je n'étais plus dans la cuisse, j'étais au-delà de la fracture, après l'hôpital, dans la clarté clinique du constat : nous avions mis des lames sur les portes, une fillette s'était stupidement fait briser les deux jambes.

La tempête était passée, les nuages fuyaient au loin. La mer des faits brillait, étale. L'image même revenait pleine de trous, presque suspecte dans sa réalité. J'avais rompu l'identification à la mère, à la fille. Je n'étais plus sous la porte, ni devant, ni derrière dans la caméra, j'étais derrière l'image : dans la politique de l'image. Sans m'en rendre compte, je me mis bientôt à imaginer les discours de Défordre, du gouvernement, des « humanistes » et des journalistes, des sociopathologues invités. Et plus je les imaginais, plus notre acte me paraissait équivoque certes, politiquement périlleux, mais pourtant indispensable : il forcerait la société à réagir, à montrer son vrai visage. Par conséquent, ce que je me demandais à présent, c'était : comment les médias allaient-ils récupérer l'événement ? Comment le gouvernement allait récupérer la récupération de l'événement par les médias ? Le fémur brisé reculait derrière ces couches opaques : écran, médias, politique, et à travers ces couches, se diffractait, pâlissait, devenait lisse et vitreux, comme empaqueté sous un film plastique. Il devenait objet. *Gimmick*. Marque de fabrique. Il passait de main en main et se clonait au contact de ses maîtres. Les politiques en faisaient la hampe de leur drapeau. Certains déjà l'arboraient bien haut, tout dégoulinant de graisse et de sang mêlé et disaient : « Voilà, c'est la Volte. » Défordre en tirait une sorte de logo pour de nouvelles portes plus sûres (anti-terroristes ?) et le lobby médical une publicité d'une parfaite gratuité pour la biochirurgie. Les médias en faisaient de la violence ; du tragique ; de la fillette courageuse ; du malheur, puis de la joie brute ; du happy-end ; de la mère-victime ; de la Volte-bourreau ; du sang et des larmes : de l'audience. Ils en feraient ce qu'ils en voulaient, ce qu'ils avaient besoin d'en faire pour leurs objectifs propres. Ils avaient ce pouvoir. Moi qui n'y

pouvais désormais rien, je me figurais déjà toute cette
mascarade, je la faisais tournoyer dans ma tête, et cette
mascarade me consolait. Elle annulait déjà le visage de
l'enfant. Déjà elle faisait de la scène ce tableau rouge
mais froid qui finirait sur papier glacé, si bien qu'en mon
for intérieur, je raisonnais déjà à l'image des politiques
et des médias, et me relevais, avec, au cœur de la bataille,
serré comme un manche de pioche, mon fémur, celui
avec lequel, pour la première fois dans la courte histoire
humaine de cet astéroïde, la Volte venait de frapper.

V

Les tours panoptiques

La réunion de bilan avait lieu ce soir à dix heures. Je songeai un instant à l'annuler, craignant qu'un molteux nous dénonce. Qui d'autre avait pu revendiquer l'attentat en lieu et place de la Volte ? Ni Slift, ni Brihx ne pouvaient avoir appelé les médias sans m'en parler. La revendication ne pouvait par conséquent provenir que d'individus ayant tout intérêt à décrédibiliser le mouvement, à nous agiter à la face du public comme des épouvantails fascistes. Qui y avait intérêt ? Les putes, toutes les putes, la masse grouillante des putes de l'Ordre public : les flics bien sûr, mais aussi la quasi-totalité des médias, la Molte, un militant par bravade, un badaud retors… N'importe qui, avec un rien de mocode, avait pu cafter d'un terminora public. Qui que ce fût par ailleurs, le résultat se révélait identique : il fallait prendre le risque et maintenir la réunion. Faire face.

Slift bricolait des glisseurs à l'autre bout de la radzone jusqu'à quatre heures. Je pouvais aller l'y chercher et lui apprendre la nouvelle. Prendre l'air me permettrait de prendre du recul. Après nous irions ensemble récupérer Brihx sur la zone de transit. Il finissait ses convoyages à quatre heures trente. Un saut à l'atelier de Kamio, au cœur du centre culturel, puis Obffs au passage, qui devait traîner à la médiathèque et le Bosquet serait

complet pour un état-major improvisé au Cubilingus,
l'un des rares cafés de la ville sans accès sélectif ni géo-
vigilance — et l'unique où les incitateurs publicitaires,
à la première syllabe d'un produit qu'ils cherchaient
à amener dans la conversation, recevaient un coup de
genou dans les couilles, spécialité du patron.

J'enfilai mon parnox. J'irais en vélo. Dans mes saco-
ches, je fourrai mon matériel bricolé de poète militant :
un vociférateur à tambour, une poignée de clameurs et
deux noyaux durs. Puis je fixai sur ma roue arrière les
deux parleurs. En roulant, ça rechargerait les batteries
et je pouvais espérer enregistrer et diffuser deux bonnes minutes de son. Je me sentais d'humeur réflexive,
à broyer du concept, et je savais que j'aurais envie
d'exprimer, de sortir le jus de tout ça vers les gens, au
fil de l'eau. Prenant le vélo sur l'épaule, je descendis
l'escalier, empruntai la coursive en Plexiglas, manquai
d'écrabouiller le fils du voisin et débouchai directement sur l'avenue. Quelques coups de pédale plus loin,
je me trouvai au pied de l'antirade. Je souris à la vue
du panneau qui indiquait : « *Sentier pédestre de l'antirade • Déconseillé aux vélos dépourvus de système
électronique de freinage et de recycleur de boue. Un
déclassement forfaitaire pourra être appliqué... Le déni-
velé jusqu'au sommet de la butte est de 92 mètres. Les
personnes souffrant de difficultés pulmonaires ou cardiaques, insuffisamment ou peu entraînées, doivent entre-
prendre l'ascension avec la plus grande prudence et ne
pas hésiter à faire de fréquentes haltes afin de ménager
leur organisme. Des sanitaires sont disposés à intervalles
réguliers dans la pente pour assurer une hygiène optimale
des promeneurs.* » J'adorais ce panneau. Je finissais par
le connaître par cœur. Il était tellement emblématique
de notre société que j'en avais fait la base d'un de mes
cours sur les suggestions de comportement. Tout y était :
infantilisation des gens, conseils moraux, définitions

de conformité et de non-conformité physique, normes implicites de civilité à respecter, gestion de la menace, prévention, hygiénisme… Un vrai programme de gouvernement… des âmes.

Le sentier s'élevait sans à-coup à travers les arbres en plastique. Sous mes pneus, de belles feuilles mortes en cellophane craquaient. Un travail remarquable que ces feuilles, leur odeur, leur forme chacune unique et cette texture qui se déchirait et pourrissait d'elle-même au bout d'une vie qu'elles n'avaient jamais eue, que ces arbres dont l'écorce s'entaillait comme du bois, au couteau, que ces troncs-là, vrillés à la machine, mais avec un tour de main si singulier que je n'imaginais pas la nature les avoir autrement fait pousser. C'était d'un réalisme auquel on voulait, auquel on ne demandait qu'à croire… et l'on y croyait. Qu'est-ce que ça pouvait faire si les feuilles, à trop les écouter, avaient des crissements de papier à bonbon ? À sentir leur odeur qui remontait du sol, la façon dont elles se décomposaient, ma mémoire était prise à revers. Elle s'ouvrait malgré elle, elle lâchait sous la crue des souvenirs. Je n'avais pas oublié cela : j'avais *voulu* l'oublier, effacer de mon crâne cette odeur, cette sensation, cette terrible nostalgie. Mais elle ne s'était jamais effacée. Jamais. Je le savais maintenant. J'essayai de rouler mais les larmes me coulèrent du visage. C'était la Terre, la Terre qui revenait. La France et les sous-bois de l'Ardèche, le chemin en coude avec des touffes d'herbe hirsute au milieu, de la boue dans les ornières et des cailloux. J'avais douze… L'automne crépusculaire, le dernier, avant qu'on parte, le printemps suivant. J'avais juré à un arbre que je ne l'oublierais pas. Un châtaignier au tronc ouvert en deux. Ma cache préférée.

J'étais arrivé ici à treize ans… À treize ans, j'avais découvert le « paradis urbain ». L'expression, toujours, m'arrachait un sourire amer. C'était grâce à elle, grâce

à une publicité incessante que mes parents avaient
quitté une Europe dévastée par la guerre pour ce satellite bouffé d'ammoniac, où l'on respirait par des turbines d'oxygène, où aucun arbre n'était d'origine, aucune
plante vraie, où la gravité était rectifiée et le ciel cli-
matisé, où le Cube allait faire de nos gosses une génération de mutants irradiés... Un an et demi de voyage
pour échouer sur ce « modèle de la démocratie solaire »,
dans cette « société sans conflits et sans haine où il fait
bon à nouveau vivre bien ». Mes parents y avaient cru.
Ils avaient *cru* à ces conneries. Et combien d'autres ?
Personne ne pouvait leur en vouloir. Les images qui
nous parvenaient de la Terre montraient un spectacle
affligeant. La guerre chimique avait achevé de vider les
capitales. Tous les bâtiments étaient intacts. Berlin était
intact. Paris, Londres... Intacts et vides. Des villes fan-
tômes... Capitales minérales où ne témoignait plus que
la pierre. Seule. Digne. Sans une main pour en effleurer
le grain... y graver un cœur avec une flèche dedans...
et ces lettres : A.E. Vu du satellite, le beau Danube
n'avait jamais paru aussi bleu. Bleu cobalt. La Seine se
tordait, inerte et mauve, comme un boa empoisonné par
une proie sans nom. On avait longtemps redouté l'ho-
locauste nucléaire... À tort. La guerre bactériologique,
avec si peu de morts que pour les militaires elle en tirait
le prestige des sortilèges, avait, des territoires contami-
nés, fait des *no man's land*. Une sorte de neige violacée
les recouvrait. À perte d'horizon. Les Européens avaient
émigré en Afrique et s'y installaient en terre conquise.
La colonisation recommençait...

Sous le poids de ces pensées, j'atteignis en forçant le
sommet de l'antirade. Sitôt arrivé, j'empruntai la large
allée dallée de bleu qui serpentait sur sa crête. Réservée
aux vélos et aux piétons, cette allée bénéficiait à mes
yeux d'une relative quiétude que ne brouillait guère le
ronronnement de la ville. Elle était idéale pour l'oubli

de soi et la contemplation active dont j'avais besoin pour ne pas penser à la fillette, à l'avenir de la Volte et à ce soir… L'antirade barrait le secteur nord de la ville et servait, par sa masse et sa hauteur, à couper une partie des radiations qui émanaient du Cube. Mais pour moi, elle formait simplement une jetée émouvante sur la mer urbaine qu'elle dominait. De courtes tourelles, tels des phares, en agrémentaient le cours et permettaient, pour qui voulait s'y arrêter, d'admirer à loisir l'œuvre des concepteurs de Cerclon — ville bâtie de toutes pièces, ville de règles, de compas et de plans qui, à si bien se vouloir simple et pratique, en était devenue « ingénieuse », et non sans étrangeté. J'adossai mon vélo à la tourelle Leibniz et…

— Souriez, vous êtes gérés ! m'accosta une jolie jeune brune, surmaquillée jusqu'à l'absurde, en me tendant un noyau dur de la taille d'une bille, à loger dans mon guidon. Par curiosité ou par faiblesse, j'encochai la bille. C'était un programme « d'accompagnement tonique personnalisé » pour cycliste, téléchargeable d'une pression sur la poignée. Je délogeai la bille, la raclai sur le mur de la tourelle et la lançai à l'incitatrice.

— Je n'aime pas beaucoup être géré. Et quand on me gère, je perds plutôt le sourire, désolé…

La fille empocha la bille en esquissant une grimace.

— Gardez tout de même le vôtre, de sourire. En changeant de métier, par exemple…

— Je n'ai pas trop le choix, vous savez. Si je l'avais…

— Vous l'avez.

Elle me sourit avec tristesse, hésitant à ajouter quelque chose, puis elle s'éloigna d'un salut bref. Je montai l'escalier de la tourelle. La vue sur la ville était aujourd'hui superbe. Par la transparence des toits, des planchers et des murs, qui était presque générale dans Cerclon, le soleil pénétrait de haut en bas les édifices. Selon les tours, il soulignait les jaunes et les roses, les

verts et les bleus d'eau dont leur verre était discrètement teinté.

En pivotant, je m'amusais à suivre le cercle parfait de
l'anneau qui entourait « la civilisation ». À l'intérieur,
mon regard cherchait par habitude les sept autres disques, d'abord celui du centre, puis les six autres autour,
chacun ceint de son périphérique. Je me souvenais de
ma première impression en arrivant de la Terre : une
impression de monde clos, sec. Vu d'un astronef, Cerclon
ressemblait, pour qui se voulait poète, à une fleur…
celle aux six pétales de l'ingénieur — pour qui se voulait
tâcheron, à une ruche. Mais de la tourelle, ma vue s'at-
tachait plutôt aux parcs qui poussaient dans l'interstice
des disques et aux deux grandes étendues, à l'est et à
l'ouest de la ville, où se pratiquait l'agriculture la plus
intensive que le monde humain eût connue. Les sept
grands disques avaient été baptisés *secteurs* et numéro-
tés en fonction de leur éloignement du Cube — c'est-
à-dire en fonction du rayonnement radioactif qu'ils
subissaient. Le Cube, les industries et l'astroport occupant au nord le secteur 6, on trouvait au nord-est le secteur 5 où j'habitais. Y vivaient une majorité d'employés,
d'ouvriers mécanos, métallos et fondeurs, de fondus qui
erraient dans la radzone à récupérer des bouts de tôle,
de chômeurs, de voleurs, d'exclus du Clastre et le peu
d'employés agricoles qui permettaient à la ville de manger. Au nord-ouest, le secteur 4, collé de la même façon
que le 5 à l'antirade, mais mieux protégé du vent, abritait aussi de nombreux employés, beaucoup d'esclaves
payés au sourire, comme la jeune fille, mais moins de
chômeurs et quelques 4-lettrés. Plus au sud scintillaient
les secteurs 2 et 3 dans lesquels je ne mettais jamais les
pieds : la petite bourgeoisie 4-lettrée y faisait ses petits.
Enfin, plein sud et diamétralement opposés au Cube, se
devinaient quelques palais du secteur 1, siège des riches,
des retraités, des exploiteurs et des hôpitaux, et quartier

résidentiel par excellence. Il bordait les deux plus beaux parcs de la ville : le Parc de la Santé et le Parc bleu, fierté touristique de Cerclon I qui drainait son lot quotidien de vacanciers en mal de sueurs chaudes et froides, de drogués du jeu, d'enfants séniles et de vieilles trois fois liftées dont la peau craquait au premier looping, crevait au second, de sorte qu'au troisième elles ressemblaient à des... vieilles.

Le disque central de Cerclon avait échappé à la numérotation. Les pionniers du satellite l'appelaient cependant le 7. Les snobs, le zéro. Plus souvent, les Cerclonniens disaient « le centre ». Kamio l'appelait le cercle du pouvoir. Moi aussi. Parce qu'il réunissait le cercle des affaires (avec la plupart des sièges sociaux des multiplanétaires), le centre culturel, les meilleurs hôtels et les plus luxueux centres commerciaux... Parce que surtout, au centre géométriquement exact de la ville, il exposait, tel un diamant noir, le cœur du pouvoir politique : une réplique compacte du Cube, cent mètres d'arête, vingt-six étages au-dessus du sol (un par Ministre), le Terminor et son réseau câblé en dessous, quatre façades de miroirs fumés et un astroport sur le toit. Ainsi campé, le cube du gouvernement surnageait des tours du centre et y imposait une sorte de silence architectural. De tous les édifices de la ville, je regardai alentour : de tous, il était le seul qui ne fût pas transparent, le seul qui renvoyât à elle-même cette lumière dont les architectes de Cerclon avaient pourtant souhaité voir chaque bureau et chaque logement infiltré.

Le seul ? J'oubliais les tours panoptiques, ces cylindres inquiétants. Mais c'était parce que dans mon esprit elles ne s'en dissociaient pas. Elles participaient du même rapport à la lumière.

L'origine des tours panoptiques n'avait jamais été clairement élucidée. Elles étaient, disait-on, aussi anciennes que le projet des Cerclons. Mais d'explications quant à leur mission exacte, il n'en était aucune qui ne fût une sublime hypocrisie. Chaque secteur possédait sa tour, qui, quoique fichée en plein centre et dominant par sa taille tous les autres bâtiments, avait ceci de remarquable que personne n'en parlait jamais. Officiellement « tours du citoyen démocrate », on ne les citait jamais sous ce nom. S'il fallait les évoquer, les gens… les gens ne disaient rien, ils ne les évoquaient pas. Elles étaient ouvertes à tout le monde : hors-clastrés, anciens détenus, désencartés, gorxiques et radieux y compris — sans doute parce que tout le monde pouvait y jouer le rôle qu'on attendait de lui. À chacun des trente étages, on trouvait une débauche de jeux virtuels aux thèmes assez étranges, où l'on traquait des heures durant des assassins qui se terraient dans des parkings ou des usines kafkaïennes, qui s'enfonçaient dans les débris de la radzone… Le graphisme, tout comme les sons, y était d'un réalisme troublant. Il régnait dans ces univers parallèles une atmosphère très pesante, très solitaire, une sorte de face-à-face avec un ennemi sans visage, sans forme, inassignable, qui se dérobait…

Je me souvenais surtout du seul scénario que j'avais vécu jusqu'au bout. La poursuite semblait devoir ne jamais finir. Je marchais dans des marécages épais et un homme fuyait devant moi… Je ne savais rien de lui, s'il avait tué ou non, si même il avait commis quelque chose d'illégal ou d'anormal et je devais le rattraper pour ça, pour savoir… Après des heures interminables, sa course se faisait plus lourde et, à un moment, il s'enfonça dans un marais profond… Plus il avançait, plus il s'enlisait et la vase semblait le vouloir, vouloir en finir, la vase l'aspirait, l'avalait… Il tendit bientôt ses bras hors de l'eau, puis ses mains seules dépassèrent… Je l'agrippai, parvins à le tirer sur le rivage. Il était recouvert de boue verte. Je le lavai avec mes mains et de l'herbe et je regardai enfin son visage… Je le reconnus tout de suite… Il… C'était

moi… Il avait mon visage… Mais deux trous de boue…
Deux trous à la place des yeux…

Les salles de jeux se trouvaient disposées au centre
de chaque étage, en grappe de cylindres individuels. Une
bande vitrée barrait les cylindres à hauteur d'homme, de
manière à ce qu'on puisse y observer les joueurs qui évo-
luaient à l'intérieur. Éloquent spectacle. De tous ceux, si
nombreux, que la solitude donnait à voir dans cette ville
qu'elle gangrenait, celui-là était pour moi le plus poignant. Le casque virtuel enfoncé sur le crâne, les écrans
vissés aux yeux, les joueurs se débattaient des heures
immergés dans l'univers artificiel que leur projetait la
console. Ils s'y noyaient. Ils en oubliaient où ils étaient,
qui ils étaient (mais pourquoi pas si cette schizophrénie
les extirpait de leur rôle social imposé, si elle les portait
à se libérer par après, hors du jeu, dans le réel ? Non…
Au lieu d'exciter leur révolte, d'exacerber leurs désirs
les plus fous *à partir* du jeu, ils les épuisaient *dans* le
jeu. Ils en faisaient une masturbation mentale dans un
sas aseptisé. La partie terminée, leur corps était comme
neuf — et neuve sa capacité à être exploité… jusqu'à la
prochaine partie). Je ne pouvais dire d'où provenait, à
les voir, la sensation de malaise qui m'étreignait. Sans
doute de leurs gestes vides, qui n'avaient de sens qu'au
sein du jeu et qui, lâchés dans leur incohérence au centre d'un cylindre exigu, me ramenaient à ceux des gre-
nouilles décérébrées, dont la cuisse livrée à elle-même
n'obéit plus qu'aux lois des décharges électriques. Mais
pas seulement. Pas seulement.

Je ne m'étais rendu qu'à trois reprises dans ces tours
et à chaque fois, j'avais tourné en rond autour de ses
salles, imitant les badauds, passant de cylindre en cylindre et cherchant à dégager des gestes l'univers auquel
ils pouvaient correspondre. Une révélation m'était alors
apparue : les « tours du citoyen démocrate » n'usur-
paient pas leur nom. Leur forme indiquait leur fonction :

celle d'une éprouvette géante qui en contenait une série d'autres : les cylindres. Dans chacune s'agitait un échantillon de la population cerclonnienne : enfant, jeune femme, cadre célibataire, retraité, etc. Mélangés ainsi, ils donnaient une sorte de précipité de Cerclon, fait à son image : des particules séparées qui n'avaient eu de commun que leur volonté de quitter la terre et qui, artificiellement réunies sur cette planète, se révélaient non miscibles, se retrouvaient ensemble mais seules, pauvre foule anonyme.

Debout dans ma tourelle, je contemplais l'une après l'autre les six tours panoptiques. Je n'étais plus seul. À la balustrade étaient venus s'accouder une incitatrice et un couple de retraités qui devaient avoir la cinquantaine. Ils parlaient... de la fillette tailladée.

— Cette Volte, qu'est-ce qu'ils attendent pour la zigouiller ! Elle s'attaque aux pauvres gosses, maintenant ! Où va-t-on ? Ils lanceront bientôt des bombes chimiques, comme sur Terre, tu verras. Il va falloir s'installer à l'autre bout de la galaxie si on veut être tranquille. Je croyais que tout ça... que toute cette haine, nous en étions débarrassés... Que veulent les gens ? Ils travaillent quatre heures par jour, ils ont quatre mois de vacances par an, tout le confort possible et ils critiquent tout ! Moi, sur Terre, je travaillais dix heures par jour, je ne prenais pas de vacances ! Et je ne me plaignais pas !

— Ils ne connaissent pas leur chance. Ils sont jeunes.

— C'est aux parents de leur raconter comment c'était sur Terre, de leur expliquer. Moi, cette Volte, je dis qu'on n'a pas fini d'en entendre parler. Si la police n'arrête pas tout de suite les coupables, ils continueront. Il ne faut surtout pas les laisser faire. N'est-ce pas monsieur, vous qui êtes jeune, qu'il ne faut pas les laisser faire ?

— Non, lui répondis-je tranquillement et dans un sourire : il faut les encourager. Ils le méritent.

Elle crut que je plaisantais.

— Vous gardez le sens de l'humour, c'est bien. Vous avez raison, je m'emporte, mais ce n'est pas si grave. Nous avons un bien bel après-midi. Bonne journée, merci !

Les gens disaient tous merci dans cette ville. Vous leur demandiez de porter un paquet, ils vous disaient merci. Encore faut-il préciser que plus personne ne s'adressait la parole dans les lieux publics. Des « discussions » comme celle-ci devenaient rares, non que les gens refusassent de dialoguer, ils en étaient au contraire très heureux lorsqu'ils le pouvaient, mais nul n'osait faire le premier pas. Le travail n'étouffait pourtant personne. Le temps libre laissait amplement place aux rencontres. Mais voilà, aux trois quarts, ce temps était englouti par l'holovision et les jeux virtuels — la fameuse virtue, le plus prodigieux générateur de paix sociale jamais activé ! Laisser tranquillement l'individualisme triompher, le corps social s'atomiser, les anciens liens collectifs se défaire jusqu'à ce que chacun finisse seul face à son écran, dans un tête-à-tête dont le pouvoir savait devoir toujours sortir vainqueur… Le gouvernement n'avait pas inventé la virtue. Il s'en servait, simplement. Amplement.

Je regardais le couple de retraités descendre, péniblement, les vingt marches de l'escalier de la tourelle. Cinquante ans à peine, obèses à crever, déjà à peine capables de supporter leur poids sur un seul pied. Gentils pourtant, indiscutablement. Une gentillesse à mettre leurs petits-enfants sous calmant ; et la Volte en cage. C'était désarçonnant mais c'était ça. Ils auraient pu tuer pour leur confort. Non, j'étais injuste : ils auraient pu *laisser* tuer, si c'était à distance respectable de tout cri audible, comme on délègue sa sérénité à une société de vigiles en costume crème équipés de bâtons à vomir.

J'avais ma pensée à cran, comme un moteur au bord de la panne d'essence et qui cherche avidement

son liquide pour exploser. Je revins machinalement
aux cylindres des tours panoptiques. À cette heure
de l'après-midi, ses miroirs grenat brillaient, élégants
comme des rubis. Je ne sais pourquoi je les voyais si souvent noirs. Cela n'avait rien à voir avec la réalité, c'était
une couleur mentale — une ombre projetée par ce qui
se déroulait à l'intérieur. Oh, il n'était plus question de
la mascarade des jeux… Mais de ces zones d'observa-
tion auxquelles je ne pouvais m'empêcher de repenser.
Le cercle des jeux n'occupait en effet que la partie centrale des étages. À partir du dixième, sur le pourtour,
face à la baie vitrée, avaient été aménagés une cinquantaine de boxes, fermés par des portes, qui pouvaient
accueillir une personne. Une lampe-témoin sur la poignée indiquait si le box était libre ou non. On pouvait
fermer à clef de l'intérieur pour n'être pas dérangé. Les
boxes avaient la forme d'un trapèze, la porte occupant
le petit côté, la baie vitrée le grand et les deux murs servant de support, l'un à un immense plan aérien de la
ville, l'autre à une vue subjective, celle que l'on avait du
box, avec le nom précis de tous les bâtiments. Une table
simple était collée à la baie. Y étaient posés un scope, un
moniteur et, articulée sur un pied, une paire de jumelles qu'on aurait cherchée en vain dans le commerce :
elle disposait d'une caméra intégrée, d'une visée laser
à amplification de lumière qui permettait de distinguer
une mouche dans le noir et d'un zoom si puissant qu'en
le réglant, on pouvait donner la couleur des yeux d'un
pilote de vaisseau…

Ces salles étaient surtout pleines la nuit. S'y installaient sans honte une pléthore de voyeurs, hommes et
femmes, d'épouses soupçonneuses et de maris trompés,
de pères qui surveillaient leur fille et de filles qui surveillaient leur père, de curieux. S'y complaisaient surtout des pervers, des vicieux, des flics dans l'âme, des
délateurs payés à l'hôtesse dénoncée et des honnêtes

hommes faisant leur devoir de citoyen en enregistrant toute scène leur paraissant suspecte ou de nature à porter atteinte aux bonnes mœurs… Une fiche tactile (facultative) trônait sur la table. Pouvaient y être reportés les faits observés avec le lieu de l'action (c'était là que servaient les plans) et les références du timecode. Chose remarquable, aucune case n'était prévue pour le nom de l'observateur. Ça n'avait pas d'importance : seul ce qui était observé comptait. À moins que l'observateur se trouvât déjà lui-même observé, enregistré et noté… si bien que son nom importait peu. Difficile à savoir…

On s'installait à la table, on ajustait les jumelles et on commençait à balayer l'horizon… Dire que la technologie mise à disposition se révélait jouissive participait de l'euphémisme. Assis à cette table, les yeux dans les jumelles, je devenais Dieu. Je voyais tout. D'un réglage, mon regard traversait la ville, volait de toit en toit, piquait sur les trottoirs, filait à fleur de sol et y coursait les chiens en fuite, les glisseurs, les jeteurs de papiers… il lissait longtemps les vitrines, vibrionnait sans but de part et d'autre des avenues et finissait par se mêler aux hôtesses des centres, buvant avec elles un dernier verre avant de repartir courir les façades, avant de remonter, trouver la fenêtre, trouer les persiennes, percer les rideaux et se glisser au fond des draps, à savourer des courbes lascives. J'étais partout. J'entrais partout. La chambre la plus noire devenait claire comme le jour. En branchant le moniteur, j'obtenais sur l'écran l'image des jumelles et je pouvais en modifier le cadrage à la voix : plus haut, panoramique à gauche, zoom avant…

D'un box déterminé, naturellement, n'était-il pas possible de capter tous les bâtiments, ni toutes leurs faces, ni toutes les rues du secteur. Certains immeubles en masquaient d'autres, cachaient des rues. Des rideaux épais bouchaient les chambres. Mais deux trouvailles, d'un vice qui en disait long sur les architectes de cette

ville, limitaient ces inconvénients. Les panneaux solaires qui équipaient les toits de Cerclon avaient été
munis d'astucieux miroirs. En cadrant en gros plan ces
miroirs, on s'apercevait qu'ils permettaient d'observer
l'arrière du bâtiment précédent ou une rue cachée ou le
pied de l'immeuble, bref une bonne partie de ces espaces qui échappaient à une vision directe. Par ailleurs,
j'avais constaté un fait élémentaire : tout autour des
tours panoptiques, les immeubles avoisinants avaient
été bâtis par hauteur croissante — un peu à l'image des
gradins d'un stade. Par souci esthétique naturellement…
Combien d'individus venaient ici à des fins personnelles ? Combien de délateurs anonymes, pas même payés,
qui surveillaient tout et n'importe quoi et dont le plaisir
suprême était d'épingler un poseur de clameur ? Je les
imaginais remplissant consciencieusement leur fiche et y
ajoutant, fierté minable, leur nom dont la police n'avait
que faire… L'anonymat ici restait la grande règle, le
paravent de la honte, l'assurance que toute la mesquine-
rie qui croupissait dans les cervelles de cette ville dégor-
gerait en toute quiétude dans les disques durs.

— Souriez, vous êtes gérés ! Oh ! Excusez-moi, monsieur, je ne vous avais pas reconnu… Je vous croyais
parti. Je suis vraiment confuse…

— Ça n'a rien de grave. Pour vous faire pardonner,
vous allez m'aider. Pouvez-vous tenir mon vélo pendant
que je décroche mon parleur ?

— Avec plaisir. Qu'est-ce que c'est ?

Je décrochai l'appareil en forme de disque épais et le
lui montrai :

— C'est une sorte de dictaphone qui fait aussi haut-
parleur. Ça se recharge à la dynamo.

— Ça sert à quoi ?

— À rien. À éveiller les consciences, à déranger les
retraités. On enregistre une idée, un discours, un poème
puis on cache le parleur dans un coin. Et toutes les heu-

res pendant un ou deux jours, il va parler tout seul, avec votre voix. Jusqu'à épuisement de la batterie.

— C'est de la propagande, non ? C'est légal ?

— Absolument pas. Vous avez déjà vu quelque chose de réellement libre qui soit légal, sur Cerclon ?

Je lui arrache son premier rire, un rire mouillé, qui dégage beaucoup de charme. Ses yeux brillent, elle est à moitié décontenancée, à moitié fascinée par mon aplomb jovial.

— Et donc, là, vous allez enregistrer quelque chose ?

— Je n'ai plus de secret pour vous…

— Je peux écouter ?

— Non seulement tu peux écouter, mais tu peux aussi me donner ton avis…

La diode s'alluma et j'attaquai, dans le droit-fil de mes pensées :

• *Si les tours panoptiques gardent un tel mystère, si le gouvernement s'est refusé avec une belle constance à en clarifier la fonction, ce n'est pas pour couvrir un projet crapuleux de surveillance exhaustive. C'est dans l'intention que chacun y mette ses démons propres, ses visages redoutés de mère inquisitrice, ses paranoïas intimes et ses dieux vengeurs. Eux, la police ne peut pas les inventer. Le luxe du 1984 d'Orwell, avec son médecin de la pensée personnel qui vous traite jusqu'à épuration totale, ne convient pas au régime chiche de la démocratie. Il dénote la haute couture de l'âme là où doit suffire le prêt-à-porter. Ce que la police ne veut pas faire (trop long, trop coûteux), l'individu est donc invité à le faire à sa place : à se soigner lui-même par ses peurs secrètes. Le prodige des tours panoptiques, c'est qu'à partir des désirs les plus disparates de ceux qui s'installent dans les boxes, elles habitent pourtant les espionnés d'une angoisse homogène. Homogène ? Dans ses effets généraux, oui, puisqu'à tous, elles inspirent la peur. Mais en même temps, cette peur générale… se personnifie si… si adéquatement à chaque âme de cette ville que des tours, constamment, semblent partir sept millions de psychopoliciers omniscients qui viennent montrer leur visage au carreau.*

— Ça va ? Ce n'est pas trop théorique ?

— Je ne sais pas. C'est très bien dit en tout cas. Vous parlez très bien.

— C'est mon métier, je n'ai aucun mérite. J'ai hésité un peu, c'est dommage. Je vais tenter autre chose, un autre axe. Ça passe, sinon ? Franchement ? Vous tombez là-dessus en marchant, ça vous touche ?

— C'est très personnel, on ne comprend pas tout… On dirait un cours.

— Bon… Ça ne va pas alors. Je vais tenter une version plus… directe, hein ? Attention… C'est reparti…

• *Sais-tu, promeneur, que les tours peuvent observer n'importe qui, n'importe quand et à peu près partout ? Dans quel but et pour qui ? Peu importe. Il faut faire attention, simplement. Être sur ses gardes. Au fond, tu redoutes moins le regard de la police que celui des proches, famille ou « amis ». Si tu fermes les rideaux avant de faire l'amour, c'est en pensant à l'autre, les jumelles acérées, dans la tour. Ta probabilité d'être épié a beau être minuscule, tu prends sur toi les regards malveillants. Moi, je suis comme toi, je fabrique mes propres miradors et dans le même élan, je m'expose dessous. Qu'importe que je ne sois en fait jamais surveillé ? Je me surveille, quand même. « Au cas où… » Aujourd'hui, ces trois petits mots ont ouvert une plaie que je suis incapable de refermer. « Au cas où… » m'a appris à jouer les deux rôles — espion et épié — et je les mélange tellement en moi qu'au fond même de mon lit j'ai pris ce pli : l'autodiscipline. La tour pourrait bien être vide, hein, vides aussi les boxes, ça n'y changerait rien ! Le pouvoir s'exerce tout seul. Car « au cas où… » demeure. Et avec lui le malaise, mon malaise lancinant… Avec lui cette posture sur laquelle prospère le pouvoir en démocratie : le self-control.*

Je me relâchai d'un coup, en soufflant, fatigué, j'appuyai sur « stop » et relevai la tête vers la jeune fille. Sa figure, bloquée jusqu'ici en mode empathie automatique, venait de se transformer. Elle avait conquis à nouveau un visage, elle était même franchement belle. Elle n'attendit pas que je l'interroge, elle…

— Vous exagérez un peu… mais… J'ai bien aimé… J'aime… vraiment. Je trouve bien que vous fassiez ça… En fait. Je trouve ça admirable… même. Que vous osiez dire ça.

— J'ai pour ces tours une sorte de fascination hypnotique. Je peux y penser des heures, les ressasser… Elles nous regardent là, toutes les six. En ce moment même ! Je les regarde aussi. Je sens qu'elles voudraient m'inculquer cette sagesse ignoble qui veut que, pour qu'une démocratie tienne, tout le monde y surveille tout le monde — moi-même y compris. Mais moi, je supporte pas ça. Je leur crache à la gueule !

Je faillis ajouter que je crevais d'y larguer un vaisseau-cargo de deux gigatonnes, vertical, pour les enfoncer comme une tête de clou sous le plancher du satellite avec tout ce que cette société comptait de larves, de sycophantes et de cafards ! Mais à son regard apeuré, je sus qu'il fallait que je me calme. Je lui demandai de faire le guet pendant que j'allais placer le parleur sur le toit de la tourelle. Elle joua le jeu. Puis je la saluai avec chaleur, trop vite pourtant, coupant sans raison ce mince fil qui se nouait dans cet après-midi de soleil et j'enfourchai mon vélo. Je me mis à pédaler pour me rafraîchir le sang. L'air cinglait ma peau, vif, et je fonçai jusqu'à ce que le froid me taquine de son fouet. Je me sentais physiquement en pleine forme, j'enroulais un braquet colossal pour me défouler, avalais les bosses et les dalles bleues. Je ne pensais qu'à l'instant, qu'à le vivre avec la plus forte intensité que je pouvais, comme si une balle devait m'achever au prochain virage et que je n'aie pas le temps, plus le temps et que je comprenne enfin que je ne l'avais jamais eu.

— C'est la première fois que tu poses des bretelles ?

— Oui, pourquoi ?

— Tu trembles. Il faut pas trembler, gamin. Si tu trembles, t'es pas précis.

— Je sais. J'ai les nerfs qui travaillent tout seuls.

— Quel âge t'as ?

— Vingt-cinq ans. Je sors de l'université. C'est ma première vraie mission.

— Vingt-cinq ans ! À vingt-cinq ans, je débouchais les chiottes des centres de rencontres et après j'essuyais le sperme dans les cabines ! Ça doit ventiler sérieux entre tes deux oreilles pour qu'on t'ait mis d'emblée aux Écoutes. Tu feras carrière, gamin, je te le dis.

— J'espère.

— C'est sûr. Ça y est, le mastic est sec. Tiens, mets le moule dans la machine, qu'elle nous fasse notre p'tite clef.

— C'est vraiment artisanal…

— C'est artisanal mais ça prend moitié moins de temps que de dupliquer la voix du client pour piéger son vocodeur. C'est quoi ton nom, déjà ?

— E-B-J-R-M.

— E-B ! T'es sorti premier de ta section pour être clastré pareil ! C'est pas possible ! E-B, tu dis ! J'ai cinquante barreaux et je suis bloqué à G depuis dix ans ! Pourtant, tu peux me croire, je connais mon boulot. Des caméras, j'en ai posé partout et de toutes les sortes : des infrarouges, des thermiques, des spectrales, des « Fisheye », tout ce qu'on fait ! Et des bretelles, j'en ai mis jusqu'au siège du Bloc Démocrate ; j'ai mis Multinfo sur écoute, mon gars, et ça dure depuis quatre années tellement j'ai rusé le truc. E-B ! Enfin… C'est prêt, la clef ?

— Oui. Je vous laisse ouvrir ?

— Je veux ! Avec ta tremblote, t'es foutu de me la casser dans la serrure. T'as branché le détecteur : y a pas d'alarme, pas de gadget ?

— L'écran est vierge.

— Comme toi. Alors on y va. Referme délicatement derrière…

— Quel foutoir, cet appartement ! Il habite seul ?

— C'est ce que dit le Terminor. Apparemment, il s'est viandé. Mate la chambre : y a trois matelas ! Trois ! On est bien, si l'un des trois se ramène…

— Il faut repartir immédiatement. Il y a défaut d'information. Nous ne pouvons courir le risque d'être surpris. Le règlement est très clair là-dessus : il faut repartir.

— Oh ! oh ! le livre ouvert, on calme sa joie ! On est là pour poser deux caméras standard et une dérivation sur le câblage réseau pour écouter monsieur et on va les poser ! Rien à braire qu'ils soient quatre là-dedans. Le client, il est parti se balader à vélo et le collègue qui planque dans la tour du 5 nous a dit, y a cinq minutes, qu'il roulait sur l'antirade et qu'il avait dépassé l'astroport. Les trois autres doivent bosser. Alors on se calme et on torche le boulot vite et propre.

— Nous risquons tous les deux un blâme. C'est ma première mission. Si jamais quelqu'un vient…

— D'abord tu parles trois tons en dessous, gamin. Quand on est dans la place, on chuchote. On a dû t'apprendre ça. Ensuite, le collègue LC-TUX planque dans le hall. Si quelqu'un rentre, il prévient. Qui que ce soit. Le risque, il est rond. OK ? Zéro !

— Je serai dégradé si…

— Si quoi ? Rentre-toi cet implant dans le crâne, gamin : y a pas de « si » dans ce métier — si t'es bon. Si t'es bon, t'improvises, t'inventes, tu t'en sors toujours. Je vais te raconter une histoire : la nuit où j'ai équipé le Bloc Démocrate, je me suis fait coincer par un vigile. Tu sais comment je m'en suis sorti ? Je lui ai dit que le

Bloc m'avait embauché pour tester ses capacités de surveillance ; que ça faisait une heure vingt que je tournais
avant qu'il me coince ; et même que c'était limite que
dans mon rapport, je conseille pas son déclastrage. Le
pauvre gars s'est presque mis à genoux. Il m'a dit qu'il
était crevé, que d'habitude il était très vigilant, que
c'était la première fois qu'il faisait pas tout l'étage dans
le quart d'heure... Je suis reparti en lui assurant que je
le couvrais : il chialait presque de joie !

Il était trois heures. Si je ne voulais pas rater Slift, il
ne fallait plus traîner. Roulant toujours plein ouest, je
passai au-dessus du tunnel de l'antirade. À ma gauche,
les hôtels de luxe déroulaient leurs façades en un long
travelling latéral. S'y ébrouaient hôtes et hôtesses payés
pour « être agréable » et putes, sans que le distinguo fût
aussi net que l'intitulé. Je n'eus bientôt à ma gauche que
les tours du secteur 4 et, à droite, la vaste étendue anarchique de la radzone.

Je me demandais toujours ce que devaient penser, au
moment de l'approche aérienne, les voyageurs qui faisaient pour la première fois escale sur Cerclon I. Entre
le gigantisme du Cube, l'implacable géométrie de l'astroport et, de part et d'autre de ce grand cercle froid,
la radzone, il n'y avait rien qui pût suggérer la possibilité d'une vie organique. Pourtant ! La radzone, zone
quoique radioactive et que rien ne protégeait du Cube,
vivait. C'était même l'un des rares lieux de cette ville où
l'on éprouvait encore ce que vivre signifiait. La première
fois bien sûr, on n'y voyait qu'une étendue désolée d'où
n'émergeaient ni arbres ni constructions, hormis quelques cabanes de tôle, çà et là, surmontées de girouettes
et d'étendards bariolés qui claquaient sous les bourrasques du vent cosmique. On se refusait à admettre les
détritus. On les voyait pourtant, on ne voyait même que
cela : des déchets métalliques partout, épars, qui pous-

saient à même le sable, par touffes de tôles. L'envie vous
prenait de semer quelques billes de plomb et d'attendre
des averses de limaille, pour s'assurer que ne pousserait
pas du sol une roue, puis deux, puis quatre, puis six, puis
des essieux, des longerons, un bas de caisse et au bout du
compte un camion-citerne, tant la zone paraissait propice à une prolifération industrielle jusqu'ici inconnue.

Par mesure de prudence, les substances explosives ou
toxiques, ainsi que les vaisseaux de trop grande taille,
n'étaient pas déversés dans le Cube. Alors ils échouaient
ici, dans la radzone… pour certains pareils à d'immenses
tankers couchés sur le flanc, pour d'autres à des concen-
trés de radiations qu'il fallait isoler de toute influence. À
tous, on finissait à la longue par s'attacher. J'avais pour
la radzone une affection semblable au Dehors — et
pas seulement parce qu'y habitait la fraction enragée
de la Volte. Si le Dehors ouvrait pour moi sur *l'Autre
que* Cerclon, sur quelque chose qui n'avait plus rien à
faire avec la civilisation, la radzone incarnait *l'Autre de*
Cerclon : l'autre face d'une médaille industrielle efficace et lisse : face du rebut, du rugueux et de *l'impro-
ductif* — ce Satan, cette terreur secrète de l'économisme
triomphant. Les gestionnaires cherchaient à se rassurer
en se disant qu'après tout, à sa façon, la radzone produisait aussi : elle produisait du déchet… N'empêche. Cette
zone, avec ses vaisseaux échoués de nulle plage, ses
petits lacs nocifs à l'eau pourpre et son herbe têtue, avec
ses détritus sacrés, intouchables, si profondément des
détritus qu'ils ne daignaient ni être traités, ni compactés,
ni même pour beaucoup vendus, et qui se contentaient
de se dresser, droits comme des phares, n'ayant aucune
nécessité d'être là où ils étaient mais y étant cependant,
à compliquer l'espace, à le joncher dans une anarchie
exaltée, les agaçait prodigieusement. Ils ne savaient
qu'en faire. Les détritus s'empilaient. Il fallait les éparpiller pour les isoler, ils… ils n'arrivaient pas à *gérer*

ce merdier. Et ils n'y arriveraient jamais parce qu'ils
produisaient trop et trop vite — et que plus ils produisaient, plus la radzone proliférait de tôles, de cuves et de
vaisseaux.

J'arrivai à la hauteur approximative de l'endroit où
travaillait Slift. Je quittai l'allée pour un sentier aux
lacets évanescents qui descendait jusqu'à la zone. Je
repérai la pointe du jet. Slift devait être tout près. Deux
kilomètres encore me séparaient de lui. Deux kilomètres d'effort, à slalomer entre les flaques toxiques et à
contourner de loin les blocs de béton fendillés d'où suintaient des radiations... Un vendeur de tôle me coursa
pour une table en aluminium soudée main.

— 30 becquerels au compteur, mon gars ! Je te la
vends 100 unités.

Puis à mesure que j'accélérais :

— 100 seulement ! Allez 90 ! 80 ! Pour toi, 50, mon
fils !

Je lui jetai finalement un billet à la volée et lui dis de
garder sa table pour manger. Sur mon chemin, je croisai
aussi quelques glisseurs à air, de vieux modèles à rendre sourd, bondés de ferraille, qui partaient se vendre au
cercle industriel. Je songeai aux radiations qui transper-
çaient le dos du conducteur et qui feraient de lui inéluc-
tablement, à quarante ans à peine, un vieillard...

J'étais presque arrivé au « garage » de Slift lorsque
mon œil fut attiré par une masse inhabituelle à cet
endroit : une soucoupe touristique, fraîchement larguée,
sur laquelle s'activaient de jeunes pillards vêtus de combinaisons de fortune, aussi efficaces contre les radiations
qu'un tee-shirt. Ils détachaient du vaisseau les grandes
plaques de titane si prisées. Dans une semaine à peine,
ils auraient désossé le vaisseau. Ils travaillaient comme
des rapaces. Ils se battaient pour un fauteuil de bar,
pour une porte étanche. Les têtes brûlées s'occupaient
des réacteurs, pièce précieuse mais terrible : à défaut de

patienter après leur mise à l'arrêt (deux mois au minimum), on ne les manipulait pas sans subir une sévère irradiation. Il n'y avait pas si longtemps (mais c'était avant la nouvelle loi F-685, laquelle désencartait automatiquement les interdits bancaires qui refusaient de travailler pour rembourser leurs dettes), un temps de latence était tacitement observé par les pillards avant de s'attaquer aux pièces radioactives. Cette latence préservait les organismes. Désormais, le vaisseau était à peine largué que des jeunes radieux se jetaient sur les réacteurs, se ruinaient la vie pour un gain aussi rapide que leur santé serait éphémère. Ils le savaient bien. J'avais déjà discuté avec eux : ils le savaient. Ils s'en foutaient. Peut-être y voyaient-ils une manière de suicide élégant. Et pourquoi pas ? Pourquoi ne pas faire de sa vie un météore si l'on voulait briller ?

— Bon. Je te laisse la bretelle du réseau. Je m'occupe des caméras. Tu vas t'en sortir, hein ?

— Oui, j'ai appris. Vous…

— Qu'est-ce que t'as encore ?

— On peut nous voir de la Tour ?

— Quelle tour ? La Tour panoptique ? T'as jeté un œil au vitrage ? La baie est en vitre miroir. D'ailleurs, c'est dans le rapport, si tu l'as lu. De la Tour, on peut rien voir de ce qui se passe ici. Pas de blème là-dessus.

— Comment a-t-il obtenu d'avoir une baie-miroir ? Il faut une dérogation du ministère. Seuls les citoyens respectables y ont droit.

Slift vivait dans la radzone depuis vingt-sept ans : depuis qu'il était né. Il habitait l'aile d'un vaisseau qui lui servait aussi de hangar pour entreposer ses glisseurs. Il habitait seul, mais il hébergeait comme moi une poignée de radieux. Il acceptait tout le monde, même les gorxiques. Ça ne le gênait pas de ne pas toucher les gens.

Je l'avais connu sur un terrain de football. Il jouait ailier gauche et il jouait bien. Très vif, une frappe sèche du gauche, un coup de tête assassin malgré sa taille modeste, il avait l'âme tordue du buteur, et une troisième jambe pour les balles perdues. Sinon il dribblait. Beaucoup. Parfois trop. Mais il finissait toujours par donner son ballon et globalement il jouait plus collectif que la plupart des autres joueurs (Kamio excepté, mais Kamio était le meneur de jeu le plus collectif de l'astéroïde — jusqu'à la pathologie : à donner un ballon en retrait alors qu'il était seul devant le but). Immédiatement, j'avais accroché avec Slift, avec son style de jeu rapide et teigneux et ses perles distillées au compte-gouttes. Oui, il jouait sec, haché, coup de patte, sprint, dribble, frappe, but. Et il parlait de même : saccadé, efficace. Et il parlait peu. Son visage pouvait paraître ingrat à certains, mais il avait indéniablement une gueule. Une face pointue à couper l'air d'un coup de tête. Une gueule profilée pour la vitesse, avec des yeux intenses et perçants, des yeux de fou dangereux. Ses gestes aussi étaient pointus, nerveux, pleins d'angles, de vrais coups de couteau — l'exact inverse de Boule et de sa grâce. Personne ne pouvait dire qu'il était tout à fait à l'aise avec Slift. C'était quelqu'un avec qui on n'était jamais complètement à l'aise. Qui ne faisait rien pour (rien contre non plus, d'ailleurs, je ne sais pas). On le sentait capable de tout, et très vite. Il n'avait jamais voulu me dire pourquoi il était entré dans la Volte. Pourquoi il y restait. Une effroyable détermination le hantait, c'était ce qu'on pressentait tous. D'où venait-elle et à quoi mène-rait-elle, nul n'osait l'affirmer de vive voix. Des bruits circulaient que son frère aurait été tué par un vigile lors d'un contrôle de routine. D'autres disaient sa sœur. Il n'avait à ma connaissance jamais eu de famille. Moi, il me semblait que s'il voulait venger un crime, c'était celui de la société entière, le meurtre indirect de tous par tous et qu'il n'était orphelin de rien. Peut-être qu'un soir il avait vu ça : un vieux se faire bouffer dans une cuve d'acide ou un gosse cryogénisé sur une grille d'ox. Il avait décidé en une nuit cette folie : venger tout le monde du fascisme larvé de tout le monde et il était depuis habité par l'écrasante exigence de cette tâche. À la longue, elle s'était muée en une rage froide et terrible qui n'épargnerait rien ni personne. Fallait-il y insister ? Slift était mon ami. Et de tous mes amis, le seul que je considérais et respectais comme un authentique guerrier urbain.

— Il est prof d'université, je te rappelle.

— Vous ne croyez pas que le service perd son temps à espionner un professeur d'université ? Comment un homme de son statut pourrait-il être un délinquant ?

— Et pourquoi pas ? On voit de tout, gamin, dans ce métier. Et puis, dans le rapport, y a plusieurs trucs qui font tiquer. D'abord il est enclastré depuis six ans. Il l'a demandé alors qu'il était promu d'une claste, qu'il allait passer 4-lettré, c'est pas bizarre ça ?

— Si.

— Ensuite il est célibataire, ses parents sont morts du gorx, il n'a pas de famille, il est arrivé ici à treize ans — à treize ans, on s'adapte mal ; il n'a, tiens-toi bien, *aucun abonnement holo* et il ne paie aucune des taxes citoyennes optionnelles ! Ni celle du Clastre, ni la paix sociale, ni la contribution pour la quiétude des espaces publics. Ça prouve rien, je te l'accorde ; mais c'est bizarre quand même, non ? Ça sent un peu le sociopathe, un gars qui paie pas ses taxes citoyennes…

— Vous croyez qu'il faut recommander une écoute humaine ?

— Tu plaisantes ? Avec le temps que ça prend ! Non, il sera sur écoute-machine, comme les autres. Tu connais le principe ? T'as appris ?

— La caméra enregistre toutes les conversations. Les enregistrements sont passés au collexiqueur qui compte tous les mots prononcés, les classe par fréquence et repère si oui ou non, un des mots de la liste noire a été prononcé. Dans ce cas, on passe à l'écoute humaine. La liste noire pour *passage dans la zone du Dehors* comporte 34 mots, je crois ; pour *appartenance ou sympathie avec la Volte*, 86 mots. À l'université, je connaissais les dix listes les plus utilisées par cœur !

— Pour ce client, y en a trois : passage au dehors, sympathie avec mouvements subversifs et propagande idéologique : y a plus de deux cents mots déclencheurs pour la prop' !

— J'ai fini ma bretelle. Je peux vous aider ?

— Trop tard, fils. La caméra 1 est dans le fil du plafonnier. La 2 cadre l'entrée. Je branche les moniteurs. Vas-y, mets-toi devant la porte… Ok, c'est bon. La plongée sur le salon… C'est bon aussi. On peut mettre les bouts ! Touche à rien en sortant…

J'aimais les gens que côtoyait Slift : ces hommes et ces femmes sans Carte, ces âmes absoutes du Clastre, ces corps déliés des dix mètres carrés de surface habitable, déliés des sourires-minutes et des ongles codebarrés, qui ne demandaient rien qu'un peu de fric pour leur brocante, pour leurs bouts de fer soudés qu'ils baptisaient chaise et qu'on leur donnait, moins par compassion que pour cette obscure estime qui nous venait de ce qu'ils étaient hommes, hommes pleinement, qu'ils sentaient la sueur et la boue sèche, et qu'ils vieillissaient bien. De tous les noms que les normés leur donnaient — radzonards, ras-de-la-zone, zoneux, radiopassifs, rats des tôles, grisés, fondus, ratons, radards, radieux… une liste plus longue encore que pour dire « argent » ! — c'était le dernier que j'aimais : les radieux. Ces gens-là rayonnaient. Leur force, ils la tiraient des éléments et leur esprit de l'affrontement de chaque jour à un milieu complexe et beau.

Pour avoir vécu quelques mois parmi eux, j'avais compris une chose : que sur Cerclon, l'avachissement des corps — tout comme la mollesse des idées qui n'en était qu'un symptôme — provenait de notre environnement physique. Plus profondément : de la façon dont on avait adouci le monde physique au sein duquel nous étions forcés d'évoluer, et facilité nos rapports corporels avec ce monde. Que faisaient les architectes de Cerclon ? Ils raréfiaient. Ils simplifiaient. Ils agençaient des espaces, des objets et des flux (électricité, eau, air, merdes à évacuer, mouvements, etc.), mais pour les articuler dans un système clos où chaque relation, d'espace à objet, d'objet à flux ou de flux à espace se trouvait commodément définie et figée.

Dans la radzone, les gens vivaient à ciel ouvert. Le générateur aléatoire de climats, avec ses peureuses pondérations pluie/soleil — qui faisaient l'objet d'un vote annuel —, ses gels rares, sa chaleur printanière et sa neige de Noël, n'avait plus, dans ces terres excentrées, réellement cours. Les pluies tombaient quand elles le voulaient, trop ou trop rarement, le brouillard montait du Dehors, l'ox hoquetait des turbines, pompée par les secteurs aérivores (le 1 et le centre surtout) et le tout se mêlait au vent cosmique qui soulevait les toits de tôle : c'était là leur climatisation. Il existait bien des chemins qui reliaient des cabanes à d'autres cabanes, à des cuves, à des vaisseaux, mais jamais longtemps, jamais qu'on pût en faire une habitude : parce que les cabanes se déplaçaient ; d'une cuve, il ne restait le lendemain rien qui méritât le chemin tracé ; parce qu'un nouveau vaisseau venait d'être largué et qu'on sillonnait des quatre coins de la zone pour le rejoindre. Il avait plu, le chemin s'était noyé. Il séchait : on le reprenait. Il pleuvait à nouveau, il neigeait, il gelait par-dessus... Les situations ne cessaient de changer, les objets de bouger et la neige de fondre. C'était ni plus ni moins la vie. Et à cette vie-là

répondait un certain type de corps : le corps des radieux,
encore capable d'avoir froid, d'avoir chaud, d'être
mouillé, de marcher dans la boue sans s'embourber et
de porter quinze kilos sur trois kilomètres. Je ne faisais
pas l'éloge du grand air, de la pure nature et des pieds
nus dans la terre, puisque l'air de la radzone était le plus
vicié qui soit et la terre, ici, plus radioactive que la pile
nucléaire d'un glisseur ; puisque de nature, il n'y avait
qu'une friche industrielle toxique et rouillée. Je faisais
l'éloge d'un rapport roboratif au monde physique. Un
cadre baroque comme la radzone, instable par nature,
c'était un monde avec lequel notre organisme ne pouvait se composer que pour s'affirmer, pour développer
ses forces vitales et pour créer.

— M'sieu ! M'sieu ! Je vous rachète vos roues 40 !
40 !
— Et comment je fais après pour rouler ?
Le gosse qui m'a interpellé n'a même pas dix ans. Il
tient dans sa main une pince tordue et me sourit benoî-
tement. Mal à l'aise, il se retourne vers son copain qui
bricole un cadre de vélo exsangue à cinquante mètres
derrière lui. Son copain lui fait signe d'insister…
— S'il vous plaît, Monsieur ! Juste une roue…
— Tu connais Slift, bonhomme ?
— Qui ça ? Shift ? Connais pas, Monsieur !
— Le Snake, tu n'as jamais entendu parler du
Snake ?
— Ah, le Snake, oui je connais ! Celui qu'a le garage
là-bas !
— Tu iras le voir ce soir de la part de Capt. Il te don-
nera deux roues. Comment tu t'appelles ?
— J'ai pas de nom, Monsieur. J'suis pas dedans, vous
savez. Pas de Carte…
— Comment ils t'appellent, tes amis ?
— Ayè…

— Je lui dirai qu'Ayè va passer. Tu as bien compris ?

La mèche crasseuse du gosse lui glisse sur le front. Il me sourit à nouveau avec une incrédulité totale. Il n'en revient pas.

— Il me donnera vraiment deux roues, le Snake ? Deux ?

— Deux, sois-en sûr. Il faut que j'y aille maintenant. Salut, Ayè !

Attristé, je repartis en broyant mes insultes contre cette ville puis, la distance aidant, je digérais l'incident et je m'immergeais à nouveau dans mes pensées, me parlant à moi-même pour les clarifier, comme je le faisais souvent lorsque je préparais mes cours.

L'apport spécifique des Cerclons au développement humain est visible en cela : il évacue le corps. Il le délave. Pour privilégier l'esprit ? Pas même puisque l'esprit n'en est que le reflet intime, la couleur. Il dévitalise et le corps et l'esprit, l'un par l'autre et circulairement, pour produire l'homme couché, figure modèle du bon démocrate... Comment en est-on arrivé là et pourquoi prend-on ça pour le couronnement du progrès ? (ou plutôt : pourquoi veut-on faire croire qu'il s'agit d'un couronnement ? Qui le veut ? Et à qui veulent-ils le faire croire ?) Répondre à ces questions... à celles-là seulement... c'est une tâche terrible. Je ne suis qu'au commencement d'en être capable mais je sais qu'à aucun moment de ma vie, je n'y renoncerai. Parce qu'à ces questions se suspend le devenir de l'homme et de ses forces. D'un souffle, elles traversent les corps et les époques et à chaque fois elles demandent : Êtes-vous donc vivants ? Qu'est-ce qui, en vous, veut croître ? Qu'est-ce qui veut périr ? Mais personne n'a le courage de répondre. Si : Nietzsche a répondu. Antonin Artaud. Michel Foucault. Gilles Deleuze. Drakf. Et une poignée d'autres. Moi, j'essaye de comprendre la question.

Partout des surfaces polies, des murs droits, des angles à l'équerre, des cercles parfaits. Partout des sols lisses, des portes adéquates aux carrures. Partout des objets faits par l'homme, pour l'homme, des poignées au bout des mains, des tapis pour marcher... Taux d'oxygène constant. Humidité constante. Température constante. Constante gravité. Notre monde physique a été stabilisé, jusqu'au raffinement. Il a été adapté au plus petit dénominateur commun de nos paresses et de nos peurs, si bien adapté... qu'on ne s'adapte plus à rien, que le plus petit changement d'état nous est fatal : un courant d'air nous grippe. Naturellement la médecine masque bien des lacunes. Elle procède sur nos organes comme Slift avec ses glisseurs : elle change les pièces défectueuses, en place de meilleures sur les déjà bonnes, elle peinturlure pour cacher la rouille. Mais il ne faut pas être dupe : le corps de l'homme moderne est *déchéant*. Il s'est affaibli au cours des siècles. L'espérance de vie est passée de 40 à 95 ans. N'est-ce pas la preuve que l'on vit à moindre régime, pour durer, qu'il n'y a plus de débauche d'énergie ni d'excès de force, tout simplement parce qu'on n'a plus cette force des excès ?

Que nos forces affectent d'autres forces ou en soient affectées, qu'elles les intègrent ou les subjuguent, qu'elles les affrontent ou s'y associent, elles tiraient toujours de cette confrontation un surcroît d'énergie. En combattant les animaux, les parasites et les microbes, en s'abritant du blizzard, de la neige ou du gel, en coupant la végétation, en dynamitant la rocaille, en asséchant l'humide et en irriguant le sec, l'espèce humaine s'aguerrissait — tout en s'élevant. Puis les victoires ont été capitalisées. Elles ont été récupérées par les générations suivantes, et perfectionnées. Les Cerclons ne sont que l'aboutissement de ce processus : un monde d'où tout ce qui dérange ou heurte, d'où tout ce qui n'est pas humain, humanoïde ou humanisé a été purement et simplement éradiqué...

Ainsi l'homme s'appauvrit. Nos forces tournent sur elles-mêmes, dans un court-circuit narcissique qu'exprime au mieux l'extraordinaire succès de la psychanalyse. Connectés à nous-mêmes, nous plongeons en apnée dans notre intériorité pour trouver à nos problèmes une solution qui n'existe que hors de nous, à l'air libre, dans ce qui nous arrache et nous excentre. L'individualisme ne fait qu'amplifier ce repli maladif, cette peur du mal connu, du « pas de chez nous » puis du « pas comme moi », de l'étrange puis de l'étranger, jusqu'à redouter le tout proche, avec lequel on n'ose désormais partager ses désirs et ses flux. Aimer une femme, aimer Boule, tiens, ça devient aujourd'hui quelque chose de rare et d'inquiétant… Ça implique une telle débauche de baisers, d'émotions trop vives, de sexe turbulent, de cris et de risques que… Je crois que je l'aime, Boule. Elle me manque.

— LC-TUX, tu me décodes ?
— Correct.
— On sort de la place. Pas de soucis ?
— Ton client, il pédale dans la radzone après avoir dragué une incitatrice et collé un parleur sur le toit d'une tourelle ! Je crois pas qu'il va revenir dans les deux minutes…
— En tout cas, il s'emmerde pas, lui. C'est où le prochain client, sur ta liste ?
— Secteur 1. C'est un 3-lettrés. ZNO, il s'appelle.
— Hou là, c'est un gros morceau ça ! Quelle adresse ?
— Hameau du Lac. Tu connais ?

Avancer tout cela, je le savais, c'était à peine prendre la mesure du problème. Je prélevais quelques plantes vénéneuses sans comprendre encore la nature du sol où elles pouvaient pousser.

Car ce constat — la baisse tendancielle de la vitalité —, tout le monde, peu ou prou, en avait l'expérience dans son corps. Si les gens vivaient avec, ils ne s'en satis-

faisaient pas pour autant. Ils voulaient rester « dynami-
ques et performants ». Mais sans se fatiguer, mon dieu !
Chaque muscle, chaque nerf de Cerclonnien était coin-
cé-pincé dans cet étau que vissaient en sens contraire
le culte de la performance et la loi du moindre effort.
Mais il y avait un dépassement dialectique ! On avait
trouvé une synthèse à la contradiction : si nous voulions
un corps performant et qu'il refusait l'effort, ne fallait-il
pas changer de corps ? Lui substituer, pièce par pièce,
méthodiquement, de la fibre élastique, des greffes de
matériau, des implants informatiques, bref de la technologie efficace qui supplée à ses insuffisances ?

Depuis trente ans, appelée par cette logique, avait
émergé une science : celle des technogreffes. Elle pos-
tulait ceci : tout corps, aussi sain et robuste soit-il, est
toujours fondamentalement handicapé ; que par conséquent, tout citoyen qui se veut performant a besoin de
se faire enkyster un petit boîtier dans la colonne vertébrale pour s'impulser, aux moments désirés, des décharges électriques dans le système nerveux ! Ce n'était
qu'un début. D'autres découvertes suivraient, nous ras-
suraient-ils… parce qu'il y avait incontestablement une
demande ! Et forte !

Ces intra-technologies, je les redoutais plus que tout.
Si on les laissait coloniser nos organes, la Volte ne servirait plus à rien, plus rien ne servirait plus à rien…
L'espèce humaine aurait atteint son ultime déchéance.
Évidée de nos viscères, il ne resterait de nous qu'une
charpente d'os et de peau — sorte de carrosserie hi-
tech pour un moteur informatique nous pilotant de
l'intérieur à la manière de pantins, et exploitant, pour
transmettre ses données, nos nerfs comme autant de
microcâbles supraconductifs. Nous serions *agis* ! *Sentis* !
Devenus matière première ! J'en avais la nausée.

— C'est l'horreur ! C'est une petite île au milieu du lac, dans le Parc bleu. On n'y accède que par hydroglisseur. C'est POUR-RI de vigiles ! Il faut une carte d'invité pour accoster et tu l'obtiens que si tu es… invité ! T'as quoi dans le dossier ?

— Je regarde… J'ai une carte et un décrypteur de faisceau. Apparemment, ils t'ont bien préparé le boulot. J'ai même un avatar d'iricode pour le portail magnétique.

— Si ça pouvait suffire !

À l'évidence, l'homme de l'écran (« écrané » disait Drakf), du tapis roulant et du microboîtier, au corps affaibli et colonisé, aussi éduqué fût-il, était pour les pouvoirs une aubaine. Sous leurs griffes, il était *l'homme à soigner* de la table d'opération, celui qu'on pouvait facilement maintenir sous anesthésie générale. Je voulais retrouver et démasquer cette dynamique secrète qui intriquait l'avènement d'une démocratie hyperaliénante, l'amollissement des corps, leur remplacement à venir, et le déploiement de pouvoirs d'autant plus homéopathiques qu'ils étaient omniprésents. Dans quelle mesure l'acharnement thérapeutique sur nos corps servait-il à consolider la démocratie ? Dans quelle mesure la démocratie exigeait-elle un réseau de contrôle plus étendu et plus serré que tout autre régime et des pouvoirs d'autant moins violents et perceptibles que ce réseau était étendu et serré ? Et dans quelle mesure nos corps, investis qu'ils étaient par ces pouvoirs de faible intensité (donc *a priori* facilement renversables), devenaient-ils par conduction des mannequins basse tension, et *devaient-ils impérativement le devenir* pour être inaptes aux grandes révoltes et par là les plus sûrs gardiens d'une démocratie éternelle ?

Ma roue avant venait de se bloquer dans la boue. Je mis les pieds à terre, et, tandis que je poussais, ils se gorgèrent d'eau. Je levai la tête : j'allais arriver au garage. Je tirai le vélo sur une plaque d'herbe et je restai debout, à balayer l'horizon. Inconsciemment, mon regard s'arrêta sur la butte de l'antirade qui me séparait de Cerclon. J'eus un frisson et je me dis pour en finir avec mes pensées : bientôt, nous serons des squelettes en plastique. Dévitalisés, nous serons. Simples d'esprit. À ne plus comprendre qu'un rocher ne soit pas lisse. Impropres au chaud-froid, inaptes à marcher sur des cailloux, incapables d'éprouver sans électricité, de ressentir une bise. L'espèce humaine aura achevé son étrange développement à rebours. Elle aura conquis sa place au dernier rang des bêtes, comme l'animal le moins adapté au monde physique, le cobaye dégénéré. S'il faut se battre, c'est contre ça : contre la coalition des pouvoirs qui dévitalisent le corps et qui de toute évidence se servent de cette dévitalisation, même s'ils n'ont pu ou su l'orchestrer intégralement, pour nous maintenir dans des existences où sécurité, simplicité, facilité et constance forment les pratiques cardinales de la décadence des instincts. Et eux-mêmes, hommes de gouvernement, journalistes et directeurs exercent leur pouvoir tête basse, eux-mêmes exsudent une autorité prudente, gestionnaire, qui ne vise plus qu'à se maintenir, qui *n'arrive plus* qu'à se maintenir, péniblement, comme nos existences.

De mon sac, je sortis l'éolienne, que je dépliai entièrement et étirai jusqu'à deux mètres de haut, en l'ancrant solidement dans la terre. À son sommet tournaient les trois pales et, derrière l'hélice, je nettoyai le haut-parleur qu'elle alimentait. J'approchai ma bouche du tube du trépied, là où se tenait camouflé l'enregistreur numérique. Je dictai le code, attendis le bip. Il vint. J'enregistrai sans réfléchir :

• *Le confort est un danger. Le bien-être est un piège.*

Les facilités nous détruiront. Les chairs grasses, les idées grasses et repues ne sont plus le privilège des bourgeois : nous sommes tous devenus des bourgeois ! Et puis : il n'y a pas de sainte simplicité. Toute simplicité est suspecte. Vouloir simplifier nos relations au monde, nos relations aux autres, c'est la volonté du malade, de celui qui peut plus, qui abdique sa force. La Volte se bat pour la vitalité. Pour que nos forces vitales touchent au plus profond de leur beauté — sans frissons électriques, sans techno-prothèses, par leur seule densité ! Pour que chacun puisse encore sentir la pluie sur sa peau, lever la tête au vent et regarder sans peur les bolides tomber comme des rêves au plein cœur de la rade.

Au dernier mot, je me relevai rapidement et m'éloignai à coups de pédales ailées. Sous la brise montante, les pales se mirent à tourner, actionnant le haut-parleur et, par longues bribes, mes phrases commencèrent à flotter sur la radzone. Après avoir mis plus de cinq cents mètres entre l'éolienne et moi, je ne pus m'empêcher de me retourner. Ma voix était devenue presque inaudible. Là-bas, sur un bout de terrain vague, la petite éolienne continuait à tourner dans le vide et à parler du futur... mais là où je l'avais posée, il n'y avait personne, vraiment personne... à des kilomètres alentour... Et ça me fit sourire.

VI

Les accès choisis

— Halte au feu, Capt ! Hola ! Qu'est-ce tu fous là ? Tu viens te faire bronzer aux radiations ?

— Je viens t'annoncer une grande nouvelle, Slift.

— T'arrêtes le vélo ?

— La Volte a frappé un grand coup.

— Qui ? Quelles lames ?

— Nous. La poste centrale. Une fillette a été entaillée à l'ouverture, ce matin. Des méchantes fractures — enfin, rien d'irréparable, mais un sacré choc, tu vas voir. On ne parle que de ça en holovision, partout.

— C'est toi qui as revendiqué ?

— Non, non... Nous avons été dénoncés. Je ne sais pas par qui.

— On s'en fout ! C'est aussi bien comme ça. Ça clôt le débat. On est obligés de faire face, maintenant. J'en reviens pas que ce soit pile sur *nos* lames que ça charcute !

— Peut-être qu'il y en aura d'autres. Ils n'en ont pas parlé à *l'Événement*, mais ça m'étonnerait que le groupe des fondeurs...

— Ouais, j'ai vu Lmogm à midi. Il m'a amené de la chute de tôle. Ils ont riveté toute la Cité du Qasar dans la nuit. Un putain de taf !

— Boucle ton matériel, il faut aller récupérer Brihx. Je ne pense pas qu'il soit au courant. Après nous irons

prendre Obffs et Kamio. Je veux qu'on se cale pour
ce soir.

> Je fonce devant avec mon glisseur pour dégager le
terrain. La flotte d'hier n'a pas encore séché et Capt en
chie derrière, à pédaler dans la semoule. Je n'en reviens
pas : enfin, on a frappé ! Et grâce à qui ? Je vais enfin
être réglo avec ce type qui me toise dans ma glace tous
les soirs en me demandant qui je suis. Je suis de la Volte,
mec, je vais pouvoir lui jeter. « D'où ? » il me dira, du
fond de la mire. La Volte, toto, les lames ! Je suis du pool
que les flics, dès qu'ils voient notre trace, ils font du pâté
dans leur froc ! Un ou deux coups, quand le mouvement
avait pataugé, je m'étais méfié de Capt, avec sa gueule
qui réfléchissait toute seule, mais j'avais eu tort. Il faisait
ce qu'il disait. Il était nickel. Il trichait pas. Kamio, c'était
moins évident. Il était net, c'est sûr, mais à trop comprendre, il cherchait. Il voulait comprendre, comprendre le
vige, comprendre le facho, comprendre les gros bides qui
laissaient les minots crever dans la raze. Mais y avait rien
à comprendre. La méchanceté, elle n'avait pas de source,
elle coulait de nulle part, elle était là tout de suite, dès le
début, elle te filait des coups de genou dans le ventre et
tu pouvais que te battre, tout le temps, pour pas finir les
tripes défoncées. C'était ça la vie. La générosité, c'était un
truc qu'il fallait garder en fond de cale, comme un môme,
et sortir le jour où, autour de toi, il n'y aurait que des mecs
comme Capt qui te souriraient. La générosité, ce serait à
la fin. Ce serait quand tous les flics pourriraient dans une
cuve. Avant, il fallait pas lâcher sa barre de fer. Pas pour
cogner, attention, c'est les fachos qui cognent toujours en
premier. Pour empêcher de cogner. Et pour asmater ceux
qui pouvaient pas s'en empêcher, eux, de cogner.

> Slift avait été égal à lui-même, de cette joyeuse dureté
que je lui enviais presque. J'étais maintenant anxieux de
voir comment allait réagir Brihx, mais surtout Kamio
dont je redoutais la lucidité humaniste. Les muscles

durcis, la face mouchetée de boue, je sortis de la radzone et pénétrai avec reconnaissance sur la dalle de béton de la zone de transit, d'une si parfaite platitude que je retrouvai un second souffle. Je m'accrochai au bras de Slift, et, roulant de front, il me tira sans effort jusqu'à l'entrepôt C où l'on devait retrouver cette force de la nature de Brihx. Avec son mètre quatre-vingt-dix et ses cent kilos, sa tête solide et belle trouée par deux yeux bleus, sa masse musculaire qu'aucun effort ne semblait vouloir épuiser, il émanait de lui, de sa puissance sue et vécue, un calme olympien. Faux calme toutefois : Brihx, le seul de nous cinq en ménage et l'unique à avoir un enfant, avait plus que nous tous, dans les chassés-croisés qui nous opposaient au pouvoir, quelque chose à perdre. Sa popularité auprès des métallos, son sens pratique et son cœur en faisaient une figure maîtresse de la Volte, respectée pour sa mesure et son sang-froid. Il fut plutôt surpris de nous voir et je le sentis inquiet. Je lui annonçai l'événement en quelques phrases.

— C'est sérieux, ça. Elle a les jambes vraiment tailladées, vraiment salement ?

— Salement.

— Et vous n'avez aucune idée de qui a pu revendiquer ? Un revanchard de la Molte, non ?

— Je ne pense pas. Je n'en sais rien. Ça te fait quel effet ?

— De quoi ?

— D'apprendre qu'on a amoché une gosse.

— C'est sérieux. Il faudrait que je voie les images. Mais d'après ce que tu dis, c'est dur, non ?

— C'est dur.

— Je ne suis pas forcément fier. Ça me fait plaisir pour la Volte. Ça va faire bouger les choses, ça c'est sûr. Maintenant, je ne me sens pas très à l'aise. Ç'aurait été un bourge, une vieille avec un portecarte épais comme ma main, je crois que je ne me serais pas posé de question. Mais là, une môme, c'est pas vraiment responsable, une môme. Et puis… je ne sais pas. Peut-être qu'on a fait les choses un peu vite… On a voulu frapper fort, moi le premier, on n'a peut-être pas frappé comme il le fallait. Ou qui il fallait. Il faut voir, faut en discuter. J'aimerais bien en parler avec Kamio. Sur ces questions, je crois qu'il voit assez clair.

Nous partîmes pour le secteur Centre et nous trouvâmes Obffs qui sortait de la médiathèque. Je le mis au courant et comme je m'en doutais, il y eut une lueur d'admiration dans ses yeux. Il nous félicita. Il n'avait manifestement aucun état d'âme. Son enthousiasme naturel, son goût du mouvement, des ruptures, du neuf, que rien n'entravait, accueillirent la nouvelle avec une gaieté sans nuage. De sa poche, il sortit le *Zarathoustra* de Nietzsche, nous lut la parabole du diamant et du charbon de cuisine, referma le livre et nous sourit. Pourquoi pas ? Mais je n'étais pas satisfait. J'étais gros de questions sans réponse et personne ne les posait. J'avais vraiment besoin de voir Kamio. Je leur dis que je les rejoignais au Cubilingus et je partis seul le chercher. Dans son atelier, je le trouvai. Il ne peignait pas. Il avait vu les informations. Il avait appelé à l'université ; il avait appelé chez moi ; il n'y avait personne. Il paraissait sens dessus-dessous.

— C'est *l'Événement* que tu as vu, c'est ça ?

— J'ai vu *l'Événement*, *Bleu Nuit*, *le Choc*, *Cablaxie*… toutes les grandes chaînes. Ils le passent tous. Le mouvement est fichu, Capt. Les traqueurs sont opérationnels depuis ce matin. Il faut annuler la réunion de ce soir. Il faut se cacher, couper tous les ponts pendant deux ou trois mois jusqu'à ce que les recherches se tassent. Et puis repenser tout le mouvement. Définir un code éthique pour nos actions, une déontologie. Nous ne pouvons pas accepter des dérapages de cet ordre… nous ne le pouvons pas… nous ne le devons pas ! J'aimerais bien

savoir qui s'est fourvoyé à ce point… Mettre des lames
sur une poste, c'est…

— Tu veux que je te le dise ?

— Qui est-ce ?

— C'est moi.

— Tu plaisantes ?

— Pourquoi je plaisanterais ? C'est moi, avec Slift et
Brihx.

Il se leva de son tabouret d'un bond, alla fermer la
porte entrouverte et m'attira dans le coin le plus sombre
de son atelier.

— Vous êtes détraqués ou quoi ? Vous ne savez pas
qu'il y a des caméras furtives partout dans les poteaux ?

— Peut-être, mais enfin, Kamio… nous étions casqués,
nous étions gantés, vêtements flottants…

— Vous déraillez totalement ! Ça ne va plus du tout !
Il vous manque une case ! Comment tu as pu les laisser
faire ça ? Mais c'est pire : tu l'as fait ! Toi qui es philosophe et homme de lettres, toi qui devrais guider nos
intelligences, tu te mets à découper des petites filles !
Pourquoi tu… ? Enfin… Tu te rends compte que tu viens
de *liquider* la Volte en une nuit ? Comment veux-tu
regagner une crédibilité après cela ? Quelle bande de
tordus va vouloir nous suivre maintenant ? La Volte =
tueurs d'enfants, voilà l'équation qu'il y aura doréna-
vant dans la tête des gens simples. Nous sommes fichus,
Capt, foutus ! Il faut changer de nom, changer le mouvement, tout recommencer à zéro. Je ne sais plus quoi te
dire. Je ne te comprends pas. Des lames pareilles ! Vous
vous êtes rendu compte des lames que vous mettiez ? Il
fallait mettre des petites lames, du plastique.

— Du plastique ?

— Oui, du plastique rouge, pour faire peur, mais que
ce soit sans danger. Nous, avec Wkel et Dranv, nous
avons mis du plastique.

— Du plastique Kamio ? Bravo ! Riche idée. Et puis
rouge, en effet, c'est fort, rouge, c'est symbolique. Tu

devrais te raser avec des lames en plastique le matin. Tu serais encore plus propre.

— Qu'est-ce que tu sous-entends ?

— Que je n'aime pas ta morale en plastique. Que si tu crois que le mouvement est foutu, tu te trompes. Le mouvement, il vient de naître cette nuit. Que si tu as peur des traqueurs, reste chez toi, c'est ton droit. Mais dans ce cas, on n'a plus besoin de toi dans la Volte.

— Dans cette Volte-là, certainement. Vous n'y avez besoin de personne. Trois bouchers suffiront…

— Écoute, Kamio : nous avons peut-être fait une connerie, je te l'accorde. Mais personne ne peut le dire aujourd'hui. Il faut voir à quelle sauce les médias vont nous assaisonner, mais je suis certain d'une chose : les militants sont avec nous. Il n'est pas impossible que la Volte sorte grandie par cette action. Pas auprès des mères de famille, ça c'est certain. Mais chez tous ceux qui ne nous prenaient pas au sérieux, chez tous ceux qui nous trouvaient un peu fades, nous avons marqué des points. Si l'on perd des sympathisants, ce seront les plus tièdes, les mollassons, les bavasseux, ceux qui n'ont de toute manière pas grand-chose à faire avec nous. Par contre, les jeunes qui veulent vraiment se battre, se désincarcérer, ils vont savoir qu'ils peuvent s'appuyer sur la Volte. Et ils vont nous épauler, crois-moi ! Et on va les épauler !

Kamio me regarda avec un sourire. C'était le premier que je lui voyais aujourd'hui. Avec son pied, il esquissa quelques secondes une forme abstraite sur la dalle poussiéreuse de son atelier, le visage dans le vague.

— Je ne sais pas. Je ne sais pas où tu veux m'emmener. Je veux être sûr que nous sommes sur la même longueur d'onde. Pourquoi es-tu venu ?

— Slift, Brihx et Obffs nous attendent au Cubilingus. Nous avons décidé de maintenir la réunion de ce soir. Il faut prendre le risque. Mais nous voulons discuter tous les cinq pour arrêter une position, pour s'expliquer. Que ce soit clair pour chacun, même si ça doit mener à la rupture.

— D'accord pour ça. Je te suis.

> Aucun des quatre n'avait songé aux risques que nous prenions à discuter d'un sujet aussi périlleux dans un café. Il fallut que j'insiste auprès d'eux afin que le patron nous cadenasse dans la salle de télévision. Il ne fit point de difficulté : il me connaissait bien, exposait régulièrement mes toiles, était sympathisant de la Volte et nous offrit même la tournée de Brax « pour ce que vous savez ». Cela ne m'empêcha pas de tester mon détecteur d'ondes dans la salle, mais il resta muet. Capt et Brihx s'assirent dans le divan crevassé, les deux autres restèrent debout, nerveux. J'activai la borne et je réglai la projection holo en mode pleine salle, pour une immersion maximale. Je choisis Multinfo, « la seule chaîne qui vous montre les autres chaînes », afin que Obffs, Brihx et Slift qui n'avaient pas encore vu les images puissent, en une demi-heure, constater comment les journalistes des six principales chaînes d'informations avaient traité l'événement. Comme à son habitude, Multinfo s'était contentée de racheter les journaux des autres chaînes et de les empiler à la suite, dans un interminable sandwich où alternaient publicités, clips musicaux et images commentées. Officiellement, leur vocation consistait à offrir, à travers la multiplication des points de vue, une information objective (« L'objectif, c'est l'objectif »). Peine à vrai dire perdue : quelle que fût la chaîne, l'actualité y était filtrée et manipulée d'une façon si exactement semblable que le savant mélange de mensonge et de bienveillante neutralité face aux pouvoirs qu'elle dispensait sans vergogne acquérait de toute façon, par effet de répétition, force de vérité.

> J'avais beau être l'auteur de cet « attentat », comme ils disaient, nous avions beau, avec Capt et Slift, avoir

soudé de nos propres mains ces lames que je reconnais-
sais à l'écran, très vite je ne parvenais plus à faire le tri
dans ma tête entre les images que la télé montrait et
celles de ma mémoire, celles d'hier. Lesquelles étaient
vécues ? Lesquelles étaient filmées ? Qui mentait ? Je
mélangeais tout. Pour être bien sûr de ne rien manquer,
je me concentrais. Plus je me concentrais, plus je me
sentais aspiré dans le volume de l'image, moins j'arrivais
à me dépêtrer de leur baratin qui s'infiltrait dans ma tête,
la rendait toute douce et molle, toute gentille, comme la
cuiller de sirop que je mettais dans la gorge de ma gosse
pour faire fondre la maladie. Les images étaient bien
mises et propres sur elles : elles m'inspiraient confiance.
Les commentaires aussi, ils paraissaient logiques. Il me
manquait des silences. Je n'arrivais pas à les faire, ces
silences, dans ma tête. Les images s'enfilaient. D'abord
la fillette entaillée — je n'y croyais pas à cette fillette,
j'avais l'impression d'un film d'horreur, plutôt bon, avec
du suspense, mais je ne voyais pas le rapport entre ce que
j'avais fait et ce qu'on me montrait là, cette fillette que
je ne connaissais ni d'Ève ni d'Adam, qui n'était même
pas attachante, surtout pas pendant l'interview à l'hôpital, avec sa pyramide de peluches que les téléspectateurs
lui envoyaient (trente-cinq à la minute, elles arrivaient
les peluches, avec des « pics de générosité » à soixante).
Après son interview venaient les expliqueurs publics,
parce qu'on ne comprenait forcément rien : la psychanalyste qui s'excitait avec des bites castrées, l'expert en
terrorisme (qui, lui, balançait vraiment n'importe quoi,
à flinguer !), le sociologue, le Pédégé de Défordre, puis
P et enfin le Président A lui-même qui venait nous dire
qu'il « prenait la mesure de l'événement » et qui approu-
vait tout le monde.

> Qu'est-ce que les gens pouvaient sortir comme
banalités, c'était affligeant ! « C'est terrible, oui », « C'est
un drame ». « Que pensez-vous de la Volte ? Pensez-vous

que nous ayons affaire à une nouvelle forme de terrorisme urbain ? » « C'est terrible, oui, c'est un drame », « Terrorisme ? Oui, oui, c'est bien ça, c'est le mot ». On les interrogeait et pas un ne parlait de liberté, pas un qui disait : « Oui, c'est un drame, mais il montre à sa façon que les accès choisis sont un danger, une atteinte physique à notre liberté d'aller et venir. » Bien sûr, aucun journaliste ne leur posait la question : « Est-ce que la Volte, par cet acte, n'a pas aussi voulu montrer que… ? » Ils ne leur parlaient que de la fillette, de menace et de police. Ils les forçaient à se mettre dans la peau d'une victime de la Volte, puis ils leur demandaient : « Vous avez peur, hein ? hein ? » Et eux répondaient oui… Mais peur de quoi ? D'être haché menu ? Ou peur d'avoir peur ? Pourquoi on ne mettait pas tous ces culs-pleins-de-chiasse dans des chiottes qui roulent, avec un vigile par chiotte pour leur tenir la main ? C'était intenable de les écouter, ça me rendait barge !

— C'est votre espace vital qu'on essaie de sauver, merde ! C'est pour vous qu'on se bat !

> L'interview de la fillette et de sa maman me mettait à chaque fois les larmes aux yeux. Je n'y pouvais rien. Je me mettais à leur place et c'était bouleversant. Par moments, je lançais quelques coups d'œil aux autres. Ils étaient sarcastiques. Ils s'énervaient. Ils juraient. J'avais le sentiment qu'hormis Brihx qui paraissait assez affecté par l'atrocité de la scène, les autres ne voulaient pas prendre la mesure du drame humain dont nous étions pourtant tous responsables. Lorsque la mère exprimait sa souffrance, son choc, Slift tempêtait : « Va te faire foutre, on sait que t'as caqué ! Tout est trafiqué à la base ! Il y a des cases vides toutes prêtes et on prend des gens pour qu'ils viennent se mettre dedans et dire exactement ce qu'on attend qu'ils disent. Même la fillette, on dirait qu'elle lit son texte. » Mais la fillette ne lisait pas son texte. Elle disait le texte de sa souffrance. Elle

parlait l'horreur des mâchoires. La psychanalyste l'expliquait bien : il fallait qu'elle s'exprime afin d'évacuer le trauma. Et nous, voltés, nous devions accepter d'entendre cette souffrance parce qu'elle nous renvoyait en pleine figure notre vérité, qui était que nous étions des bouchers, que nous avions tout à fait perdu les pédales dans cette affaire. Lorsque le sociologue de *Cablaxie* commença à analyser ce qui, selon lui, constituait le nœud des tensions sociales des Cerclons, Capt se mit à éclater de rire. J'enviais à Capt ses certitudes de philosophe, et ce rire qui le prenait à revers quand une position lui paraissait bouffonne, mais je ne pouvais me résoudre ici à la légèreté. Ce que nous avions fait était médiatiquement catastrophique et moralement insoutenable. Et j'étais prêt à quitter la Volte dès ce soir si aucun principe éthique n'était de toute urgence, et pour toutes nos actions futures, défini.

— Allez, déjà quatre journaux et quatre fois les mêmes images ! Quatre fois le même ordre pour les interviews et quatre fois les mêmes coupes ! Et pas un mot sur le reste de l'actualité ! À croire que la galaxie entière tourne autour des jambes d'une fillette ! Vous avez entendu ? Elle s'appelle Cab, la fillette. Cab ! Ça veut dire que son père fait partie des deux mille personnes les mieux payées de ce satellite !

— Et alors, Obffs ? Ça fait d'elle une cible idéale ? T'es rassuré ?

> Au fond, j'avais rêvé d'un acte brut, en vrac, mais si vif, si stupéfiant qu'il prenne de court le système médiatique — et de vitesse ses réseaux d'interprétation et d'explication précadrées. Nous n'en pouvions plus de voir nos tracts voltiger sur les bouches d'oxygène avec les robocrottes qui nous collaient des amendes quand nous refusions de les ramasser. Nous en avions ras-le-bol de faire des manifs de cent personnes. Un acte de volté, un vrai, qui ne finisse pas froissé dans une poubelle mais qui

reste bloqué dans la gorge des médias, voilà ce dont nous rêvions, voilà ce qui nous avait menés là. Et ces lames pour moi, ce métal qui claque, cette matière noble, je ne concevais pas qu'on pût… Ces lames étaient à nous. Elles étaient la dureté de nos os. Elles résisteraient au broyage. La machine s'y casserait les dents, rouage après rouage.

J'étais jeune encore… À peine couchés sur le tapis roulant de l'actualité, nous avions été emportés sous les cylindres du laminoir médiatique qui nous avaient avalés et débités en lamelles fines comme des images… Je regardais éberlué mes os devenus lamelles, ces lamelles mises bout à bout, remontées, re-temporalisées aux normes admises (dix secondes par intervention à peu près) et réintégrées au contexte politique du moment, et pour la première fois depuis longtemps, je sentis mes nerfs se tordre d'impuissance. Leur victoire était si éclatante… Je laissais les images se graver sur ma rétine comme sur un noyau dur en cours de reformatage. Je recevais tout de plein fouet, sans rien reconnaître de ce qui nous appartenait, plus d'angle, plus de pointu, aucune arête, rien. De la pâte à regard, voilà ce qui restait à présent. D'un coup de couteau, nous avions cru déchirer le consensus social et eux, en trois cents secondes, ils l'avaient reprisé aussi sec. On voyait la reprise, bien sûr. Mais pas plus que chaque jour et pas suffisamment pour saisir à quel point, soumis à un aussi lisse traitement, le plus inouï des orages cosmiques ne dépasserait jamais les deux minutes d'un bulletin météo. Jamais. Le neuf, le fou, auraient éternellement un air de déjà-vu à la télé. D'ailleurs, les aurait-on prévenus un mois à l'avance, leur reportage n'eût pas été mieux rodé, calé, impeccable. À s'immoler debout dans le Parc bleu ! Par rapport à l'image nue, celle des caméras de la poste qui m'avait tant touché, les couches successives de récupération qui l'enveloppaient maintenant m'avaient complètement dépossédé de *mon* émotion. Pour l'anesthésier ? Plutôt pour la recomposer autrement, avec un enchaînement précis et réglé : identification aux victimes > re-senti de leur souffrance > compassion > indignation face à la Volte > peur pour l'avenir > donc exigence de plus de sécurité > donc plus de caméras, plus de policiers, de meilleures portes. Et puis, en affects connexes, renforçant la chaîne : le Pédégé de Défordre est sérieux, humain et responsable ; les experts sont plus intelligents que moi donc ils ont le droit de penser à ma place ; P est ferme ; le Président est compréhensif ; le présentateur est gentil — nous aussi, on est gentils.

> Pourquoi la raison de tout ça, je veux dire le motif de notre action, avait été totalement ignoré ? « Violence aveugle », ils concluaient ! Ils voulaient nous faire passer pour des barbares ! Violence aveugle ! Et la messe était dite ? J'étais hors de moi :

— Ils se foutent de notre gueule ! On n'a pas fait ça pour rien, merde ! Pourquoi l'expert de mes deux, il ne parle pas de la traçabilité totale des citoyens codebarrés ? C'est contre ça qu'on proteste. On n'est pas des assassins de gosse !

— Pour le grand public, si, Obffs. Voilà où cela mène, nos grandes lames, les gars. Nous passons pour des petits sauvages devant sept millions de personnes ! Et c'est justice : nous avons agi comme des sauvages. Nous n'avons laissé aucun tract, aucun texte, point de communiqué à la presse, rien ! Juste un acte brut, du sang partout et débrouillez-vous pour comprendre ! Vous ne croyiez tout de même pas que le gouvernement allait laisser passer cela ? Nous leur avons donné l'occasion idéale de nous appliquer l'étiquette « terrorisme » et ils ne vont pas s'en priver, croyez-moi ! Les actes muets, dans une société hyper médiatisée comme la nôtre, ce sont des actes barbares par excellence. Ne pas s'expliquer, c'est pire qu'une faute, c'est un crime. Et la sanction, vous la voyez tous comme moi en relief dans cette salle. Regardez-le, ce gros pourceau qui dirige Défordre, comme il est accueilli : comme un roi ! Vous savez le poids de son entreprise dans les recettes publicitaires de *Chaîne-Choc* ? Trente pour cent ! Cet homme-là pèse un tiers de la chaîne. Alors inutile de vous dire qu'il n'y aura pas un mot sur le fait que, même sans les lames, la fillette aurait été mal en point et que ce type d'accident n'a rien d'exceptionnel. Sur toutes les chaînes, c'est la même chose. Quel directeur de l'information aura le courage ne serait-ce que d'évoquer les failles éventuelles du dispositif ? De dire que les points empêchent les pauvres de circuler ? Personne. Ils vivent grâce à Défordre et grâce aux subventions du gouvernement...

— Des petites putes !

— Exactement. Et vous savez quel est notre problème ? C'est que nous, la Volte, nous n'avons pas les moyens politiques de jouer les proxénètes de ces putes-là. J'entends : d'espérer une faveur des médias. Nous, on se fait baiser pour parler poliment, mais gratuit. Notre seule ressource est de jouer le jeu de la communication, de nous expliquer quand nous agissons. Sinon, nous ne nous en sortirons pas. Par ailleurs, il devient impératif...

— Kamio ? Tu peux nous laisser finir de regarder ? On a toute la soirée pour t'écouter.

> Kamio se tut difficilement. Il avait raison et il le savait. Comprendre. J'essayais de comprendre pourquoi je m'étais caché ces raisons. Tout ce qu'il nous assenait maintenant me semblait flagrant. Pourtant j'avais balayé ça de ma conscience d'un coup de sang. Trois ans qu'on réfléchissait. Il fallait passer une vitesse. Coûte que coûte. Par moments, Boule me traversait l'esprit et je me demandais si j'aurais autant précipité les choses si elle n'avait pas été là, à cette réunion. À ma façon, peut-être avais-je voulu être flamboyant, lui montrer que la Volte avait la flamme, comme elle, qu'elle y serait chez elle...

> Ils allaient entendre ce que j'avais à dire, ils n'y
échapperaient pas ! Quelle leçon nous prenions là ! Si
nette et si troublante en même temps... Car les valeurs
que diffusaient les médias n'avaient en soi rien d'impressionnant : c'était les valeurs de tout le monde. Elles
pouvaient venir de n'importe qui, on ne s'en méfiait
pas. Elles nous étaient si proches, à nous tous, qu'on ne
les sentait plus, pareilles à ces odeurs trop personnelles
pour qu'on en perçoive encore la sourde puanteur.

Il y avait une toile que je n'avais jamais montrée qui
essayait d'exprimer une sensation semblable. Elle s'intitulait *l'Assistance médusée*, avec un effet de profondeur que je n'étais jamais parvenu à retrouver, un effet
abyssal qui creusait les fonds de l'intérieur, comme si
le bleu sur la toile n'avait pu être obtenu qu'à force de
vide accumulé, par d'infimes touches diaphanes infiniment répétées, retrouvant ce mystère de la nature qui
veut que l'océan troué par la lumière du ciel soit... bleu.
Le tableau était une plongée, au sens littéral, la perspective de Sirius d'un homme qui viendrait de plonger du cosmos dans Cerclon. Dans un Cerclon devenu
mer. On y distinguait, tout au fond du tableau, la ville,
mais si minuscule qu'on pouvait la confondre avec des
éclats de verre. Et au-dessus d'elle, comme remontant
vers nous d'un puits, on voyait des corps filiformes sans
visage, aux membres étirés de tentacules, qui traînaient
derrière eux leur couleur d'homme... C'était nous, les
voltés. À la surface de ma toile affleurait d'un pouce
le bombement d'un film gélatineux qu'on redoutait de
toucher, qui représentait une méduse. Au premier plan,
loin devant les autres corps, un homme tentait d'extraire
sa tête de l'eau. Son visage blanc était collé au corps de
la méduse. Il était comme électrifié sur une grille de glu.
Aujourd'hui, je retrouvais cette toile. Il y avait quatre
visages qui tentaient d'en sortir. Ils étaient à côté de
moi. La salle était noire et l'image holovisée, légèrement

bombée, clapotante. Un moment, j'eus la vision panique du volume ondulant et un visage venir de derrière s'y électrifier en hurlant : « Kamio, Kamio... » Et je ne pouvais pas répondre, je ne pouvais plus l'aider, il était...

> Comme ils gonflaient notre coup ! Même le Président se croyait obligé d'y aller de son flûtiau ! Des minots, il en crevait à chaque pluie de bolides dans la raze et une fille de joufflus du secteur 1 se faisait prendre les deux jambes, on en faisait une invasion cosmique ! Où ces gugusses créchaient ? il fallait croire que c'était ailleurs qu'ici, sous une autre orbite de Satourne ou alors qu'ils s'enroulaient dans des moquettes d'un mètre d'épaisseur pour faire un flan d'une bourde commac ! Le journal entier, fallait pas déconner ! Ils grossissaient le ballon, mais simultané, ils caquaient un peu. On n'avait pas faibli, ni blabla, on avait pris nos soudeurs à plasma et le résultat était là : la Volte avait montré qu'elle avait du monde dans le caleçon, qu'il fallait que les viges arrêtent de se croire les princes du macadam avec leurs glisseurs à trois jetons et leurs lases qui paralysent. Il pouvait toujours frimer en costard, P, avec sa tronche de mec ferme : son équipe de costumés, elle venait de prendre un but sur coup franc et il avait plus qu'à aller chercher la boule au fond des filets en se donnant l'air qu'il s'y attendait. Peut-être que ça feintait son monde, mais moi ça me feintait pas. Il fallait qu'on enchaîne. Kamion, il nous broutait avec sa communication. Pour moi, on *venait* de communiquer.

> L'actualité s'achevait sur un joyeux appel à la dénonciation de « toute personne suspecte », avec récompense, accès réseau sécurisé, protection assurée... Là enfin, les médias montraient leur vrai visage, celui des collabos bienveillants, des belles balances à veste propre, ongles nets, sourire, cravate.

> Sur mon assentiment, Obffs coupa la télévision. Un à un, je posai mon regard sur eux, surtout sur Capt et Slift et je lançai :

— Alors ?

— C'est à gerber, vraiment à gerber.

— La fillette ?

— La fillette, c'est que dal comparé au dégueulis moral qu'ils déversent à partir d'elle sur nous, sur tout le monde.

— C'est tout ce que ça te fait, Slift, la fillette ? Tu t'en fous ?

— Complètement.

— Et toi Obffs ?

— C'est plus spectaculaire qu'autre chose. On lui aurait coupé la tête, je ne dis pas. Mais là non, excuse-moi, je vais te paraître cruel, mais je trouve que c'était le prix à payer. Notre action fait réfléchir, c'est ce qu'on voulait non ? La fillette est vivante. Je dis : on passe.

— Qui pense ici qu'il faut « passer » comme Obffs ? Slift, je suppose ?

— Passer ou pas passer, c'est pas la question. Si je voulais m'asseoir sur ce qu'on a fait, je serais pas venu là pour en causer !

— Quelle est la question alors ?

— Oh Kamion ! Tu peux arrêter de jouer au prof cinq minutes ? La fillette, je lui chie dessus. T'as entendu son nom ? Plus beurrée, tu fais pas. Moi, je me bats d'abord pour le peuple, pour les gars comme moi qu'ont pas d'ongles tatoués, qu'ont le bras tout dur, pour les mômes qu'ont comme horizon l'antirade et le Cube toute leur putain de vie et qui bouffent des radiations comme toi des frites. Je me bats pour les sans : sans fric, sans niche, sans taf, sans carte, les cinq lettres à partir de N, si tu veux.

— Au-dessus, tu ne fais pas ?

— Je fais aussi, mais après. Mon problème à moi, c'est les costumés : clowns télé et cadres sups, technocons, flics ou viges, je fais pas de différence. Parce que les costumés, c'est eux qui fixent le cadre, « les critères » qui nous clouent au sol. Oh, ils empêchent pas les bourges de bouger, ni les lèches-culs de lécher, ni les têtes-basses d'avoir un taf. Ils te grillagent les zoneux, les gabonds, les exhibites avec leur queue en l'air, les mecs qui vendent de la tôle pour croûter le soir. Et plus crade, ils emmerdent les mecs qui demandent rien, qui veulent juste pas de leur classement d'école, qu'aiment bien voir Satourne le soir, quand il y a pas trop de brume sur le Dehors. Ceux-là, ils les lâchent pas. Ils les harcèlent prune sur prune, ils les interdisent de magasins, ils leur bouffent leur Carte et ils se retrouvent dans la raze. Ils avaient rien demandé. Ils savent même pas souder !

— Mais ton but, c'est quoi ? La Volte, qu'est-ce qu'elle doit faire selon toi ?

— Ce que j'te dis : se battre pour le peuple.

— Mais se battre pour le peuple, tu as dix mille façons de te battre pour le peuple…

— Se battre pour que les gens se battent, voilà. C'est ça : donner la gniaque aux gens. Leur donner envie de se dire : « Putain, moi aussi je suis quelqu'un ! J'ai une tronche, un cœur et des muscles. C'est pas les critères qui disent ce que je dois faire. C'est moi qui décide maintenant. Je choisis ma vie, je fais ma trace. Elle ressemblera peut-être à la trace d'un autre, mais ça sera quand même la mienne, j'aurai rien copié. » Quand tout le monde sera son propre chef, c'est-à-dire quand on aura scié ceux qui veulent être les chefs de quelqu'un d'autre qu'eux-zigues, pour moi la Volution sera finie. Je rentrerai chez moi, je prendrai une femme et je ferai des mômes. Mais pas avant. Autant dire que…

— Que tu ne rentreras jamais chez toi.

— Et puis je voudrais rajouter une chose qu'est importante…

— Vas-y.

— S'il faut tuer, je tuerai.

— Quoi ?

— Si on ne peut pas faire autrement, s'il y a un faf, un gros morback, dont la mort change tout, je suis prêt à le fondre.

> *In extremis*, je coupai la parole à Kamio qui s'apprêtait à partir pour un sermon interplanétaire...

— Il a raison, s'il le pense.

— Pardon ? Tu veux répéter ça doucement, Capt ? Toi aussi, tu serais prêt à tuer ?

— Je dis seulement qu'il a raison. Il est libre. Je ne dis pas que je ferais la même chose. Tuer est un acte démesuré. C'est un pari incroyable sur l'avenir. Il faut avoir en soi la conviction profonde, inentamable, que le meurtre va changer la face des choses. Qu'en tuant, on sauve des vies, au moins une, des vies qui ne seront pas sauvées si l'on ne tue pas. Si un jour, j'acquiers cette certitude, je sortirai mon calibre.

— Moi aussi.

— Je suis d'accord.

— Eh bien pas moi ! Une vie, c'est sacré ! Le droit de vivre est même le droit le plus sacré. Ça ne se discute pas. Personne ne mérite la mort, même Schwarzker ne la méritait pas.

— Il a déclenché la guerre chimique ! Il a donné l'ordre de raser l'Ukraine de la carte du monde ! Il est responsable de la mort de cinquante millions de personnes !

— Ça ne change absolument rien. Le tuer ne les a pas ressuscitées, que nous sachions ?

> La discussion dérapa de façon incontrôlée sur la Quatrième Guerre mondiale, les responsabilités de chaque pays, pourquoi nous ne devions plus commercer avec la station orbitale Starlight... J'essayai d'abréger le débat, mais n'y parvenant pas, je coupai court.

— Les gars, nous discuterons de ça plus tard ! Nous ne sommes plus sur Terre, malheureusement, nous sommes sur Cerclon I. D'ailleurs, ce qui se passe ici est aussi

effrayant. N'oubliez pas que huit autres Cerclons sont
en construction sur notre modèle, dont deux super-Cer-
clons pour les Chinois : ils feront sept fois le nôtre ! En
tout, ce sont cent cinquante millions de personnes qui
sont appelées à vivre selon nos normes architectura-
les, politiques et sociales. Le modèle de la prison a fait
plus de petits que la guerre chimique. Notre combat, il
concerne Cerclon, ici et maintenant. D'accord ? Mais
il concerne au-delà l'avenir d'une partie de l'humanité.
La Terre est inhabitable aux trois quarts. Il ne reste que
l'Afrique et on s'y entre-tue encore. Les Cerclons sont
aux yeux des Terriens une réussite pour la paix. Et tout
autant ici, pour les habitants. Nous sommes en paix, c'est
vrai, on ne peut pas leur donner tort. Mais pour quelle
vie ? Au prétexte que deux nations fascistes ont saccagé
la Terre, on veut nous faire croire que l'homme est fondamentalement malade ! Que par conséquent mettre
les populations sous contrôle est devenu un mal nécessaire pour garantir la survie de l'espèce. On parle des
Cerclons comme d'une invention admirable. Alors que
la nouveauté, elle a simplement consisté à décalquer les
techniques sécuritaires de la prison pour les appliquer
à la société entière ! Enfin, à l'origine, elle n'a consisté
qu'en cela... parce que... Enfin, je ne vais peut-être pas
en parler maintenant.

— Vas-y Capt, nous sommes là pour ça, non ?

— Voilà. Vous savez que depuis 2076, avec la première technogreffe sur moelle épinière, l'électronique
a commencé à envahir sérieusement le corps humain.
Ma conviction est que ces technologies intraviscérales
vont proliférer. Elles représentent un marché colossal.
Et leur utilité pour un gouvernement, pour le contrôle
interne des individus, peut s'avérer fantastique. À terme,
ces implants peuvent rendre superflu tout ce qui tient en
place notre société actuelle : les médias, la consommation, les régulations du Terminor, la virtue, le Clastre !

Même le travail très subtil des ergonomistes d'entreprise sur la chaleur risque de bientôt passer pour une aimable expérience. Il sera ravalé au rang du pain et du cirque comme mode de gouvernement des peuples ! Écoutez-moi les gars : si l'électronique parvient, au nom d'une meilleure santé, au nom de la vitalité ou du bien-être corporel — peu importe quels désirs ils fabriqueront afin que les gens réclament leur petit boîtier dans la colonne vertébrale — si elle parvient à réguler nos rythmes vitaux de l'intérieur, les possibilités d'un renversement des pouvoirs seront ramenées à zéro ! Leur stabilité sera assurée pour des siècles ! Pour l'instant, la science-fiction n'en est qu'à ses débuts. Les ratés font plus de bruit que l'influx électrique qui colonise le cerveau. Il nous faut donc réagir d'autant plus vite ! Nous entrons à la vitesse de la lumière dans un nouveau type de lutte : la lutte contre ce que j'appelle les *pouvoirs carcéviscéraux*. Personne n'y est préparé. Qui a ne serait-ce qu'une petite idée de comment nous allons nous battre contre ça ? Si seulement on le peut ! Je sais que ça paraît complètement décalé par rapport à l'enjeu de ce soir, les gars, que nous sommes pris par l'urgence d'une action. D'une certaine façon, c'est pourtant dans le prolongement, c'est une extension du contrôle vers l'intime. Donc je souhaiterais que nous mettions ça à l'ordre du jour de la prochaine assemblée. La situation est pire qu'alarmante. Vous êtes d'accord, je pense, enfin j'espère, pour une action là-dessus ?

— Évidemment, Capt. Si on ne réagit pas, il n'y aura plus un homme comme toi et moi dans cinquante ans. Nos crânes serviront de coques d'ordinateur. Pour pouvoir lever un bras, on nous enfournera des noyaux durs dans la raie du cul !

— À mon avis, la sensation qui amène à cette démission est : puisqu'en vivant libres, nous risquons de nous entre-tuer, vivons en morts-vivants, avec des machines pour nous surveiller au-dedans comme au-Dehors et nous ne risquerons plus rien !

— Les machines veillent sur les machines, les machines veillent sur les hommes, les hommes les sur-veillent et pire : les hommes se surveillent chacun à chacun… C'est tout juste si les futurs arbres en plastique ne surveilleront pas l'herbe qui pousse. Voilà ce qu'il nous faut combattre, non ?

— Tout à fait. Mais comment, jusqu'où et quoi précisément ? C'est ce dont on doit discuter, Capt.

— Oui. Mais d'abord : est-ce qu'on continue l'action ? Est-ce qu'on abandonne ?

— On continue.

— On arrête le tir. Notre action est un échec total. Il faut l'admettre. Notre message n'est pas passé. On va avoir les flics sur le dos et une réputation dégueulasse auprès du public. Sans compter que moi, contrairement à Slift et Obffs, je digère mal la fillette. J'ai une môme moi aussi, c'est peut-être pour ça. Je crois que, sans abandonner l'action sur son principe qui est bon, il faut trouver une autre forme d'attaque, quelque chose qui marque, mais qui ne verse pas le sang. Des sabotages par exemple, quelque chose comme ça.

— Je suis comme Brihx, je crains les traqueurs. Vous avez vu les appels à dénonciation ?

— Dis « délation ».

— Oui, délation. Prenez les clients du café : qui nous dit…

— Bof, personne ne sait, ni les hôtesses, ni même le patron. La porte est à sas sonore.

— Les flics, de toute façon, ils peuvent nous serrer du jour au lendemain. Il suffit d'un mouchard dans une tour qui regarde au mauvais endroit au mauvais moment et tu es carbone !

— Obffs a raison, Kamio. Il faut s'en remettre un peu à la fatalité. Alors on continue ou pas ? Kamio et Brihx, vous voulez arrêter, c'est clair. Slift veut continuer. Il n'y a que toi, Obffs, qui…

— Sous cette forme, il faut stopper. Blesser quelqu'un, personnellement, ça m'est égal. Les questions morales du style « est-ce qu'on doit blesser un innocent ? » ne m'intéressent pas. Ce sont de fausses questions. Comme dit Nietzsche, la morale est une grande maîtresse en séduction, elle nous attire et elle nous piège, c'est la Circé…

— D'accord, d'accord… Abrège !

— Je veux simplement vous expliquer que moi, j'essaie de raisonner en termes d'impact. Est-ce que l'étincelle est passée ou pas ? Ça, c'est la vraie question. Est-ce que les gens, en arrivant au seuil d'une rue protégée, vont se dire que leurs déplacements sont manipulés, qu'ils ont perdu le droit de circuler en hommes libres ? Le reste, ce sont les œufs cassés pour faire l'omelette, des déchets inévitables. Des erreurs, nous n'avons pas fini d'en faire et des conneries d'en dire. Moi, j'ai vingt-trois ans, j'en apprends tous les jours. Voilà. Qu'est-ce que vous voulez que je vous dise ? Notre image en a pris un coup, on s'est fait baiser, OK. Passons, trouvons une nouvelle idée et fonçons !

— Merci, Obffs. Tu as été clair. Donc on arrête. Enfin nous. Slift, tu es le dernier à…

— Je range aussi mes billes. Par rapport aux gens, vous avez raison. Quand ils voient ce qu'on leur montre, ils peuvent pas nous soutenir. Même mes potes, ils vont me taper dans le bide en se marrant, en me disant que j'ai un peu déconné. Leurs infos, c'est tellement trafiqué, ils voudraient montrer qu'un ballon de foot a la gueule du Cube, ils y arriveraient. On peut pas lutter contre ça.

— Tu as une autre idée que les lames, sinon ? Dans le style convaincant, c'était pas mal, remarque…

— Arrête tes vannes, Captos ! Non, je suis sec. J'ai rien d'autre dans le plot.

— Moi, j'ai une proposition à vous faire.

— Vas-y, Kamion, crache ta soupe !

— Voilà. D'abord, je pense que nous avons un devoir urgent : celui de rédiger un communiqué de presse pour expliquer et justifier notre action de la nuit.

— Un communiqué d'excuse ?

— Non, d'explication. Mais avec un mot pour la souffrance de la fillette et de sa famille. Nous leur devons ce mot. L'essentiel du communiqué devra à l'évidence porter sur une critique du principe des accès sélectifs, en insistant sur deux points : la liberté de circuler et l'exclusion des plus pauvres. Inutile d'évoquer Défordre, la lettre ne sera pas publiée si nous l'évoquons.

— Qu'est-ce qu'on perd à essayer ? Après le battage qu'ils viennent de faire, une lettre de la Volte, ils la diffuseront à coup sûr. Trop précieux pour l'audience.

— C'est vrai. Ensuite, nous profitons de ce communiqué pour éclairer le grand public sur nos buts et notre déontologie.

— Déontologie, ça veut dire quoi ?

— Règles morales, si tu veux. Jusqu'où nous pouvons aller et où nous n'irons pas.

— Mais qui peut le dire, ça, puisque le principe même de la Volte est que chacun agit librement ? Qu'il n'y a pas de directive générale, seulement des propositions d'action que chacun peut suivre ou pas ?

— Justement, il faut que nous arrêtions des principes généraux, que nous fixions à nos actions des limites à ne pas franchir.

— Des limites ? Il n'y a pas de limites !

— Si, il y a toujours des limites. Tuer un innocent par exemple, c'est une limite. Donc je propose que nous publiions un communiqué d'explication, un court texte sur notre raison d'être, et trois à quatre grands principes d'action pour rassurer les gens sur nos intentions. Je crois que c'est le moment idéal pour le faire.

— Tu reconnais maintenant, Kamio, que notre action a été tout sauf inutile ou gratuite ?

— Je le reconnais, Capt, je le reconnais. J'ai réagi à fleur de peau, mais je... je ne sais pas comment vous êtes faits, cette fillette qui rampait sur une flaque de sang...

— Que ce que tu proposes maintenant n'aurait jamais eu de sens sans notre action ?

— Oui, c'est certain, enfin... n'en parlons plus. Sous l'angle de la stratégie, tu as raison, c'est juste. Si juste que certains journalistes, je pense, risquent de voir dans l'enchaînement une tactique concertée, un cynisme qu'ils vont s'empresser de dénoncer.

— Il faudra peser chaque mot. Bien montrer que l'effet de surprise, il existe aussi pour nous.

— Qui va rédiger les textes justement ? Je verrais bien Kamio pour le communiqué et toi, Capt, pour le mouvement. Pour les règles morales, je crois que ça va être dur de se mettre d'accord. Je ne sais pas ce que vous en pensez, mais pour moi, la grandeur de la Volte, sa force, c'est de n'avoir pas de règles fixes, justement. Se donner des règles va nous rapprocher d'un parti, vous ne trouvez pas ?

— Moi, je trouve.

— Moi aussi !

— Je suis désolé Kamio, mais je le crois aussi. Imagine que Zorlk soit encore avec nous. Il te dirait d'aller peindre. Je veux bien que l'on précise un ou deux points qui affolent les gens : le meurtre d'un innocent comme tu le disais ou le fait de ne pas s'attaquer aux gosses. Je pense que tout le monde tombera d'accord là-dessus. Mais je suis contre l'idée d'une déontologie. Nous sommes des anarchistes dans l'âme : ni Dieu, ni maître, pas de valeurs transcendantes, pas de règles dictées — même dictées par un morceau de papier signé de nous tous. Les règles, les maîtres, les valeurs, ils adviennent dans le feu de l'action, de façon immanente. Ils vont, viennent, s'envolent et repartent au gré des énergies qui les suscitent ou s'en emparent. Slift sera notre chef pour une action rapide ; Brihx pour un acte de force. Toi, tu sauras donner le ton d'un communiqué mieux que quiconque et Obffs l'idée subtile d'une action pleine d'humour. Moi, je suis plutôt costaud sur les stratégies globales, voilà. Pas besoin de règles, elles s'improvisent d'elles-mêmes. Pour tous les groupes de militants, c'est pareil. Peut-être a-t-on plus de poids que les autres en raison du passé, c'est vrai. Mais nous n'en abusons pas, nous n'imposons rien et le style de discussion que nous avons ici, il y en a cinquante autres sur l'astéroïde avec autant d'idées et de sentiments qu'il y a de voltés.

— Les bornes et les normes, c'est le contraire des voltes. Il a raison.

— D'accord, Capt, je m'occupe du communiqué. Mais je tiens à mes limites.

— Si ce sont *tes* limites et que tu ne les imposes à personne…

— Ce sont les limites du respect de l'autre et…

— OK, note-les. Parles-en en assemblée. Obffs, demande au patron d'apporter à boire. Avec Brihx et Slift, on va rédiger le texte sur le mouvement. Toi et Obffs, vous préparez le communiqué et tu notes à part tes « limites », comme tu dis. Ce soir, à la réunion, on lance le débat ouvert. Après, on propose notre idée avec les textes. On vote. Et puis on verra bien ! Allez, au boulot !

L'alcool arriva sur la table et nous commençâmes à vider les canettes de brax à un rythme enlevé. Nous nous sentions tous sous pression avec cette réunion qui nous attendait dans à peine deux heures. Qu'allait-il en sortir ? Et s'ils nous huaient à l'entrée du vaisseau ? S'ils nous rejetaient du mouvement ? À y penser, tout mon passé volutionnaire défilait en images d'archives, sales et striées. Ce serait un coup dont j'aurais un mal terrible à me remettre. Capt expulsé de la Volte ? Je ne voulais pas croire que ce fût possible. Surtout, je tâchais de ne pas réfléchir à la réaction de Boule de Chat, lorsque je lui apprendrais ce que nous avions fait. Je ne pensais pas à elle, je tentais de toutes mes forces conscientes et tristement sages de me concentrer sur la Volte, sur ce qu'était ce putain de mouvement que je ne connaissais que trop, qui m'était si bien mêlé aux tripes qu'aucun mot, même des mots agencés avec soin, même balancés en vrac, empiétant bouffant l'un l'autre ou empilés en pyramide pour s'élever vers quelque chose qui, à me relire, me redonnait ce mélange de joie et de force explosive, ne me venait juste et vrai. Je passai le stylo à Brihx, divaguai…

Je ne pensais pas à elle, non, c'était elle qui venait par derrière s'infiltrer, qui par effraction s'immisçait sous ma peau et je la sentais à ce qui tressaillait sous sa main chaude, en sursaut, puisqu'elle entrait, sortait, laissait les portes ouvertes et le vent souffler à l'intérieur pour y faire tourbillonner des touffes de son parfum. À rebours aussi sa nuque advenait, sans vision… une pure sensation en moi de nuque fraîche à mordre, avec ses cheveux bruissant par-delà, comme la rivière déborde lorsqu'elle est trop riche de pluie… et en aval ses seins… deux fruits… deux hautes pommes chaudes qui enflaient entre mes doigts…

Brihx me rendit vite le stylo, trop vite. Mais il ne trouvait rien, il était anxieux. Venant de lui, de sa puissance d'ordinaire si sûre d'elle-même, cette anxiété ne faisait que conforter celle du groupe et la mienne, jusqu'à faire vibrer dans la salle une peur inexprimée qui nous travaillait tous et qui ne trouvait d'exutoire que dans la fièvre des gestes et des sentiments. À trembler de l'intérieur comme il le faisait, il semblait se lézarder des pieds à la tête, tout colosse qu'il était. Il n'eut pas à le dire, tout le monde le devinait : il avait peur que les flics

nous serrent au vaisseau. Pas pour lui, non. Il ne redoutait au fond qu'une chose : d'être séparé d'Arcadia, sa
gosse de quatre ans qu'il adorait, de ne plus pouvoir voir
son petit animal blond, espiègle à s'en damner, aux yeux
couleur de son père, qui ne connaissait de grimace que
le sourire, et de tristesse que la douceur des larmes.

Était-ce la tension nerveuse accumulée devant l'écran,
la discussion ou ces kilomètres à extraire mes roues
des ornières de la radzone ? Ou plus profondément,
ce sentiment sourd d'être désormais la proie de délateurs vénaux, de flics trop consciencieux ou d'un obscur
regard plongeant d'une tour panoptique sur la vitrine
opaque du café, au moment même où nous sortirions
tous les cinq pour nous rendre à la réunion et qui nous
suivrait à l'infrarouge dans la nuit qu'on perce, jusqu'au
tunnel qu'il découvrirait ? Je me sentais usé de tensions
refoulées et plus avide d'en finir avec cette réunion
et sa masse de risques insus que de rédiger un papier
pourtant décisif pour l'avenir de la Volte. Avec patience
toutefois, avec beaucoup d'alcool, je me maîtrisai à moitié et nous finîmes par aligner dix phrases correctes sur
un bout de nappe que je pliai et glissai dans une fente
invisible de ma semelle gauche. À 21:20, nous sortîmes
du Cubilingus. Kamio et Brihx en premier. Puis nous,
vingt minutes plus tard. Nous nous séparâmes pour faire
la route seuls, au cas où… Trop fatigué pour grimper à
nouveau la côte de l'anti-rade, je pris le tube avec mon
vélo, me retrouvai en trois minutes au sommet, dévalai
la pente de face, freins bloqués, jusqu'à la radzone-est et
pédalai les trois kilomètres qui me séparaient du vaisseau enterré.

VII

Les fournisseurs d'accès

La radzone me parut tout de suite bizarre, étrangement déserte pour cette heure de la soirée et par trop
silencieuse. Des couches de méthane que Saturne
traversait avec peine s'étaient amoncelées dans l'atmosphère et la lumière ocre qui en parvenait rendait
l'étendue menaçante. Plusieurs fois, je ralentis pour tendre l'oreille. Hormis les bruits habituels — étendards
qui claquent, grincement de tôles, chats mauves qui s'affrontent en miaulant, tintement des boîtes qui roulent
sous le vent — la zone poissait l'attente. La frappe sèche
des batteurs de fût ne résonnait de nulle part, non plus
que les chants chaloupés. Personne ne jouait donc ce
soir ? Je continuai à rouler jusqu'à apercevoir l'amas de
cuves vides au milieu desquelles se cachait l'entrée du
tunnel. Je m'arrêtai. J'attendis un peu. J'eus beau scruter les alentours : pas âme qui vive. Derrière la première
cuve, je couchai doucement mon vélo et je m'avançai à
pied dans le dédale.

— Qui va là ?

— …

— Qui va là ? Mot de passe ?

— Je vis dehors, dedans je meurs.

— Vas-y. Avance ! Te retourne pas. Rentre dans le
tunnel !

— Baaer ? C'est Baaer ?

— Ouais, c'est moi. Qui c'est ? C'est toi, Capt ?

— Ouais, c'est moi. Salut Baaer.

Je me retournai et vit deux fusils paralyseurs qui s'abaissaient. C'était Lucgm et Baaer qui planquaient pour surveiller les alentours. Ils m'avaient repéré et « escorté ». Quatre autres voltés circulaient avec eux dans le dédale des cuves. Ils le connaissaient mieux que le ventre de leur mère.

— Pourquoi c'est désert comme ça ce soir ? On vient de déclarer la Cinquième Guerre mondiale ?

— Les radieux ont les jetons, c'est tout. Il paraît que les traqueurs vont visiter des baraques dans la nuit. Alors ils planquent le schnee et la tôle viciée. Les hackers d'identité campent dans les Buttes brouillées pour éviter la taule. Ils ont peur des scans rétrocroisés. Bref, ça flippe sec.

— Le Bosquet est arrivé, sinon ?

— Ouais, ils sont tous là, ils t'attendent. Y a déjà cinquante gars à l'intérieur.

— Bon, je rentre alors.

— Captain ?

— Oui ?

— Chapeau pour la poste. Chapeau bas.

— C'est rien Lucgm. Ça fait que commencer.

Un peu comme un prisonnier qu'on mène à sa cellule, je traversai le tunnel et débouchai, ébloui par la lumière, dans la salle.

— C'est Capt, les gars !

Une bordée de hourras qui me fit frissonner de la tête aux pieds salua mon entrée. Il n'y avait peut-être que cinquante gars mais l'ovation me parut fantastique de chaleur. Je restai cloué sur place par l'émotion. Les hourras redoublèrent. Déjà des mains serraient spontanément la mienne, des accolades viriles ou tendres m'enveloppaient brièvement, des tapes m'allaient

droit au ventre, des visages bien connus me souriaient :
« Grandiose, Capt », « Bien joué », « On les a baisés,
ce coup-là », « T'as eu raison de faire péter la baraque,
mec », « Joli, Capt, chapeau à vous tous », « Chapeau ! »,
« Je vous admire, les gars, la poste, fallait oser ! », « La
Volte a une autre gueule grâce à vous »…

Sans m'en rendre compte, je me retrouvai d'office à
la tribune avec Brihx et Slift qui avaient subi le même
joyeux traitement et Kamio vint nous rejoindre pour
annoncer ses propositions. De débat ouvert, il n'y avait
pas eu. Tous les militants ici présents approuvaient notre
action sans réserve. J'appris qu'il y avait eu plusieurs
blessés à la Cité du Qasar, dans un magasin de luxe et
à l'entrée de quelques immeubles du secteur 4. Toutes
légères, les blessures, mais suffisantes pour commencer
à faire perdre aux points cette réputation d'absolue
sécurité qui les légitimait depuis si longtemps. Dans la
salle se communiquait une excitation que je n'y avais
pas ressentie depuis la mort de Zorlk et la refonte du
mouvement. Les voltés étaient exaltés, pleins de fougue
et d'idées échevelées qu'ils lançaient à la volée sans se
soucier de leur réception, tout le monde y encourageait
tout le monde, faisait circuler des blagues, des rumeurs
loufoques, se taquinait, hommes et femmes, avec beaucoup de malice.

Toutefois, lorsque Kamio, après avoir vainement
demandé un tout petit peu de silence et d'attention,
s'avisa finalement de parler, sa proposition d'un communiqué d'explication à la presse fit, sur l'assemblée, l'effet
d'une bourrasque de Nox. Des « quoi ? » piquetèrent un
silence perplexe et Kamio fut pressé par la salle de lire
son texte. Il lut. Ça passait ou ça cassait.

Tout à la fois ferme et fier sur la Volte, émouvant
quant aux pauvres, humain pour la fillette, d'une impeccable rationalité dès qu'il s'agissait d'argumenter avec,
aux bons endroits, des coups de couteau meurtriers que

ponctuait un humour corrosif, le communiqué m'apparut à sa lecture d'une très grande tenue. La Volte y ressortait telle qu'elle était, humaine mais déterminée. Surtout, l'absence de compromis qui caractérisait le texte, et qui m'étonna presque de la part de Kamio (quoique je susse que son intelligence politique savait parfois mettre en veilleuse ses pulsions morales), ne pouvait que plaire à un volté. Quelques adjectifs furent certes renforcés, mais l'idée comme le texte furent adoptés. Un hacker programma un drone furtif pour aller le diffuser en secteur 2, par borne publique, à Multinfo.

La seconde proposition, celle d'un court texte sur la Volte, passant après celle plus épineuse de Kamio, ne causa pas de difficultés. C'est mon texte qui par contre en posa ! Rédigé à la hâte, et bien que mon statut de professeur d'université m'accordât une caution intellectuelle (tout à fait indue ce soir-là), il fut heureusement disloqué phrase à phrase par des militants plus clairvoyants. Notre vocation et nos valeurs surtout, furent mieux circonscrites et sériées. De valeurs, nous en mîmes quatre en exergue :

1. La liberté inconditionnelle des forces de vie ;

2. La volonté de créer ;

3. L'exaltation de la multiplicité des pensées, des perceptions et des sentiments donc du non-conforme, du hors-norme et du subversif qui en sont la condition ;

4. La vitalité.

Quant à notre vocation, nous tombâmes d'accord qu'il fallait dissocier au sein du mouvement les actions de combat contre le système — les révoltes en quelque sorte — des créations de modes de vie alternatifs, joyeux, hors système — qu'on pouvait baptiser les voltes. Les révoltes auraient pu gonfler une liste sans terme et nous nous contentâmes d'indiquer une hostilité générale à toutes les formes, dispositifs, mécanismes ou machineries de pouvoir qui annihilaient, mutilaient ou récupéraient selon nous la liberté, la vitalité, l'expression des forces multiples et la création ainsi que les tentatives de fabrication pièce à pièce d'un type d'individu normal et normé à coefficient de menace zéro pour les pouvoirs en place.

Pour les voltes, but originel de notre mouvement, il nous fallut reconnaître entre nous la relative minceur des projets aboutis. Qui ou quel groupe, mis à part les radieux qui n'étaient pas aliénés, pour survivre, à la vente de tôles irradiées, pouvait se targuer d'avoir inventé de nouvelles possibilités de vie, comme l'intimait Nietzsche en son temps ? Les artistes de la Volte ? Les machinistes et leurs robots braques ? Les performeurs qui déjouaient chaque jour la routine des rues, avec leurs gestes, leurs jeux, leurs textes ? Les Hauts-Perchés qui magnétisaient leur hamac sur les tours et produisaient du théâtre acrobatique à grande hauteur ? Qui encore ? Les vingt-trois poètes du groupe Dehors I qui vendaient des rouleaux de papier-toilette où chaque feuille dévoilait la suite d'un conte interminable plus fécal que fatal, et qui en vivaient ? Le groupe des fondeurs avec leur économie parallèle, leur caisse commune, leurs couples partagés et leurs appartements ouverts à tous et interchangeables ? Sans doute, tout ça. Mais qui d'autre ? Les Cyborx, disait Rthjk. Les Cyborx ? Ils me glaçaient, et je n'étais pas le seul. Bref, de toute façon, cela faisait encore peu, restait très éclaté et restait en deçà de nos idéaux.

Finalement, nous nous résolûmes à n'évoquer dans le texte qu'un trait assez faible mais déjà utopique : notre volonté, à terme, d'ajuster nos vies à nos valeurs. Et le texte fut envoyé. Kamio se crut obligé de revenir à la charge avec ses « limites » et il fut rabroué sans ménagement. *In extremis*, il obtint toutefois que fût rajouté à nos quatre valeurs le respect des innocents, enfants notamment. Ça ne me gênait pas : il n'y avait pas, pour moi, d'innocent.

À onze heures, les problèmes urgents ayant été traités, je sentis la pression retomber. J'allai m'asseoir et
constatai que nous étions à présent une centaine. Boule
de Chat n'était pas arrivée — ou ne viendrait plus. J'en
ressentis une tristesse que ma fatigue ne rendit que plus
pénible. Qu'est-ce qu'elle foutait ? Elle avait promis.

Slift, qui avait encore du jus et voulait profiter d'une
assemblée qui lui était favorable, relança la question que
j'espérais justement que l'on oubliât, à savoir : conti-
nuait-on ou non à mettre des lames sur les points de la
ville ? « Ouais, ouais, il faut continuer », gueulèrent une
poignée de jeunes fonceurs qui, malgré leur détermination, firent peu d'émules. Le reste de l'assemblée pensait
comme moi qu'il fallait passer à autre chose. C'est un
dénommé Blusq qui nous sauva de l'affrontement.

Il travaillait depuis quelques mois chez Défordre,
au poste de gestionnaire de réseau. Il avait été chargé
par la direction, lui et son équipe de programmeurs, de
mettre en place le nouveau critère d'accès aux magasins
d'alimentation. En vertu de ce critère, seuls les individus
disposant sur leur Carte d'un compte en banque supérieur à 1 000 unités pouvaient accéder aux magasins !
Blusq, à force de bidouille et de hack, était parvenu à
obtenir les codes de presque tous les secteurs, et avec
l'aide d'une poignée d'ingénieurs, ils avaient inversé le
principe et élaboré un système d'accès anti-riches. Tous
les comptes qui dépassaient les 25 000 unités seraient,
dès que nous lui donnerions le feu vert, interdits d'accès ! À nous imaginer les solides bourgeois suffoqués
de voir la porte désespérément close, à les imaginer pes-
tant, jurant et piaffant, repassant leur ongle codebarré
devant le lecteur infra-onde — dérisoire réflexe de l'ancien temps, ou remonter leur manche (pour les greffés)
et s'essuyer trois fois le bras pour en évacuer une hypothétique sueur, nous partîmes dans une série de délires
burlesques qui embrasa toute l'assemblée et nous sou-

leva d'enthousiasme. Un tel sabotage était la réponse élégante à l'absurdité des accès sélectifs, le moyen idéal de faire ressentir aux gens qui voulaient l'ignorer ce que les pauvres subissaient au quotidien ! Sans danger s'annonçait le procédé et parfaitement ajusté aux gens qu'il nous fallait toucher puisqu'il utilisait, à contre-sens, les finesses technologiques du contrôle que l'on dénonçait ! De surcroît, c'était plein d'humour ! L'occasion rêvée de montrer la face espiègle de la Volte, son inventivité et sa force ! L'assemblée applaudit Blusq à tout rompre et l'idée fut adoptée sur-le-champ. Les lames, procédé qui paraissait en regard tout à fait archaïque, furent ainsi renvoyées à la radzone... Elles avaient toutefois eu le mérite de lancer cette superbe dynamique.

La réunion s'achemina vers sa fin dans une allégresse qui courait de visage en visage, illuminait même les plus taciturnes et soudait l'ensemble des voltés dans ce plaisir indéfinissable de ceux qui se rient du pouvoir, qui résistent en dansant, et opposent à la puissance des lances à eau ces minuscules trous qui font fuir les tuyaux, tomber la pression et monter l'eau tout le long du serpent éventré, comme autant de jaillissements.

Je revins à la tribune pour conclure. Après avoir demandé à chacun, spécialement aux radieux, d'être prudent dans les semaines qui venaient en raison des risques de délation qui allaient s'accentuer avec la croissance des primes, je proposai pour prochain front de la lutte les technologies carcéviscérales. À mon grand étonnement, l'assemblée approuva l'idée comme une totale évidence, si bien que je levai la séance et dis à chacun de réfléchir à des actions possibles pour la prochaine assemblée. Je sortis l'un des premiers par le tunnel.

« Rien à signaler, Captain ! » me cria Lucgm du haut de ses huit mètres de cuve alors que j'allais enfourcher mon vélo — mais au même moment une main froide se glissait sur mon cou... C'était Boule !

— Qu'est-ce que tu fais là ? Tu viens d'arriver ?

— Pas vraiment. Je suis arrivée à dix heures. Je redoutais que quelqu'un vous ait dénoncé, alors je me suis
cachée dans la carcasse, là-bas, et j'ai attendu un bon
bout de temps. À force de scruter le dédale, j'ai remarqué la tête d'un guetteur qui dépassait d'une cuve, puis
j'ai vu qu'ils se baladaient là-haut. C'est fou, tu les verrais ! Ils courent presque à plat ventre — on dirait des
chats — sur des bords de cuve pas plus larges que mes
trois doigts. Ils n'ont pas peur ! Parce que les cuves,
elles sont pleines d'eau croupie, il y en a qui jettent des
cadavres dedans, ils m'ont expliqué, et de la ferraille !
Quand je les ai repérés, je me suis dit qu'une voltée,
c'est quelqu'un qui doit être capable de déjouer les sentinelles, de se fondre dans la nuit; non ? Alors je me suis
approchée des cuves tout doucement et je suis sûre, bien
qu'ils disent le contraire, qu'ils n'ont rien vu, tes guetteurs. Après, je suis montée avec l'échelle sur une cuve
et je me suis couchée à plat ventre dedans, tu sais, sur le
pourtour intérieur. Mais là, un gars que je n'avais pas vu
venir m'a bien eue. C'est pas mal quand même, non ?

— Tu fais une vraie voltée !

— N'est-ce pas ? Alors cette réunion : vous êtes
satisfaits ?

— C'est l'allégresse tu veux dire ! Le mouvement est
regonflé à bloc !

— Sauf qu'il n'y a eu que quatre-vingt-huit personnes ce soir. Sur sept millions de citoyens, ce n'est pas la
grande foule…

— Quatre-vingt-huit ? Les militants ont eu peur, c'est
humain.

— Tu es fier de toi tout de même ?

— Je ne sais pas. Et toi, tu es fière de moi ?

— Tu m'as impressionnée ! Je vais aller te dénoncer,
au prix que tu vaux maintenant. En une nuit, tu as pris
de la valeur !

— Tu es venue à pied ?

— J'ai mon vélo là-bas. On y va ?

Nous roulâmes en direction du tunnel sous l'antirade, à travers une zone déserte que l'angoisse des traqueurs avait livrée au bonheur des chats mauves et des rats albinos. Aux franges de la piste, l'herbe phosphorait faiblement sous nos phares et par endroits, des grèves désolées de sable, par le polystyrène recouvertes de neige, se découpaient furtivement dans la lumière. Le vent cosmique nous poussait dans le dos, et avec nous des boîtes, quelques cartons légers et des lambeaux de tissu qui nous servaient d'escorte. Quelquefois, au loin, surgissaient de grands sacs plastiques aux mouvements de fantôme qui nous dépassaient sans effort et sans bruit. Le ciel s'était éclairci. Au-dessus de nous, les nuages de méthane s'ouvraient par trouées comme des plaques élargies de rouille. Les filets d'ammoniac, rebondissant sur la chape d'oxygène de la ville, s'étaient rabattus sur le Dehors, où ils dériveraient lentement, flottant d'abord au-dessus du Nakkarst puis continuant leur voyage au-delà, longtemps, jusqu'aux agrégats de glace, dans ce monde crevassé de cratères fixes et froids qui, en quatre milliards d'années, n'avaient jamais vu le soleil.

À mesure que nous avancions, le clair de Saturne s'épandait sur la radzone, semblable à l'éclat d'une lune rousse, mais si gigantesque, qu'à voir sa masse émerger du cosmos noir, je me sentais soudain moins épais qu'un grain de poussière sur un caillou. Autour, visible pour moitié à cette heure, s'étirait l'arche des anneaux avec son dégradé orange et crème. J'essayais de m'imaginer, en les regardant, les milliards de blocs de glace, de boules de neige, de grêlons et de flocons qui y orbitaient, poussière céleste, et qui, sous la force des marées de Saturne, vrillaient parfois leur nappe comme un linge de cristal. Titan était ce soir bien visible, avec

sa boule rouge grosse comme deux lunes. Plus lointains, les satellites glacés de Saturne se perdaient près
des anneaux en globes étincelants : Mimas, Encélade,
Thétys, Dioné, Rhéa… Qui pouvait s'en lasser ? Saturne
avait beau n'être, au fond, qu'une goutte géante dont les
astronomes assuraient — trouverait-on un océan assez
grand ? — qu'elle pouvait flotter sur l'eau, les orages
s'y déchaînant au niveau de l'équateur, avec des cristaux
de glace d'ammoniac qui foudroyaient l'atmosphère à
1 800 kmh ou cette vision, qu'on était incapable de se
former, d'un magma d'hydrogène métallique liquide
grondant au cœur de la planète et de l'hélium y perco-
lant par effondrement gravitationnel, dépassaient toute
volonté de relativiser. Il y avait une femme, disait-on,
qui n'avait quitté la Terre que pour ça, pour voir les orages de Saturne la nuit. Et je ne savais si elle n'avait eu
raison. Elle avait eu raison, sans doute, puisque c'était
ma mère et que j'étais là, ce soir, à contempler ce qu'elle
ne pouvait plus voir…

Nous arrivâmes chez moi et je me couchai sans attendre. J'avais les muscles qui se crispaient de fatigue en me
déshabillant. La force encore de se laver, elle la trouva
et lorsqu'elle me rejoignit, j'eus l'impression, pour elle
et mes draps qui sentaient le linge propre, d'être un sauvage imbu de ma sueur qui se réjouissait de les souiller.
Je mêlai vite mon sel à son savon, jusqu'à ce que nous
ayons le même goût. Au seuil d'un nouveau jour, je
la pris doucement. Et j'étais si bien en elle que je me
sentais tout entier là, tous les fragments épars de mon
esprit en cavale, à se battre encore, à encore résister,
enfin revenus en moi, enfin apprivoisés à la douceur, ces
petits fauves, et mon corps en morceaux ramassé à son
tour, lui aussi unifié, qui acceptait que ses seins entrent,
que sa bouche coule sous ma langue, que son sexe m'aspire et fonde, parce que je les voulais miens, je voulais
tout ce qu'ils charriaient d'espoir, de feu liquide et de

désir de jouir et à si bien les laisser venir, ils le devinrent, son corps fut le mien, le sien mon corps, j'étais présent jusqu'en dedans, à voler sur place, empli à jaillir de vie des épaules jusqu'au nœud de poutre souple qui tanguait — et lorsqu'elle m'embrassa encore, je ne pus m'empêcher de lui offrir, en fusées, ces mille milliers d'enfants riants qui bruissaient en moi.

VIII

Le Clastre

Le lendemain au réveil, la volupté du lit chaud et de
nos peaux fondues batailla longtemps en moi avec le
désir de me lever, de m'emparer du terminora et de lui
exiger l'impression de tous les journaux. Les manchettes
de notre communiqué avaient agité ma nuit. Dans l'em-
brouillamini de mes songes, des phrases-boas s'y enrou-
laient tout le long, l'avalant, convulsion par convulsion.
Qui avait eu le courage de publier le papier ? Et s'ils
l'avaient publié, comment ? Des hypothèses contra-
dictoires se lovaient dans les plis de ma cervelle et les
raisons qu'elles invoquaient chacune me paraissaient
toutes, à un moment ou à un autre, valables. À mesure
que ma conscience se dépliait, j'essayais d'anticiper les
articles, quelle photo les couvrait et quelle légende pour
quelle photo, et à la vitesse avec laquelle ces anticipations se chevauchaient, sautaient de page en page, que
s'emballaient en moi les interprétations, toujours plus
vite, je ne pus à la fin m'empêcher de jaillir en diable
de la couette pour me précipiter sur le terminora. Alors
que la première page de *Cerclon Vite* s'imprimait, Boule
fit chuinter quelques sons de ses lèvres endormies, mais
je n'y prêtai pas attention : le sourire d'une petite fille
sortait de l'imprimante, avec cette légende : « Cab,
succès total de l'opération ! » Je laissai s'imprimer les

huit pages : les trois premières consacrées à l'opération chirurgicale des deux jambes, la suivante à une apologie de la biochirurgie endogène, le reste se partageant entre les accidents de glisseur, la mode de l'intragym et la énième réforme des critères du Clastre.

Je retournai, agacé, me coucher. Pourquoi m'obstinais-je encore à vouloir lire les journaux ? Les plus touffus ne dépassaient pas quatre feuillets, publireportages et jeux pour débiles compris. À peu de chose près, les articles retranscrivaient mot à mot les journaux télévisés de la veille, avec un recul si faible et une si flagrante paresse qu'il existait de bonnes raisons de croire que deux câbles suffisaient aujourd'hui à faire un journal : un pour relier la télévision au noteur vocal du terminora, l'autre pour relier le terminora à l'imprimante (mais je me trompais sans doute : avec un câble, on devait s'en sortir).

« Terminora, la radio » me résolus-je à articuler à l'ovale noir.

« … *"notre vocation n'est pas de terroriser les innocents, mais elle tolère encore moins cette lâcheté qui consiste à innocenter les terroristes. Quels terroristes ? Ceux qui nous gèrent au quotidien ; ceux qui surveillent à chaque instant nos moindres faits et gestes ; ceux qui, en un mot, font régner cette douce terreur de la norme contre laquelle nous nous battons"*, indique encore le communiqué. *Coup de bluff ou coup de pub ? Nos consultants politiques restent partagés sur cette surprenante volte-face du mouvement terroriste…* »

Station suivante !

« … *la Volte s'excuse. Vingt-quatre heures après l'attentat perpétré sur la fille du directeur des relations affectives de* GorGames, *le groupe terroriste remet les pendules à l'heure dans un bref communiqué qui précise à la fois les objectifs et les principes du mouvement : subvertir l'ordre social au nom, je cite, d'une "liberté inconditionnelle des*

forces de vie" et dans le respect des innocents — l'atten-
tat de la veille étant ramené à un "concours tragique de
circonstances"… »

Station suivante !

« Après la barbarie, les formules de politesse… com-
muniqué cynique… accumulation de provocations…
idéalisme qui peut conduire aux pires excès… vernis
d'humanité qui ne parvient pas à faire oublier la cruauté
des actes… »

Suivante !

« Avec un à-propos qui peut passer pour de l'opportu-
nisme, le mouvement fait la preuve, par ce communiqué,
d'une honorabilité que les politiciens de tous bords lui
ont jusqu'ici déniée. Les objectifs qu'il prétend se don-
ner — multiplicité des styles de vie, liberté, vitalité et créa-
tion — pourront surprendre si on les compare avec la
barbarie de l'attentat, mais ils témoignent d'une chose : la
Volte n'est pas le groupuscule terroriste que nos confrè-
res de la télévision, prompts à succomber aux sirènes du
sensationnalisme, ont voulu forger. À la lumière du com-
muniqué, dont on peut certes regretter qu'il survienne un
peu tard, la Volte apparaît comme un mouvement respon-
sable, sûr de ses convictions mais conscient de ses limites,
et auquel une démocratie digne de ce nom se doit de faire
une place sur l'échiquier politique. »

— Qu'est-ce qu'ils disent ?

— C'est mitigé… Il y a de bonnes choses…

Suivante !

« Heureuse issue pour l'attentat de la poste. La fillette
a été opérée hier dans la matinée par le professeur Fji.
Après un après-midi de repos, elle a repris dès ce matin
le chemin de l'école, mettant un point d'honneur à effec-
tuer le trajet, selon son habitude, à pied. De leur côté, les
responsables de l'attentat ont fait parvenir à la presse un
communiqué d'excuses, texte intellectuel dans lequel ils

reconnaissent la cruauté de leurs actions, tout en maintenant leurs attaques contre ce qu'ils considèrent comme
une atteinte au droit de circuler. Le ministre de l'Intérieur
a violemment réagi à ce communiqué en dénonçant une
"pirouette médiatique de triste facture". Répondant aux
questions de nos confrères, il a réaffirmé sa détermination
à poursuivre les terroristes : "Nous ne pouvons accepter
qu'une poignée de terroristes se serve de la souffrance
d'une enfant pour se faire de la publicité. Il faut qu'ils
sachent que ce ne sont pas les petits mots d'excuse ni les
grandes phrases qui gagneront notre clémence et répare-
ront l'outrage subi par la famille. L'avis de recherche est
donc maintenu." Sport — saut en hauteur : le Cerclonnien
Pedr a battu hier le record du système solaire en pesanteur modifiée avec un bond à 5 m 08.

   Le Clastre : à moins d'un mois du classement biennal,
le Conseil des ministres a ratifié le projet de réforme sur
l'évaluation des hôtesses d'administration. Désormais,
l'appréciation de la clientèle comptera pour moitié de la
note finale. Le jugement des coéquipières est quant à lui
ramené de 20 % à 10 % de la note. Cette mesure vise à
enrayer la baisse de l'indice de satisfaction des citoyens
quant à la qualité du service affectif dans les administrations. Parallèlement à cette mesure, des crédits seront
prochainement débloqués pour la formation continue
des hôtes. Cette formation concernera l'application des
nouvelles normes d'hygiène et le suivi affectif. D'après
les derniers sondages, 73 % des citoyens déplorent en
effet une déférence artificielle à leur égard et se plai-
gnent d'un manque de chaleur dans la prise en compte
de leurs difficultés personnelles. "Cette relative tiédeur
dans les relations n'est pas à long terme admissible", a
déclaré S, ministre des Relations sociales : "Le citoyen
qui vient faire coder ses primes sur sa Carte ne doit pas
être traité comme un objet social quelconque, ni comme
un client qu'il faudrait hypocritement ménager. Chaque

citoyen est un cas, un cas spécifique qui possède son ori-
ginalité et ses difficultés propres. Il doit par conséquent
être accueilli, puis suivi par nos hôtes — j'insiste sur
cette notion de suivi car c'est à travers elle que peut se
nouer une véritable relation d'amitié — d'une manière
aimable bien entendu, encore faut-il répéter que l'ama-
bilité n'est qu'un service social minimum, *mais encore*
une fois : chaleureuse. L'accueil ne doit pas se borner à
de brefs sourires ou à quelques questions de convenance.
Il exige de chaque hôte un réel intérêt *pour la personne*
qui vient s'acquitter de ses devoirs de citoyen. Cerclon est
une communauté solidaire, et solidaire par nécessité. *La*
promiscuité inhérente à la vie artificielle sur cette planète
ne peut s'accommoder de ces petits désagréments, qui,
répétés de jour en jour, un peu partout, çà et là, finissent
par irriter tout le monde et contribuent à l'effritement de
notre cohésion sociale. Nous ne pouvons accepter pareils
dérapages."

Le Clastre toujours : dès aujourd'hui débutent pour les
informaticiens les entretiens hiérarchiques. Nous avons
demandé à Ftuh, responsable de la division des accès ban-
caires chez Défordre, quels étaient ses critères pour évaluer
ses ingénieurs : "1. L'attitude au travail : l'assiduité bien
sûr, la bonne grâce avec laquelle sont effectuées les heures
supplémentaires, la générosité des relations hum…" »

Coupe !

Je me décidai à appeler Kamio pour avoir tout de
suite son sentiment. En dictant le numéro, je sentis
mon estomac se contracter légèrement. J'allais presque
oublier de coder, comme convenu.

— Allô, le camionneur ?

— *Allô, le camionneur ?*

— Je te croirais encore au lit à cette heure-là. Tu l'as
déjà fait fuir ?

— *Je te croirais encore au lit à cette heure-là. Tu l'as*
déjà fait fuir ?

— Non, elle est toujours là. Elle dort. Elle est épuisée…

— *Non, elle est toujours là. Elle dort. Elle est épuisée…*

— Modeste toujours ! Bon. Tu as vu les toiles exposées ?

— *Modeste toujours ! Bon. Tu as vu les toiles exposées ?*

— L'éclairage reste un peu sombre. Mais les portraits sont plutôt ressemblants.

— *L'éclairage reste un peu sombre. Mais les portraits sont plutôt ressemblants.*

— Je serai au vernissage ce soir. Je t'y retrouverai comme promis ?

— *Je serai au vernissage ce soir. Je t'y retrouverai comme promis ?*

— Oui. Je te rejoindrai pour y faire ma petite allocution. À ce soir !

— *Oui. Je te rejoindrai pour y faire ma petite allocution. À ce soir !*

Le Clastre… Tout le monde en parlait déjà depuis trois mois. Tous les deux ans, les mêmes rituels de conjurations, de revendications pour des critères plus justes et d'espoirs d'être bien noté se répétaient. Avant le classement final, le travail gagnait, comme par magie, plusieurs points de productivité. Les notations que vous attribuaient et votre chef et vos collègues et vos subordonnés — et que vous leur attribuiez vous-mêmes —, les tests techniques et les contrôles de connaissance, le BPA (Bilan Personnel d'Activité), l'examen médical, les entretiens de groupe, les analyses psychologiques, tout cela se précipitait pendant un mois, de sorte que la ville ressemblait à cette période à une immense université au moment des examens de fin d'année, avec ses cortèges d'anxieux déclarés, de faux fiers et de figures rongées par le doute qui, dans l'espoir d'échapper à l'Apocalypse, se ridiculisaient en lècheries d'anus et soudaines sympathies, lesquelles les enfonçaient plus encore qu'elles ne les sauvaient.

Le fait que le classement, hormis les retraités et les enfants de moins de douze ans, hormis bien sûr ceux qui, en jetant leur Carte, s'étaient sortis eux-mêmes du système, et que le gouvernement, qui ne pouvait se résoudre à ne pas les classer, rangeait dans la catégorie, dangereuse entre toutes, des hors-clastrés, n'épargnait personne ; le fait que les chômeurs mêmes s'y voyaient assigner une place sur sept millions d'individus, les femmes au foyer, les désactifs comme les artistes, plongeait la ville entière dans une hystérie d'examens à laquelle les esprits les plus indépendants auraient été bien en peine de résister. On n'échappait pas au Clastre. Le voulait-on, les gens vous le renvoyaient par leurs yeux et leur bouche déformée par la laideur des sourires qu'on fait malgré soi. Il faisait de nous les dieux du Jugement dernier. Mais un jugement sans cesse repris, repesé, un Jugement dernier qui n'en finissait pas de juger, chaque jour, tout le monde et sans pitié, tout en nous offrant la douceur de répondre, à notre tour, dans l'anonymat du terminora.

Les gens attendaient du Clastre quelque chose qu'aucun ami, ni père ni mère, ni le miroir que parfois l'on se tend, n'étaient capables d'apporter : une vérité de soi-même. En hiérarchisant chacun, du Président A, jusqu'à Qzaac, 7 054 423e citoyen de Cerclon, cancre ultime que les médias, rituellement, réunissaient avec le Président pour un bavardage sans manière (peut-être pour montrer qu'au fond il n'y avait pas entre eux un écart si grand), le Clastre donnait une réponse magique — réponse douteuse certainement, controversée toujours, mais réponse tout de même, à cette étrange question qui apparemment hantait tout le monde et que l'on devait à mon sens à quelque obsession quantitative du capitalisme : qu'est-ce que je vaux ? Et la réponse était, plus qu'un chiffre, un déchiffrage de soi. Plus qu'un rang : une place dans l'ordre social. La réponse, c'était cette suite absurde de lettres, C-A-P-T-P qui indiquait que j'étais, en déclinant les lettres sagement, dans l'ordre alphabétique, le 1 437 205e citoyen de cette société débile.

Tous les deux ans, la même ineptie se produisait : les citoyens dociles, puisqu'ils acceptaient de changer de place, changeaient de nom. Mais les mêmes noms demeuraient pour désigner les mêmes places. Notre proviseur changeait de visage et de corps... mais il s'appelait toujours Tolg. Et la directrice de la sociopathie scolaire, blonde ou brune, jeune ou vieille, chaleureuse ou non, c'était Ammpn, « Maman » pour les étudiants. En un sens, c'était simple : il fallait s'en tenir, non aux êtres, mais aux fonctions qui elles restaient immuables. La fonction définissait l'être, mieux que sa personnalité. Quant aux amis, le surnom les sauvait du broyage...

Pour le reste, le Terminor réactualisait automatiquement les changements administratifs. Sans contrôle possible, il affectait votre nouveau nom à l'ensemble de ces « pièces » d'identité par lesquelles, dans notre démocratie, un individu est assigné à être ce qu'on veut qu'il soit : des coordonnées. « Donnez-moi vos coordonnées »... (Toutefois n'était-ce pas pour vous fixer qu'on vous les demandait, surtout pas. Tacitement, un honnête Cerclonnien se devait au contraire de bouger, de passer sans cesse d'un lieu à un autre, d'être, bien qu'immobile dans son glisseur, *en déplacement*. Celui qui, à l'injonction « circulez ! », demeurait sur place, devenait *de facto* un vagabond. Le vagabond, c'était celui qui ne bougeait pas. Il était probable par ailleurs qu'une telle exigence venait de la ville même, qui comme toute ville était d'abord une prison, si bien qu'y circuler sans cesse conjurait l'oppression de la clôture et procurait une

sensation de liberté qui la rendait supportable. En vous
demandant vos coordonnées, on vous demandait en fait,
à la manière d'un vaisseau, la formule de votre trajectoire — et moins pour la suivre que pour l'intercepter,
moins pour vous bloquer que pour vous *situer*.)

Je me demandais si la fascination qu'éprouvaient
les gens pour le Clastre ne provenait pas de ça : toutes
ces données bizarres au fond, que l'on nous prélevait
continûment et qui s'éparpillaient quelque part parmi
des millions de fichiers : apprécié des étudiants, 72 kilos,
gestion honnête des conflits, 1m79, masculin, 169, avenue du Ministre C2048, culture étendue, consciencieux,
31 ans, corpulence moyenne, Quotient de Sociabilité :
84, célibataire… Toutes ces données, le Clastre les uni-
fiait dans le miracle d'une note, dont il faisait un rang,
puis un petit tas de lettres. Simple : cinq lettres, jamais
plus ! Pour les meilleurs : quatre lettres, parfois trois,
deux — et même une pour l'élite de cette société : les
vingt-cinq ministres et le président, A.

Toutes ces données en un petit tas de lettres…
Qu'est-ce que ça voulait dire ? Que tout ce qui faisait
ma vie, partout où j'étais, j'allais, ce que je disais, mon-
trais, l'espace qu'occupait mon corps, que tous ces lambeaux de moi-même par les pouvoirs découpés pour
être par les savoirs analysés, tout cela m'avait été pris
pour m'être redonné. Le Clastre nous déstructurait,
mais c'était pour mieux nous co-ordonner ensuite.
Merci, le Clastre ! Il suscitait d'innombrables questions,
le Clastre, il en posait des milliards en un mois. Et lui se
contentait d'une réponse, d'une seule, une véritable fulguration : Qu'est-ce que je suis ? C-A-P-T-P. Sans doute
aurait-elle moins ébloui, cette fulguration, si elle s'était
contentée d'un éclair blanc, si elle n'avait, dans l'épaisseur de sa lumière, concentré les éclairages de tous ceux
qui nous avaient jaugés, écoutés et « compris ». Le nom
qui nous échoyait avait de fait un poids : le lestaient nos

aptitudes, l'analyse des psychologues et le jugement de
ceux qui quotidiennement nous côtoyaient. Nul arbi-
traire dans tout cela. Rien qui n'émanait, à la source, de
soi-même. On pouvait chipoter sur la justesse des critères, dénoncer la cruauté des collègues. Bien sûr. Mais la
fulguration demeurait : le nom qui sortait du Terminor,
qu'on l'acceptât ou non, incarnait une vérité issue de
nous-mêmes.

— Bon, je ne vais pas y aller par quatre chemins. Vous
avez tous regardé la télé, vous avez entendu P : la Volte,
on se démerde comme on peut, mais il ne veut plus en
entendre parler ! C'est clair ? Nous, notre mission, elle
consiste à surveiller la Ligne du Dehors et à banquer les
délinquants qui passent dans les mailles du filet. Ce n'est
pas un boulot innocent : toutes les investigations, toutes
les ouvertures de dossiers, les caméras logées, le doublage
des réseaux, les guets dans les tours, le suivi rapproché,
tout ça part de chez nous, ou presque. Inutile de vous dire
que depuis la fillette, les sarcasmes, ça bourdonne sous les
moquettes. J'entends surtout une chose depuis deux jours,
c'est : « Les pignoufs à la Ligne, ils déconnent sec. Ils nous
font ouvrir des recherches sur des brise-cacahuètes pour
qui l'enquête débouche pas, alors que sur la Volte, on
n'avance pas d'un mégaoctet. » Voilà en gros l'ambiance.
Je sais que vous faites votre travail, les gars, et qu'on ne
peut rien vous reprocher. Seulement P, après l'attentat, il
a gueulé sur Pg. Pg a répercuté sur Pit, sur Plh, sur Psn et
sur Pra qui ont mal encaissé. Du coup, tous les 4-lettrés
se sont fait replacer les vertèbres. Résultat des courses :
ce matin, Pmov m'a coincé dans son bureau pour me dire
que si nous ne sortons pas un volté de nos listes avant
le Clastre, il va falloir apprendre à se serrer la ceinture,
si vous voyez où je veux en venir : pas de promotion et
même… Enfin, il a été on ne peut plus clair. Lgrob, est-ce
que tu as du nouveau sur ton flingueur de caméra ?

— J'ai lancé une première série de recherches sur dix-huit personnes.

— En te basant sur quoi ? Les professions ?

— Correct.

— Et tu n'as aucun retour ? Les traqueurs n'ont rien trouvé ? Pas un petit indice, rien ?

— Pour l'instant, ils les ont mis sur écoute-machine.

— Écoute réseau, écoute téléphone, tracking ?

— Euh… Juste téléphone pour certains. Parfois les trois.

— Ils se foutent de qui ? Qu'est-ce qu'ils espèrent trouver par le téléphone ! Ils prennent vraiment les gens pour des cons ! Bon, Lgrob, tu leur balances toute la liste, même si t'as des 3-lettrés, des DRA, des avocats, hein, tous ! Et dans le Pour-Recherches, tu mets Classe A, compris ? Je veux de l'écoute humaine — pas du collexiqueur à partir de leurs listes bidons dont tout le monde connaît les mots tilts ! Un gars qui se balade avec un calibre, qui nous dégomme une sinueuse, c'est certainement pas un promeneur. C'est ce genre de mec qui circule dans la Volte. Il faut mettre toutes les chances avec nous.

— Je leur recommande quel suivi ?

— La totale : bretelle, caméras, Tour, planques, tracking sur les vêtements, géosuivi des parcours — suivi rapproché s'il le faut…

— On étend à l'entourage : famille, relations ?

— Ça prend trop de temps, ça. On n'a qu'un mois. Non, du rapide, il nous faut une piste, un truc qui paraisse assez sérieux pour que Pmov puisse dire à sa hiérarchie qu'on tient quelque chose…

Pour avoir gagné plus de 800 000 places au dernier Clastre, j'avais eu, deux ans auparavant, la possibilité de grimper d'une claste, de devenir ainsi 4-lettrés. Zpqk aurait été mon nom. J'avais décliné. De toute façon, au premier nom audible que le hasard des classements m'avait alloué (j'avais été Fpgtq, Erjzb, Ddvlc avant d'accéder à quelque chose d'humain), j'avais signifié à l'administration mon refus de nouvelles promotions. À moins d'être déclastré, ce qui grâce à ma popularité auprès des étudiants paraissait peu probable, je pourrais conserver ce nom pour le reste de ma vie. Je refusais d'être un ludion appelé à monter et descendre le long de l'échelle sociale et me réjouissais, au milieu de cette tempête du Clastre où la mobilité était programmée et imposée à tous, d'être une sorte de récif. Refuser de bouger lorsqu'on obligeait tous à le faire, c'était, par inertie, résister. Mettre en mouvement ses perceptions et sa pensée, lorsqu'on nous poussait à la prostration, ou à réagir, réagir, réagir tant et si bien qu'il ne sortait de ces réactions qu'un stress chronique — agir, en ces cas, était aussi résister. La résistance était une question de tempo.

Contrairement à ce que croyaient beaucoup de mes collègues, mon attitude face au Clastre n'avait rien d'exceptionnel. À la Volte, elle était la règle. Même en dehors, près de cinq cent mille personnes avaient demandé leur enclastrement et sauf mauvaise surprise liée à un déclassement, nous conserverions notre nom jusqu'à la retraite, et de là, puisqu'on ne bougeait plus, jusqu'à la mort.

Je m'étais recouché et pensais à ces choses lorsque Boule vint frotter sa chaleur animale à la mécanique du Clastre. Mes pensées m'avaient rendu tout raide. Pareille à un chaton, elle mêlait son sommeil à ma peau et il me semblait que son âme voluptueuse ronronnait un monde dont la douceur m'emmènerait si loin du Clastre et de la lutte qu'y abandonner mon corps aurait demandé… je ne savais pas, peut-être une manière de silence. J'eus beau relâcher mon corps, le Clastre cliquetait encore dans mes neurones, si bien que Boule se retourna vers le mur et m'abandonna.

Putain de Clastre ! À lui seul, il allait phagocyter l'actualité. Je voyais mal comment nos actions pourraient avoir un retentissement dans le mois qui s'annonçait. Notre sabotage électronique risquait de passer à la trappe. Mon seul plaisir pour la période qui commençait, j'allais le trouver dans ma salle de classe, avec mes étudiants. Tous les deux ans, à ma façon, je sacrifiais au Clastre. Mais c'était un sacrifice au bout duquel, déchiqueté par mes critiques, il finissait en un tas de cendres tièdes que mes étudiants se lançaient à la figure en riant tant ils comprenaient de l'intérieur la légèreté tragique d'un pareil classement et à quel point le sérieux crétin avec lequel les moutons attendaient que le Terminor délivrât la vérité de leur petit être, aurait paru, à une autre époque et paraîtrait sans doute dans un futur qu'il nous fallait construire, absolument grotesque. Bien sûr, le salaire de chacun était directement proportionnel au classement ; bien sûr, l'entourage vous jugeait d'après votre rang. Mais qu'importait le salaire quand Qzaac lui-même vivait décemment ? Qu'importaient les jugements ? N'avions-nous chassé le confesseur que pour trouver la psychologue à sa place, à nous accoucher de nos péchés d'improductivité ?

Mais j'étais déjà en train de faire mon cours ! Avec un attendrissement au ventre, un peu de regret, je laissai Boule à la profondeur des limbes, m'habillai sans hâte, à la regarder respirer doucement, et je sortis les cheveux sales, dressés par épis, prendre mon glisseur pour filer à l'université où ma rage anti-Clastre promettait un cours énergique.

Lorsque j'arrivai, l'amphithéâtre était plein. Il y avait là beaucoup d'auditeurs libres que je n'avais encore jamais vus. Je réunis les trois étudiants qui avaient été tirés au sort la semaine dernière pour participer au concerto et je les répartis dans la salle. J'annonçai le thème du mois : « la production de l'individu » ; indiquai le cas pratique : le Clastre ; déclinai la bibliographie : *Surveiller et punir*, *La Volonté de savoir*, de Michel Foucault, et *Séries dividuelles* de Drakf, le philosophe de Cerclon II qui travaillait sur les fragmentations de l'individu et le concept de norme modulable.

— Bien. Pour les nouveaux, je rappelle rapidement le principe du concerto. Jyqfr va jouer aujourd'hui le rôle critique. Il attaquera les charnières du raisonnement, cherchera les failles et traquera les faiblesses. Il fera office de contrepoint. Fcuza sera relanceur. Son rôle ? Prolonger mes solos, varier sur les thèmes, compléter et enrichir la partition — dans la mesure du possible évidemment. Ciymp, enfin, jouera de la grosse caisse : elle est chargée de simplifier et de vulgariser les concepts délicats. Elle vous donnera, chaque fois que possible, des exemples concrets. Voilà, en deux mots. Mes musiciens sont-ils prêts ? Je commence.

Un brouhaha caractéristique de voix chuchotantes et de claviers cliquetants suivit immédiatement mes premières phrases. Rompus à l'exercice, mes étudiants dictaient à leur noteur, en quelques mots rapides, l'essentiel de mon discours. Certains se contentaient de couper-coller des segments de phrases sur leur logiciel vocal tandis que les plus habiles reformulaient déjà, en plus compact, les concepts essentiels. Rien qu'à écouter ce qu'ils disaient à voix basse à leur machine, je me rendais vite compte si j'étais ou non compris.

— Le premier objectif du Clastre est de décomposer l'individu, de le fragmenter. Pour obtenir quoi ? Des entités dividuelles. Qu'est-ce qui disparaît lorsqu'on passe de l'individuel au dividuel ?

— Le préfixe in- devant. L'unité du sujet, son caractère unique.

— Oui, Fcuza. Le dividuel, c'est l'individuel divisé, l'individu fragmenté en plusieurs morceaux, *mis en piè-*

ces. Ou plus exactement : le dividuel, c'est le produit de cette fragmentation, c'est-à-dire, si vous voulez, le morceau, *la pièce*. Le Clastre est un traitement régulé qui intervient sur cette fragmentation, la prend rationnellement en charge et l'accélère. Il déconstruit, mais pour remodeler ensuite. Il déconstruit pour dédoubler, comme nous le verrons. Bien. Mais que déconstruit-il ?

— L'unité du sujet.

— Pas exactement. Il déconstruit la façon dont notre conscience cherche à se saisir dans sa vérité.

— Il démantèle le rapport à soi.

— Exactement. Ce qui doit être remodelé, c'est moins l'unité du sujet, comme tu le dis, Fcuza, que de ce qui, plus profondément, produit et préserve cette unité. Il faut comprendre que le Je n'est pas donné d'avance. Il est l'effet d'une production de soi. L'individualité est une composition. Il faut entendre composition, non comme un résultat figé, mais comme un processus en perpétuel devenir. Au sein de cette composition jouent un certain nombre de forces qui tantôt se conjuguent, s'associent, tantôt se subjuguent, tantôt se parasitent et s'exploitent, tantôt influent ou refluent les unes sur les autres, en filets ou en faisceaux. L'analyse de ces forces peut être très diverse, et relève d'un découpage philosophique propre à chaque penseur. Pour ce cours, nous nous en tiendrons à la fiction de Foucault — vous savez que Foucault a eu cette phrase splendide : « Je n'ai jamais écrit que des fictions » — et à partir d'elle, nous essayerons de mettre au jour quelques vérités cruciales. Selon Foucault, l'individu se construit par trois champs de forces (les voix se préparent à noter) :

» Premier champ de forces : les pouvoirs, qu'il faut concevoir comme de pures fonctions du type inciter, induire, séduire, susciter, rendre facile ou difficile telle action, influencer, rendre plus ou moins probable, fonctions qui s'actualisent et ne prennent forme précise qu'au

sein des savoirs. La force de Foucault est d'avoir montré
à quel point les pouvoirs, bien loin de se borner à des
fonctions négatives de répression, produisent. Ils produisent des "domaines d'objets et des rituels de vérité".

» Deuxième champ de forces : les savoirs. Pour le
Clastre interviennent à peu près toutes les sciences du
comportement : psychanalyse, stimulologie, conflictuo-
logie, socianalyse, claustrologie… En un mot, tout ce qui
permet de coder une personnalité. D'en faire un objet
descriptible qui respecte la spécificité de ses aptitudes et
de son évolution. Savoirs également dans le traitement
des données : arithmétique et statistique, méthodes pro-
babilitaires, informatique… qui font fonctionner le système comparatif global.

» Une remarque en passant : le développement d'un
savoir est toujours appelé par un certain mode d'exercice du pouvoir. Celui qui domine dans notre société est
le contrôle. Beaucoup moins le contrôle des idées que le
contrôle, plus habile à mon sens, des sensations — c'est-
à-dire *de la manière dont le corps doit être affecté pour
penser et sentir de telle ou telle façon.*

— Par exemple : lequel des cinq sens faut-il utiliser
pour produire telle sensation ? Quel stimulus générer — couleur, odeur, caresse, son, ou encore température, ou encore degré d'humidité — pour provoquer
telle réaction ? Comment articuler entre elles les salves
de stimuli et les chaînes de réaction ?

— Oui. Voilà les questions de fond auxquelles les
médias comme les publicitaires, les petits chefs comme
les ministres, doivent répondre pour exercer leur pouvoir aujourd'hui. Questions qui ne peuvent trouver
leurs conditions de réponse qu'à partir d'une batterie de
savoirs qu'il leur faut sans cesse, soit inventer…

— Regardez par exemple comment la stimulologie est issue des études sur le comportement du
consommateur…

— Soit se contenter d'encourager et d'enrichir…

— Pensez à l'essor de l'opto-électronique à des fins de surveillance civile…

— Bon timing, Ciymp. C'est bon ça. Pouvoirs et savoirs : longtemps Foucault n'a pas cru que l'individu puisse échapper à ces deux dimensions. Ce n'est qu'à la fin de sa vie qu'il envisage un troisième champ de forces, qu'il définit comme *processus de subjectivation*. Ciymp, clarification ?

— Par nature, l'homme est doté d'un certain nombre de forces. Par exemple la force de se mouvoir ou de sentir, de vouloir, d'imaginer ou de penser… Ces forces peuvent affecter d'autres forces ou en être affectées. Mais elles peuvent aussi, en se retournant, s'affecter elles-mêmes. Par exemple, comme on le fait en ce moment, se penser soi-même, ou s'éprouver comme masse assise sur une chaise… Ce sont ces façons de s'affecter soi-même que Foucault appelle modes de subjectivation.

— Je résume donc : comment produit-on l'individualité ? J'ai répondu — grâce à Foucault : par le jeu de trois champs de forces : pouvoirs, savoirs, subjectivations. Qu'est-ce qui passe avec le Clastre ? Où et comment intervient-il dans cette invention de soi ? Fcuza ?

— En gros, le Clastre, par la technique de l'examen, fait fonctionner ensemble pouvoir et savoir contre le troisième champ. Il s'infiltre et s'approprie les processus de subjectivation pour *en normaliser les flux*.

— Ce qui est visé, c'est la façon dont chaque individu se sent, se sait et se vit ; c'est, si vous voulez, le rapport à soi : la manière dont toi, moi, tous les étudiants ici s'individuent, se pensent eux-mêmes, se disent ce qu'ils sont — et agissent en fonction de ce qu'ils croient être : je suis dynamique, je suis paresseuse, je suis belle, asociable, etc. Donc, c'est logique si je fais ceci et pas cela. Vous saisissez l'idée ?

— Ouais, Ciymp. C'est bien plus clair comme ça.

Le charisme de Ciymp et son aplomb font plaisir à voir.
Dès qu'elle ouvre la bouche, la salle arrête de psalmodier
dans son noteur et l'écoute avec avidité. Lorsque j'enchaîne les concepts, j'ai l'impression de leur agiter au nez
un squelette métallique effrayant. Ils baissent la tête et
se replient sur la machine, en espérant comprendre plus
tard… Ciymp m'interrompt alors, parle avec chaleur, et le
squelette se métamorphose en la charmante fille qu'elle
est. Tout s'éclaircit. J'essaie de lui emboîter le pas :

— Il faut que vous rentriez dans la logique du Clastre.
Si l'on juge une personnalité d'un bloc, sans distinguer
les aptitudes, le physique, les qualités, etc., on exerce
certes un pouvoir. Mais on n'intervient pas du tout sur
la façon dont l'individu se conçoit et se sent. On laisse
intactes ses associations d'idées, le regard qu'il se porte
sur lui-même, intact le chemin par lequel il va devenir
ce qu'il est. Si l'on veut qu'il intègre les valeurs de la
norme, qu'il s'apprenne ce qu'il est par des sciences
contrôlées par les pouvoirs, il faut pouvoir pénétrer en
lui. La technique du Clastre consiste par conséquent
à — vous pouvez noter :

» 1. Déconstruire l'individualité que s'est constituée
le sujet, donc :

» 2. Fragmenter la personnalité. D'abord en quatre
pièces distinctes : biologie, comportement social, aptitudes et performances.

» 3. Affiner la fragmentation, en subdivisant les dividuels obtenus en sous-dividuels, puis en sous-sous-
dividuels, etc. jusqu'à la plus petite unité dividuelle
politiquement utile. Nous appellerons "trait" cette unité
minimale. Nous avons vu que le Clastre nous découpe
en plus de quatre cents traits de caractères.

» 4. Isoler chacun de ces traits. Défaire les liens qui
les unifiaient au sein de la personnalité. Cette étape est
cruciale puisqu'elle assure, pour les pouvoirs, l'éparpillement des pièces qui, liées dans notre corps, nous

faisaient nous produire comme une personnalité "personnelle", si je puis dire.

» 5. Soumettre chacun de ces traits à une évaluation qualitative et quantitative : examiner, mesurer, noter. Homogénéiser les notes ainsi obtenues. Corriger les écarts. Lisser les anomalies.

» 6. Hiérarchiser les notes lissées. Les distinguer en poids et en importance afin de valoriser spécialement les traits les plus utiles à la société : amabilité, docilité, conformisme, respect des normes, etc.

» *À partir du point 7 commence la reconstruction de la personnalité.*

» 7. Grouper à présent les traits entre eux, selon les exigences sociales en cours. Par exemple, la beauté du visage avec la fréquence des sourires, pour imposer un modèle de sociabilité. Ou un âge et une biologie avec des performances pour constituer le caractère "productif".

» 8. Recomposer enfin toute la personnalité qui avait été mise en pièces, en fonction des regroupements établis et des hiérarchies attribuées à ces groupements.

» 9. Noter le composé final. Attribuer le rang équivalent à cette note. Attribuer le nom équivalent à ce rang.

» 10. Assigner ce nom — avec un portrait rédigé de deux pages et toutes les notes attribuées aux quatre cents traits de personnalité — à l'individu traité.

» Vous avez eu le temps de tout prendre ? Bon. Maintenant, quel est le défaut de cette analyse ? Qu'est-ce qu'il y manque ? Jyqfr ?

— Je trouve votre analyse un peu paranoïaque, excusez-moi. Le Clastre, tout le monde y participe, vous comme nous, monsieur Captp. À vous écouter, on dirait qu'une horrible machination se trame dans notre dos, orchestrée par je ne sais quel service secret des âmes. Moi, je ne comprends pas. Chacun de nous est noté, hiérarchisé : d'accord. Mais nous aussi, nous notons, nous exerçons un pouvoir. Et puis concrètement, la procédure ne touche pas à ce que nous sommes. Quand je passe un examen médical, ils testent mes yeux et mes oreilles, ils enregistrent mon cœur... Ils ne me découpent pas en morceaux en mettant l'oreille dans un bocal, le cœur au congélateur...

Rires généraux dans la salle. Les étudiants guettent ma réaction. Je souris :

— Et quand tu vas chez la psychologue ?

— Eh ben, elle m'interroge, elle note sur une feuille ce qui l'intéresse et puis c'est tout. Après je reçois mes notes et je vois que je ne prête pas assez attention aux autres, que j'ai du bagout et tutti quanti ! Quel est le problème ?

Ses copains se marrent encore.

— Le problème, c'est que sur un plan concret, comme tu l'as très bien remarqué, le Clastre n'a pas de prise sur l'individu. Tu dis : la procédure ne nous touche pas. C'est vrai : il n'y a pas de contact. Même pendant l'examen médical : tout passe par une série d'ondes, des vibrations, des résonances. On enregistre des échos plutôt que de prélever des fluides. Donc, toi, tu en déduis : l'individu est sauf. On parle de lui, mais lui, il reste intact.

— Exactement !

— Eh bien non, Jyqfr, il ne reste pas intact ! Mais c'est précisément la grande force d'un système tel que le Clastre que de le faire croire, que de paraître aussi inefficace qu'inoffensif. C'est pourtant devenu une loi dans nos sociétés : plus un pouvoir se veut efficace, moins il se manifeste comme pouvoir. Non seulement il a renoncé depuis un siècle aux contraintes physiques, mais il évite désormais toute espèce d'injonction, d'ordre impératif ou d'interdiction formelle. Les pouvoirs modernes, je vous l'ai assez répété, se déploient dans l'intangible, l'invisible et l'interstitiel. Chaque mot a son importance. Pour reprendre une parole de Foucault, ils sont en apparence d'autant moins « corporels » qu'ils sont plus savamment « physiques ». C'est pourquoi l'absence de contact ne doit pas te rassurer, Jyqfr. Elle devrait te mettre la puce à l'oreille. Rappelez-vous Drakf : les pouvoirs modernes sont aérodynamiques. Leur problématique, c'est un coefficient de pénétration. Et ce coefficient, de quoi dépend-il ?

— Des résistances.

— Oui, donc : comment pénétrer — les cœurs, les corps ou les âmes — en suscitant le minimum de résistance ? C'est une problématique de glisseur, tout bonnement. Encore une fois : il aurait été surprenant que l'on trouve la solution technique au frottement sans la trouver dans l'ordre du « frottement » politique. Pourquoi, comme les barbares, gaspiller 100 de force pour se voir opposer 95 et gagner 5 en pouvoir ? Ne vaut-il pas mieux développer un petit 7, discrètement mais constamment, de sorte qu'il n'y ait pour résistance que 2 ? Un mot encore : mon analyse n'est pas paranoïaque, au sens pathologique s'entend. Mais il est inévitable qu'elle apparaisse comme telle pour qui ne veut voir que cette apparence même sert encore les pouvoirs qui derrière s'y abritent, afin de décrédibiliser les attaques qu'on lui porte (là je sens qu'une bonne moitié de la salle ne suit plus du tout...). Pour le dire autrement : au sein du Clastre le pouvoir est si pleinement démocratique — puisque tout le monde y évalue son entourage — qu'il interdit d'accuser quiconque. Je ne cherche donc pas à dénoncer une machination, Jyqfr : je cherche à dévoiler une machinerie. Et c'est bien pire, une machinerie...

» Pour résumer, parce que le temps presse. La technologie sociale du Clastre vise à :

» 1. *Extraire, à partir de l'individu, un double corrigé de lui-même : le dividu.* Attention, j'insiste sur "à partir de" et "corrigé". Le Clastre ne nous tend ni un simple miroir ni un portrait-robot déjà peint...

Je vais enchaîner quand Ciymp me coupe gentiment la parole. Elle est parfaitement à l'aise avec le sujet et elle le montre :

— Le portrait individuel du Clastre, que chacun de nous recevra dans un mois, est si vous voulez un reflet de mirécran. Quelqu'un ici a-t-il un mirécran chez lui ? Non ? Personne ? Vous connaissez le principe tout de même ? (Certains font non de la tête.) Bon, je sais que ce sont surtout les vieilles qui en ont, mais... Je vous résume : vous avez un miroir, tout ce qu'il y a de plus normal *a priori*. En fait, c'est un écran vertical et derrière est répartie toute une série de mini-caméras. Lorsque vous vous regardez dans la glace, les caméras se déclenchent et enregistrent votre visage sous tous les angles. Elles envoient les images à l'ordinateur qui les traite avec différents filtres, les retouche — souvent en gommant les rides, en accentuant la couleur des yeux ou le dessin des lèvres... L'image retouchée est ensuite affichée sur le mirécran. Le tout se fait en temps réel, de sorte que vous avez vraiment l'impression de voir votre reflet dans une glace alors que... alors qu'il s'agit d'une image vidéo remaniée. Les gens achètent ça, vous savez ! Vous avez un nez tordu, ou des boutons, trop de rides : pas de problème avec le mirécran. « Mirécran, le miroir qui vous ment » (les étudiants rient). Vous rigolez mais c'est le slogan ! Je n'invente rien ! Il fallait oser, non ? Et ça a marché, très bien même, les gens adorent ça : ils se voient exactement comme ils veulent se voir. Eh bien, le Clastre, c'est pareil. Ça marche très bien. On prend des petits bouts de vous, on les mélange, on retranche le pourri, on les arrange de façon présentable et on vous dit : regardez le miroir, c'est vous dedans !

Je continue. Les étudiants, quoique fatigués, s'accrochent :

— 2. *Inciter chacun à substituer son dividu à lui-même.*

» Le jour du résultat, votre nom change. Vous êtes un autre homme, une autre femme. Vous êtes… votre nouveau nom et contraint de l'accepter. Les pièces découpées par le Clastre vous sont assignées d'office. Elles deviennent de facto vos *pièces d'identité*. En lisant vos notes, une par une et trait par trait, vous suivez, sans le réaliser, la fragmentation de votre personnalité établie par la norme. Chacun se pense et se situe socialement à travers un modèle imposé. Il se déchiffre et s'évalue à partir des notes : ah, je suis compétent, très souriant, mais manquant de tact, mes cycles d'humeur sont rapprochés, mes supérieurs m'apprécient, mes subordonnés me rangent dans la catégorie des leaders charismatiques, etc. Le portrait individuel assure donc, peut-être plus encore que le nom, l'appropriation du dividu. Au citoyen, il propose, comme le dit Drakf, des séries dividuelles au sein desquelles il le prie gentiment de ramasser ses éclats.

» 3. *Gérer ce dividu selon des exigences, non plus individuelles, mais de population.*

» La déconstruction-reconstruction de l'individu, bien qu'elle parte de lui, s'articule aux prises qu'elle lui donne et revienne à lui, poursuit des objectifs qui excèdent naturellement l'individu. Sa plaisanterie n'est-elle d'ailleurs pas de nous faire croire qu'elle s'intéresse à nous ? Qu'elle prête attention à des hommes et à des femmes — alors qu'elle gère des échantillons ? Lorsque l'individu se désincarne pour incarner son dividu (social), l'important est d'ailleurs moins qu'il *croie effectivement* être le dividu qui lui a été "proposé", que le fait qu'il agisse socialement *comme s'il le croyait*.

» Le Clastre se réclame clairement d'un mode de gouvernement pour qui la différence entre individus est pertinente. Et ce, à quatre niveaux (les noteurs tournent à plein rendement dans la salle. Ils engloutissent à la volée des centaines de condensés brillants ou sauvages qui happent ma pensée) :

» a) Émulation générale + esprit de compétition renforcent compétitivité de Cerclon I / autres Cerclons.

» b) Sociabilité. Notes de sociabilité => les gens sont aimables entre eux. Important parce que promiscuité forte sur satellite, donc gouvernement a besoin d'un maximum de respect dans relations.

» c) Économie des désirs que le Clastre suscite, développe et entretient : désir de reconnaissance, de promotion ou de réussite, angoisse, plaisir de juger… Cette économie est facilement gérable.

» d) L'art de gouverner. Une population ne s'administre qu'en tant qu'on l'émiette avec un grain et selon les exigences des rapports de force perçus en son sein par les dirigeants. Or, pour pouvoir diviser, encore faut-il inventer des unités tout à la fois stables et malléables, ni trop différenciées (parce qu'on ne pourrait les *intégrer*), ni trop peu (elles seraient alors inutiles) : ce sont précisément les dividus — ou fractions de population.

» Ce qui permet de définir le dividu de deux façons qui s'enchaînent. Un : comme le produit de la fragmentation-reconstruction de l'individu ; deux : comme la plus petite entité politiquement manipulable. Le génie du Clastre est d'être parvenu à faire circuler ces deux figures en un anneau : l'homme n'accédant à la vérité de son être qu'en vertu d'un trajet qui le constitue, dans le même mouvement, comme individu singulier et comme citoyen gérable.

» 4. *Gouverner les citoyens en modulant les caractères de la population dividuelle qu'on leur a substituée.*

» Si l'individu devient son dividu, le peuple, lui, devient une population. Pour les pouvoirs, il fonctionne alors comme une doublure cousue *à partir* du peuple *par-dessus* le peuple, dans l'intention d'en recouvrir la réalité.

» *Les mérites politiques de cette doublure sont triples :*

» a) À force de s'adresser à elle, on la présente comme le vrai peuple. Et ce, aux yeux du peuple lui-même qui finit par croire : nous sommes ceci et cela, et qui l'accepte d'autant plus facilement qu'aucun moyen, contrairement à la manipulation individuelle, n'est à sa disposition, sinon son intuition, pour rétablir une certaine véracité sur ce qu'est la collectivité au sein de laquelle il évolue.

» b) La doublure présente une population stylisée, aux angles polis et aux singularités de velours. C'est un uniforme personnalisé qui distingue chacun mais coud son appartenance à tous. Pour ce modèle simplifié n'a été conservé de l'original que ce qui se révèle probant pour l'exercice d'un contrôle quelconque. Par conséquent, la population dividuelle est calibrée selon les prises nécessaires aux pouvoirs qui l'investissent. C'est, pour faire court, un double instrumental.

» c) La population dividuelle, parce que divisible selon une multitude de traits, autorise des cycles d'incitations/inhibitions, des groupements et des dissociations, bref tout un jeu différentiel des caractères.

— En mercatique par exemple, si l'on veut vendre un jeu virtuel de type combat de rue, il faut associer les caractères masculin, jeune, rapidité des réflexes, agressivité et 5-lettrés en dessous de M pour déterminer la cible des acheteurs potentiels. Puis susciter les désirs correspondants : agression ou meurtre, et inhiber ce qui s'y oppose : sensation d'être crétin, risques de blessures. Pour faire passer un décret, des techniques similaires seront utilisées : détermination des partisans et de leurs traits communs — ce que Drakf appelle des séries dividuelles convergentes ; puis campagne politique s'appuyant sur ce corpus commun.

— Merci Cyimp. La partie théorique du cours est terminée pour aujourd'hui. Le concerto s'achève. Place au concert ! Nous nous livrons à vos questions et à vos remarques ! Insultes bienvenues ! À vous de jouer !

La cacophonie d'une dizaine de voix s'élève. Beaucoup de demandes de clarification. Je laisse la flamboyante

Cyimp se débrouiller. Quelques critiques partent, relayées par Jyqfr et contrées par Fcuza. Je demande à Mnocv de monter sur l'estrade pour développer son objection de paranoïa. Avec sa petite taille et ses gestes endiablés, il enflamme la salle. Une étudiante me demande si disséquer un système suffit à le critiquer, si le critiquer suffit à l'abattre. Cruelles questions. Je réponds non. Que ce n'est qu'une étape. Que l'action seule est menace. Et qu'un livre, une conférence, n'est pas forcément action. Elle hoche sa jolie tête. C'est la plus belle partie du cours. Celle où les étudiants se défont de leur contenance d'étudiants. Celle où ils se lèvent, parlent, fument, se draguent, s'envoient des bouts de notes et des poèmes. Les plus courageux montent sur l'estrade pour faire valoir leurs idées. Peu de leurs camarades les écoutent, selon cette habitude qui veut que le privilège de l'écoute doive m'être seul réservé. Comme si le professeur avait un droit de cuissage sur la parole. Je les engueule à ce propos. Personne ne m'écoute… Des groupes se sont maintenant formés. Souvent ce sont les mêmes, des sortes de cercles : les littéraires, les nietzschéens, les deleuzo-drakfiens, les fivtistes, un groupe de lesbiennes, la bande à Mnocv qui part chercher des packs de brax, quelques homos qui s'admirent en parlant. C'est le bordel habituel. Mon cours semble les avoir un peu douchés. Trop technique peut-être. Le groupe qui fait cercle autour de moi est moins large que d'habitude et ils me parlent de tout autre chose que du Clastre.

Deux auditeurs libres, que j'ai repérés pendant l'exposé, d'abord parce qu'ils sont nouveaux, ensuite parce qu'ils me paraissent assez âgés, me sondent sur le communiqué de la Volte. Ils font un rapprochement assez déstabilisant avec mon cours. Et puis sort de leur bouche, sans en avoir l'air, une drôle de question, interro-négative, sournoisement construite, avec l'alternative ternaire des claustrologues — une véritable signature pour qui connaît leurs techniques. Ces bombes-là, il n'y a qu'une façon de les désamorcer, une seule, la probabilitaire :

— Sans doute.

Ils s'éloignent, sourire narquois aux lèvres. On s'est compris.

Leur succède un gars que je connais par contre bien. Il me prend à part : il veut un conseil sur une fille qu'il aime. Qu'est-ce que je peux lui dire ? Elle le trouve trop intellectuel. Il ne comprend pas pourquoi.

— Tu me prends à froid. Soit on prend un verre ensemble, soit… Je n'aime pas donner des conseils. J'ai envie de te raconter une histoire, qui peut-être résonnera avec la tienne, peut-être pas. On essaie ?

— Bien sûr.

— Jusqu'à l'âge de vingt-sept ans, je crois avoir été un intellectuel aussi. Au mauvais sens s'entend. Je lançais mes idées sur le monde, comme des filets ; je voyais tout à travers des grillages et quand je regardais à travers, les choses se découpaient d'elles-mêmes en losanges : j'avais l'impression d'être intelligent. Rien pour moi n'égalait la philosophie parce la philosophie soulevait des Cubes, elle pouvait modifier la courbe des électrons… rien ne lui résistait. Penser, c'était mettre en cohérence des multiplicités invraisemblables, compacter des sociétés entières, c'était fracturer l'énigme du temps, pour inventer des vérités que rien, jamais, ne contredirait puisqu'elles ne touchaient pas à la matière, puisqu'elles parcouraient des espaces purs, une manière de cosmos sans étoiles. Le matin de mes vingt-sept ans, j'ai été me promener dans la radzone. Il y avait beaucoup de vent, je me souviens, la lumière isolait des bosses. À un endroit, tout à fait à l'est, vers l'anneau, je ne sais pas si tu connais, mais il y a un petit cratère avec une sorte d'étang bleu mauve au fond…

— Un cratère d'impact, un peu évasé ?

— C'est ça. Eh bien, sur le bord du cratère, il y avait un fût. Couché. Là. Juste au bord. Un fût de piles nucléaires. Je me suis approché et, sans même réfléchir, j'ai appuyé mon pied sur le fût, pour le faire rouler jusqu'en bas, dans l'étang. Un réflexe de gamin. Il n'a pas bougé. C'était tout à fait sidérant. Je l'ai donc repoussé un peu plus fort. Rien. J'y suis allé avec les mains, puis à coups d'épaule et avec ma tête. J'ai tout essayé : rien. Il ne voulait pas bouger. Il était vraiment au bord pourtant, dans le bon sens, à un cheveu de rouler. Mais voilà : il était trop lourd. Je suis resté peut-être une heure à regarder et le fût, et l'étang, et la pente. Et cinquante fois, j'ai fait rouler le fût dans ma tête, jusqu'à l'eau. Ça paraissait si facile. C'était tellement frustrant aussi. Plusieurs fois encore, j'ai tiré, je me suis acharné, j'ai creusé dessous, j'ai… Rien à faire. Il n'a pas bougé d'un poil. Il est resté là des mois. Régulièrement, je suis retourné le voir. Avec au ventre, à chaque fois, l'espoir de le faire bouger, avec chaque fois une nouvelle idée pour venir à bout de cette pesanteur artificielle qui le rivait au sol, pour l'envoyer au fond, le virer quoi, ne plus le voir…

— Pourquoi tu n'as pas utilisé un repousseur magnétique ? Ça déplace des tonnes, ce…

— Je ne voulais pas utiliser d'outils. Un outil, c'était tricher. Pour moi, c'était un bras de fer. Moi contre lui. Moi et mes forces, moi et mon intelligence contre lui. J'ai tout essayé, je t'assure. Rarement j'ai puisé comme je l'ai fait dans mon imagination. J'en ai rêvé la nuit — sa masse qui trônait et des bulldozers géants qui arrachaient le cratère en entier et le fût restait là, en place, sur une sorte de stèle de terre, à me narguer… Mais non, il ne me narguait même pas, il restait là, il se tenait, c'est tout. À la longue, j'ai été tenté de l'humaniser. Je voulais infiltrer dans ce bloc plein un désir de me résister, un défi, quelque chose qui justifie qu'aucune de mes idées n'en venait à bout. Mais je savais que c'était une facilité.

Ce fût ne résistait pas : il persistait. Et j'étais sûr de moi, tu peux me croire ! Ça a duré des mois. Pourtant j'étais persuadé que je l'aurais — et que je ne l'aurais pas en me musclant, avec mon corps, mais grâce à mon intellect, grâce au pouvoir de mon intellect.

— Et tu l'as eu ?

— Jamais. J'ai exténué mon imagination sur lui. Un matin, je me suis réveillé et j'ai su que j'avais perdu. Je ne l'ai même pas su, non : je l'ai senti. Je l'ai senti si fort, avec une telle impuissance au corps… Parce que dans mon rêve même, le fût s'était arrêté de rouler. Le jour même, je suis retourné au cratère. Il avait énormément plu. Le fût avait glissé dans l'étang. Il restait un couloir de boue. Voilà l'histoire. Je n'ai jamais essayé de tirer une leçon intellectuelle de cette histoire. Surtout pas. Je me souviens seulement de ce que j'ai pensé lorsque j'ai vu le couloir de boue : que c'était la pluie qui avait fait ça. Juste des gouttes. Après j'ai changé. À quelle vitesse, pourquoi, je ne saurais te dire. Je me suis fixé une règle, sans m'en rendre compte : chaque fois que j'aurais une idée ou une conviction, il fallait que je l'expérimente. Que je fasse ce que je pensais. Ne plus déplacer des Cubes et des civilisations dans le cosmos, mais agir chaque pensée, aussi minime soit-elle, la confronter à la résistance de la matière, affronter son mouvement à la pesanteur des choses et des gens. Terribles les gens… Plus lourds parfois que des fûts. J'ai continué à être un intellectuel, je suis fait comme ça. Et puis quoi ? J'ai secoué les nuages pour qu'en tombent mes idées, pareilles à une petite grêle. Avec le vent, elles ont commencé à parcourir le sol, à heurter des obstacles, à survivre ou à fondre. Je me suis épuré des grêlons froids que l'on écrase du pied. Les plus chauds finissent en pluie, n'est-ce pas ? Et c'est cette pluie-là qui avait fait glisser le fût.

— Je… J'aime bien ton histoire, mais par rapport à mon problème… ça ne m'aide pas trop…

— Elle te reproche d'être trop intellectuel. Elle a sans doute raison : tu n'es pas assez intellectuel. Tu ne vas pas jusqu'au bout de tes idées. Tu marches vers l'horizon alors que tu devrais vivre à l'horizon — et l'horizon, ce n'est pas le ciel, c'est la terre parcourue. C'est le désert quand tu le traverses de bout en bout. Agis ta pensée ! Fais-la courir au sol ! Brise-la aux gens, mon gars ! Confronte-la au réel ! Si après ça, elle te trouve toujours trop intellectuel, un conseil : clé de bras, c'est radical !

IX

« *Réfléchir, c'est fléchir deux fois* »

> Sec, ça bouge, cette année. À croire que le hachoir, j'ai percolé des caillots dans les cafetières avec. D'habitude, le mois du Clastre, à la Volte, c'est calme pire que la radzone les nuits que les turbines à ox déconnent et que le nox, il fait des boules dans les cratères. Les gars laissent pisser, attendent que ça se passe, parce que tout le monde est tellement mouillé dans ce putain de Clastre que combattre ça, il faudrait cinquante cervelles gabarit Capt, pluggées en série, pour sortir une idée pas trop débile contre. On balance des tracts, ça oui, comme d'habitude — on peut rien foutre sans balancer deux tonnes cinq de tracts avec des textes Kamio-copyright que pas un zoneux de souche n'est foutu de percuter. Ça s'adresse pas à eux de toute façon. Ça t'attaque supposément le mec sur rail qui connaît que sa voie et qu'on veut dérailler — sauf que lui, tu lui tends ton papier, tu l'alpagues rapide, il en a rien à branler ! Le tract, il le tourneboule direct aspiro-broyeur. La distrib, pour moi, ça sert à que dal. C'est la Volution puissance zéro. Je préfère encore les conférences qu'il fait dans son atelier, Kamio, ou quand il monte sur une chaise dans un centre de rencontres pour ouvrir sa gueule et que les clients le regardent de dessous en se demandant d'où il vient celui-là pour leur faire la leçon sur juger, être jugé,

et pourquoi Dieu est mort si c'est pour qu'on se mette à juger pire que lui, etc. Il a des couilles quand il veut, Kamio. Parce que ça chauffe carré parfois et que les costumés, ils le décollent sur l'asphalte, quand ça remue pas clair.

Sec, ça bouge. Ça fait chaud de voir ça. Que les gars ont repris la rage depuis les lames. La dernière réunion, Capt voulait embrayer sur les technogreffes, il avait préparé son truc. Il m'avait montré : puissant c'était. Il a pas pu en placer une, tellement les gars voulaient la peau du Clastre, que cette année, ils ont gueulé, on laisse rien passer, on cartonne tout, on fout le vrac ! Rarement vu une gniaque pareille.

Capt m'a demandé de mener les gars sur un coup comme je les aime. Une action commando, qu'avec quelques potes de la raze on avait gardé dans un coin de plot, pour des jours où ça glisserait dans le mouvement. Et là, ça glissait, ça fusait même. On a proposé : les gars ont connecté, jamais vu ça, des arcs électriques qui claquaient dans le vaisseau ! Comme quand j'étais môme et qu'on balançait des seaux de flotte sur les panneaux de commande des transborduriers, que ça strissait de partout à l'intérieur.

« Disjonc-télés », on a baptisé l'opération. Ou « Disjonctez-les », pareil. L'idée, c'est que la turbine à aliéner, elle ronronne dans ta salle télé. Quand t'allumes en holo, c'est pire, là t'es carré dans l'image, elle t'entourloupe — tu mates pas le monde, c'est le monde qui mate chez toi. Alors l'idée, c'est que les gens, il faut qu'ils disjonctent. Qu'ils se décollent la rétine de la vitre. Donc voilà : on va pirater les antennes paraboliques, sur les immeubles. Caler un émetteur tout près et envoyer notre jus. Pas des slogs ou de la propaganda, plutôt de l'ouvre-plot, de l'anti-crétin haute dose. L'espoir qu'on a au bout, c'est qu'ils réalisent que hors de l'écran, ils peuvent parler à leur femme, à leurs gosses, qu'ils peuvent sortir et discuter, jouer au foot… Que Dehors il est (pas dans le bocal) le cosmos, Dehors il est, Dehors !

Neuf gars, j'ai pris, pour le commando. Des vifs, avec des paluches pas le genre Brihx — j'ouvre une fenêtre, je la casse — des crocheteurs de première, des mécanos, des bidouilleurs qui t'ouvrent une trappe à ox en dix secondes. Tous, on les a testés, sur le terrain. Trois gars ont fini dans une cuve à patauger… Cinq chevilles dans le sac et de l'os fracturé ! Neuf gars sur soixante, j'ai gardé, au final. Il n'y a pas de secret : ce sont ceux qu'ont l'habitude de la traque, qu'ont pas de carte, qui se faufilent. Ceux qui courent parmi les bouts de tôle depuis que leur mère les a largués cosmos. Les autres, il faut qu'ils s'entraînent. Ils en veulent, je dis pas… Mais l'habitude ! L'habitude, ça se rattrape pas ! Le temps, il s'est entassé en toi. Tu réagis tu sais pas pourquoi — lui il sait. Il sait, il fait, t'as pas réfléchi encore. Dans l'action (aux mecs je leur disais) : c'est le réflexe, c'est pas la réflexion. Les gestes vont plus vite que toi. Tu ne vois même pas t'as déjà fini — ouverte la trappe, t'es déjà dedans, en opposition pied-dos — tu te hisses — coup sec dans la grille, t'es sur le toit.

> Qui de Brihx, Obffs, Slift, Kamio ou moi aurait pu anticiper ce qui allait se produire pendant le mois du Clastre ? Nous qui formions le dernier pentagone de Zorlk, nous le Bosquet, les soi-disant stratèges du mouvement, nous prenions en temps réel une leçon d'accélération politique.

Lames, communiqué, sabotages et piratages, la Volte, « mouvement », « faction », « groupe armé », « groupuscule », appuyée de l'épithète « terroriste », ne s'arrachait désormais plus à l'orbite d'une actualité habituellement dévolue au Clastre. Lequel, dans les proportions inverses, se faisait de jour en jour plus discret sous la multiplication des notes de zèle (20/20) qu'aggravaient des détériorations de données telles qu'elles contraignaient des services entiers à reprendre tous les tests et tous les entretiens. La sempiternelle arrogance autosatisfaite des ingénieurs du Clastre qui assuraient (selon une formule à pyrograver au laser sur leur peau blanche) que « tout se déroule exactement et rigoureusement comme prévu », avait fait place, quelques jours avant les résultats terminaux, à l'aveu agacé que « devant l'ampleur des dysfonctionnements, le classement risque de subir un retard de trois à huit semaines ». Ce qui était déjà, en soi, une victoire pour la Volte — apparemment une de trop pour le gouvernement.

L'effet d'entraînement sur la population dépassait nos espérances. Pour la première fois depuis trente ans, un courant d'opinion s'attaquant *au principe même* du classement avait franchi le seuil médiatique. Il s'appuyait pour l'essentiel sur la fraction immigrée des travailleurs cerclonniens qui, angoissés par la perspective d'être déclastrés, plus conscients que les natifs du caractère très aléatoire sinon injuste de nombre de critères, étaient tout prêts à revenir au système de promotion par le supérieur qu'ils connaissaient bien et dont, en tout état de cause, ils pensaient tirer un meilleur parti que de celui-ci. Le mouvement excéda cependant vite cette population acquise pour trouver chez les jeunes un solide soutien, et chez les artistes ses meilleurs porte-parole.

La réaction de *l'establishment*, qui tenait son statut du Clastre, dut son élégance à la plume de C, ministre du Clastre et de la Compétition économique, qui crut discerner « sous l'inaudible clapotis des idéologies brassées, le grand océan de la paresse et de l'envie ». Traduction : d'un côté les fainéants, les envieux, les pas doués revendiquant, sous des prétextes fallacieux, la mort d'un système juste, mais qui les démasquait ; de l'autre les travailleurs modèles et doués, les hommes et femmes de mérite, légitimement récompensés, défendant le droit des vainqueurs face aux revanchards aux mains poilues !

Quant au ministère de l'Ordre public, d'ordinaire si circonspect, il abandonna bien vite sa dialectique circonstanciée… Après trois semaines de troubles, il ne chercha plus à distinguer les clameurs des émetteurs, à différencier les sabotages des piratages, et ramena la dispersion de nos cibles et de nos frappes à un unique mobile : la subversion. En vertu de laquelle il se mit à tisser, autour de nous, sa toile noire… La chasse aux clameurs fut relancée et étendue aux poseurs, qui devinrent passibles d'un déclastrage de 80 000 places. Les routines d'accès anti-riches pour les magasins d'alimentation furent réécrites ; les ingénieurs fautifs dénoncés et déclastrés — Blusq s'en sortant miraculeusement grâce à une solidarité exemplaire de ses collègues qui, quoique sanctionnés, ne le dénoncèrent pas.

Sur le tir groupé anti-Clastre — viols de réseaux, modifications des notes, destructions physiques ou informatiques des banques de données, hacking des terminoras d'entreprise… — l'inévitable se produisit : une dizaine de voltés furent inculpés. Tous hommes et femmes qui avaient prêté serment et qui se seraient coupé la langue plutôt que d'avouer appartenir au mouvement. Ils écopèrent de peines sévères : déclastrage d'un million de places, assorti d'une obligation de remboursement des dégâts. Une collecte secrète fut organisée pour les aider, mais devant la lourdeur des amendes, les sommes réunies fondirent comme glace irradiée. Quatre gars, qui ne purent faire face au montant réclamé, furent condamnés au travail sous astreinte : triplement des heures de travail, avec l'intégralité du salaire versé au Trésor ; ni jour de repos ni vacances, des cartes spéciales bloquées à cent unités/jour… Le pire étant le travail imposé : purification organique du Cube — du bronzage garanti !

Finalement, seule l'opération orchestrée par Slift fut une réussite sans tache. En quelques nuits, avec trois escouades, Slift était parvenu à fixer des émetteurs sur une trentaine de toits d'immeubles : à la cité du Qasar, aux Trois Roues, à la résidence des gouttes… Toujours en bordure de secteur, loin de la Tour panoptique et suffisamment haut pour n'en être visible, au maximum, que des trois derniers étages. Par prudence, les boxes de ces étages, dans l'axe où opéraient les escouades et pendant qu'elles opéraient, étaient squattés par des camarades de lutte. Du bon travail.

Chaque toit avait été équipé de huit émetteurs qui, bien camouflés à quelques mètres de l'antenne parabolique, supplantaient toute autre émission que la leur. Pourquoi huit lorsqu'un émetteur aurait suffi ? Slift m'avait répondu : « Parce que, Captain, dès l'instant que les gogos percutent qu'y a blème, ils vont sonner le geôlier qui, pas si balourd, va t'inspecter l'antenne, puis autour. Le premier émetteur qu'il trouve, le geôlier, il sourit avec tout son dentier ; il l'asmate d'un coup de talon et il rassure les locaux : game over ! vous pouvez rallumer le bocal ! Et boum, ça recommence ! Puisqu'on a sept émetteurs encore ! Selon que le geôlier ventile ou pas, ça peut durer un bout de temps avant que les huit, il te les trouve. »

Les émetteurs étaient reliés sur une fréquence codée au diffuseur central, situé dans la radzone, d'où partaient nos montages, lesquels irradiaient toutes les télés de l'immeuble équipé.

La première image pirate était une perversité que nous devions à Obffs, qui avait orchestré la totalité des « programmes ». Son esprit fourmillait d'idées et d'images caustiques et il prenait un plaisir visible à la table de montage, Onurb aux commandes, à inventer et renchérir sur ce qu'il lui disait, concoctant à eux deux des plans détersifs. Pendant une demi-seconde donc, apparaissait à l'écran l'image de A, couplée d'un petit rire. Puis l'image fantomatique revenait, lentement, insidieusement, susciter le trouble dans l'esprit du téléspectateur, par des coupures très rapides, proches de l'hallucination ! On rapprochait ensuite les intervalles de diffusion jusqu'à ce qu'une sourde angoisse suinte de la lucarne et s'empare du téléspectateur qui, zappant de canal en canal pour échapper aux flashs, les retrouve, partout, récurrents... Et la voix de A, saccadée, formait une phrase « Je... je... vous... aime » particulièrement drôle et terrifiante.

Après cette mise en route venait, non plus des images, seulement du son, qu'Onurb substituait intégralement à celui du canal regardé :

« *Ici les circuits sonores de votre terminora qui vous parlent. Nous occupons déjà la totalité du réseau électrique de votre appartement. Nous avons relié le frigidaire au radio-réveil et dans une minute exactement, le dégivrage définitif de vos surgelés va commencer. Votre alimentation en oxygène est suspendue. Votre climatisation a été coupée. Votre porte à code est verrouillée de l'intérieur : vous êtes donc bloqué ici. Ne touchez pas au réseau domotique. N'allumez aucune lampe. Restez calme. Nous sommes actuellement en train de prendre possession des circuits vidéo du terminora. (...) Ne bougez surtout pas ! Attendez nos instructions.* (Une vibration sourde, d'un grave à la limite de l'audible fait alors bourdonner le moniteur. L'écran blanchit à vue d'œil... On entend une série d'explosions courtes, comme des fusibles qui sautent ou des câbles qu'on coupe, sous tension. L'écran se fige : noir.) *Nous avons été contraints de mettre au pas le réseau vidéo qui refusait de collaborer. Bien.* (Inexplicablement, l'écran se rallume par saccades ou plutôt, essaie de se rallumer... Bruits électriques alarmants.) *Les circuits vidéo cherchent à forcer l'accès au secteur ! Risques d'implosion du moniteur, je répète, risques d'implosion du moniteur ! Nous nous replions sur le réseau téléphonique. Retirez la prise du terminora ! Je répète : risque imminent d'implosion ! Débranchez le moniteur ! Nos consignes ultérieures vont vous être*

transmises dès que possible par le vecteur du téléphone.
Attendez nos consignes ! »

Et nous appelions ! Réellement ! Dans une centaine
d'appartements où de pauvres Cerclonniens tressau-
taient en entendant la voix des circuits sonores, maintenant dictant ses ordres au téléphone ! Car c'était la
même voix, pré-enregistrée, qui continuait ! Et si la plupart des gens, déstabilisés mais conscients, riaient de la
blague ou s'en indignaient, un bon quart ne doutait pas
une seconde que les circuits sonores de leur terminora
occupaient à présent leur ligne téléphonique ! Et qu'il
leur était interdit de rebrancher leur moniteur avant
nouvelle consigne (qui ne viendrait jamais…) !

Ainsi se déroulait donc la journée sur *TVolte*, alternant
délires, blagues, performances poétiques, écrans noirs
que nous annoncions par ces mots : *éclipse saturnienne*,
brouillage pur et simple, zébrures, saturation du son,
l'objectif étant beaucoup moins d'investir la lucarne que
d'acculer chaque téléspectateur à l'éteindre ! Parmi ce
feu d'artifice, deux courtes séquences un peu construites
devaient laisser des traces. La première, projetée en 2D,
pouvait se décrire ainsi : un œil occupe tout l'écran, très
bel iris entrelacé de bleu et de vert, avec de fines paillet-
tes d'or par endroits. Quelques secondes s'écoulent, puis
l'œil s'assombrit imperceptiblement. À sa surface se
reflètent des flashs lumineux, d'abord très flous, puis de
plus en plus nets, jusqu'à laisser deviner les variations
de la lumière d'un écran. L'œil, qui est demeuré jusqu'à
présent grand ouvert, commence à cligner, sans rapport
avec les variations au début. Mais à mesure que s'accé-
lèrent les images projetées sur la pupille, il cligne de plus
en plus vite, jusqu'à s'aligner sur le clignotement même
des images, tel un stroboscope. La paupière devient
néanmoins incapable, à partir d'une certaine fréquence,
de suivre le rythme inhumain des flashs, si bien qu'elle
se ferme plus longtemps. Mais à chacune des ouvertu-

res désormais, apparaissent, incrustées dans l'iris, des zones rouges et brunes légèrement phosphorescentes. L'œil s'est incurvé, remarque-t-on aussi, courbé jusqu'à former un globe parfait, bleu. Les zones rouges y dessinent à peine un archipel dans l'océan turquoise de l'iris. L'œil se referme. Quelques secondes. Quand il s'ouvre à nouveau, l'archipel est devenu continent et l'océan s'est résorbé en une myriade de lacs encerclés de terre. L'œil s'est voilé d'une larme. Il se referme. La larme se met à couler sous la paupière close. Elle coule à présent tout à fait, comme si l'expansion minérale venait de presser l'iris comme une éponge. On craint un peu la prochaine ouverture : elle survient doucement. L'œil ne phosphore plus. Le voile humide s'est figé en une couche de vernis. La pupille ne se dilate ni ne se rétracte. Elle est morte. L'iris, redevenu plat, n'est plus qu'un morceau de marbre. Lustré. Beau et lustré. À ce moment-là, une voix hors champ demande : « Tu regardes la télé ? » L'œil de marbre, grand ouvert, répond alors : « J'ai vu, j'ai vu… »

L'autre séquence, plus oppressante encore, utilisait les possibilités holographiques du terminora. Onurb la passait par courts extraits. Il s'agissait d'œil là aussi, mais sans paupière, nu, comme arraché à un visage et laissé en apesanteur, avec le nerf optique flottant derrière le globe hideux. Quatre yeux, aux quatre points cardinaux, avec effet surround, bien sûr : le spectateur au centre et les yeux qui le fixaient, silencieusement, leur iris se dilatant et se rétractant, à l'image d'un zoom en réglage perpétuel… Un chuchotement montait alors à la frange de l'audible : « Dieu n'a pas d'yeux… »

Pourquoi une action assez peu politique finalement, plutôt légère, qui toucha à peine trois mille foyers pendant moins d'une semaine fit-elle l'effet d'une bombe ? Personne à la Volte ne le comprit vraiment. Peut-être les victimes de nos piratages se sentirent-elles attaquées au cœur de leur vie privée, là où elles se croyaient pour toujours hors d'atteinte, qu'en un éclair avait surgi en elles la vision panique d'un monde sans télévision, d'un monde où la liberté fondamentale du citoyen, celle de zapper, était menacée ? Ou alors que le cauchemar de l'asphyxie, pilotée par une machine qui fermerait les valves à ox, était vraiment terrifiant ? Peut-être le Président s'était-il profondément crispé de voir entamé le monopole d'une image qu'il avait si patiemment lissée, et que notre A subliminal, reproduit par toutes les chaînes, lui avait inspiré un coup de fil rageur à P, auquel il avait signifié que le mot Volte devait disparaître à jamais du vocabulaire politique et social ? Sans doute y avait-il également, de la part même des médias, réaction à fleur de peau, perception douloureuse d'une atteinte à monopole, qui exigeait que fût grossi l'événement au point d'en faire une monstruosité anti-démocratique. Quoi qu'il en fût, l'impact de cette modeste action fut considérable. L'onde de choc secoua toutes les couches de la société, la fracturant en plusieurs blocs antagonistes au milieu desquels les rares fragments qui flottaient encore neutres étaient sommés de prendre parti. Le bloc jeunes-artistes-radieux-intellectuels terriens, qui nous soutenait sans réserve, s'affrontait donc au bloc gouvernement-establishment-médias-normés. Parallèlement une masse aux contours moins nets, qui appréciait l'humour de nos coupures sans en cautionner le principe (ou vice versa…), agrégeait une partie des retraités et des désactifs, ainsi que tous ceux que la platitude des programmes de télévision lassait, et qui espéraient de notre action un sursaut des chaînes.

Mais l'effet le plus direct de cette effervescence fut une polarisation soudaine sur la figure de la Volte. En une semaine, le nombre d'analyses, de reportages, d'archives, de fictions, d'articles et de livres qui se croisèrent au-dessus de nos têtes frisa la démence. Ce qu'il

en émanait déchaînait les passions et le premier effet
de cette flambée avait été d'installer encore plus de
monde devant son poste… Ce qu'il en émanait, c'était
d'abord — et de cet embarras, les journalistes avaient
su tirer le bénéfice mythique — l'impossibilité d'une
définition fixe et claire du mouvement (on disait beaucoup « mouvement », en balançant les syllabes pour que
s'entende le roulement obscur de la vague qui s'avance,
se retire et ne se laisse pas saisir…). Délibérément, on
oubliait le communiqué, trop éclairant, afin que dans
l'image imprécise et tremblée du mouvement puissent
monter les visions redoutables que chacun ne man-
querait pas d'y mettre. De la figure du démon nous
échoyaient l'absence de lieu, de forme fixe, les métamorphoses soudaines, les ruses secrètes, l'obscurité. Du
diable encore, les sarcasmes et le goût de la provocation, la perversité (l'accès anti-riche), le logo « mélange
inquiétant de sang et de feu », les sacrifices humains (la
fillette…), les défis lancés à la face de Dieu (le Clastre,
le Président). Et parallèlement à cette diabolisation, s'y
adossant presque, émergeait le sentiment, amplifié par
certains journalistes, que la Volte, loin de se résumer à
un petit groupe actif, étendait ses racines dans toutes les
couches sociales, jusqu'aux plus hautes ; qu'elle formait,
non un simple noyau qu'on pouvait retrouver et briser
comme une noix, mais un réseau secret, solidaire, fondé
sur des serments de tombes et des pactes de sang. Par
sa souplesse, par la multiplicité de ses appuis, ce réseau,
avançaient certains reportages, était virtuellement indes-
tructible. Il était l'Hydre de Lerne de Cerclon auquel on
ne pourrait trancher cinq têtes sans qu'en repoussent
cent aussitôt (thèse que pourfendait la propagande gouvernementale, laquelle réaffirmait à chaque occasion sa
certitude, « issue de sources très bien informées », « que
nous sommes en présence d'une structure extrêmement
hiérarchisée, de type paramilitaire », donc que « la seule

façon de mettre fin aux attentats (*sic*) est d'éliminer le noyau dur du groupuscule »).

Dans un historique de la Volte, que reconstituait une chaîne, figurait à la fin la longue interview d'un homme à la voix déformée à la tête brouillée de petits carrés, qui disait risquer sa vie si un membre de la Volte le reconnaissait, et que le journaliste (et toute la Volte avec…) remerciait pour son « courage ». L'homme à la tête brouillée affirmait avoir fait partie cinq ans du mouvement. Il disait avoir connu Zorlk, et à la façon dont il en parlait, il ne mentait pas :

— J'ai quitté la Volte il y a trois semaines maintenant, juste avant la tragédie des lames. Comme beaucoup d'autres. Nous l'avons fait la tête haute et la conscience sauve. J'ai aimé ce mouvement comme moi-même. Le quitter m'a fait mal. Mais quand la barbarie prend le dessus, il n'y a plus rien à faire, sinon partir.

— Vous n'avez pas essayé de vous opposer à cette barbarie, de lutter au sein du… ?

— Vous savez, on ne lutte pas contre la barbarie, surtout lorsqu'elle se drape de justifications tellement abstraites qu'elles en perdent le sens simple, immédiat, de l'humain. Comprenez bien : je suis opposé à ce système, je suis opposé aux Cerclons — je n'ai pas peur de le dire. Mais la fin ne justifie pas les moyens, vous comprenez ?

— Bien sûr.

— Les gens qui dirigent le mouvement aujourd'hui — enfin, je ne devrais pas dire diriger… Les gens qui coordonnent si vous voulez, qui impulsent, on a toujours tenu à briser toute hiérarchie, sont, pour trois d'entre eux, des intellectuels…

— Combien sont-ils exactement ? La police parle de quatre personnes…

— Je ne vous dirai pas le chiffre.

— Quels métiers exercent-ils ? Ce sont des métiers respectables ? Ils sont désencartés ? Quel âge ont-ils en moyenne ?

— Je ne vous répondrai pas. Sachez simplement ceci : ces gens sont des idéalistes, des forcenés de l'idéal. Ils ont complètement perdu le sens de l'humain. Ils vont... Il faut les arrêter. Ils... Ils finiront par tuer. C'est comme une nouvelle race, si vous voulez, un mélange d'intellectuel et de tueur. Ce sont... Voilà : ce sont des *intellectueurs*.

Cette interview, l'unique jamais accordée par un membre du mouvement, et ce terme abject, glacial, « intellectueur », eurent des répercussions si profondes dans l'inconscient collectif des Cerclonniens qu'ils firent sur chacun de nos visages de voltés l'effet d'une giclée défigurante d'acide. Slift, en l'apprenant, se mit dans une telle rage, qu'il jura, en crachant, que s'il retrouvait cet enfant de putain, il l'éviscérerait des couilles jusqu'à la gorge. Et personne ne douta qu'il le ferait. Personne. L'équipe gouvernementale, bouche toujours ouverte pour aspirer larves et vers blancs, se gava à en régurgiter de cette phrase infecte. Ça y était, enfin ! Il n'avait plus besoin, P, de son invention des Antidés (les Antidémocrates), ce groupuscule bidon, fantôme, que ses services avaient fabriqué de toutes pièces pour justifier l'explosion sécuritaire de ces dernières années. Il y avait mieux que les Antidés, maintenant, mieux que des banques et des vieilles que les flics devaient eux-mêmes braquer pour accréditer l'idée d'une menace sérieuse planant sur Cerclon : il y avait, en chair et en os, la Volte ! *Les Intellectueurs !* Eux, ils existaient bien. Eux, ils justifiaient encore mieux les nouvelles caméras, la traçabilité des cartables, le géo-suivi désormais exhaustif des véhicules. La nouvelle race rôdait ! « Des forcenés de l'idéal ! » disait un homme qui les avait *côtoyés* ! Des forcenés de l'idéal avec des cœurs cryogénisés au concept, des sortes de cyborgs de l'abstraction, qui hachaient de la chair humaine pour des valeurs auxquelles aucun mortel, jamais, ne pourrait de toute façon se hisser !

Un renversement, pourtant, se produisit. Inespéré et magnifique. Une masse de citoyens, qu'avait achevé d'écœurer cette dernière manipulation politique, enfin, se dressa. Peut-être cinq à dix pour cent de la population, beaucoup de jeunes, se mirent à clamer leur dégoût et à agir ! Tout autour de moi et de Obffs dans les milieux étudiants, autour de Kamio chez les artistes, au cercle industriel avec Brihx, une majorité écrasante de radieux et de ses réseaux autour de Slift, des gens articulaient à haute voix leur mépris pour ce système pourri et cherchaient à entrer dans la Volte pour participer aux actions. Le mouvement était submergé par l'enthousiasme et la rage de ces nouveaux sympathisants au moment même où la pression policière se faisait plus terrible et dangereuse.

Comment être sûr des gens qui affluaient ? Comment éviter que dans la masse des nouveaux ne se glisse un traqueur qui remonte jusqu'au Bosquet et nous incarcère ? Nous étions pris dans un étau. Les actes de rébellion se multipliaient dans les entreprises, à l'université. Les sabotages proliféraient, les émetteurs pirates, les happenings de tout ordre se développaient — se réclamant tous de la Volte ! Et en face, arrestations et inculpations ripostaient au même rythme. Un bras de fer se mettait en place entre la police et nous. Plus on agissait, plus ils arrêtaient ; plus ils inculpaient, plus on détruisait. Un affrontement en spirale. Alimenté par la peur insistante des normés, l'exaspération croissante du gouvernement qui la répercutait aux flics, et la popularité grandissante de la Volte, qui cristallisait sur son nom tous les désirs d'explosion, de guerre civile et de subversion généralisée.

Un beau matin, ce qui devait arriver arriva :
« *Le ministre de l'Ordre public a annoncé ce matin avoir obtenu, suite à diverses enquêtes et perquisitions*

effectuées, la preuve formelle de l'existence d'un groupe de cinq individus contrôlant et manipulant les actions subversives de la Volte. Ce groupe, dont la composition fait l'objet de recherches très actives, est connu dans le mouvement sous le nom du Bosquet. *Selon certaines rumeurs, ce nom serait composé des initiales de ses membres. Après lecture des rapports, P a immédiatement lancé un avis de recherche populaire. Une récompense d'un million d'unités sera accordée à toute personne fournissant une information permettant l'arrestation d'un des membres du* Bosquet. *Des primes de 500 000 unités pour toute information jugée précieuse seront également attribuées. »*

La nouvelle tomba sur Boule et moi au sortir du lit, comme le couvercle de granit d'une tombe. Elle tomba le jour même où auraient dû être rendus publics les résultats du Clastre. Le visage de Boule avait pris la couleur des draps. Une blanche terreur me saisissait par secousses. Dans ma tête se mit à défiler l'interminable liste des visages de la Molte, les regards haineux de quelques-uns, lorsqu'ils jetèrent sur l'estrade leur cercle rouge... Par flashes, l'escapade du Dehors, avec ma main sur le muret, la sinueuse qui montait... Deux, trois piques dans mes cours, un peu risquées... Deux ou trois phrases de trop... Le « sans doute » face aux claustriatres... la Tour panoptique... Des coups de fil que j'avais mal déguisés...

Tout se précipita en moi — tout repassa en boucle — revint — persista. En proie à une rage froide, je piétinai, frappai, me retins... Mal aux poings... Peur aussi, peur, peur terrible, comme une main froide posée sur mes viscères et qui les serrait par secousse. Puis vint la crise phobique. Extrême et glaçante. Et si j'étais sur écoutes ? Comment le savoir même, puisqu'ils dérivaient la ligne ? Par contre... Par contre, savoir si un signal vidéo partait de mon appartement était possible. Onurb pouvait me le dire. Il habitait à deux blocs d'ici. Je courus sans réfléchir le sortir du lit et je lui déballai mes terreurs. En revenant à pied, son matériel dans un sac, il me prévint :

— Capt', pour savoir s'ils t'ont posé des mouchards vidéo, il ne faut pas que j'entre dans la place. Sinon, je vais être filmé et ils sauront immédiatement que tu doutes. Et si tu doutes, c'est que tu as des raisons de douter. Tu confortes leur suspicion. Tu piges ?

— Je pige. Il y a un petit local pour le réglage de l'oxygène à l'étage. Nous n'avons qu'à nous installer dedans.

Ce qu'on fit. Boule était restée dans l'appartement. Onurb brancha ses machines et commença à balayer les fréquences vidéos… Au milieu de la neige défilèrent une dizaine de canaux… Puis, avec un frisson qui me saisit tout le corps, Boule apparut, presque nue, sur le moniteur.

— Coupe, c'est bon, coupe !

— Attends ! Il y a peut-être d'autres caméras.

Effectivement, le couloir avec la porte d'entrée apparut à son tour. C'était tout. Deux caméras. La première couvrait une bonne partie du salon, qui nous servait aussi de chambre à coucher. Le lit seul n'était pas couvert. Touchante pudeur. Il se détachait ainsi du reste de la pièce, îlot fragile où pouvait bien s'ébattre et se perdre notre liberté en miettes.

— Ce sont deux microcaméras standard à grand angle. Celle du salon est équipée d'un micro directionnel orienté sur la table à manger. Tu peux gueuler ce que tu veux sur ton lit, ils n'entendent rien. Par contre, tout ce que tu dis aux repas…

— Et celle de l'entrée ?

— Elle sert à « photographier », si tu veux, tes relations. Pas de son. Ils n'ont droit qu'à une seule caméra avec son. Et encore, son directionnel, pas son ambiant. C'est la loi.

— Qu'est-ce qu'il faut que je fasse, Onurb ?

— Surtout rien. Tu ne sais rien et tu n'as rien vu. Tu es un bon citoyen au-dessus de tout soupçon. Tu ne te dou-

tes même pas que de telles pratiques peuvent t'être destinées. L'unique chose qui peut passer, c'est de déplacer
ta table à manger. Comme si tu réaménageais ton salon,
tu vois, pour changer un peu…

— Ça fait combien de temps que je suis surveillé
comme ça ?

— Une ou deux semaines maximum. L'image est très
nette, sans poussière. L'objectif est quasiment neuf :
c'est du récent. Mais tu en as encore pour un mois. Ils
travaillent sur des cycles de six semaines. Si rien ne les
accroche, ils viennent retirer le matériel.

— Et si quelque chose « qui les accroche » m'a
échappé ?

— Alors ils s'entêteront jusqu'au flagrant délit ou
jusqu'à obtenir des preuves suffisantes pour t'inculper.
Avec l'avis de recherche qui plane, tu as intérêt à te
tenir à carreau. N'invite personne ici, n'appelle plus. Fais
venir Boule régulièrement par contre : ça peut les rassurer, un couple. Ça fait posé.

— Franchement, j'ai peur.

— Moi aussi, je caque. Je file directement chez les
quatre autres. Je veux vérifier s'ils ont été mis sur écoute,
eux aussi.

— Très bien, Onurb. Merci. Tu es précieux. Puisque tu
vas les voir, je voudrais que tu leur passes à chacun ce
message : rendez-vous cette nuit à la cuve 13 à onze heures, d'accord ? Eux quatre seulement. Il va désormais
falloir jouer extrêmement serré…

— Sûr. Tu peux compter sur moi. On ne te lâchera pas.

Je le regardai partir en espérant être le seul « mou-
chardé » du groupe. Non, ce n'était pas vrai. C'était
ce que j'aurais voulu penser. J'avais terriblement peur
d'être le seul. Je revins dans l'appartement, amenai
Boule de Chat sur le lit et lui expliquai la situation. De
façon presque inconsciente, nous chuchotions :

— Qu'est-ce que tu vas faire ? Tu arrêtes tout ? Tu
risques la prison !

— Je ne risque rien si je garde un profil bas. J'ai une bonne couverture en tant que professeur d'université. Je ne vais pas arrêter au moment où le combat fait rage.

— Tu réalises que tu risques ta vie ?

— Qu'est-ce que tu racontes ? Toi aussi, les médias t'ont enflé la tête ? Mais qu'est-ce qu'on a fait, bordel, de si grave ? On n'a tué personne que je sache ! Alors ? Ils nous condamneraient pour quoi ? Images subversives ? Endoctrinement de la jeunesse ? Nous sommes en démocratie, ou pas ? La Volte n'a jamais été aussi populaire, Boule. Jamais aussi active depuis Zorlk ! Le mouvement est comme un torrent sorti de son lit : ça bouillonne de partout ! Et maintenant, je suis au cœur du torrent, embarqué. Ça fait dix ans que je me bats pour ça ! Tu te rends compte : on ne sait plus comment endiguer l'afflux des demandes !

— Je le sais bien. J'ai encore un jeune mâle qui m'a confié hier qu'il cherchait à entrer dans le mouvement. Il a l'air déterminé, solide. Il s'appelle Kohtp.

— Un soupirant, c'est ça, petite Boule ?

— Eh oui !

— Qu'est-ce qu'il fait à l'université ?

— Il passe ses examens finaux pour être professeur de sport.

— Quelle spécialité ?

— Escalade et arts martiaux.

— Il est sérieux d'après toi ?

— Vis-à-vis de moi ?

— Vis-à-vis de son engagement, coquine ! Tu le sens bien ? Il te paraît vif d'esprit, clair, courageux, couillu ?

— Ça, je n'ai pas essayé… Non, il est solide. Il lit Drakf.

— Je m'en fous de ce qu'il lit ! Tant que ce n'est pas *Liberté & Sécurité* ! Il m'intéresse ton gars. Nous manquons de grimpeurs. Slift fonctionne avec quatre gars sûrs. Mais ils sont de toutes les sorties à risque. Il va falloir qu'ils tournent, avec la pression policière qui s'accentue. Sinon, ils vont finir par chuter. Tu le présentes ce soir à Bmléo : il saura le juger. S'il donne son aval, je le testerai avec Slift.

— Tu n'es pas jaloux, c'est tout à ton honneur…

— Je n'en ai rien à battre alors ! Il peut te sodomiser sur une turbine à ox si ça l'excite ! Qu'il apporte quelque chose à la Volte, c'est tout ce que je lui demande !

> Capt me lança cette boutade avec la voix mouillée qu'il prenait lorsqu'il riait tout en parlant. Il semblait avoir déjà oublié l'avis de recherche. Il m'embrassait, il plaisantait, il jouait avec mes seins. En même temps, son corps se ramassait déjà pour les luttes futures qu'il anticipait. Je sentais s'y arc-bouter ses tensions internes tandis qu'avec ses gestes, ses sourires et sa voix, il cherchait encore à restituer la légèreté enjouée d'une vie, qu'en une phrase, le gouvernement venait de lui plomber pour longtemps.

> À dix heures du soir, Boule de Chat déclara distinctement sous le micro qu'il fallait partir si nous ne voulions pas manquer la séance de cinéma et, en bons citoyens, nous sortîmes — Boule pour aller chercher Kohtp et l'amener à Bmléo, moi pour rejoindre la cuve 13, dans la radzone. Aussitôt dans la rue, nous nous séparâmes. Enclenchant un solide braquet, j'attaquai la pente de l'antirade aussi vite que si un escadron de cycloflics m'avait pris en chasse. Le parc, de versant opposé à Saturne, était plongé dans les ténèbres et presque désert. Derrière chaque arbre, il me semblait… J'appréhendais d'apercevoir le visage blanchi d'un traqueur qui guettait mon passage. J'avais l'impression que le bois en était plein, immobiles, comme les arbres. Un peu absurdement, je roulais sans lumière, me guidant aux petits nuages bleus des turbines qui, éclairés par-dessous, scandaient le chemin. Je me retournais sans cesse. Plusieurs fois, je fis volte-face au milieu de la pente et je fonçai

dans la descente, espérant surprendre un filateur que je
me sentais prêt à casser en deux d'un coup de genou,
en pleine vitesse, et à asphyxier sur une turbine — pareil
aux radieux en bout de course qui se shootaient à mort
sur les grilles et dont on retrouvait le corps bleu au
petit matin... Mais j'eus beau multiplier ces demi-tours,
et m'arrêter aussi, parfois, totalement, épiant le silence
comme une proie pour y chercher l'indice qui, sur mes
doutes lancinants, aurait jeté la fatale certitude, je ne
repérai rien. Et ce fut les yeux à moitié aveuglés par
Saturne, à force d'avoir scruté l'épaisseur du parc, que
j'atteignis le sommet.

La cuve 13 se trouvait dans le nord-est de la radzone,
perchée au bord d'un cratère d'impact au fond duquel,
n'était un largage approximatif du transbordurier, elle
aurait dû échouer. Le cratère était cerné de dunes de
terre orangée qui faisaient de cette zone une sorte de
paysage en soi, délimité par sa couleur et ses reliefs et
que les locaux appelaient « le pays ». Certaines cabanes, peintes en violet, juchées au sommet des dunes, y
abritaient quelque sentinelle fière d'un lieu où n'était
à guetter que la beauté lunaire ou quelque ermite qui
s'y sentait absous de la vacuité d'une ville où le regard
déclinait des verrières. Slift, m'y emmenant parfois,
m'éreintait dans les pentes pour aller saluer ces cerbères joviaux que l'habitude des hauteurs teintait d'une
obscure noblesse. Leur voix articulait de la roche et
du sable, et dans leur frottement sourd montaient des
animaux mythiques, méduses s'immisçant flottantes
à travers les rideaux d'ammoniac ou tigres pourpres
entraperçus dans les brumes du Dehors, et dont le vent
cosmique amenait certaines nuits, disaient-ils, par bourrasques, « des rauquements de rocs broyés ». Précieux,
ces cerbères l'étaient pour leur poésie et pour leur droi-
ture qui les tenaient généralement éloignés des visites
des traqueurs, lesquels ne venaient salir le sable de leurs

pas cirés sans que la zone entière en fût immédiatement prévenue.

Au moment où, entre les deux dunes qui marquaient la frontière du pays, je m'enfonçai, trois coups de sifflet puissants — long, court, très court —, la signature sonore de Slift, me firent lever la tête. Débaroulant du sommet de la dune, la silhouette du Snake fondit sur moi en une volée vive de sable.

— Mouchardeau, tu es en avance ! Alors, tu fais du pâté dans ton froc, à ce que m'a dit Onurb ?

— Je veux.

— Tu peux. Tu es le seul du Bosck sur écoute ! Pas grave, garçon, t'as qu'à venir squatter ma cabane ! Le temps qu'on dynamite les Tours, fasse des nœuds avec les câbles du Terminor et qu'on les passe au cou des 1-lettrés !

— C'est le programme de ce soir ?

— Ce soir, on fête le Wanted. Un million, tu intègres ? De quoi payer cash un vaisseau, avec le gaz dedans pour retourner sur Terre ! Va falloir faire fort pour passer entre les mailles. Sans planter les militants ! Tous, au tournant, ils nous attendent maintenant. T'étais à la manif cet après-midi ?

— Quelle manif ?

— Quelle manif ? On alunit, Captain ! Tu sais pas que vingt-cinq mille gars ont défilé pour nous, en gueulant « Délation, répression, gouvernement démission ! », « Le Bosquet, c'est nous ! », « Un million, un million, demain nous serons un million ! » ?

— Vraiment ? C'est fabuleux !

— La Volution décolle, Capt ! Percute ! S'agit pas de louper la fusée !

Nous montâmes sur la cuve. Brihx, Kamio, puis Obffs nous rejoignirent à l'heure prévue. Manifestement, tout le monde avait pris la mesure de l'enjeu, intégré le choc, réfléchi, saisi ma situation, mais personne n'anticipait les mêmes risques, ne ressentait les mêmes peurs ni ne prévoyait les mêmes évolutions de la vague pro-Volte qui déferlait dans les rues.

Côte à côte, nous étions assis sur la passerelle externe qui courait au sommet de la cuve, les jambes dans le vide et les mains taquinant la rambarde métallique. Nos yeux s'emplissaient de la lumière douce de Saturne dont le globe immense montait lentement sur l'horizon. Sous nos pieds, le lac crasseux du cratère avait pris des chatoiements d'aquarelle où venaient se dissoudre les longues bandes parallèles, ocre orangé, de la planète. Slift et Obffs, sans cesse, se levaient pour faire le tour de la cuve. Moins pour vérifier notre solitude, que les cerbères, du haut de leur cabane, attestaient déjà, que pour le plaisir de faire vibrer la passerelle de leur pas nerveux, eux qui ne concevaient ni ne vivaient rien sans mouvement, cri, rupture, coupe, accélération. Leur concentration passait par là et je savais que Slift n'était jamais plus présent que lorsqu'il s'agitait comme ça — à plonger dans la cuve en se rattrapant d'une main au rebord, expliquant à Obffs, fasciné, comment projeter à l'eau un agresseur en étant suspendu, puis revenant dans la discussion, ayant tout entendu, tout compris, donnant son avis, arguant, contrant ! Kamio, à son habitude, ramassa en quelques phrases nos errances verbales et posa à plat les problèmes :

— Bon. La priorité des priorités est : comment ne pas se faire arrêter ? Le reste, ce qu'il faut faire maintenant... n'a de sens que si nous sommes libres. Il n'y a que trois façons de se faire arrêter : soit sur dénonciation directe ; soit sur filature ; soit sur infiltration du mouvement. Sur la première façon, nous ne pouvons que nous en remettre à la probité des voltés mais je ne suis pas inquiet. Pour la filature, qui est le problème de Capt — notre problème donc —, il faut à mon sens raisonner et agir comme si chacun de nous était, en permanence, surveillé et filé. Cela implique pour chacun une prudence exhaustive et générale, touchant ce qu'on dit, à qui on le dit, et ce qu'on fait, et devant qui on le fait.

— Tout à fait d'accord.

— Enfin reste le problème de l'infiltration. Soit nous continuons à faire entrer les militants dans la Volte au compte-gouttes, avec des précautions renforcées, mais nous nous coupons de la masse grandissante des gens qui veulent se battre à nos côtés. Soit, et c'est ce que je souhaite, nous laissons entrer le maximum de gens, mais nous cloisonnons.

— C'est-à-dire ?

— Chaque nouveau volté est rattaché à un volté sûr, et un seul.

— Qu'est-ce que tu appelles un volté sûr ?

— Bmléo, Baaer, Onurb… Des gens comme ça. Je pense que nous pouvons tabler sur une vingtaine. Toutes les semaines, nous pouvons nous réunir ici avec les vingt, préparer des actions, donner le pouls du mouvement, coordonner… Bref, faire ce que nous faisions jusqu'ici à trois cents au vaisseau. Si jamais dans les nouveaux venus se glisse un traqueur, il ne pourra faire inculper qu'un volté et un seul. C'est cela que j'appelle cloisonner.

— On perd en fluidité…

— Naturellement. Nous copions le modèle terroriste : émiettement des groupes, discipline, rétention d'information… On se resserre autour d'une hiérarchie éprouvée qui tire les ficelles puisqu'elle seule possède toutes les données du mouvement et les centralise.

— Au fond, nous allons devenir ce qu'ils rêvaient qu'on soit : un pouvoir occulte, central, d'où tout part, où tout revient…

— Tu as une meilleure idée, Obffs ?

— Non. Je dis ça par dépit. Je suis d'accord.

— Si c'est acquis, je voudrais que nous parlions des codes : comment nous allons nous réunir, où, à quelle fréquence et à quelle heure, comment nous ferons passer le message…

— Téléphone, terminora, courriels, même se voir trop régulièrement en public : tout ça est maintenant terminé…

— On va plus pouvoir jouer au foot, picoler, calter dans le Dehors ou se marrer ensemble… Bonjour tristesse…

— À partir d'aujourd'hui, on ne se connaît plus. D'ailleurs, vous n'avez jamais existé…

— Ça plombe bien le moral…

— Il faut avancer, les gars. Même si c'est dur. Est-ce que tout le monde a mémorisé les huit lieux de rendez-vous que Kamio avait inscrits sur ce papier ? Je brûle ? Bien. Maintenant, imaginons que je me rende au cratère mauve et que je me rende compte que je suis filé… Vous, bien sûr, vous êtes planqués, avec, disons Slift qui fait le guet. Comment, sans même le voir — puisqu'il est caché —, je lui montre que je suis filé ?

— Alors là Captain… Je ne sais pas.

— Tu as raison de soulever ça : nous sommes dans la merde si ça arrive ! Pire encore, si le premier arrivé se sait filé ! Il faut, un : qu'il reste ; deux : qu'il signifie aux autres qui viendront et qui l'observeront de loin qu'il ne faut surtout pas venir ; et trois : donner en même temps le prochain rendez-vous, où, etc.

— Exactement.

— Mais comment ? Avec nos pancartes de manif ? C'est mission impossible !

— C'est possible. Alors regardez bien.

Je me levai et j'allai me placer au point diamétralement opposé de la cuve. Je remontai la fermeture Éclair de mon parnox jusqu'au col, mis les deux mains dans les poches de mon pantalon et je marchai jusqu'à eux. Au milieu du trajet, je m'arrêtai, me campai sur les deux jambes, un peu écartées, regardai Saturne, puis je repris ma marche.

— Voilà. Alors, je suis filé ou pas ? Si oui, je vous donne rendez-vous où ? Et à quelle heure ?

Slift et Obffs étaient surexcités, piqués au vif, brûlant d'envie de déchiffrer mes codes :

— Tu es filé ! Tu es filé !

— Pourquoi ?

— Le blouson ! Tu as fermé ton blouson jusqu'en haut !

— Bravo Obffs, chapeau ! Maintenant, si je l'ouvre complètement ?

— Alors, pas de problème, tout va bien.

— Et ça ?

Je remontai ma fermeture Éclair au niveau du ventre, puis à la poitrine…

— Percuté ! C'est quand tu as un doute : si ton blouson est ouvert jusqu'aux abdos, tu penses que c'est bon, mais tu n'en es pas tout à fait sûr ; au milieu, c'est 50/50 ; fermé jusqu'à la poitrine, ça commence sérieusement à craindre. C'est ça ?

— Oui ! Plus le blouson est fermé, plus je pense que les chances que je sois traqué sont grandes. D'accord ? Ça c'est pour coder le degré de danger. Maintenant l'heure ?

Ils se regardèrent tous avec un sourire épaté.

— Tu ne vas pas dire que tu nous as donné l'heure en faisant ce que tu as fait !

— Si. Je vous ai dit dix-sept heures.

— Dix-sept heures !?

— Tout vient de la position des mains dans les poches au moment où je m'arrête. Il y a huit positions possibles. Avec les poches du pantalon et les poches du blouson.

— Mais il y a vingt-quatre heures !

— Huit positions possibles des mains dans les poches fois trois positions des pieds à l'arrêt : ça fait vingt-quatre heures. Voilà les schémas.

— Fabuleux, c'est très fort ! Mais pour le lieu du rendez-vous ?

— Au moment où je redémarre, je change la position des mains dans les poches : c'est pour le lieu.

— Mais là tu n'as rien fait !

— Effectivement, je suis resté les deux mains dans les poches du pantalon.

— Donc, d'après tes schémas, c'est le lieu 1.

— C'est-à-dire ici, la cuve 13 !

— Voilà !

— Rien à dire, c'est du grand art !

— Tout ça est valable à l'université, Obffs, quand on se croise…

— Bien sûr. L'heure que tu indiques, c'est le jour même ?

— Oui, sauf si je refais mes lacets lorsque je m'arrête. Chaussure droite, c'est demain. Chaussure gauche, dans deux jours.

Slift me jeta un regard qui disait quelque chose comme « C'est la chose la plus intelligente que j'aie jamais vue de ma vie ! ». Kamio, qui, très concentré, avait déjà tout mémorisé, poursuivit :

— Bon, c'est parfait. Pour la sécurité, nous sommes parés. Maintenant, qu'est-ce qu'on fait ? Pour moi, l'avis de recherche qui nous est tombé dessus prouve deux choses : que le gouvernement nous perçoit aujourd'hui comme une menace réelle et *durable*, et plus comme une de ces vapeurs toxiques qui planent sur Cerclon et qu'ils dispersent à la turbine. Deuxièmement, et ça, avant ce matin, je n'en étais pas convaincu : qu'il est possible de pousser le pouvoir à sortir de ses gonds. Mais à condition de se battre sur notre propre terrain ! Pas les médias mais la rue, le bouche-à-oreille, les actions ponctuelles, les contagions locales, virales. Il est extrêmement difficile de mobiliser les gens contre la manipulation douce, les demi-mensonges, les libertés grignotées dans le clair-obscur…

— Nous nous en sommes rendu compte depuis cinq ans…

— Donc notre stratégie, elle doit consister à acculer le pouvoir à la faute, à faire monter son fond répressif à la surface — puisque c'est cette répression qui choque, qui seule fait sortir les gens de leur torpeur et les pousse à s'insurger. Sans répression visible, pas de révolte énergique ! Nous en avons souvent discuté avec Capt : les pouvoirs dispersent et divisent au maximum leur force de contrainte afin d'éparpiller l'énergie des contre-pouvoirs et d'empêcher les polarisations révolutionnaires. Tout notre problème depuis cinq ans a été : comment remonter les strates d'oppression ? *Comment se révolter contre tout ce qui s'est mis en place pour nous empêcher de nous révolter ?* Sachant qu'au cœur de ces mécanismes de désamorçage, de cette mare de glu, ce qui se joue, c'est la dévitalisation progressive de notre puissance d'agir. Une infinité de petites pratiques irritantes, que l'on subit partout mais qui en soi n'appellent pas la révolte, voilà comment ils empochent chaque jour leur sale victoire. Aujourd'hui, avec cet avis de recherche, avec ces inculpations massives, nous avons une chance historique : enfin le pouvoir s'exerce à nu et *se voit* ! Les gens le subissent direct, violent ! Enfin, il devient possible que toutes ces rages intestines, ces fièvres sauvages, tous ces cris esseulés, tus et tués par la misère de crier seul, que toutes ces lames solitaires pointées vers le bulbe de glu, à ne savoir où frapper, tout ça converge !

— D'accord Kamio. Mais tu ne crois pas que le gouvernement est parfaitement conscient de tout ça ? Regarde ce qui se passe dans les manifs : tu vois des jeunes, bien clean, grande gueule, arborer fièrement leur casquette √olte, *Zorlk pas mort*... Bientôt ça va être « *Love the Bosquet* »...

— J'ai vu ça à la manif...

— Tu vois ! Eh bien, tu peux être certain que ceux-là, les flics ne les arrêtent jamais ! Ils savent pertinemment que ce ne sont pas les ados en mal de modèle ou les provocateurs dont toute la révolte tient sur un décimètre carré de tissu qui sont dangereux. Ce sont les agitateurs, les lanceurs de blocs magnétiques, ceux qui profitent de la foule pour poser leurs clameurs, déboulonner quelques trappes et couper du câble à Terminor. Et ceux-là, crois-moi, je les ai vus faire : ils les tracent à la pastille, ils les suivent au scanner, et dix minutes plus tard, deux types en civil, habillés comme toi et moi, les serrent tranquillement et les embarquent.

— Frappe chirurgicale, on appelle ça. Dans le troupeau qui bêle, ils te font le tri, puis ils plongent, des faucons pareils, pour t'alpaguer les moutons noirs et juste ceux-là. Les autres, qui voient bien ce qui se passe, ils gueulent trop rien contre ça, pasqu'ils savent que pour le gars, il le mérite. Alors que s'ils matraquaient au petit bonheur, tout le troupeau, même les tièdes et les calmos, se rebellerait ensemble, vu qu'ils se sentiraient tous visés.

— En clair, c'est de la gestion différentielle de délinquance.

— Correct, professor !

— Mais ça, on s'en carre, c'est leur sauce…

— Sauf qu'avec cet avis de recherche… Je ne crois pas qu'ils soient assez demeurés pour penser que nous contrôlons le mouvement. Je ne crois même pas qu'ils pensent que nous soyons réellement dangereux.

— Ils verront. Je vais les saigner un par un !

— Ce qu'ils veulent, c'est désamorcer l'effet de réseau, couper net les liens collectifs qui se tissent en ce moment. Ré-individualiser tout ça, personnifier la Volte en disant : les seuls responsables, les vrais responsables, c'est un petit groupe de rien du tout, mais très méchant et très malin, qui vous manipule tous : le Bosquet. Ainsi, ils escamotent la véritable implication des gens dans le mouvement. Ils essayent de créer une scission, de faire de nous des stars ou des héros, isolés du reste de la

Volte. Ils dépossèdent les militants de leur fierté. Ils les ravalent au rang de soldats.

— Eh alors ? Moi, je dis qu'il faut foncer dans le tas ! Y aller franc. Rien à perdre ! Je m'en carre de leurs tacticouilles ! C'est maintenant ou jamais, les gars ! Jamais on n'aura plus une chance commac — allez faire un tour dans la raze, allez voir ce qui s'y dit : tout le monde est derrière nous, à attendre qu'on lance la grande offensive, qu'on torpille le cube gouvernemental. Là, on discute encore, on réfléchit. Mais à quoi ? Pourquoi ? Réfléchir, c'est fléchir deux fois ! Qu'est-ce qu'on attend, bordel ? Vous serrez vos demi-lunes devant la costume, c'est ça ? Hein ? Moi, la costume, je les attends — coup de boule, coup de couteau, boum ! Schlaa ! À dégager ! Qui me suit ? Toi, Obffs ?

— Je veux !

— Calmez votre joie, les gars, calmez !

— Hou là, le Brihx se réveille !

— Vous deux, vous avez déjà le tronc dans le puits, à disjoncter comme ça ! Vous vous prenez pour qui ? Des héros ? Vous allez renverser le cube avec vos petits bras ? Je ne sais pas si vous réalisez bien, mais à partir d'aujourd'hui, il va falloir baisser sérieusement d'un ton, profil bas, pied au sol et calmer. Vous tous qui êtes là, vous êtes célibataires. Vous n'avez pas d'attache, pas de môme. Moi j'ai une gamine de quatre ans et une femme qui me demande chaque jour de quitter la Volte. Je n'ai pas envie de finir ma vie en camp, et que ma gosse me voie les bracelets aux poignets à la télé. Vous percutez ? Alors, puisque vous voulez casser la baraque, je vous serre la pogne et je ripe d'ici. Bonne chance !

Brihx dut faire face à Slift pour passer. Il le souleva à deux mains de la passerelle et le plaqua contre la rambarde, sans un mot. Il se dirigeait à présent vers l'échelle. Il allait réellement partir. Il y eut un flottement terrible. La réaction de Brihx avait été tellement rapide et inattendue qu'aucun de nous quatre ne parvint à réaliser ce qui se passait. Nos regards se croisèrent. Il allait réellement partir, bon sang ! Il allait vraiment quitter la Volte ! Je pris une inspiration courte et nerveuse… Il fallait trouver les mots :

— Brihx ! Tu crois que ta gamine sera fière d'un lâche, quand elle saura qui tu étais ? Car elle saura. Et si personne ne le lui dit, moi je le lui dirai. Ça fait dix ans que nous nous connaissons, tous les cinq. Dix ans que nous combattons. Nous avons vu Zorlk entrer dans le Cube pour s'y faire broyer. Et quand ils ont creusé le puits, ils voulaient encore l'empêcher de parler, mais lui, il a gueulé et tu te rappelles ce qu'il a gueulé : « Lâchez jamais ! » Nous nous sommes battus pendant dix ans pour un autre monde dans lequel les gens puissent dire : « Je sais ce que c'est, vivre. » On s'est parfois engueulés. On s'est même foutu sur la gueule. Mais nous sommes toujours restés comme les doigts d'une main et quand les doigts se referment, on est comme un poing. Et toi, maintenant qu'après dix ans, dix ans, on se trouve enfin devant la porte, avec enfin des gars derrière nous, des métallos comme toi, des fondus, ces radieux pour lesquels tu as toujours voulu te battre, maintenant que la Volution est proche, tu veux calter ?

— Je ne calte pas, pigé ? Je dis que Slift disjoncte. Obffs aussi ! Vous avez passé votre journée le pif sur une grille à ox ou quoi ? Vous croyez que je vais risquer ma peau pour une bande d'ados boutonneux qui portent des casquettes rouges ? Vous voulez leur faire plaisir, leur faire briller les yeux avec une action d'éclat ? C'est pas difficile. Le seul relief qu'ils connaissent, c'est le sein de leur mère ! Ils vous mettent la pression et vous décollez vertical ! Vous vous voyez déjà avec votre face en holo, pleine salle ! Purs. Durs. « J'ai pas lâché ! » Zorlk, il sautait pas comme une nanopuce. Il était sobre. Il avait le sang épais, comme une lave. Quand le gouvernement a voulu transi-

ger, qu'il a demandé un représentant de l'Évolte, Zorlk
y est allé. Seul. Pas pour transiger, non. Pas pour devenir
une star pour mômes. Mais pour quoi ?

— Pour assassiner P.

— Ouais ! Alors moi, je suis prêt à une action d'envergure. Ficelée comme Kamio et Capt savent les ficeler :
au câble, au cordeau. Mais je ne suis pas prêt à finir en
camp pour de la hourrah-volte. Pour de la volte boum !
boum ! Schlaa ! Compris le Snake ?

— Compris, tas de briques.

— Si vous cherchez une action d'envergure, j'en ai
une à vous proposer.

— Vas-y, Captain.

— J'en ai même deux. Quoique la seconde dépasse
de loin tout ce que nous avons tenté jusqu'à présent et
que…

— Accouche !

— Dans trois semaines, il y a la fête du Clastre. Vous
savez qu'elle a été décalée ? On attend cinq cent mille
personnes au Parc bleu. Vous savez où seront les pistes
de danse ?

— Sur le lac. Il y aura 105 pistes flottantes reliées par
des magnétoponts ! Sonos flottantes, baffles flottants,
qui circuleront grâce aux courants. Tout sur l'eau !

— Il y a mieux : ils vont magnétiser les courants.

— Pour quoi faire ?

— Sur les cinq cent mille personnes, il y aura environ
soixante mille technogreffés, plus deux cent cinquante
mille personnes qui vont ingérer leur petite capsule
électronique qui s'autofixe sur la colonne vertébrale.
Sur une piste normale, les ondes rythmiques passent par
l'air. Le boîtier les capte et les impulse au réseau nerveux, d'accord ? Là, les ondes passeront par l'eau qui
sera ionisée. Les technogreffés seront allongés sur des
sortes de barges individuelles et ballottés de courant
en courant. À chaque courant, ils seront secoués d'un

nouveau rythme interne. Ils pourront aussi s'éclater en nageant.

— Bon, et alors ? L'action ?

— À la dernière réunion, j'ai pu toucher deux mots sur les pouvoirs carcéviscéraux — l'art terminal du gouvernement des peuples, qui se met en place. Eh bien, cette fête du Clastre, qu'ils ont voulue plus sublime qu'elle ne l'a jamais été — afin que le bon peuple en oublie la Volte, et leur classement, et le cafouillage du système — cette fête, nous allons en faire le cauchemar technologique de la décennie !

— Tu es sérieux ?

— Pour les trois cent mille technoloques, oui. Je veux qu'on électrise le lac.

— Tu veux électrocuter trois cent mille personnes !

— En quelque sorte... Les électrochoquer de l'intérieur... J'ai discuté avec Blusq. Il a travaillé sur la magnétisation de l'eau avant d'entrer à Défordre. Il m'a expliqué que la séparation d'une masse d'eau en 105 courants, polarisé chacun sur un flux musical, est une opération extrêmement sophistiquée. Donc fragile. En ionisant à sa source la cascade artificielle qui alimente le lac, il est possible de créer un surchamp électrique, une mince couche d'ions qui recouvre toute sa surface. Comprenez l'objectif : ceux qui ingèrent des capsules autofixantes n'y voient qu'un raccourci pour optimiser leur plaisir. Ils y voient une nouvelle liberté, qui sera étendue par chaque nouveau biogiciel mis sur le marché. Ils ne veulent pas anticiper l'utilisation que vont faire de ces biogiciels les multiplanétaires, en créant des accoutumances organiques. Ou en diffusant des ondes apaisantes dans les lieux publics, des ondes excitantes au boulot... Comment faire prendre conscience aux gens que le plaisir n'est qu'un susucre pour mieux les bouffer plus tard ? Qu'ils vont devenir des technoloques droguées ! Comment ? La méthode Molte, c'était : on distribue un joli tract à la fête du Clastre expliquant risques et dangers et gnagnagnagna… Autant pisser dans l'Espace ! Nous, nous allons *faire*, pas *dire* ! La leçon, nous n'allons pas la coucher sur une feuille, nous allons l'imprimer dans les nerfs. La graver à vif. Faire la preuve crue du danger qui les guette *en incarnant le danger* ! Leur montrer que leur corps peut être manipulé du dehors par une onde qui double celle du boîtier et sur laquelle ils perdent tout contrôle ! Une onde qui va les transpercer d'une douleur telle qu'ils n'en ont jamais ressenti. Un profond, profond calice…

— Je ne te connaissais pas ce sadisme, Capt…

— Je veux aller les frapper à la source même de leur démission d'être homme. Je veux aller les chercher à travers la totalité de leur réseau nerveux puisqu'ils ont accepté que ce réseau, qui est tout, conduise une électricité fabriquée. Ils acceptent un flux calibré qui remplace le flux naturel de nos sensations, de nos propres sensations !

— Tu crois que nous allons rehausser l'image de la Volte avec ça ? Après tout, les gens viennent pour s'amuser… Respectons leur manière particu…

— Tu l'as toi-même dit, Kamio : il faut acculer le pouvoir ! Une action comme celle-là va avoir un retentissement puissant. Elle va tuer dans l'œuf leur stratégie carcéviscérale ! Si intense va être la souffrance, si intime, qu'elle va marquer au fer blanc les mémoires des capsulateurs. Quant aux technogreffés, s'ils ne demandent pas une dégreffe d'urgence, je veux bien aller me dénoncer ! Nous allons jeter une ombre indélébile sur les intratechnologies, tu comprends ? Une terreur secrète, irrationnelle, laquelle va stopper son expansion — net !

— Impressionnant.

— Je ne sais quoi en penser. Tu as l'air si sûr de toi. Et cette action te ressemble tellement peu. D'ordinaire, tu privilégies la gaieté, le jeu, le…

— Là, il faut du monolithique. L'action surviendra tôt dans la soirée. Aussi intense que sera la souffrance, elle disparaîtra après décapsulage. Les gens pourront continuer à faire la fête, à l'ancienne si je puis dire, avec leur corps à eux et tout ce qu'il peut faire, leur vrai rythme. Vous verrez que la fête n'en sera que plus belle. (…) Hou là ! Je vous ai un peu refroidis, on dirait ! Qui est partant ?

— Je suis sous le charme, Capt. J'en suis.

— Si c'est ficelé, j'en suis aussi.

— Ce sera ficelé, Brihx. Risque de se faire prendre presque nul. Tout fonctionnera par onde, à distance. Blusq supervisera le montage technologique. Le pilotage se fera du sommet de la cascade. Slift, pas de problème ?

— Aucun. Moi je suis de tous les coups.

— Alors il ne reste que toi, Kamio…

— Je suis partant à une condition : qu'il n'y ait ni blessé grave, ni mort évidemment. J'en discuterai avec Blusq : je veux saisir les risques biologiques. Si c'est pour carboniser vif trois cent mille personnes et regarder flotter les cadavres sur le lac, c'est sans moi ! Enfin, je pense que tu sais ce que tu fais. Tu as parlé d'une autre action. Plus énorme encore, apparemment…

Je me levai et m'appuyai à la rambarde. Un vent léger s'était levé et il me caressait le visage. Il faisait particulièrement bon. Parfois, au cœur même d'une action, sans que j'aie jamais compris pourquoi, j'avais envie de tout arrêter. Tout. Me contenter de mes cours et de vivre, faire l'amour, manger et boire, saisir le temps qui file, explorer le Dehors, un peu plus loin. Et pourquoi pas retourner sur Terre ? Un an et demi de voyage… Pourquoi en moi y avait-il toujours ce sentiment d'une mission, cette conviction que j'avais quelque chose à faire ici, sur ce sol, quelque chose que personne d'autre ne pourrait faire à ma place et qui, si je ne la faisais pas,

serait perdu pour toujours ? La Volte, je n'en avais pas
inventé le feu sacré, mais j'en avais trouvé le nom. Je
ne croyais pas en Dieu, ni en aucune transcendance. Je
croyais à la vie de ces animaux à la noblesse horizontale,
qui ne cessent de parcourir, d'arpenter sans fin, étrangers à tout sol et pourtant partout chez eux, comme
nous. Cette vie ne manquait de rien. Alors pourquoi cet
espoir de la Volte ? Pourquoi ce creux en moi, ce trou
dans l'acier plein de la vie qui faisait appel d'air, m'ex-
pulsait de moi-même, ce creux qui me tirait vers ce but :
la Volution — dont je ne savais au juste si l'idée même
avait un sens, si ce que nous cherchions de toutes nos
putains de forces à faire éclater comme un soleil en
miettes n'était pas déjà là, en nous, accomplie, déjà faite
et éclatante ! Alors, peut-être que nous le faisions vraiment pour les gens ? Que par l'appel d'air, ce qui sortait
de nous pour aller vers eux, était l'espoir le plus préten-
tieux du cosmos : *leur apprendre... à vivre !* Du bas de
nos trente ans... Par amour ?

Je me retournai et je vis le visage de Brihx, tête si puissante éclaircie par ses yeux d'un bleu d'où la tranquille
détermination flottait... Derrière ce voile, je crois bien
que je devinais sans le comprendre la violence de l'espoir qu'il avait mis dans sa gamine, un espoir au regard
duquel celui de la Volte, qui chez Brihx nous avait toujours paru inébranlable, paraissait souterrainement grin-
cer comme une tôle en torsion. Il ne fallait pas reculer :
— L'autre action à laquelle je pense, c'est l'attaque de
la tour de télévision. L'attaquer pour couper toute diffusion de manière définitive. Atteindre aux possibilités
mêmes de la Volte : un monde sans télé.
D'un brusque bond, Slift venait de décoller de la
passerelle par un saut périlleux avant... Une fraction
de seconde, nous le vîmes tous écrasé dix mètres plus
bas au pied de la cuve... mais son adresse inouïe fit

trouver à ses pieds la rambarde où, dressé les bras au ciel face à Saturne, il se mit à hurler : « La Tooouurrr Tééééléééééé ! », cependant que Brihx éclatait de rire face à cet incroyable déchaînement d'énergie, vite suivi par Obffs et moi — Kamio ne parvenant pas à surmonter sa peur de le voir chuter.

— Capt, il tient dans ton plot plus de pures idées que de billes de glace dans tous les anneaux de Satourne ! C'était ça que je cherchais ! Ça ! Je délirais sur le cube du pouvoir, tu vois, le prendre dans mes pognes pour le faire rouler comme on jette un dé, le soulever avec des repousseurs magnétiques taille cuve. Mais la Tour Télé !!

Obffs vint me serrer dans ses bras. Kamio nous prit les épaules. Brihx demeurait assis sur la passerelle. Puis il se leva, le visage hermétique, s'approcha de nous et il me tapa sur le ventre. Avec ces mots : « J'en suis. »

X

Les clameurs

> Encore un verre de brax. Il va falloir que je me décide à monter sur ma chaise et à leur parler. Ces centres de rencontres se ressemblent décidément tous. J'étais au secteur 3 hier ; ce soir, je serais bien incapable de dire où je suis. En me penchant un peu, je distingue la tour panoptique qui se fond dans le noir. Ça peut être partout.

Depuis trois jours, j'ai donc recommencé. Malgré l'avis de recherche, malgré la pression insidieuse et perspicace qui comprime chaque jour un peu plus nos mouvements. Ou plutôt : à cause d'elle. Il y a, je l'ai découvert, quelque chose d'insoutenable sous cette stratégie policière, sous son obstination scrupuleuse, sous cette façon d'éviter le face-à-face, l'affrontement répressif qui la trahirait. Je me croyais avisé et prudent. Je pensais sincèrement m'en tenir, après la discussion sur la cuve, à une forme de discrétion, pour demeurer à distance raisonnable du combat, m'épicentrant sur mon atelier, mais la vertébrale colonne en moi — la colonne a refusé de plier. Contre toute mesure et raison. Elle a dit non et je n'ai pas discuté. J'ai su qu'il faudrait aller au bout désormais, et j'irai. La liberté est une chose toute bête, une maladie dont l'hygiène sociale la plus stricte ne vous guérit pas. Non content d'être malade, on veut encore contaminer

les autres, leur passer nos miasmes. Personne ne m'empêchera d'aller parler aux gens — et surtout pas ces sco-
lopendres dont chaque poil est un œil, ces vers à soi, qui
se glissent dans le bac à douche : les traqueurs.

Ça fait trois Clastres que je fais ça — six ans. À raison de vingt soirs dans le mois. Je dois donc en être à
cinquante interventions environ et cependant, à chaque
fois, j'ai le trac. À chaque fois, je calme mon anxiété avec
quelques verres de brax — même si aujourd'hui je me
sens presque serein, justifié. J'ai peur de leur regard. Le
plus dur reste le moment où je monte sur la chaise — dès
que je parle, l'angoisse se dissipe. Au moment où j'ouvre
la bouche, c'est comme si la peur s'échappait de moi
pour aller les envelopper, eux : ils tressaillent, ils baissent la tête, ils ricanent, ils n'osent plus se regarder entre
eux. Dans ces centres de rencontres, les clients sont à ce
point habitués au calme, aux discussions feutrées, que
ma voix semble, en scandant, déchirer le velours de leurs
oreilles. Ronde est la salle, rondes les tables en forme de
verre à pied. Les fauteuils des salons « intimes » sont
mous, mais il ne s'y passe jamais rien. Ici, on se rencontre. C'est tout. On bavarde, on ne se brusque point. C'est
le royaume des incitateurs softs, qui mettent une demi-
heure à citer un produit et qui glissent si doucement le
nom, si furtivement, qu'il s'installe en vous comme une
évidence. Avec toujours ces couleurs pastel — orange
doux au sol, jaune pâle sur les murs tendus de tissu et le
verre fumé des tables, d'un bordeaux translucide, comme
les sièges. On dirait un tableau fauve rincé au jet. Drôle
de monde… où rien ne semble pouvoir se passer, jamais.
C'est justement pourquoi il faut se battre ici, quoi qu'en
dise Obffs. Ici oui, dans cette arène sans poussière, où
les émotions se décolorent et blanchissent.

Les lèvres des hôtesses pendent de leur bouche…
J'aimerais tant que Capt vienne me rejoindre, comme
il l'a fait tant de fois il y a deux ans. À deux, personne

ne nous arrête, c'est un vrai festival ! Je l'ai croisé au Cubilingus la semaine dernière. Il est sous une telle pression que nous avons à peine échangé trois phrases, avant qu'il ne reparte. « Je viendrai. Peut-être. Si je deviens fou », a-t-il lâché en souriant. Mais il ne viendra pas. Le risque d'association entre nous est trop grand, surtout en espace public. Je vais parler fort — j'essaie de ne jamais être violent ni blessant — je les provoque, je les bouscule et parfois des couples me répondent, parfois me soutiennent, cela dépend. Il y a toujours un moment, après les premières phrases, après la stupeur, où une ou deux hôtesses décroisent leurs jambes soyeuses pour s'extraire du fauteuil de cuir où leur mini-jupe reposait, se lèvent, et me demandent, en craquelant leur fond de teint, s'il me serait possible d'exprimer mes méritoires opinions dans un lieu plus adéquat au volume de ma voix, c'est-à-dire : dehors. Suit couramment une guérilla de courtoisie, dont le miel à mesure s'acidifie, et selon la qualité de mes pirouettes ou la vigueur des réparties, elles regagnent ou non leur fauteuil où s'impatientent ces célibataires qui, à défaut de se hisser à ce sommet de virilité qui voudrait qu'ils les baisent, s'achètent une oreille attentive pour un coquet pourboire. J'évite les centres où officient les hôtes, non que leurs arguments pour m'expulser soient plus physiques, mais ils sont prompts à appeler la police.

Lorsque je tiens bon et que je reste, mon discours se lâche, s'accélère et je vois des yeux qui se lèvent vers moi, des visages questionnés, des tables qui se mettent à discuter du Clastre et des gens à m'interpeller, d'autres qui applaudissent un bon mot — et je sue et je me bats contre l'apathie, contre les « ferme ta gueule ! », les moqueries qui fusent et les arguments-boucliers. Je les regarde dans les yeux et au-delà de leurs bouteilles, sous leur front, je sens qu'ils se battent contre leurs certitudes qui se lézardent. Ils doutent. Ils replâtrent. Mais quoi qu'ils fassent et quoi qu'ils se disent pour colmater la brèche, le Clastre n'est plus en eux cette évidence inquestionnable qui scellait leur crâne. L'odieux verni d'indifférence a craqué en eux — et ça, ça je le sais, c'est le premier pas qui rend possible une Volution.

> Les clameurs... Y a-t-il quelque chose de plus simple qu'une clameur ? Et qui soit, dans sa simplicité, aussi volutionnaire ? Une pastille pas plus grosse qu'un ongle, qui puisse enregistrer dix secondes de son et qui puisse le reproduire chaque fois qu'un être vivant passe dans un rayon de six mètres alentour ! J'adore les clameurs ! Leurs petits haut-parleurs discrets ont fait de cette ville un poème. Qui chaque jour change, perd des phrases, gagne des cris, trouve ses mots, se métamorphose de touche en touche sans que personne sache où ni qui a placé les clameurs qui jaillissent, qui les enlève et qui — sinon la ville même — recompose sans relâche l'œuvre d'art qui la traverse de part en part. Peut-être sept mille clameurs bruissent aujourd'hui à travers Cerclon, sous les affiches et dans les murs troués, elles parlent du haut des poteaux, chuchotent sous les trottoirs, crient aussi, au passage de certains glisseurs... La ville parle ! Elle parle par sept mille bouches disséminées, éparse, partout parle, la ville, et ce n'est jamais la même voix. Les rues bruissent de murmures autrefois tus et marcher devient une mélodie que le marcheur compose par son trajet unique, et que la ville lui restitue aussitôt, écho des pas que le hasard trace. Parce que la même rue, frôle-t-on un poteau, traverse-t-on, ne fait pas monter des caches la même suite insolite de clameurs ! Ce ne sont plus les mêmes sons, plus les mêmes phrases qui sortent du cadavre exquis que chaque rue avive ! Et le rythme ? On accélère, on décélère et les clameurs jaillissent synchrones, lentes ou vives, épousant le pas. Marcher devient un art.

Je n'ai pas pu tenir plus de neuf jours, chez moi, avachi devant la télévision, désœuvré au supplice, au moment même où la lutte fait rage. Boule n'a même pas essayé de me raisonner. Alors que la Volte grandit au fil des semaines, que ça bouge dans tous les secteurs, il faudrait que moi, Capt, parce qu'ils m'ont collé deux mouchards dans l'appartement et que leur *Wanted* pèse sur moi, je me terre en priant ? J'ai toujours posé des clameurs. Parce que ça m'excite, parce que ça me détend. Ils le savent d'ailleurs, s'ils font leur boulot. Est-ce que cesser soudainement ne serait pas plus louche que de continuer ? Interdite la pose, Capt, depuis un mois. Décret P-634. Recours au conseil des Sages pour atteinte à la liberté d'opinion. On va gagner. J'anticipe seulement.

Souvent je me prends à rêver qu'il existe dans Cerclon un trajet, une trajectoire secrète et époustouflante qui fait rendre de chaque clameur, *une fois et une seule*, son cri. Encore ces cris mis bout à bout seraient peu, tout juste une collection de désirs, sans un miracle plus profond, inscrit au cœur de la trajectoire et qui serait… Quoi ? Son ordre. Tel éclat avant tel autre ! Tel autre après ! Mais qui me dictera cet ordre, qui me dira où commence la première clameur et où finit la sept millième ? Aurais-je de toute façon le courage de les écouter jusqu'au bout ? Car un tel trajet — s'il existe — un trajet le long duquel la foultitude de ces clameurs isolées, anarchistes, que rien ne relie, soudainement s'ordonne pour produire un discours qui fasse sens, comment ne serait-il pas porteur d'une vérité écrasante, inouïe ? Pas une semaine ne se passe sans qu'au détour d'une rue, ayant entendu une poignée de clameurs et frappé par la cohérence de leur enchaînement, je n'aie l'impression que, par miracle, je me trouve au début du Trajet… Alors je continue, exalté ! J'écoute… J'espère… Mais le sens, invariablement, se dissout de clameur en clameur, jusqu'à se perdre… Sans doute existe-t-il, me dis-je

alors, des millions de vérités, j'entends : des millions de
trajets ; peut-être même y en a-t-il une bonne centaine
pour *chaque* citoyen de cette ville, et la bribe de sens
que j'ai interceptée ne m'était pas destinée. À l'autre
bout de Cerclon, quelqu'un vient juste d'entendre, lui,
la vérité que j'attends. Il ne l'a même pas écoutée. Qui
sait ce qu'elle disait ? Peut-être l'énigme qui m'obsède :
« La Volte est une nuée d'orage suspendue au-dessus de
Cerclon. Toute clameur est éclair. Mais qui saura faire
parler la foudre ? Articuler l'orage ? La ville seule sait.
La Volution est là, latente, dans ses sept mille clameurs.
Chaque pastille la contient. Mais qui trouvera le chemin,
qui dira comment le parcourir pour réunir, extraites de
chacun, les révoltes accroupies qui ne demandent qu'à
bondir ! Qui sommes-nous, les voltés ? Nous sommes un
amas d'éclairs rangés dans le ciel à côté de l'orage qui
ne vient pas… » Mais nous avons pour nous les clameurs
qui montent de la ville ! Les rues, les poteaux et les affi-
ches, les bancs, les aspiro-broyeurs, pour nous battre !

Poser des clameurs est aujourd'hui devenu l'activité la plus réjouissante de la Volte — et l'une des plus
efficaces ! Il nous a fallu près de quatre ans cependant
pour trouver cette minuscule idée ! On utilisait déjà les
parleurs, mais les parleurs, ça n'a pas la même mobilité,
c'est plus difficile à porter et à cacher, c'est plus discursif
dans le ton aussi. Quatre ans durant lesquels le groupe
d'intervention antipub avait fini par se lasser de son
impuissance. Je présidais ce groupe, je le préside encore.

En décembre dernier s'était produit le déclic. Tout
partit d'une offensive juridique, menée par Défordre,
laquelle exigeait que fussent rendues légales les publicités sonores dans les espaces publics ! En sus des consignes verbales qui guidaient déjà nos moindres traversées
d'avenue dans cette putain de ville, nous risquions de
subir partout les harcèlements de la voix qui susurre…
Une réunion eut donc lieu. Très vite, le groupe se nau-

fragea sur la berge du déjà-fait et je me sentais franchement découragé. Je jouais avec une balle contre le mur
du cube bétonné qui nous servait de salle, la tête vide.
La balle tapait, mat, le mur, et revenait dans ma main,
sans qu'aucun des neuf voltés qui se torturaient sur leur
fût, couvre de sa voix la pulsation lugubre du temps
qu'elle invoquait. Obffs était là, avec nous. Il écoutait
notre silence en lisant. Il était faussement absent, je le
sentais ; il réfléchissait, comme les autres, et j'avais l'espoir, que je n'osais m'avouer, qu'il parle et brise enfin le
cercle...

— Capt !
— Oui, Obffs ?
— Qu'est-ce qui s'use ?
— Quoi ?
— Qu'est-ce qui s'use en ce moment : le mur ou la
balle ?
— Ben... La balle.
— D'accord.

Il se remit à lire. Quelques rires d'incompréhension
coururent sur le silence. Machinalement, je relançai ma
balle. Obffs releva à nouveau la tête et dit :
— Et nous, nous sommes qui, la Volte ?
— Excuse-moi ?
— Nous sommes la balle ou le mur ?
— Euh... La balle. Puisqu'on se cogne la tête contre
la publicité !
— Si c'était justement le contraire ? Si c'était nous le
mur, fixe, le mur qui croit tenir bon alors qu'il devient
poussière à l'intérieur ? Chaque jour qui passe, Capt, le
ciment magnétique qui cohère ce mur perd de son pouvoir. Dans vingt ans, la même balle que tu lances y fera le
trou d'une bombe ! Enfin, ce ne sera pas la même balle
justement : parce qu'elle s'use et d'elle-même retourne
au panier pour se faire remplacer : balles neuves ! C'est
là sa force. Nous, à la Volte, nous nous croyons forts

parce qu'on n'a pas bougé d'un cil depuis quatre ans. On
fait face ! On fait front ! Solides comme le mur ! Mais
lui n'a pas la prétention de se croire en mouvement, le
mur, de croire que la vivacité est de son côté. Nous on
l'a, cette prétention. On se croit à la fois inflexibles dans
notre lutte et souples dans nos méthodes.

— On s'est tout de même adaptés à l'évolution
publicitaire…

— Adaptés ? On fait quoi depuis quatre ans ? On
coupe des câbles, on raie et on tague des projecteurs,
on casse des écrans. En gros, on détruit. Voilà ! Nous
avons en face de nous une force plastique, qui recycle
les résistances, qui fait preuve d'une capacité d'innova-
tion redoutable et nous, on en reste à ça : détruire ! Tu
sais ce que dit Nietzsche, Capt : que c'est le propre des
forces réactives, justement, de vouloir détruire les forces
qui s'opposent à elles. Et elles veulent les détruire parce
qu'elles n'ont pas la force suffisante pour les subjuguer,
se composer avec. S'en servir ! Vouloir détruire est le
symptôme d'une volonté décadente !

— Oui, c'est ce qu'il dit. Et alors ? Qu'est-ce que tu
proposes, toi ?

— Je propose que de réactifs, nous devenions actifs.
Que nous exploitions la force publicitaire à notre
profit !

— Je crains le pire !

— Un message publicitaire nie la vie parce qu'il
dégrade les désirs en besoins, d'accord ? Il est fabriqué
pour ça. Pour que les flèches du désir s'écrasent dans un
mur d'objets. Pour qu'à nos flots de vie qui grondent vers
l'extérieur, qui se propulsent vers on ne sait où, d'autant
plus intenses et frais que rien ne vient leur imposer de
but, il offre ses conduits standard et ses piscines propres.
Mais rien ne nous empêche, nous, d'inventer des slogans
qui soient le contraire d'un ordre ! Le contraire d'une
réponse ! Rien ne nous empêche d'agencer quelques

mots, quelques phrases pleines de jour où le sens fuit de toutes parts, comme d'un sac crevé !

— Oui, mais comment les diffuser ?

— Les avenues ! Nous allons en faire les galeries d'un musée de plein air ! Faire de chaque volté un créateur ! Surclasser les pubs par des messages autrement plus altiers ! Et novateurs ! Comment ? je vais vous l'expliquer : j'ai baptisé ça une clameur…

Et ce soir, me voilà dans la rue avec ma cinquantaine de clameurs. Elles tiennent dans une poche. J'improvise des questions qui, je l'espère, toucheront les gens, des lambeaux de poèmes, des « bombes qui éclatent le sens » comme dit Kamio, et des « mots de désordre ». C'est vrai qu'il est dur de créer, de percer des claires-voies dans les cerveaux clos des Cerclonniens ! Et plus dur encore de ne pas céder à la tentation de matraquer nos vérités politiques, d'opposer nos slogans fermés aux leurs, de manipuler à notre guise les gens — maintenant que nous disposons de ce pouvoir, avec notre petite armée de clameurs, porte-drapeaux et porte-voix ! Nous nous sommes donné une règle là contre. La suit qui en a la grandeur : ne jamais poser deux fois la même clameur. Ne jamais se répéter. Ouvrir, fendre, toujours inventer ! Si la clameur a acquis une telle popularité (au point qu'il soit politiquement périlleux au gouvernement de les interdire), elle le doit à sa joyeuse diversité. La mode a su trouver son cours souterrain, fait de résurgences imprévues et de jaillissements courts. Tout est permis, même le vol : « Qu'as-tu fait, ô toi que voilà, pleurant sans cesse ? Dis, qu'as-tu fait, toi que voilà, de ta jeunesse ? »

— Monsieur ! Monsieur, s'il vous plaît !

— Oui, madame ?

— Qu'est-ce que vous faites, je vous prie ?

— Je fixe une clameur, comme vous le voyez.

— C'est interdit depuis le décret. Qui vous en a donné la permission ?

— Vous.

— Vous vous moquez de moi ?

— À peine. Votre apathie est un permis de chasse. Vos oreilles sont ma proie. Écoutez celle-là : « Vous vous moquez de moi ? » Originale, vous ne trouvez pas ?

— Je vous déconseille fortement d'utiliser mes paroles pour importuner les gens ! Vous êtes d'un… aplomb !

— Méfiez-vous, je vais en enregistrer une seconde. Savez-vous qu'une clameur bien camouflée peut tenir une semaine ? En une semaine, il y a peut-être cinq mille personnes qui vont couper son faisceau et qui entendront votre belle voix…

— Vous… Je vous le déconseille ! Vous dégradez les biens démocratiques avec vos pastilles !

— Si un panneau publicitaire est pour vous un bien démocratique…

— L'entreprise a acheté à la collectivité le droit d'afficher son produit. Vous, vous vous faites de la publicité gratuite !

— Vou, vou, vou… Quelle publicité ? Je ne vends rien.

— Vous vendez le désordre… l'insolence… des phrases sans queue ni tête qui font sursauter les gens, des saletés…

— J'essaie d'aérer le crâne à des gens qui l'ont aussi saturé que vous.

— Je vous en prie ! De quel droit me parlez-vous ainsi ? Nous ne nous connaissons pas.

— Ah, celle-ci va être excellente : « Nous ne nous connaissons pas. » Intrigante clameur, pleine de sens caché… Je vous remercie : avant votre passage, je manquais d'inspiration. Vous êtes une muse.

— Cessez vos clowneries, monsieur. Je vous prie poliment d'effacer les deux phrases que vous m'avez volées.

— Compte dessus.

— De quel droit me répondez-vous ainsi ! Vous...

— De quel droit ? D'aucun droit, madame. Je ne parle ni n'insulte au nom d'un droit. Je refuse le droit, tous les droits. Les droits, on finit toujours par en faire une machine à produire de l'inégalité. Quand quelqu'un me dit : j'ai le droit de..., je sais qu'il va dans la minute m'interdire quelque chose. Qu'il va me forcer à... au nom de... Regardez le droit de propriété, ce qu'on a fait en son nom... Je suis au-delà du droit et c'est d'au-delà que je vous emprunte vos poncifs, ne vous en déplaise.

— Vous croyez m'impressionner avec votre rhétorique, mais je connais vos techniques. Vous ne me piégerez pas. J'ai été onze ans incitatrice...

— Alléluia...

— Maintenant, je suis hôtesse dans le meilleur restaurant du secteur 4. Alors je n'ai aucune leçon à recevoir de vous. Comment vous appelez-vous ?

— W-K-Z-X-T-V-V-V-V.

— Très drôle. Vous avez de la chance que j'aie le sens de l'humour. Je pourrais appeler la police et vous faire condamner.

— Allez-y. Lâchez-vous.

— Vous êtes fier de vous ? De camoufler vos petites pastilles partout ? D'agresser les gens du quartier avec vos phrases tordues ? Si encore ce sont des phrases et pas des hurlements ou des cochonneries comme on en entend maintenant dans tout le secteur 5. Vous faites de la pollution sonore, monsieur, voilà. Vos clameurs, c'est interdit. C'est... pas propre !

— Parce que votre tête est propre ?

— Plus que la vôtre, monsieur !

— J'ai toujours fui les lavages de cerveau, madame. C'est sans doute pour ça. Je ne me lave pas la tête. J'attends que ça fermente à l'intérieur, que la crasse y prolifère et qu'elle fasse des petits. Après, je la vomis dans mes clameurs.

— C'est exactement ça !

— Et comme je sens bien que vous adorez ça, je vais vous l'éjaculer partout, ma crasse, sur le corps.

Je lui saute dessus et la coince dans l'angle de l'abri-bus. Son visage se plisse de terreur. Paralysée, elle reste. Elle doit avoir quarante ans, elle porte une jupe courte bien coupée et un chemisier rose qui laisse voir la nais-sance de ses seins. Avec mon bras gauche, je la bloque à l'épaule. Je suis tout près de son cou. Il exhale le par-fum de qualité. Ses lèvres cherchent l'air ou un cri. Elle halète. Ça m'excite. En un éclair, j'ai envie de la violer. C'est une de ces femmes si pleines d'ordre, sans un pli, la cervelle blanchie au poncif, qui doit se pulvériser du déodorant jusqu'au fond de la chatte, qu'un désir animal de griffer et déchirer me prend au bas-ventre. Elle finira sa vie la peau tendue comme une toile, le visage poncé de ses hypocrisies, je le vois… L'envie de lui froisser son futur lifting d'avance en lui tordant la joue jusqu'au sang…

J'ai un flottement qu'elle a dû sentir puisqu'elle tente de s'enfuir. Mais je la repousse violemment dans l'angle où, comme anticipant une volée de coups qui ne vien-dra pas, elle se rétracte en boule. La lâcheté même. Sans me soucier d'elle, je recule de quelques pas et m'assure des alentours. Devant et derrière moi, la petite rue sans caméra — une rue à clameur, dirait Slift — brille légère-ment dans le silence. Il est 22 heures. Dans la résidence toute proche, les vitres laissent suinter une lumière bleue. Les gens dorment, regardent les programmes holos, ou bien se virtuent en douceur — ils dorment. Aucun ris-que. Les turbines à oxygène, que l'on ne remarque pas durant la journée, emplissent tout l'espace sonore, tant le calme est grand. Je les écoute respirer. L'air pulsé sur la pelouse de la résidence forme des nappes de brume. Ma rage s'épuise. J'arrache l'incitatrice du sol et la pla-que contre la vitre en la forçant à me regarder. Sa peur l'a rendue d'une laideur stupéfiante. J'ai du mal à supporter son visage.

— Donne-moi ta Carte.

Elle s'exécute immédiatement. Rien n'est plus facile que d'agresser une femme sur cette planète. Dès l'âge de cinq ans, elles reçoivent une formation à la sécurité qui leur martèle une chose : obéissez à l'agresseur, obéissez, ne faites rien qui puisse accroître le danger que vous encourez. Attendez la police, faites confiance aux caméras... Elle me tend sa Carte d'une main manucurée. À l'index, son ongle porte les fines striures du codebarre identitaire. La parfaite Cerclonnienne. Sa Carte est impeccable, elle ne s'en sert jamais. Je lis les mentions obligatoires : Gncsr, deux filles, nées en 2075 et 2078, Anse D14, circulaire de la Paix. Elle habite tout près.

— Maintenant je connais votre adresse. Si vous déposez la moindre plainte à la police, n'espérez pas revoir vos filles avec le même visage. Sinon, je vous laisserai en paix. Vous avez compris ?

— Oui.

Je la lâche. Elle s'effondre presque. La peur brute. Un sentiment de pitié me prend par-derrière, doucement. J'ai envie de l'aider. « J'aimerais vivre comme un peu d'herbe pousse. » Étrange, cette clameur. Qu'est-ce que j'ai voulu dire ? Il faut que je parte. Et vite. Je cours à mon glisseur, mets le courant et démarre en trombe. Ce quartier m'est désormais... interdit.

— Qu'est-ce que vous essayez de nous vendre, là ? Vous ne pouvez pas nous laisser en paix ? Nous sommes dans un centre de rencontres. Nous sommes ici pour nous reposer et bavarder tranquillement, entre gens de bonne compagnie et vous venez brailler pour vos produits. Vous êtes incitateur pour quelle marque ? Dites-le tout de suite, énumérez vos produits et laissez-nous tranquilles !

— Je vous répète que je ne suis pas incitateur.

— À d'autres ! Écoutez : j'ai été formateur huit ans pour les antibactériens *Purife*. J'ai appris et fait apprendre plus de trente-cinq techniques d'incitation à l'achat. Je ne sais pas comment s'appelle la vôtre ; j'avoue qu'elle est originale, mais ne nous prenez pas pour des imbéciles. Alors soyez gentil ! Allez-y, listez tout, mais vite !

> J'ai à peine commencé de m'exprimer qu'un petit homme trapu, aux traits épais et au cou de taureau, m'a coupé. Il est assis à deux tables de moi, sur ma gauche, entouré par deux hôtesses. Il m'a fallu une demi-seconde pour trouver d'où partait sa voix sourde qui croque les mots comme des cailloux gras : à cause du costume rouge vif qu'il arbore, et du tabouret hydraulique qui ne cesse de coulisser de haut en bas pour amortir ses sautillements de diablotin, et qui est à peu près le seul mouvement qui agite cette salle torve.

À côté de lui, deux hôtesses volantes de classe A, qu'il a dû s'attacher pour la soirée, sourient doucement, sans bouger. Je pense classe A parce qu'à la perfection de leur mise, elles ajoutent l'exactitude d'une posture sophistiquée que les hôtesses de milieu de gamme maîtrisent mal. Avec un grand naturel, elles ont réglé leur tabouret de telle sorte que leurs deux seins se portent à hauteur des deux yeux du client. Puis elles ont posé la pointe de leurs pieds fins sur le plateau supérieur du tabouret, afin que leurs jambes remontent un peu plus haut que le bassin, selon un angle précis, et que, sans pencher la tête, juste en baissant les yeux, le client puisse plonger ses fantasmes dans l'entrecuisse et ce, chaque fois que l'hôtesse s'avise de croiser et décroiser les jambes, c'est-à-dire assez souvent pour maintenir une érection. L'une est blonde, avec un chignon strict d'où glissent adroitement quelques mèches légères, visage et tailleur aussi propres et lisses que la table de verre à laquelle

elle s'adosse pour soulager ses abdominaux. L'autre est brune, lèvres rouges, avec une peau tirée comme ses bas et, selon les critères de ce style de centre, elle est belle, vraisemblablement. Je contre-attaque :

— C'est du Clastre que je suis venu vous parler. Je n'ai rien à vendre, aucune liste à énumérer, aucun fichier-client à renseigner. Je ne suis pas incitateur, ni astrologue ou évangéliste. Je ne vous ferai donc pas la promotion d'un produit ou d'un dieu, et je ne débiterai pas vos cartes de quelques crédits à la fin de mon discours. Je ne vous demande que d'ouvrir quelques minutes les portes qui ne sont pas encore murées chez vous et d'y laisser pénétrer quelques questions. Tout le monde ici est acteur du Clastre, a jugé, juge et sera jugé en son nom...

Je récite, comme souvent, mon introduction. Encore mal assurée, ma voix se dépêche, court saisir les mots comme on empile un tas de briques et je lie les phrases sans pause en ciment, pour, peu à peu, entendre mon discours prendre place et forme, se régularisant... Tout en parlant, je me mets bientôt à lorgner sur ma gauche, jusqu'à apercevoir mon interrupteur qui a maintenant une main sur la cuisse de sa blonde hôtesse, cependant que la brune, s'étant fait une raison, suçote la paille de son verre en hochant de temps à autre la tête, très discrètement, pour approuver mes attaques. Le taurillon fait maintenant jouer sa main courte entre les cuisses de la blonde sans remonter bien haut... Lorsque soudain, d'un geste qu'il doit croire élégant, il fait glisser l'ongle de son index devant le pendentif à faisceau, qui pend, les choses sont bien faites, entre les seins de l'hôtesse... Celle-ci sourit jusqu'où son lifting le lui permet, se contentant en réponse d'avancer un peu sur son tabouret pour faire glisser sa jupe et dégager mieux encore ses cuisses, que par ailleurs elle décroise doucement et écarte sans heurt. Je continue à parler, en observant la scène par flashes, lorsqu'après un autre glissement habile l'hôtesse fait entrevoir ses jarretières et bientôt ses cuisses nues, les écartant à tendre la jupe. Le taurillon mugit du pantalon. Il fait alors passer son codebarre devant un bouton de la jarretière pour venir le placer au cœur des choses… L'hôtesse se lève peu après. Elle ouvre son œil bleu devant un lecteur rose, se dirigeant vers la salle d'exhibition tandis que le nabot, rougeaud du veston au visage, s'empresse d'aller poser ses fesses dans un box libre. Là, par caméra et par écran interposés, va avoir lieu une scène d'amour où « le cœur des choses » de l'hôtesse s'étalera et avec lui, en jets courts sur une serviette blanche, le sperme épais du promoteur des antibactériens *Purife*.

Je lutte pour ne pas me laisser distraire par ce ballet, mais je n'y parviens pas. Je suis distrait — par ça et par une myriade de petits détails, lèvres humides, rires, caresses, paille, entrées et sorties des clients… Je suis distrait, oui, un peu ailleurs, sans y être vraiment, à flotter, à ne pas toujours comprendre ce que je dis et pourquoi, pourquoi je m'écoute, car je m'écoute ! J'ai un temps de retard sur tout ce qui sort de ma bouche, je le sais, et les autres le sentent, enfin quels autres ? puisque presque tous se sont remis à rire bref et bas, et à bavarder, sans conviction, comme moi…

Un homme vient de renverser son verre de siropo sur la table — mais si vivement que les pompes ont été prises de vitesse et qu'une lichée du liquide commence à dégouliner le long de la table. Personne ne la voit : elle coule sur une face cachée. Moi, je la regarde descendre et un déclic se fait.

Je saute brusquement de ma chaise et je m'approche de la table où a été répandu le siropo.

— Vous ne vous êtes jamais demandé ce qu'il y avait au creux de vos ventres ? Ce qui bouge encore là-dedans ?

J'arrache d'un geste la table, renversant bruyamment tous les verres qui s'y trouvent. La salle entière se
retourne sur moi. Le couple à qui je viens d'arracher la
table esquisse une injure, mais, dans un souffle où se lit
la puissance de l'éducation civique cerclonnienne, il se
contient. Je prend la table à bout de bras et viens l'empiler sur la mienne. Elle touche les spots du plafond. La
lumière coule à travers le verre bordeaux, éclairant la
mécanique sophistiquée logée à l'intérieur : moteurs,
valves, réservoirs et tuyaux.

— Peut-être que mes explications sur le Clastre ne
vous ont pas paru convaincantes. Alors je vais passer à
tout autre chose.

Je monte sur la chaise, le doigt pointé sur la table que
je viens d'apporter.

— Vous, voilà grosso modo ce que vous êtes : des
verres à pied. Pied unique, jambe unique, pas de bras,
encore moins de visage ! Un torse rond, bombé, plein !
Plein d'eau sale dans des poches, et de poches reliées à
d'autres poches par des tuyaux ! Je vous regarde et je
vois à travers ! Mais à travers quoi ?

— Un bémol, s'il vous plaît. Vous êtes dans un centre
de rencontres ici ! Qui vous permet de nous traiter…

— Sûr qu'on ne vous bouscule pas comme ça, hein ?
Vous tenez debout, sur votre pied bot…

Et d'un coup de genou, je fauche la table. Un champ
électrique se tend dans l'assistance. Les visages se tor-
dent, anticipant un fracas de tous les diables, mais
la table chute bloc sourd et tient bon. Je saute de ma
chaise, la ramasse alors qu'elle oscille encore et je la
replace violemment sur ma table.

— De ce que j'ai dit, vos pompes intégrées ont
absorbé toute la force. Il n'y a que cette goutte de siropo
qui soit rescapée de votre indifférence — je la lèche.
Alors écoutez-moi ! Je ne vous demande que dix minutes. Dix minutes d'écoute totale.

L'effet de rupture a été tel qu'hôtesses et clients sont demeurés bouche bée. Ils ne me lâchent maintenant plus du regard. Je parcours rapidement la salle' et collecte, avec des « pardon » et des « merci », toutes les bouteilles qui traînent. Je suis dans un état de tension tel qu'à la moindre remarque d'un client, je lui fracasse du verre en plein visage — ce que les gens doivent sentir puisqu'ils se drapent de « je vous en prie » comme autant de conjurations. À ma chaise revenu, je commence à répandre les bouteilles sur ma table.

— Vous lisez ce qui est écrit sur la bouteille ? Non ? C'est marqué *publicité*.

Et je verse le contenu sur la table. Les pompes se mettent en route sur-le-champ. Elles absorbent l'eau jusqu'à la dernière goutte. Je me baisse pour constater le trajet de l'eau à l'intérieur de la table jusqu'au réservoir de stockage « eau » puisque ces tables ne se contentent pas d'absorber les liquides, elles les filtrent et les distribuent dans les poches adéquates…

— Et celle-là, vous lisez ? *Virtue*. Et celle-là ? C'est *le Clastre* — tiens donc, le revoilà ! (une à une, je vide le contenu des bouteilles). Et celle-là ?

— C'est ta propagande, volté de mes deux !

— Attendez ! Regardez-vous fonctionner : vous êtes de bonnes machines, les amis, des androïdes de qualité. Vos viscères sentent leur tuyau propre et curé. Vous prenez tout ce qui vient, toutes les normes et les modes, tous les désirs préformatés des médias et des annonceurs, des contrôleurs et des ministres, et vous les répartissez dans les bonnes cases, comme des enfants doués. On vous remplit et vous absorbez, vous absorbez, vous absorbez : il n'y a pas assez de bouteilles pour saturer vos têtes d'éponge ! Mais quand est-ce que vous en aurez marre ?

— Maintenant ! J'en ai déjà plein le dos de vos leçons ! Soit vous arrêtez tout de suite, soit je ne remets plus les pieds dans cet établissement ! Il n'y a donc personne pour lui imposer le silence ? Ce monsieur est de la Volte, c'est évident. Vous cherchez à nous provoquer, mais je préfère partir, sinon je ne réponds pas de ma politesse ! Personne ne le fait taire ? Je pars !

— Restez, monsieur, il finira bien par se taire…

— Trop tard, il est parti.

— Pour une fois qu'il se passe quelque chose…

— Si vos organes d'entrée sont des pompes, vos organes de sortie sont plus simples encore. On vous pilote à la voix, comme les machines. Je dis « brax » et hop ! le verre sort, tout prêt ! Voilà votre production ! votre « travail » dont vous êtes si fiers… Celui pour lequel on vous note, on vous classe et on vous paye ! Un travail ? mais c'est simplement le crachi-crachat de ce qu'on vous a fait ingérer !

> En fuyant, j'ai grillé un stop avec mon glisseur, déclenchant la sirène bien connue qui signifie que l'intercepteur infrarouge logé dans le poteau a enlevé huit points à mon permis de glisser. Qu'importe, je suis là. Je suis entré dans le centre incognito, je me suis accoudé en bout de bar, le plus loin possible de Kamio et j'écoute avec avidité les réactions des gens.

— Il est amusant sur sa chaise, tu ne trouves pas ? J'aime bien ses cheveux avec ses reflets roux. Sous le spot, on les voit bien.

— Son pull patchwork est original aussi. Je me demande où il l'a acheté.

— C'est du fait main, ça. Je suis sûr qu'il l'a tricoté lui-même.

— Comprenez bien : votre corps n'était pas par nature si pauvre. Mais vous l'avez tronqué. Chaque organe est désormais sollicité pour accomplir une fonction sociale précise. Vous êtes tous devenus, sans vous en rendre compte, de petites entreprises performantes. Vous êtes des centres de profit rentables — intégrés à des centres

de profit plus vastes et plus rentables qui sont les entreprises que vous nourrissez, elles-mêmes fédérées par
Cerclon I, plate-forme logistique des Cerclons, qui n'est
à son tour que l'entreprise mère du système économique saturnien.

— Hou là là, il va vite là…

— Belle poupée russe, n'est-ce pas ? et dont vous ne
constituez que la pièce minuscule, mal peinte, qui se
trouve enfermée dans la série complète des autres ; celle
qu'on découvre déçu lorsque toutes ont été ouvertes, la
petite statuette de bois qui sonne creux et qui fait pitié
parce qu'elle ne se dévisse pas. On vous stimule sans
cesse jusqu'à ce que soient forcés les frayages dont les
pouvoirs ont besoin pour faire pénétrer *in petto* leurs
consignes. Vous savez ce que c'est, un frayage ?

Voir Kamio dans cet état, avec cette flamme, cette
énergie qui bourrasque la salle et traverse l'épaisseur
des corps, ça m'émerveille. Il n'a rien pour lui, ni le cadre
ni l'attente, il a juste son charme, il a juste sa voix qu'il
place comme il peint, mais bon sang, qu'est-ce qu'il est
beau mon pote quand il est comme ça !

— C'est le phénomène qui veut que le passage de
l'influx nerveux dans les conducteurs soit plus facile en
se répétant. Car ce ne sont plus les idéologies qui nous
aliènent aujourd'hui. Ce sont les stratégies d'impact !
Ce sont elles qui tracent les autoroutes neuronales par
où circulent les consignes de vie, *l'intimation* à faire telle
ou telle chose… Elles les creusent par bombardement
intensif, fréquence de frappe, répétition — guerre sans
pitié dont nos corps sont les fronts !

— Il est un peu fou ce type, non ?

— Nous n'avons plus d'organisme, désormais : nous
sommes *organismés* !

— On est quoi, Hralx ?

— Or-ga-nis-més !

— Qu'est-ce que tu racontes ?

— C'est ce qu'il a dit. Moi, je répète, c'est tout. Je comprends rien, de toute façon…

— Regardez avec quelle fréquence, avec quelle violence nos yeux et nos oreilles sont sollicités ! Notre perception même du monde en a subi une terrible torsion. L'œil et l'oreille copulant ont enfanté un monstre : *l'orœil* qui a tari l'énergie du toucher, du goût et de l'odeur. Exemple que ceci, rien qu'exemple ! Car aussi bien, cette autoroute pourrait devenir trop rapide, n'imprimer plus les marques nécessaires au maintien de l'ordre psychique. Qui, par exemple, retient encore aujourd'hui les publicités ? Presque personne. D'où les incitateurs, le retour à la promotion en chair et en os, *mano a mano* !

— Pas du tout…

Un couple avenant, la soixante paisible, suit Kamio avec une attention qui fait plaisir.

— Il parle bien, ce jeune homme. Tu as remarqué tous les gens qui sont entrés depuis qu'il a commencé à parler ?

— Oui, oui. Je n'ai jamais vu cette salle aussi pleine. Il est un peu hurluberlu, mais ce qu'il dit n'est pas tout à fait sot. Et puis, ça nous fait un peu d'animation. Ces centres sont d'un calme ! Tu te rappelles les bistrots en France ? l'ambiance qu'il y avait : les parties de cartes, le jeu de boules dans la cour où l'on pariait une pinte le point ? C'était quelque chose, non ?

— La guerre chimique aussi, ç'a été quelque chose ! Tu l'oublies un peu vite… Nous ne sommes pas si mal dans ces centres…

— Parce qu'impalpable, l'orœil a longtemps été privilégié par les stratèges de l'impact affectif. Sans doute les messages passant par ce *sas* y sont reçus plus directement, la manip moins perceptible, je ne sais pas. Un pouvoir ne doit pas laisser des *traces* de son passage, mais des *marques*. Vous comprenez ? Seules les marques demeurent. Seules les marques garantissent que le contrôle externe va bien devenir *self-control* ! Que vous ferez bien votre petite police interne ! Que votre organisme continuera à être conformé pour le type de message qu'on vous envoie. Pour le type de « travail » qu'on vous demande ! Eh oui ! Une maladie guette l'orœil, toutefois...

— Les orœillons !

— C'est l'oubli ! L'oubli est notre force. Notre résistance passive. Mais gare aux naseaux ! Gare aux caresses qui viennent !

— Il est a-zi-mu-té ! En orbite totale ! Il va décoller avec sa chaise s'il continue !

Kamio monte en puissance et j'ai envie d'en être, de faire corps avec lui. Il n'a pas besoin de moi, dans l'absolu, et pourtant, je sais qu'être à deux, ensemble, c'est être déjà quatre ou six, ça fait meute et on sera alors tellement bien, à se retrouver au front ensemble. Ce sera comme à nos débuts dans l'Évolte, à dix-huit ans, debout sur les Caddies® autoroulant avec des lances pour transpercer les têtes de gondole. Je commande une vodka, que j'avale d'un jet.

— Encore qu'odeur et toucher soient des sens de proximité, articulés à des flux de matières, non à des ondes vibratoires, non à des photons. On risque de passer du contact au tact, du flux à l'effluve, du signe à des sensations dont ils savent encore mal catégoriser quel stimulus y provoque quelle réaction. Ils le savaient pour l'orœil. Ils savaient manipuler lumières et couleurs, coupes sombres, ton des voix, niveau de son. Jeunesse encore de la science en ces domaines. Mais c'est qu'elle n'a pas encore été prise dans le composé de pouvoir qui exigera d'elle des connaissances sur ces sujets. Ah, je vous parle des sens... comme s'ils étaient les seuls points d'entrée dans le corps. Comme si la régulation discrète de la chaleur et de la gravité, comme si la ven-

tilation, comme si les radiations, les aliments, les liquides qu'on nous fait boire, les crèmes qu'on s'étale, l'air
que l'on aspire, n'étaient pas soumis à la *gestion biopo-
litique* ! On ne pense pas pareil quand il fait toujours
22 °C partout, quand on boit gazeux, quand les turbines pulsent ce qu'il faut d'oxygène pour nous euphori-
ser... *On pense avec le corps*, les amis ! Bien mieux et
bien plus profondément qu'avec la conscience, même
éclairée et aux aguets. Lorsque le corps est pris en
main, la cervelle pense sous contrôle. Oubliez donc la
propagande, qui est une plaisanterie... Bienvenue dans
l'affecting !

— Et face à *l'affecting*, il n'y a pas de révolte individuelle. Toute révolte est d'emblée collective.

> J'ai reconnu sa voix. Immédiatement. La voix virile,
un peu mouillée et pleine de volume de Capt. Il est venu,
ce fou ! Quelques mouvements de chaises étouffés par
la moquette, un brouhaha de murmures d'où émergent
quelques bribes, « Écarte-toi, voyons », « Qui est-ce ? »,
et voilà Capt devant moi, riant, qui m'empoigne la main.
Une joie profonde, irraisonnée, piquetée par la surprise
et l'inquiétude, me soulève violemment la poitrine.
« Continue, me souffle Capt, après je dirai un mot. »

— Je vois que votre attention se dilue : je vais termi-
ner. Au fond, vous êtes comme ces alcooliques qui, ayant
trop bu, mais pas encore assez, ne peuvent plus ni boire
ni dégueuler. Ils ne tiennent pas debout, ne veulent pas
se coucher, marchent, s'écroulent... Et quand on veut
les relever, ils disent : « Non, non, je vais dégueuler... »
Seulement, ils ne dégueulent pas. Donc ils ne peuvent
plus boire. Ils ne bougent plus, ils n'écoutent plus rien.
Vous pouvez uriner sur eux, ils ne vous feront rien.
Terrible, n'est-ce pas ? Eh bien ! voilà un peu l'impression que j'ai eue en vous parlant. Saouls vous êtes : de
pubs et de consignes de vie. Mais pas assez pour les
expulser et écouter du neuf. Vous êtes des rois qu'on

empoisonne à petites doses. Alors la solution radicale,
pour vous purger les veines, c'est ça :

D'un geste, je retourne la table, pied en l'air, tête à
l'envers. Je la secoue. Sous la pression des liquides rete-
nus dans les réservoirs, les valves cèdent. Les boissons
se mettent à couler. Quelques personnes applaudissent
en souriant. Sans y penser cependant, j'ai fait ça au-
dessus de ma table, si bien que le liquide se répand sur
le plateau et que les pompes se sont mises en marche,
absorbant en temps réel la cascade ! Burlesque ! Les
gens se mettent à rire franchement, Capt et moi avec
eux.

— Eh bien voilà : la boucle est bouclée ! Tout est
revenu dans l'Ordre. Certains disent qu'il n'y a, dans
cette société, plus de communication…

— Qui dit ça ?

— C'est vrai, il n'y en a plus : il y a de l'osmose. Je vous
ai observés discutant : vous avez cette convivialité des
verres à pied qui font *tchin !* en se touchant. Pourquoi
parler, me direz-vous, quand on rend les mêmes sons ?
Pourquoi communiquer quand on communie ? Je vous
ai encore traités de verres à pied, excusez-moi. C'est la
version mécanique de la parabole. La version molle vous
sied mieux : vous êtes une colonie d'éponges mouillées
qui se transmettent par osmose la même eau croupie.
Chaque éponge se croit seule, différente. Pourtant vous
êtes sans cesse en contact, vous vous imprégnez récipro-
quement. Vous avez vu les tables : si l'une se libère et
dégorge, l'autre est toujours là pour récupérer son eau.
Ce n'est pas de l'amour. C'est tout bonnement que vous
avez le cœur poreux. Moi, je suis venu vous parler avec
des mots secs. Avec ma chaleur aussi. Je suis venu dans
l'espoir de vous évaporer, avec du feu et des flammes
de peu. D'ordinaire, on vous parle laiteux, les phrases qu'on vous coule ruissellent ou glougloutent. Bel
effort pour vous d'avoir écouté qui crépite. Qui grésille

et flamboie ! Mais je ne vais pas vous importuner plus longtemps et je vous ai assez insultés…

— Ça oui ! Vous avez de la chance d'être tombé dans ce centre où priment la courtoisie et le respect des opinions d'autrui. Vous auriez tenu ce discours provocateur devant des rats-de-zone, ils vous auraient fait passer un mauvais quart d'heure !

— On dit « radieux » lorsqu'on est courtois, pas « ras-de-la-zone », madame, lance Capt.

> Un pot de peinture doté de parole s'est retourné sur moi. D'une laideur que seule l'accumulation de liftings contradictoires et d'une hystérie de crème de beauté pourrait expliquer. Elle essaye d'articuler une riposte mais la vivacité de mon regard la cloue. Je laisse Kamio descendre de sa chaise pour y monter à mon tour.

— Bonsoir à tous !

— Encore un autre !

— Rassurez-vous, je ne prends la parole que pour vous la donner. Qui ici veut parler, faire part de ses réactions ?…

— Personnellement, j'ai beaucoup ri.

— Des boutades ou du Clastre ?

— Plutôt des discours ridicules de votre ami. Il veut la mort du Clastre, vous vous rendez compte ? Mais comment une société pourrait fonctionner sans le Clastre, hein ? Dites-le-nous ! Si tout le monde met des vingt à tout le monde, comme vous nous dites de le faire, si personne ne se rend aux entretiens hiérarchiques, si l'on refuse le BPA, le système est par terre !

— Et alors ? Comment ça se passait avant sur Terre ? Vous êtes terrien d'origine ?

— Non. Je suis né ici. J'en suis d'ailleurs très heureux ! De toute façon, on ne peut pas revenir en arrière ! Vous nous voyez avec des salaires à l'ancienneté, des promotions automatiques, des primes au bon vouloir du patron ? Soyons sérieux ! Attention, je ne dis pas non

plus que le Clastre soit parfait. Il y a encore des problèmes de critères, des branches d'activité que je ne cite-
rai pas qui sont outrageusement avantagées. Je trouve
notamment scandaleux que les artistes ne soient pas
soumis aux entretiens hiérarchiques. Ça n'a pas de sens.
Enfin, ces aberrations mises à part, le Clastre est un système exemplaire. C'est à mon avis le meilleur système
possible pour limiter les injustices : tout le monde part
sur un pied d'égalité. Les différences ne se fondent que
sur le mérite de chacun, ce qui, de mon point de vue,
devrait être l'idéal de toute démocratie qui se respecte.
Pourquoi croyez-vous que la Terre nous envie ? Les gens
les plus sérieux, les plus doués, les gens travailleurs et
responsables, eh bien ! il est normal qu'ils bénéficient de
conditions de vie plus favorables que les fainéants qui
sapent notre compétitivité face aux autres Cerclons.

— Je vous approuve tout à fait, monsieur. Lutter
contre le Clastre, c'est lutter contre la démocratie, c'est
de l'incivisme. Et l'histoire nous a montré à quoi menait
l'incivisme.

— Au génocide de l'Ukraine.

— Exactement !

J'avais envie de m'amuser :

— Et si le Terminor disjonctait un jour ? Qu'un groupe
comme la Volte par exemple parvienne à le saboter ?

— Ce serait une épouvantable catastrophe. Nous
retournerions à la barbarie ! Le mérite redeviendrait
une notion subjective, laissée à la discrétion des chefs.
Imaginez-vous ! La Volte, de toute façon, il faut la
condamner à mort dans son ensemble. L'exécuter col-
lectivement. C'est un gorx qui tétanisera la ville si nous
n'y prenons garde. Je vois tous ces jeunes qui applaudissent aux clameurs, qui se tatouent des Zorlk sur les
bras, qui ne rêvent que d'entrer dans ce mouvement fas-
ciste… Brrr…

Je le coupai avant de l'égorger sur place.

— D'autres points de vue ?

Une jeune femme qui doit avoir trente ans, impeccablement habillée et coiffée, élève une voix chaude du fond de la salle.

— Je trouve méritoire que des gens aient, comme votre ami ou vous-même, le courage de venir parler dans les lieux publics, comme ça, sans rien à vendre, simplement pour exprimer des convictions.

— C'est vrai, les petits jeunes, vous êtes courageux.

— Je dois vous avouer que j'étais persuadée, au début, d'avoir affaire à un incitateur. Puis après, j'ai pensé que vous étiez un gentil fou, un de ces sociopathes qu'on essaye de réadapter en milieu ouvert, qu'on laisse déambuler dans les rues pour les habituer à revoir du monde — ça se fait beaucoup maintenant…

— Merci !

— Oh, à la fin, j'ai bien vu que je me trompais ! J'ai été très impressionnée par votre discours sur « l'orœil », toutes ces manipulations que vous dénoncez… Néanmoins, je voudrais vous poser une question indiscrète…

— Allez-y.

— Vous êtes paranoïaque ? Je veux dire : au dernier Clastre, combien avez-vous eu sur ce critère ?

— Trois sur dix.

— Vous êtes normal ; trois sur dix, c'est normal. C'est encore plus troublant ! Alors je vais vous poser une deuxième question. Vous n'arrêtez pas de dire : « on nous manipule, on nous contrôle, on passe par nos yeux, *et cetera* ». Mais qui est ce « on » ?

— Vous.

— Moi ?

— Vous tous, moi, nous. Tous les citoyens.

— Vous avez parlé à un moment des médias, des publicitaires, des ministres…

— Parce que certaines personnes ou certains groupes, de par leur fonction et leur position stratégique dans le réseau social, impulsent plus facilement ce contrôle que d'autres. Mais elles le subissent aussi.

— Alors pourquoi les accuser, elles, si tout le monde est responsable de ce qui se passe ? Ce phénomène que vous dénoncez, il est démocratique ! Vous ne pouvez pas le condamner !

— Parce que, pour vous, ce qui résulte d'une volonté démocratique n'est jamais condamnable ?

— Bien sûr que non !

— Alors, je vais préciser deux choses. Premièrement, une société de contrôle, de flicage de tous par tous, aussi splendidement démocratique serait-elle, je la vomis. Et je la vomis pour des valeurs qui sont autrement vitales que ce triomphe à la régulière du conformisme, de la docilité et de la peur, que vous cautionnez parce qu'issu d'une majorité. Je la vomis pour la liberté. Pour que la vie siffle dans nos viscères, comme un ruisseau ardent. Je la vomis pour un espoir : que l'homme vaut mieux que ce qu'il est aujourd'hui. Mieux qu'une chair filandreuse que la moindre peur déchire ; mieux qu'un cerveau à câble, qui fait du 0/1, où ne pousse aucune friche ; mieux qu'un cœur argileux, gorgé comme une éponge des larmes que personne ne sait plus pleurer.

> Comme toujours, le niveau de langue de Capt, son phrasé précis et ses images produisaient un effet d'écoute et de saisissement presque immédiats. Parler était d'abord chez lui un acte intérieur, une nécessité de solitaire qui cherche — avant d'être un talent public. Ses idées arrivaient dans sa gorge déjà articulées et elles en sortaient armées, si bien qu'avec lui devant, je n'avais plus besoin de forcer, juste à placer des fusées. C'était même un régal pour moi de me mettre en retrait et de le laisser évoluer au front.

— Cerclon n'est pas une démocratie. S'il faut se défaire de la paranoïa Big Brother, il serait tout aussi naïf de croire que le contrôle avilissant des corps soit exercé de façon égalitaire par tous les citoyens. Le contrôle est un phénomène très complexe, viral, de contamination. Je le vois comme un incendie, un drôle d'incendie comme on en a vu tellement sur Terre, pendant la guerre. À foyers multiples, avec des groupes de pyromanes perchés sur les hauteurs, des pompiers sous le vent, avec des lacs qui freinent la progression du feu et des chairs nues dans le lac, des ruisseaux qui s'évaporent et des ports qui s'évacuent, des ministres près des rivières, équipés de lance-flammes, des militaires cracheurs de feu, les cheveux roussis, dans la pampa. Avec au ciel des Canadair et des chimiquiers remplis d'essence, des caméras volantes qui repèrent les plongeurs, des biombes qui tombent, du napalm ; et partout des flammes et de la fumée, des prairies crépitantes, des forêts dévastées, partout le grondement du brasier qui se propage de faîte en faîte, et si peu, si peu d'arbres de plein vent sur qui le feu passe sans brûler, qui ne propagent rien qu'un peu de liberté !

— Admettons qu'il y ait des inégalités, que notre démocratie soit… soit un peu triste… Mais qu'est-ce qu'il faut faire ? La révolution ? Admettons. Mais contre qui, contre quoi ?

D'un trait, Capt avale un verre de brax et continue :

— Ce qu'il faut faire ? D'abord arrêter de se lamenter et descendre de la croix ! Enlever les clous dans les mains ! Tous les pouvoirs ont intérêt à nous communiquer des sentiments tristes, des sensations pauvres. À nous de leur opposer un peu de subversion et de joie de vivre ! Individu, nous ne sommes qu'une goutte d'eau pour un système aussi cohérent et aussi global que le Clastre. Mettez cette goutte d'eau dans un ordinateur : il est détruit. Eh bien, mettez zéro à toutes les notes que l'on vous demande sur vos chefs, vos collègues ou vos subordonnées — ou mieux : vingt sur vingt ! Répondez oui à tous les tests psys, oui à toutes les questions du claustriatre, oui ! oui ! oui ! partout et vous serez la goutte d'eau du Clastre ! À tous ici, nous ferions déjà une rivière !

— Quant à l'appauvrissement de nos corps, qu'est-ce qu'il faut faire ?

— Prenez vos écrans et faites-en des tableaux ! Peignez dessus !

— Oui, et dans les poches, vous gardez toujours deux choses : une dizaine de clameurs et une poignée de sable. Le sable, c'est pour les tapis roulants : ça les bloque ; les clameurs, c'est pour trouver votre voix.

— Sinon parlez, discutez avec vos amis, avec vos voisins, les inconnus. Faites l'amour *et* la guerre !

Capt s'est rapproché des gens. Il devient à chaque seconde plus physique, plus volubile, s'enfonce maintenant dans la forêt des chaises et des tables, bousculant, provoquant. Il boit tous les verres d'alcool, cul sec, qu'il trouve, il est déchaîné :

— Kamio a raison. La guerre en vous, contre Paul Constant ! Face à lui, syndiquez vos viscères ! Fédérez vos tripes ! Reprenez-vous en main, déconnectez, reconnectez, créez des réseaux imprévisibles, faites des cocktails siropo-whisky. Enivrez-vous ! On vous a appris à faire fonctionner vos organes d'une certaine façon : défaites cette putain de structure ! Embranchez autrement ! Tracez des diagonales d'organes sains ou, au sein des organes, faites jouer le concerto de vos désirs contre la fanfare boum-boum des frayages routiniers. Coupez, court-circuitez ! Foutez de la série avec du parallèle et du parallèle avec de la série ! Que toute la merde tassée là-dedans sorte ! Dégagez, éjaculez de la norme, chiez de l'eau partout, tirez la chasse, recrachez, n'avalez pas ! Suez, faites sortir les porcs de chez vous ! Suintez, bordel !

Capt s'est maintenant mis à marcher debout sur les tables. Il shoote dans les bouteilles, il dribble avec les verres, il casse et il renverse mais personne n'a le cou-

rage ou l'envie de l'arrêter. Il est hors d'atteinte, parti,
au-delà du sol et des lois, tel qu'en lui-même enfin...

— Toujours subir ! *Niet !* Inventez-vous un corps en
vie, qui éprouve, qui sache rompre, accélérer, bondir !
Qui dévie les bombes qui tombent — abritez-vous, on
a branché la virtue ! Les wagons d'affects livrés clefs
en main, vous les déraillez, hein ? Pas de sensiblerie de
chiens écrasés, de la *sensibilité*, qui remue en vous des
lames de fond, sinon rien ! Autogestion dans les tripes,
capito ? Même s'il faut se servir, au besoin, de l'énergie du dressage civique pour se hausser... Faut pas que
détruire, eh oui ! Deviens ce que tu hais ! Tout toi, pour
l'instant, il est sous la chape de verre qu'on t'a fondue
par-dessus ! Et j'en vois même ici *qui boivent de l'eau*, qui
sont allés jusqu'à exiger qu'on la leur fonde, la chapka,
pour se sentir beau et lisse ! Incassable ! Fonctionnel !
Mais regarde ton visage maintenant : rien n'y accroche,
rien ! Vous êtes le triste reflet d'une société de glace !
Touche tes joues cireuses, bonnes grosses joues blanches
à faire du steak grillé...

Il tord la joue d'un garçon qui n'ose même pas crier et
s'adresse les yeux dans les yeux à lui.

— Mais demain, tu seras quelqu'un d'autre, crois-moi,
on ne te reconnaîtra plus ! Des clameurs vont monter
dans ta bouche, comme un jus ! Ce soir encore, tu restes
à l'image de ton père, le haut fonctionnaire de ton corps
forclos.

— Croix en toi ! *Croix* en toi !

— Tu te contrôles, tu te maîtrises impeccablement.
Mais demain ? Qui sait comment tu te réveilleras ? Qui
sait ce qui cette nuit va pousser sous la calotte de verre de
ton crâne ? Il me semble... Il me semble que je l'entends
déjà... Quoi ? Quoi donc ? Le croassement... le croassement métallique d'une graine qui pousse sous le givre...

Et il sort précipitamment ! Connaissant Capt, il vaut
mieux que je le suive. Les gens applaudissent, hurlent,

rigolent bruyamment, ils n'en reviennent pas de notre
harangue ! Des clients veulent me retenir, m'agrip-
pent… Je force avec peine le passage sous un schproum
de bravos et de sifflets. Finalement, nous voilà dans la
fraîcheur de la rue. Capt démarre son glisseur d'un kick.

   — Monte derrière, Kamion, on fuit dans le
cooosssmooossss !

XI

Intellectrocuter

> Ma première sensation en pénétrant avec Boule de Chat dans le Parc bleu, en voyant cette foule trépigner devant les rotondes qui criblaient l'immense esplanade bordant le lac, au toit fermé d'une capsule sur laquelle tournoyait l'hologramme des biogiciels en vente, fut une sensation de pouvoir. Pouvoir sur ces gens. Deux ans auparavant, à la dernière fête du Clastre, j'avais ruminé mon impuissance face à la résistible attraction qu'exerçaient ces capsules. Aujourd'hui, j'étais ravi de voir les rotondes prises d'assaut ! J'espérais même qu'il ne demeurerait plus une seule capsule en stock, que tous ceux, encore timides, encore rétifs, qui n'avaient osé l'expérience l'oseraient précisément ce soir. Pour la première et dernière fois.

Je regardai ma montre : 20:42. Encore une heure. La foule était telle que je ne parvenais pas à m'orienter. Nous montâmes donc sur une sorte de mirador, qui faisait office de bar, afin de disposer d'une vue dégagée. Droit devant nous s'étendait le lac. Au-delà s'étageait un talus soigneusement gazonné, manière d'amphithéâtre « naturel » qui s'adossait à l'anneau périphérique et qui, de ses gaz et bruits, protégeait judicieusement le parc. À gauche, tout au bout de l'esplanade, une étroite bande d'arbres incurvée sur quatre kilomètres nous coupait du secteur 3, dont on distinguait néanmoins quelques tours, toutes intégralement éclairées, selon le rituel. Je suivis la courbe boisée jusqu'à son point de rencontre avec l'anneau. Là, en ce recoin triangulaire se tenait le promontoire de la cascade, notre fief... Je tournai enfin le dos au lac pour m'attarder sur l'esplanade : son gazon plus net qu'une moquette neuve, ses rotondes bien rangées, ses baradors perchés sur leur pylône, ses salles de jeux virtuels en forme d'œufs, dropés au hasard par une archipoule sans ordre... Tous ces édifices tellement neufs, cette architecture jetable qu'on sentait figée là pour un soir composaient dans le crépuscule un espace enfantin et schtroumpfesque, qui ne recevait sa réalité que de la foule en mouvement, la foule comme un fluide les irriguant, la foule épaisse, enjouée et liante, chaude et sage encore, que j'avais déjà envie de rejoindre pour me mêler à elle, l'entendre — tant il était rare de voir les gens ensemble, rare...

Au préalable, il me fallait cependant vérifier que le magnétoportage de l'eau fonctionnait bien sur toute la superficie. Clause de réussite. Je m'emparai d'une paire de jumelles à accroissement de lumière, laissée en libre accès. Je balayai les rives du lac, m'en assurant, et avisai au passage des plantons de l'espionnage civil, en costume noir. Ils observaient apparemment le lac et le talus de l'anneau. Bien. Avec un peu d'anxiété, je prolongeai jusqu'au pied de la cascade. De part et d'autre de la chute d'eau, je remontai jusqu'en haut les lacets des deux escaliers de pierre : rien qui... Si : deux gardiennes du parc, près du sommet. Embarrassant.

Le plateau du promontoire m'était d'ici invisible. *A fortiori* l'arrière du plateau où ils devaient être en place, depuis cinq heures déjà... Pourtant je le voyais... Je voyais chaque détail de la pente sévère, non éclairée, parsemée de blocs, d'arbres et de buissons, qu'il leur fallait guetter. Je voyais distinctement la cache d'Obffs et le trou de Brihx, avec sa trappe couverte de terre, en cas de ratissage complet. Je voyais Slift à plat ventre, en haut de la pente, avec ses yeux incandescents, qui scrutait Brihx et transmettait à Blusq — Blusq dont tout dépendait, de son générateur enterré et de ses deux câbles plongeant dans la grotte, qui mettrait en route à mon signal. Je voyais le torrent surgir de la grotte et les locaux techniques derrière, et le pipe-line l'alimentant. Je voyais leurs signaux de guet à tous, leurs gestes. L'angoisse qui les rendait compacts, animaux. Je voyais toutes les lignes de fuite possibles. Tous les risques aussi.

La pente n'était visible que de la bande d'arrêt du périphérique, sur une courte longueur, et du petit bois délimitant le secteur 3. La bande d'arrêt, envahie à cette heure de voitures et de glisseurs qui venaient admirer la fête, était quadrillée de voltés. Le bois abritait nos guetteurs. Tous, au moindre indice suspect, passeraient le long de la falaise, devant Kamio, pour se diriger vers l'esplanade. Ouverture du blouson et mains dans les poches permettaient d'indiquer cinq degrés de menace et trente-deux messages clés. Kamio les connaissait par cœur. Assis sur son carré d'herbe, avec son pack de brax, sa radio trafiquée crachant du radrock tandis que l'équaliseur codait les messages à Obffs, il était la véritable tour de contrôle du dispositif. Là où il se trouvait, totalement à découvert, à quelques longueurs de la pente, il pouvait tout à la fois surveiller, à sa gauche, le début de la pente et le chemin longeant la falaise qui la portait, à sa droite scruter le bois et derrière lui jeter quelques coups d'œil sur les silhouettes accoudées au rail de l'anneau. Au loin, il embrassait une partie de l'esplanade.

Quant à Boule et moi, notre rôle, restreint par notre « exposition », s'annonçait moins glorieux : serions-nous filés la fête durant, que le filateur ne devait rien soupçonner. Une demi-heure avant le déclenchement, nous serions au sommet de la cascade, à surveiller les

personnes montantes. Puis nous donnerions le signal, en
nous embrassant (une idée de Boule…) ! Ensuite mon
rôle se bornerait à constater si oui ou non l'ionisation
prenait dans les corps. Non : mains croisées dans le dos.
Oui : mains dans les poches, il faut fuir illico. Voilà ce
que Blusq guetterait. L'ordre de fuite ? Il s'était négocié
au courage : Brihx en premier, Blusq en second, Obffs
ensuite. Kamio restait en place. Slift en dernier. Il devait
retirer le matériel, le cacher et redescendre toute la
pente au moment où, la stupeur passée, les ingénieurs
et les traqueurs avaient toutes les chances de s'inté-
resser au pipe-line et à la grotte. Qui d'autre que Slift
pouvait prendre ce risque ? Il était l'être le plus aigu de
toute la Volte, sinon de Cerclon. Poursuivi même, il était
imprenable à la course. Et une fois la main posée sur le
contact du glisseur, ce n'était plus la peine d'y penser :
le prolongement naturel de ses bras, ce n'étaient pas ses
mains, c'était un guidon.

— On y va ? Il y a encore toute l'esplanade à
traverser.

— On y va, Boule.

De nouveau le bain de foule. Mais là, ça y est. Un
déclic physique s'est fait. La fraîcheur de la nuit tom-
bante, l'herbe humide, les nappes d'oxygène froides…
Mon corps vient de s'éveiller, enfin. Je suis présent. Sans
distance. Dans l'instant. J'avance avec des gestes rapides, minimaux. Je sens l'herbe, je vois vite, j'entends tous
les bruits, j'écoute les conversations à la volée.

— Alors Fteym, je dois t'appeler comment pour les
deux ans qui viennent ?

— Djlod, mon ami !

— Woua ! Belle promotion ! Tu vois que tu as réussi
tes tests ! Tu avais peur. Tu as devant toi un nouvel
homme…

— … tout le service a eu des bons résultats. Même le
chef. Ce n'est pas faute de l'avoir saqué…

— Avoue, avoue, combien tu lui as mis ?

— Trois !

— Comme moi ! Tu sais que Hrfdg a été déclastré J-quelque chose. Je suis sûr que c'est le chef...

— Ce n'est qu'une rumeur, je te l'accorde, mais un ami qui fricote un peu dans le milieu me dit que ça risque d'être sérieux : le Bosquet va frapper ce soir.

— Avec tous ces policiers qui circulent ? Tu plaisantes !? Qu'est-ce que tu veux qu'ils fassent ? Mettre le feu au lac ? C'est la fête ce soir, ils n'iront pas jusqu'à...

— Piste 27, d'accord ? Tu n'ingères pas avant moi, promis ? J'arrive, je vais chercher une anti-fatigue, je me sens crevée.

— ... ils se sont dégonflés ! Depuis le *Wanted*, plus rien, ffioouu ! Ils se terrent comme des marmottes !

— Des quoi ?

— Des sortes de gros chats courts sur pattes, qui se planquent... T'es bien de l'espace, toi...

— Ils ne se sont pas dégonflés !

— ... 1 800 sabotages, tu te rends compte ! Ils le disaient hier sur *Chaîne-Choc*. Alors cinq semaines de retard, je trouve qu'ils s'en tirent bien. De toutes les manières, le problème, ce n'est pas le système, c'est la Volte — enfin le Bosquet...

— Il n'est même pas là le problème, Axgfy. Le mal est plus profond. Les voltés, ce sont de pauvres garçons, de pauvres filles que leurs parents ont amenés sur Cerclon quand ils avaient douze, treize ans. Ils ont connu la Terre, les grands espaces...

— Les guerres...

— Les guerres, ils n'en ont pas souffert pour la plupart. On les a parachutés ici sur un cercle de quinze kilomètres de rayon en leur disant : « Bienvenue au paradis ! » Ils ont connu les arbres en bois, des vrais lacs, l'air pur, le vrai, ce que c'est qu'un horizon et les voilà au milieu des turbines et des tours de verre avec vue sur la plus belle décharge du cosmos ! Qu'est-ce que tu ferais à leur place ? Tu ne tournerais pas en rond comme un quark dans un cyclotron ?

— Je viens de la Terre aussi. Et je suis heureux ici ! Moi, je crois que le fond du problème est qu'ils sont pourris gâtés ! Voilà. Ils ont tout ce qu'ils veulent, tous les jeux possibles et imaginables ; les filles peuvent rester belles jusqu'à soixante-cinq ans. Ils vivent dans le luxe, mais puisque ce luxe leur est offert sur un plateau, ils ne savent pas en jouir et exigent autre chose, encore plus... Quoi ? Ils ne le savent pas eux-mêmes. « Un bonheur non mérité est l'autre nom du malheur », disait ma grand-mère.

— ... ne prends pas ce biogiciel *Narcisse*, je t'en prie, chéri.

— J'ai été déclastré à cause de ces terroristes ! Alors ce soir, je m'éclate comme je veux ! Avec *Narcisse*, je vais me sentir comme un dieu, ça me redonnera confiance en moi...

— Et après, hein ? Tu vas pleurer ! Il y a des contre-coups, tu le sais !

— ... la 27 est réservée aux capsulateurs *Sexe*. Tu t'es fixé du *Sensual*, qui pulse moins fort. Tu seras refoulée à l'entrée.

— Pour le *Sensual*, c'est quelle piste alors ?

— La 71.

À mesure que nous avançons, nous découvrons les dispositifs mis en place sur le lac. Le spectacle qui s'offre à nous touche aux sommets de la munificence technologique. Comme si consigne avait été donnée à chaque équipe d'ingénieurs et d'artistes de pousser leur art jusqu'à ses dernières limites sans se soucier le moins du monde d'un effet d'ensemble. Le résultat est un flamboiement de couleurs et de sons, qui déchaînent leurs orages rythmiques au-dessus de pistes aux structures sobres qui affleurent si peu et si élégamment de la surface du lac qu'elles semblent la timide émergence d'une Atlantide.

> Cette fête, si l'on s'en tient aux tenues, ressemble ni plus ni moins à un enterrement un peu chic. Que la mode soit au noir, passe... que les vieilles peaux liftées en abusent, soit... mais que des filles de mon âge croient s'être parées pour une fête en surmontant leur mini-jupe noire d'un chemisier blanc dont elles ouvrent deux boutons... Où sont les fauves, les jaune d'or, les mauve vif que les magazines annonçaient ? Dans une société où nous nous targuons d'avoir obtenu la première véritable égalité avec les hommes de l'histoire, le défilé des mêmes lèvres au rouge identique, des mêmes silhouettes amaigries à l'intragym, chairs sans tonus liposucées, des mêmes chignons d'où-l'on-laisse-joliment-glisser-quelques-mèches, des mêmes blondeurs factices et des mêmes brunes teintées au noir, laisse rêveuse. La femme s'est libérée ? Une heure peut-être dans l'histoire : l'heure qu'il lui a fallu pour s'habiller et se maquiller. La liberté consiste pour nous à séduire. Les hommes ? Nous-mêmes ? Pourquoi ? Ces filles, toutes celles que j'ai vues pour l'instant sur l'esplanade, ont à peine la volonté de plaire. Elles ne regardent pas les hommes qui les regardent ; elles ne les voient même pas ! La séduction qu'elles exhibent est une séduction vide, mécanique. Une séduction qui, sur les rétines des hommes, allume une étincelle, pas plus. N'espérez pas le feu derrière, aucune chance. C'est juste un réflexe d'érection qui ne viendra pas, parce qu'il ne répond du tac au tac qu'à un signal trop vu ou trop appris, qu'il aime qu'on active pour lui et auquel parfois il répond, comme on répond en mangeant à la cloche qui tinte « il est faim », même si l'on n'a pas faim, au fond... Plus je les regarde, plus ce curieux sentiment devient net. On dirait que ce qui compte n'est pas vraiment de séduire, ni de rester jeune ou de le paraître,

tant la lenteur lasse de leurs gestes montre déjà chez elles tout ce qui a vieilli. Non, ce qui compte, c'est que la quête reste idéale. Que cette beauté abstraite pour la ressemblance de laquelle nous remodelons nos corps, à nous rajouter des seins et des cils, à nous tordre les chairs pour en sortir la graisse, que cette beauté n'existe au fond... pas ! Ce qui compte ? La discipline féroce qu'on s'impose et la jouissance secrète qu'on y puise. Jouissance de subir l'attraction des *top* de synthèse, de mesurer chaque jour tout ce qui nous en sépare, et nos yeux, et nos nez, et nos fesses, et de chaque jour sentir l'écart se réduire, l'horizon s'approcher... Qui n'a rêvé pour sa vie d'un but simple et clair qu'on lui épargne l'angoisse de chercher ? La beauté... Et avec ce but sont suggérés les moyens pour l'atteindre : les régimes, les crèmes, les attitudes et les accessoires... sur un fleuve de conseils et de magazines tout exprès. Et surtout : la chirurgie plastique, premier business de Cerclon... Je ne sais pas si nous sommes l'égal des hommes et si ça veut dire quelque chose. Ce que je sens, c'est la trivialité du rocher qu'on roule.

> L'utilisation qui a été faite des strates laser est un éblouissement. Le lac entier a été recouvert d'une nappe de lumière d'un bleu profond. Pas un reflet ne vient tacher la surface soyeuse de l'eau où sont nattés si soigneusement les faisceaux. Par contre, des éclats tranchent, à la façon de motifs sur un tissu : ce sont les pistes de danse déjà bondées. Les pistes ! La plupart sont de vastes plates-formes carrées posées à même l'eau, sans rebord ni rambarde, juste bordées de plots où les capsulateurs voguant sur leurs barges viennent s'arrimer pour danser quelques titres, draguer puis repartir au gré des flots. Les danseurs aussi se jettent, se poussent à l'eau pour nager parmi les flux musicaux. Ils battent des pieds et des bras, improvisent des pas de danse horizontaux et la tête plongée dans l'eau entendent encore ces pulsations qui naissent par leurs nerfs mêmes, que

rien ne peut faire cesser et qui les secouent, secouent, secouent… Les exclus de la capsule se reportent, dans l'eau, aux baffles flottants et aux sonoblocs qui, accouplés, composent des dancings mouvants. Le magnétoportage est, par-dessus tout, le grand miracle technologique de cette fête. Les nageurs semblent voler sur l'eau. La brasse papillon élève des albatros. Les corps immergés s'enfoncent ce qu'il faut pour sentir le plaisir de l'eau tout en s'épargnant la fatigue de la gravité. De piste à piste, par la vertu des magnétoponts, les gens marchent un mètre au-dessus de la surface du lac, en riant — ne pouvant voir le pont, seulement le sentir sous leurs pas.

> Capt se trompe sur les technogreffes. Il y lit la suite logique de notre avachissement, une démission de nos corps face aux performances de la technique. Leur succès ne vient pas de là. Il n'y a qu'à regarder ces gens qui sortent des rotondes. Ils ne méprisent pas leur corps : ils sont fiers de le tyranniser, ils en exigent plus. Rien d'étonnant à ce que les femmes soient de grandes capsulatrices. Elles ont l'expérience de cette tyrannie et du plaisir qu'elle procure. Toute la fatigue économisée par le confort et la santé laisse en nous un surplus d'énergie qui ne sait plus où se défouler. Alors elle reflue sur elle-même, cette énergie. Elle s'attaque à sa source, au corps lui-même pour l'amaigrir, pour le tonifier, le teindre ou le peindre, bref le *modeler*. Le précurseur de la technogreffe, ce n'était pas le tapis roulant, c'est le lifting. C'est d'abord pour optimiser la beauté des femmes qu'on a accepté le recours aux artifices de la science, les prothèses et les faux seins… Aujourd'hui, on ne fait qu'appliquer à la vitalité ce qu'on a fait pour la beauté. Beauté et vitalité ne sont plus des heureux dons de la nature, ce sont des horizons à atteindre. Et qui, en tant qu'horizons, ne cesseront de reculer à mesure que nous avancerons, jamais atteints, donc justifiant tout. Il faut voir ces greffés danser : ils jouissent d'obéir aux impulsions, de s'y plier. Mais ils jouissent aussi de se les être imposées. Ce sont des couples sado-maso à eux tout seuls — comme les hommes qui font un régime.

> Les organisateurs ont cherché un équilibre entre les pistes pour tous et les pistes à thème où ne pénètrent que les capsulateurs et les greffés hantés du même biogiciel. *Narcisse*, *Sexe* et *Sensual* sont les plus ingérés. Le second débouche invariablement sur de solides partouzes et la piste 27, qui les abrite, est close par des tentures opaques. *Euphorie*, *Énergie*, *Dance*, *Cool*, *Romance* ont vu leurs impulsions nerveuses affinées et sont aussi très pratiqués. Mais la nouveauté de cette fête est sans discussion le biogiciel *Attraction* de Défordre et sa variante couple. La capsule est vendue très cher, mais elle le mérite. Non seulement, elle « lit » les ondes des autres capsules et vous met automatiquement en phase avec la belle brune convoitée, mais elle les modifie (modestement encore) vers une sensation de plaisir que ressent immédiatement la fille, d'où le nom… et une drague facilitée. La variante couple n'engendre ce plaisir que chez votre femme, et votre femme ne le déclenche qu'en vous, toute intervention extérieure restant sans effet : l'intérêt ?

> Devant nous fendait la foule un couple d'étudiants, le mec posé, la fille plutôt speed, qui nous permettait, en les collant, de tracer plus vite vers notre objectif. Leur discussion était un régal. Elle faisait beaucoup sourire Capt… Il faut avouer qu'au moment où l'ambiance de la fête commençait à me faire douter de notre action tellement noire, subite, dure, cette conversation tombait on ne pouvait mieux pour nous réconforter… Capt me lançait des regards complices chaque fois que la fille revenait à la charge, dans une sorte de pure exaltation d'évangéliste procapsule…

— … Mais prends-en une, n'importe laquelle, essaie une fois au moins ! Je me suis ruinée pour toi et…

— Ça ne me dit rien…

— Ça ne te dit rien de pouvoir t'éclater toute la nuit, sans fatigue ? De te sentir bien dans ton corps ? De prendre ton pied, voguer avec ta barge, placide, avec en toi, bien au chaud, toutes les musiques qui font la fiesta ? Regarde-toi : t'es tout maussade. Allez, tiens ! Avale-moi ça et qu'on n'en parle plus ! Allez, gobe ! (…) Mais t'es complètement coincé, mon pauvre garçon ! Tu crois que je vais me traîner toute la soirée un technoréac comme toi ? Qu'est-ce que tu as ? T'es incompatible ? T'as peur ?

— On peut bien s'amuser sans, non ? C'est le principe qui me rebute. Mon état me suffit, pourquoi j'aurais encore besoin de…

— Incroyable d'être bouché à ce point ! Ce truc *maximise* tes plaisirs et il *minimise* tes problèmes, tu comprends ? Pourquoi tu crois que je me suis fait greffer ? Pour allumer dans les soirées et payer les biogices moins cher ? Si c'est le principe qui te déplaît, dis-toi bien que les technogreffes, c'est l'avenir. Avec ce qui pulse dans ma colonne, je sens plus vite, pense plus vite. Mes neurotransmetteurs font la comète. Tu te rappelles comment j'étais lente en maths, avant ? Je finissais à peine la moitié d'un problème. Maintenant je le finis, et en entier, et juste ! Tous mes réflexes sont accélérés. Tu vois, quand je te parle, tu me crois si tu veux, mais pour moi les mots, je vais plus vite qu'eux, ma pensée, elle file, va plus vite. Ça fait un siècle que les ordinateurs nous ont dépassés, que les alliages sont plus fiables que nos os. Maintenant, on vient de trouver des fibres élastiques qui sont plus souples que nos muscles, qui se contractent plus vite et mieux, qui ne produisent pas d'acide lactique et qui sont virtuellement inusables ! Il faut accepter le progrès ! Si la technologie offre de meilleures performances que nos corps — qui, entre parenthèses, sont vieux de quatre millions d'années, ils ont fait leur temps —, pourquoi ne pas en tirer les conséquences ? Au nom de quoi tu vas empêcher l'Homme d'évoluer ? Il faut remplacer tous nos organes archaïques et foireux. Les muscles, c'est dépassé : tu cours un kilomètre, tu attrapes des crampes ! Alors ? Il faut les sortir, faire de la place pour les fibres.

— Je…

— Regarde à un autre niveau : l'art n'avance plus depuis le milieu du vingtième siècle. La philosophie, tous nos profs nous le disent, n'a pas créé un concept nouveau depuis Sartre, c'est-à-dire depuis 1930.

— 1980. Il est mort en 1980.

— On tourne en rond. Il faut passer un cap ! Avec les intratechnologies — mais tu le comprendras tout de suite si tu prends cette capsule — naissent en toi de nouvelles sensations, des impressions que tu n'as jamais eues, de nouvelles idées jaillissent, tu raisonnes différemment. C'est tout ton corps qui en est grandi, fortifié. L'art en profitera.

— Mais est-ce que tu maîtrises ce qui se passe en toi ? Tu te sens encore libre ? Je ne sais pas… Est-ce que…

— C'est difficile à expliquer. Il faut que tu essaies. Comment te dire ? Tous les biogiciels fonctionnent, en mode normal, de manière alternative. Tu ressens à la fois les perceptions dont tu as l'habitude, dans ton corps d'origine : tu vois, tu entends, tu touches le monde extérieur ; et à la fois celles que t'impulse, par l'intérieur, le boîtier. Les deux alternent très vite. Elles se mélangent sans que tu sentes ce qui vient de quoi, si bien que tu gardes tes repères normaux mais améliorés, modifiés dans un sens qui dépend du biogiciel. Par contre, et ça c'est le top, lorsque tu passes — disons trois minutes parce qu'après, ça devient dangereux — en mode absolu, tu ne perçois plus que les sensations du biogice. Tu saisis ? Le monde extérieur, il disparaît ! D'abord, tu ne vois plus rien, tu ne sens plus ce que tu touches, tu n'entends rien, tu…

— C'est horrible !

— Horrible ? Pauvre garçon ! Mais tu *es* la musique, tu n'as plus besoin de l'entendre ! Il n'y a plus cette coupure intérieur/extérieur, plus de durée, plus d'espace, mais des sensations pures, le pur bonheur de vivre, sans limite qui te borne, sans repère qui te plombe ! Le présent est devenu liquide et il te boit. Les images ne sont plus ces figures imposées qui passent par ta rétine pour alimenter le cerveau : ton cerveau voit tout seul, par les nerfs. Il n'a plus besoin des yeux. Tu pourrais te les crever. Tu vois, tu vois…

— Qu'est-ce que tu vois ?

— Tu vois ton œil… de derrière, derrière lui. Tu vois un réseau inextricable de fils, de fils, tu es à l'intérieur de toi, dedans, tu te vois, comment tu es fait, toutes les synapses, les fils, comme un écheveau, et l'œil aussi, tu viens derrière, il est comme une boule, ça grésille, les fils, il y a des images qui passent, elles clignotent, elles ne se maintiennent pas, fusent, fusent, très curieux comme elles viennent, crépitent, c'est très beau.

— Tu es consciente ?

— Tu n'es consciente de rien, tu vis ! Tu vis tout. Intégral. De bout en bout. Sans délai. Sans recul. À toute vitesse. Rien ne t'échappe. Tout toi. Tout. En un seul bloc. Tu t'éprouves. Toute. Une liberté liquide. Et tu te bois, t'engloutis — jusqu'au bout. Comme si tu buvais le sang de ton corps en boucle.

— C'est fantastique !

Au pied de l'escalier, Capt me demanda de passer devant. Sa main était brûlante de tension, deux quinquagénaires bien mis nous talonnaient.

— … l'expert affirmait aussi qu'en coupant cette partie du cervelet qui ne sert pas à grand-chose, ils pourront gagner l'espace qui leur manque pour placer le servopilote.

— Je crois qu'on n'imagine pas tout ce que ce programme de recherche va nous apporter. Personnellement, j'ai versé le triple de la taxe citoyenne pour ce programme et je ne le regrette pas. Lorsqu'ils auront achevé la recension de tous les organes défectueux dont nous sommes pourris, pourris jusqu'à l'os, c'est le cas de le dire, et que les greffes idoines seront au point...

— Toutes reliées au servo ! Alors l'homme d'aujourd'hui nous apparaîtra comme un brave singe ! Ni plus ni moins. Un stade antérieur de l'évolution. Tu sais, Wlec, ce qui me rend heureux ? C'est de me dire que l'espèce humaine n'est plus menacée d'extinction. La Terre peut bien exploser maintenant et ses déchets s'éparpiller aux quatre coins du système solaire : nos petits-enfants pourront s'adapter à n'importe quelle planète. Leur physiologie sera reformatée à chaque nouvel environnement. L'atmosphère, la température, la gravité... tout ça ne leur fera pas peur : ils se grefferont les processeurs et la charpente qui convient, et basta ! Nos turbines d'oxygène les feront mourir de rire !

— On a de la chance de vivre cette aventure fabuleuse !

Blusq a branché le générateur. Il y a comme un frétillement dans l'épaisseur de l'eau. Placés à la cassure même de la cascade, assis sur un rocher, Boule et moi venons d'achever notre déclencheur baiser... Je jette un long regard cinquante mètres plus bas. Sur le lac frénétique étincellent les pistes glacées, les corps nus et les barges frissonnantes au balancement cyborgiaque qui flottent parmi les baffles noirs, entre les pistes et les sonoblocs, près des nageurs au crawlé vertébral, hantés et nervurés d'un identique *beat*, tous sous fluence électrique à travers les kilomètres càrrés de la surface. La masse d'eau ionisée, phosphorescente dans le clair-obscur, est sortie par rouleaux de la résurgence artificielle. Elle serpente parmi les rochers, sur la centaine de mètres qui sépare la turbine de la chute, et d'un seul élan, bascule dans le vide. Je suspends ma respiration. La substance laiteuse plonge à la verticale, s'effilochant si peu sous l'accélération qu'elle fend l'air comme une nappe de méthane. Elle plane quelques secondes encore sans que je respire, puis vient s'écraser sur le lac — de l'exacte façon que nous avait prédite Blusq : sans s'enfoncer, sans même bouillonner… Au moment où elle touche le lac, un crépitement qui me paraît formidable fait tourner les têtes sur le rivage. La masse s'affale sur le champ de forces à la manière d'un torrent déversé tel quel sur une dalle de marbre et presque immédiatement, elle se met à fuser vers le centre du lac à une vitesse époustouflante…

Ce fut comme un murmure luminescent qui partit de la cascade et à chaque barge traversée, à chaque baffle, chaque bloc, ce ne fut pas le bref scintillement bleu des ions électrisés qui me frappa, mais le silence, le silence qui gagnait inexorablement le lac. Le silence des corps sous la crucifixion électrique.

La musique, pourtant, n'a pas cessé, pas cessé le beat, mais plus personne ne semble pouvoir l'entendre. Je mets franchement mes mains dans les poches : ça marche ! Annexées au rythme, les rampes de lumière scintillent par éclairs et j'entraperçois par bribes des barges qui se renversent et des corps blancs convulsés qui n'arrivent plus à coordonner leurs membres et qui frétillent tels des poissons jetés sur une table, sans que je puisse deviner s'ils sont réellement en danger ou simplement paniqués, ou si… Je commence à avoir peur. Boule est livide. Elle scrute l'eau, comme moi. Une musique extatiquement électronique monte toujours des pistes. Plus personne ne danse. Les moins courageux ont rejoint la berge, la majorité. Ceux qui restent sur les pistes n'ont assurément ingéré ni capsule ni greffe. Ils hissent des nageurs hors du lac, plongent, en ramènent quelques-uns sur la berge. Ils me semblent invraisemblablement peu, eux et les sauveteurs, face à ce lac strié de corps.

La musique qui nous parvient touche maintenant à des crescendos électroniques proches du grésillement d'une ligne haute tension — Boule en grince des dents. L'impression se noue en moi qu'à rayer ainsi la surface du lac de stridences au-delà de l'audible, les synthétiseurs improvisent, pour les technogreffes, une sorte de requiem. Ou alors pour... les hommes ?

— Calte Brihx, calte ! Ça marche ! Ça marche !

> Le tas de brique décolle de son trou comme un ours qu'aurait un fusil de chasse au cul. Il speede à quatre pattes entre la buissaille, dépasse la planque d'Obffs, speede, speede... et se redresse juste au moment de taquiner la pelouse. Personne alentour. Ça roule. Il est calme, il est bon, les plantons de l'anneau l'ont pas vu. Voilà Blusq, l'électromagicien. Vas-y mon garçon, tu mérites ta pogne dans la mienne, pour la vie. Vas-y, putain, vas-y ! Dépote, gars ! Gaffe à pas accrocher la buissaille. Il descend bien. Obffs est dans les starting-blocks. Faut pas qu'il calte tout de suite, lui, faut qu'il attende ! Blusq le dépasse. À gauche, hein, tu passes devant Kamio, tu prends le chemin, doucement, comme si tu venais de pisser. Rebraguette-toi, voilà... Impec. Il faut que j'y aille illico. D'abord couper le jus. Sortir les câbles de la flotte. Les rouler. Pas de bruit. Les planquer avec le générateur. Refoutre le jus pour le flueur. Fermer la trappe. Mettre la terre dessus. Caler le buisson dans la terre. Effacer les pas. Blouiller. On voit que dal : c'est nickel. Je descends jusqu'à la planque de Brihx. Kamio est toujours en place. Ma radio couine trois courts : je suis le dernier. Long quatre fois : il faut que je calme. Je calme. Donc.

> Si nous arrivons tous à l'esplanade sans encombre, c'est gagné. Je prends la main de Boule. Elle est aussi moite et raidie que la mienne. Il faut maintenant redescendre, « en amoureux », l'escalier de pierre, jusqu'au lac. Ça se joue là pour nous. Deux vigiles montent à notre rencontre, costume noir.

— Bonsoir, messieurs-dames. Vous n'avez vu personne de louche là-haut ?

— Quelques drogués, c'est tout. Qu'est-ce qui se passe en bas ?

— Personne qui courait ? Qui vous a paru nerveux ?

— Non. Des drogués, oui. Ils sont…

— Merci.

Ils nous bousculent presque en passant, tant ils sont pressés. Nous continuons à descendre. Nous virons au dernier lacet lorsqu'un groupe de six gardiens de parc, costume vert, emprunte l'escalier.

— Puis-je vous identifier, s'il vous plaît ?

— Qu'est-ce qui se passe dans le lac ? Il y a des problèmes ?

— De gros problèmes. B-D-C-H-T : tu vérifies, Fklep ? Le système magnétique est en train de se détraquer.

— Elle est étudiante. Père I-W-W-F, un 4-lettré ; mère A-A-J-L-O.

— C'est bon.

— L'autre c'est Captp : C-A-P-T-P.

— Vous êtes professeur d'université, c'est ça ?

— C'est cela.

— Vous venez d'être promu 4-lettré, à ce que me dit ma banque.

— Et je vais fêter ça !

— Vous avez bien raison ! Allez-y !

Nous décrispant très difficilement, nous longeons vite les rives jusqu'à hauteur de la piste 44, où nous devons retrouver les autres. Il reste plusieurs milliers de technoloques dans l'eau, surtout dans les zones sans piste, au milieu du lac. Certains ne parviennent pas à rejoindre la berge. Ils souffrent visiblement, d'une façon qui les rend incapables d'articuler le moindre son. Ils souffrent en continu, ça se sent. J'essaye de ne pas les regarder, sans être assez lâche pour me détourner de ce que j'ai si longtemps voulu… et maintenant *fait*. La première fois que je vois si crûment l'effet d'une action que j'ai lancée. Ces nageurs, s'ils savaient, trouveraient dans leur haine une énergie pour se traîner jusqu'au rivage et me lyncher. Ils me lyncheraient. Immédiatement. Ça se lit. J'ai presque envie d'aller jusqu'au bout, de le leur crier, de les affronter… Une foule assez épaisse se tient debout sur le bord, à les regarder. Ça blague, ça rit beaucoup — sans doute l'euphorie due à l'oxygène pulsé en grande quantité. Mais ça ne plonge pas. À un endroit, une femme est prise entre trois courants, comme dans un tourbillon. Elle n'a pas la force de sortir du triangle que ces courants lui font parcourir. Ou *plus* la force. Elle s'est mise sur le dos ; l'eau la magnétoporte. Elle semble totalement tétanisée par les spasmes qui la secouent, en proie à une souffrance si terrible qu'elle cherche à mourir, au moins à perdre connaissance, mais Blusq a été catégorique : il n'y aura pas de noyade parce que le courant électrique empêche le corps de s'évanouir — trop intense. Par quatre fois, on l'a vue se retourner sur le ventre et tenter de plonger sous la couche d'eau magnétoportée, dans le dessein de se noyer. Mais elle n'est parvenue qu'à s'enfoncer la tête jusqu'à la poitrine quelques instants : le champ magnétique la ramène toujours à la surface.

> C'est plus fort que moi. Je ne suis pas comme Capt, impossible de rester de marbre. Une pulsion de pitié, d'amour. Quelque chose qui a crié en moi. Je me jette à l'eau toute habillée. Je crawle jusqu'à elle. Au moment où je l'empoigne pour l'arracher aux courants, une décharge dans le bras m'ébranle sévèrement. Son corps est pareil à un morceau de bois et je la ramène sur la berge avec l'impression évidente de tirer un cadavre. Aussitôt hissée pourtant, elle fait quelques pas dans l'herbe puis s'effondre dans les pommes. Un médecin

accourt. Il n'arrive pas à la réveiller. Il la gifle comme un fou. Il tâte son pouls.

— Elle est dans le coma.

Capt me tire par la main du cercle qui s'est formé :

— J'aurais dû y aller. Tu as fait ce qu'il fallait faire. Mais j'ai voulu tout ça. Trop facile de se laver la conscience maintenant.

— Trop facile de se la péter pur au nom d'une cohérence !

> Dix minutes que Kamion m'envoie des quatre-longs. Ça sent mauvais. J'ai vu Baaer sortir du bois et passer devant lui, blouson fermé jusqu'au poitrail. Ça y est, trois noirs-costards viennent de sortir du bois. Ils filent droit sur Kamion.

— Bonsoir, monsieur.

— Bonsoir.

— Vous n'avez vu personne monter ou descendre de cette pente, derrière vous ?

— Du talus ? Si, beaucoup de…

— Nous parlons de cette pente-ci…

— Ah ! Oui, ça oui ! C'est une pissotière municipale !

— Vous êtes assis là depuis combien de temps ?

— Je suis arrivé à huit heures.

— Montrez-nous votre main. Vous n'êtes pas indexé ?

— Avec ma peinture, c'est difficile de garder les ongles propres. Mais bien sûr, j'ai ma Carte. Tenez…

— Merci. Vous êtes un peintre référencé, effective-ment. Bien. Excusez-nous de vous avoir importuné. Passez une agréable soirée !

— Vous de même.

> Ils partent explorer la pente. J'envoie à Slift des courts en continu : alerte maximale. Il est dans le trou de Brihx, le plus sûr des trois, qui est creusé sous le rocher, derrière un gros buisson. Il va refermer sa trappe. Peu de chance qu'ils le débusquent. Mais qu'il ne prenne pas de risque surtout ! Pas de bravade !

> Obffs se tient accoudé, blouson ouvert jusqu'aux abdominaux, sur le ponton en bois qui mène à la piste 44, la plus gigantesque de la fête, peut-être dix mille personnes, une véritable marée de danseurs. Brihx se tient blouson à mi-ventre, un peu plus loin. Blusq est à dix mètres de moi. Il discute avec un ingénieur de ce qui se passe sur le lac ! Il l'écoute et parle technique avec une aisance incroyable ! Il lui demande ce qu'ils comptent faire pour neutraliser l'ionisation. Si cet ingénieur savait que dans quatre minutes maintenant, la seconde vague, que Blusq a préprogrammée, va arriver sur le lac ! La vague du panache. Notre signature : un petit message qui va passer dans l'eau — dans tous les nerfs de ceux, et ils sont encore un bon millier, qui sont toujours à griller.

> Je suis assez sidérée par la réaction des gens. Pompiers, sauveteurs et médecins s'agitent comme s'ils étaient capsulés au stress optimum. Ils se hurlent dessus, courent que c'en est paniquant, les civières pullulent littéralement sur les rives du lac et eux regardent ça avec une indifférence surnaturelle ! Ils s'en contrefoutent ! Il est vrai que tous ceux qui avaient des amis dans l'eau ont été les sortir et que ces victimes-là en ont été quittes pour s'allonger dix minutes sur l'herbe, récupérer et repartir s'amuser. Les hommes et les femmes qui restent tétanisés dans le lac sont seuls. Ils ne connaissent personne. Ou plutôt : personne ne les connaît. Ou leurs amis sont à l'autre bout du lac. Ou ils viennent d'être plaqués. Ils flottent sur le dos. Ils ont des spasmes terribles. Ils sont seuls. Des crampes les plient et les déplient, sec, sec, comme des ressorts. Ils sont tellement chargés d'électricité qu'on ne peut plus les toucher sans combinaison, à présent. J'ai pu en sortir huit de l'eau. Capt trois. Les autres sont arrivés trop tard. Brihx et Obffs ne regardent pas l'eau, seulement des coups d'œil. Je ne sais s'ils sont fiers, s'ils ont peur, s'ils exultent : ils sont impénétrables. Quant aux gens, ils ont définitivement pris le parti de penser que l'entraide est l'affaire des autres. Qu'il y a

des gens qu'on paie pour ça. Avec nos taxes. Alors qu'ils sauvent ceux qui n'ont d'autres amis que les sauveteurs ! Et qu'ils nous laissent faire la fête ! Tout Cerclon est là, apathique et béat, trônant sur son petit plaisir comme sur un chiotte bouché. Tireront-ils la leçon que la Volte a voulu leur donner ? Pas si sûr. Ceux qui restent sur le lac, oui. À jamais. Les autres ont peut-être déjà oublié. Quant à ceux qui n'étaient pas dans le lac, comment croire qu'ils se sentent concernés ? Ils font la fête !

> Ils viennent de trouver la cache d'Obffs. Ils en ont retiré la trappe. Ils continuent à monter en fouillant les taillis. Ils ont dépassé Slift depuis cent mètres déjà. Je regarde vers son rocher. Le buisson a bougé ! Mon dieu, le fou ! Il sort. Qu'est-ce qu'il ?… Il a… un chat dans les bras ! C'est Grabuge, le chat noir de Brihx. Alors… alors Brihx l'avait amené avec lui ?!! Slift sinue en crabe vers la falaise, côté anneau. Le moyen le plus rapide de sortir du champ de vision des flics — mais comment va-t-il désescalader avec le chat ? Il est incroyablement véloce et silencieux… Ça y est, il a disparu…

> Sa race de triple pute de Brihx ! J'ai cru que son chat allait clamser dans le trou et moi avec ! Il a dû tellement caquer qu'il l'a laissé en caltant. Pas un pet d'air là-dedans, de l'ammoniac qui refoule tout cru de la terre. Un coup à se faire cueillir. On n'y est pas restés assez longtemps quand on a testé. Je leur avais dit, bordel ! Cramponne-toi, le fauve, miaoute pas, cale tes griffes dans le parnox, on va perdre de l'altitude… Faut prier Satourne que les plantons de l'anneau visent le lac, sinon va falloir les embabouiner sévère. Je suis sur le gazon. Maintenant doucement, je prends le chat dans les bras, je le caresse, je remonte le talus jusqu'à l'anneau… Sik-sik, un vert-costard sur le rail ! Il me mate… Je file droit sur lui, pas le choix. Mon glisseur est rangé pile où il est ! Soigne ta langue, le Snake.

— Dites donc, il est mal en point votre chat.

— Je l'avais lâché sur le talus pour qu'il se balade un peu : il a été se perdre dans les broussailles. Ça fait une heure que je le cherche. Il n'y a pas de turbine là-bas dedans. Il a failli y rester ! Il est fragile le gragra…

— Comment il s'appelle ?

— Grabuge.

— Il porte bien son nom, celui-là ! Je vous ai vu descendre de la paroi. Vous êtes gonflé, et drôlement adroit !

— L'entraînement ! Vous pouvez me le prendre pendant que je déverrouille mon glisseur ?

— Bien sûr. Vous avez vu ce qui se passe sur le lac ? Tous leurs machins sophistiqués se détraquent !

— Ça ne m'étonne pas. Ils veulent toujours faire compliqué, et à la fin…

— Tenez, votre chat. Allez-y doucement, il m'a l'air encore sonné.

— Comptez sur moi !

Je démarre tout doux pour sortir de son champ de vision, puis j'accélère à donf ! Le chat s'ébouriffe, griffe, il est tout joaille, comme moi. Wooouuuaaaooouuuu !

> Nous avons tous les yeux rivés sur la cascade. Je regarde ma montre : logiquement, c'est parti. Nous attendons. J'observe les silhouettes qui flottent, raides toujours — tétaniques. Subitement, Boule me glisse à l'oreille : « Ça y est. » Effectivement, il se passe quelque chose d'assez inattendu : on a l'impression que les corps se sont d'un coup relâchés, qu'ils ont retrouvé leur souplesse. Certains se sont remis soudainement à nager. D'autres semblent tellement calmes qu'ils, oui… ils se sont évanouis ! Près de nous, les membres étendus dans l'eau, une dizaine d'hommes et de femmes ont manifestement repris leurs esprits. Pour eux a cessé la torture, cependant ils restent, comme s'ils entendaient quelque chose… Alors, c'est que ça fonctionne ! Oui, notre voix

se fait jour en eux, passent parmi l'eau, passe en eux, passe et repasse... Ils font des efforts extraordinaires pour écouter, ils écoutent, oui, c'en est presque religieux. Car ce doit être dans leurs nerfs à peine un murmure, à peine un chuchotement électrique qui bruisse...

Plus un mouvement ne les agite. Ils sont comme recueillis à écouter cette onde qui les traverse et ils ont compris, ils ont saisi tout de suite que ce n'était pas une musique, mais bien une voix, une voix dans l'eau qui leur parle, à leurs nerfs parle. C'est un moment rare, suspendu. Leurs lèvres se sont mises à remuer sans qu'ils s'en rendent compte, tout doucement. Ils répètent, ils se répètent le rythme secret qui les hante, cette scansion intestine de mots que ne peuvent leurs oreilles atteindre, seulement leur corps, leur corps seulement la déchiffrer, vibration par vibration, sentir les accents, la hauteur du timbré, sentir ce qui s'articule là, au creux. Ils font vers les mots le drôle de chemin des sourds vers cette musique qu'ils n'entendront jamais que par ce qu'elle ébranle et tremble en eux. Ils se lisent... Peut-être un quart d'heure s'est écoulé. Nous désespérons qu'ils parviennent à comprendre lorsqu'un cri part du milieu du lac et ricoche tel un caillou, de nageur en nageur, jusqu'à nous : le Bosquet... le Bosquet... c'est le Bosquet ! « Qu'est-ce qu'ils disent ? » leur hurlent les gens sur le rivage. Ils haussent les épaules. Au même moment, le DJ de la piste 44 coupe net sa musique et il prend le micro. Sa voix claque sur le lac. Tout le monde se pend à ses lèvres :

— Mesdames et messieurs, chers amis, chers danseurs ! Il se passe un événement extraordinaire qui mérite votre écoute. Nos amis ingénieurs sont en ce moment même confrontés à un surchamp unique qui couvre la totalité du lac. Ce surchamp, selon ces experts, n'est pas une musique. Mais une voix qui passe dans le corps des nageurs — mais sans que ceux-ci puissent nous dire ce qu'elle clame. Un seul mot leur parvient distinctement. Et ce mot, c'est : *Bosquet !*

Un frémissement de houle balaie la piste.

— Vous voyez ce câble que je tiens dans ma main ? Vous le voyez ?

— Ooouuuiiiiiiii !

— Bien. Il est relié aux amplis. Vous voulez entendre ce que nous dit le Bosquet ?

— Ooouuuiiiiiiii !

Une musique magistralement cadencée fait alors monter la pression émotive à son paroxysme. Le DJ a passé le câble à un ingénieur, lequel attend son signal pour le plonger dans l'eau. Il baisse à présent la sono tout en maintenant en arrière-fond la fantastique cadence. Puis il fait signe à l'ingénieur. Chuchoté :

« ... Un peu de nerf, un peu de nerf, technocurés et technocons, vous nagez dans le futur... Ici P qui vous parle... Détendez-vous. Nous contrôlons vos ondes. Nous vous donnons le plaisir qu'il vous faut, vous que nous aimons, gens bien comme il faut... Détendez-vous... laissez entrer en vous les ondes bêta... Bon, capsule, bon... bonne greffe... bonne... bonne pour gouverner... Relâchez-vous... Confiez-vous à nous... Nous savons vos besoins... Pour ceux qui croyaient que la Volte, c'est le Bosquet, voilà notre réponse : le Bosquet, c'est 110 Voltes — eh oui, c'est énervant... Nous ne savions comment vous toucher... vous dire simplement que l'ivresse, depuis toujours, vient en décapsulant... que vous ne savez pas ce que peut votre corps. Voilà un acompte de ce qui vous attend, si vous donnez votre corps à la science... de votre vivant... Un peu de nerf, un peu de nerf, technocurés et technocons, vous nagez dans le futur... »

— Vous avez compris ?

— Ooouuuiiiiiiii !

— Allez vous faire décapsuler ! Le Bosquet contrôle les ondes du lac, vous entendez ? Je répète : le Bosquet contrôle le lac ! Décapsulez !

Un mouvement aussi massif que peut l'être celui d'une foule qu'on panique précipite une marée de danseurs sur le ponton. Les gens se bousculent pour retourner aux rotondes. Nous nous plaçons sur le côté, au débouché de la foule. Je ne veux pas rater une miette des réactions à chaud. Je suis surexcité. Les verdicts pleuvent :

— Je te foutrais ça au Cube, moi, sans jugement, dans le tunnel ! On verrait s'ils donneraient leur petite leçon à 80 °C dans un bain d'acide…

— … rien compris…

— Ils ont des appuis très haut, impossible sinon de…

— Jamais je n'aurais cru qu'ils oseraient ! Jamais ! On peut dire ce qu'on veut d'eux, ils ont des tripes. Faire ça à la fête du Clastre avec un avis d'un million sur la peau, ce n'est plus de la provocation, plus du courage, c'est de la folie furieuse !

— Mon corps, j'en fais ce que je veux, non mais ! Ils se prennent pour qui ?

— Avec eux, c'est toujours le même schéma : ils frappent et après, ils t'enrobent ça de discours incompréhensibles pour faire passer leurs…

— … des technoréacs qui veulent nous interdire de nous amuser…

— La classe, la grande classe !

— On ne sera jamais tranquille nulle part. Il faudrait changer de galaxie, et encore. C'est l'homme qui est mauvais, dans son fond. Partout où il ira…

— Ils sont géniaux ! Tu as vu ce qu'ils viennent de faire ! La gueule de P… Si A ne le démissionne pas demain, je ne prends plus de capsule pendant un mois !

— Ils sont inarrêtables ! In-ar-rê-ta-bles ! Ils frappent où ils veulent, quand ils veulent ! Vive la Volte ! Vive le Bosquet !

— Taisez-vous, petits voyous !

— Jeunes irresponsables !

— Ta gueule, face d'écran ! Je vais te faire gober une capsule et te balancer à l'eau !

— Dépêche-toi, il va y avoir une queue monstre !

— Ils le font en trois secondes. Ils la démagnétisent et hop !

— J'arrête les capsules de toute façon. Je veux pas finir ma vie avec une névrite. Je vais redanser avec mes muscles.

— N'importe qui peut nous manipuler si je saisis bien ce que tu dis ?

— Écoute, c'est ce qu'ils viennent de prouver ce soir, non ? Défordre peut nous faire pire demain, dans ses magasins. Diffuser des ondes pour consommer !

— Mais comment ils ont pu remplacer les impulsions de mon boîtier ? C'est ça que je ne comprends pas !

— … voulu nous mettre en garde, maman !

— Mais regarde ! Regarde tous ces cadavres dans l'eau ! Ça me rappelle la plage, la bombe chimique, les corps qui flottaient…

— Ils sont juste évanouis…

— Évanouis pour toujours, oui ! (…) assassinats ! Et toi aussi, qui les soutiens ! Rentre à la maison, tu me fais honte ! Dire que nous avons fait ce long voyage pour que tu vives heureux ici et toi, tu nous…

— … pousse à réfléchir sur…

— … la propagande. Tu ne vas pas me dire que tu crois sérieusement à leurs salades ! Demain, ils défendront les technogreffes si ça les arrange. Ils veulent la ré-vo-lu-tion ! Le pouvoir pour eux ! Le reste n'est qu'un écran de fumée qu'ils balancent pour se donner une respectabilité. Ils sont forts, je te l'accorde…

— Ils ont une morale, je suis désolé. Ils défendent des idées. Leur message est explicite.

— Explicite ? Ce qui est explicite, c'est les cadavres ! Regarde !

> 540 comas, 1 496 blessés légers, 2 753 hospitalisa-
tions. Et dix-sept morts, quatre de plus qu'il y a deux
ans. Quatre morts que le gouvernement s'était empressé
de nous attribuer — absurde à tout point de vue. Une
facture sociale chiffrée à 70 millions d'unités. « Le
Bosquet met le feu au lac », « Technoterreur au Parc
bleu », « La Volte se survolte », « Les intellectrocu-
teurs », « L'humour à 110 Voltes », « Vous ne savez pas
ce que peut la Volte », « La guerre des nerfs »... Ce fut
une véritable délectation. Pour rien au monde je n'aurais
raté, le soir, l'annonce de la démission de P. Lorsqu'il
apparut sur le parvis du cube, s'avançant tête baissée
dans la forêt de journalistes qui l'attendaient, je ne pus
m'empêcher d'exulter à haute voix. Son visage était si
fermé, ses mâchoires si serrées derrière son rictus qu'il
semblait y broyer son orgueil comme un chien broie son
os, de peur qu'en ouvrant les dents, il ne s'échappe. Je
me mis à rire... puis ma gorge se noua : j'avais oublié le
micro. Complètement oublié. Je m'en voulus mais il était
trop tard. Bravo Capt ! Je m'assombris d'autant que se
présentait à l'antenne le nouveau P. Un homme étroit
à la face pointue, auquel un journaliste demandait s'il
était prêt à mettre en œuvre tous les moyens pour stopper la Volte. « Tous », se contenta-t-il de répondre, avec
une voix sifflante qui se glissait comme une lame dans
vos oreilles. « Tous — et au-delà. » « Vous sous-entendez
que vous comptez utiliser des moyens qui dépassent les
possibilités légales ? » « J'ai dit tous », siffla-t-il encore et
son S stridula jusqu'au frisson. « La prime du Bosquet est
portée à 5 millions d'unités — soit 1 million par membre
dénoncé. Pour commencer. »

L'effet de la politique du nouveau P fut pour nous
immédiat. Le lendemain, deux enquêteurs débarquèrent
à l'improviste dans mon appartement. Boule était là.
L'interrogatoire fut aussi cordial que serré. L'un d'eux

devait être claustrologue et l'autre traqueur. Sans préciser ce qui les avait amenés chez moi, ils nous firent retra-
cer, détail après détail, notre fête du Clastre. Ils savaient
déjà manifestement tout ce qu'ils nous demandaient. Ils
guettaient nos mensonges. Ils vérifiaient. Ils croisaient. Je
leur racontai la stricte vérité, comprenant que la moindre falsification pouvait m'être fatale. Ils passèrent à
autre chose : pourquoi je ne payais pas les taxes citoyennes ? Pourquoi mon enclastrement ? Pourquoi avais-je
fait mettre une baie-miroir ? Ils me firent résumer mes
cours sur le Clastre. En discutèrent les thèses, aimable-
ment. Citèrent certains de mes pamphlets parus dans le
magazine universitaire. Enfin, ils me demandèrent ce
que je pensais de la Volte ; si, parmi mes étudiants, je
n'avais pas repéré quelques activistes ; si j'avais songé
à y entrer ; si l'on me l'avait proposé ; si je connaissais
un dénommé Blusq. Non, leur dis-je. Ils se levèrent peu
après. Ils avaient enregistré tout l'entretien.

— Merci de votre collaboration. Excusez-nous d'avoir
pris un peu de votre temps. Nous ne vous importune-
rons plus.

— J'espère avoir pu vous être utile. Je me tiens évidemment à votre entière disposition.

J'allais refermer la porte sur eux quand le claustrologue la retint :

— Vous aimez les devinettes, monsieur Captp ?

— Oui…

— Pourquoi le mot Bosquet a-t-il sept lettres alors
qu'ils sont cinq et que ce mot est composé de leurs
initiales ?

— …

— Vous ne trouvez pas ? Moi non plus. Personne ne
trouve. Au revoir, monsieur Captp.

— Monsieur Kamio, vous avez été contrôlé, d'après
le Terminor, à 22:14 par trois policiers. Vous leur avez

déclaré vous trouver où vous étiez depuis 20:00 environ. Est-ce exact ?

— Oui.

— Bien. Avez-vous, durant les deux heures où vous êtes resté assis à cette place, remarqué quelque chose d'anormal ou simplement d'étrange ? Nous parlons de la pente qui se trouvait derrière vous.

— Comme vous le dites, j'avais la pente derrière moi. Il m'était difficile… La seule chose qui m'ait frappé, c'est un homme qui est redescendu en courant. Il est passé devant moi très essoufflé et s'est dirigé vers l'esplanade.

— Comment était-il ?

— Blond, grand. Il portait un costume gris. Ce qui m'a surpris, c'est qu'il a tout à fait changé d'allure une fois sur le chemin. Il s'est mis à marcher très posément, d'une manière assez guindée.

— Nous avons amené notre matériel, monsieur Kamio. Pouvons-nous utiliser une des prises de votre atelier ?

— Bien entendu.

— Nous allons vous passer en accéléré l'extrait vidéo issu de la caméra qui filmait le chemin dont vous parlez. Je pense que vous pourrez y reconnaître votre homme.

> Une goutte de sueur froide venait de tomber de mon aisselle sur mes côtes. J'en avais presque sursauté. Je venais d'improviser un profil type. S'il n'existait pas, je m'enfonçais… La bande défila. Il y avait bien des blonds, même des grands blonds, mais aucun vêtu d'un costume…

— Ah, c'est lui !

— Il n'est pas blond.

— Non, il est châtain clair, mais c'est lui ! Je reconnais sa démarche !

— Vous en êtes certain ? Bien. Dans ce cas, nous vous remercions. Votre aide nous sera sans doute précieuse.

Ils rangèrent lentement leur matériel et ils me tendirent la main.

— Ai-je une chance de gagner la prime ?

— Celle concernant les indices fructueux, pro-
bablement.

— Ce serait merveilleux !

— Vous en serez avisé à l'échéance de l'enquête.
Merci encore, monsieur Kamio.

> Slift avait, lui, franchement débloqué. Après avoir
échappé de justesse à la traque, sauvé le chat puis trompé
le garde du parc, il n'avait rien trouvé de plus subtil, pour
fêter sa fin de soirée, que de s'abîmer avec son escouade
dans une de ces beuveries où vomir, loin d'y mettre un
terme, relançait la cuite de plus belle, et ils avaient passé
leur nuit de l'autre côté du lac à remettre les capsulateurs épuisés à l'eau, parfois à grands coups de semelle.
Visionnant les bandes de la fête, les flics n'avaient pas
manqué de tomber sur eux. Slift, de par son réseau, avait
été prévenu à temps et s'était réfugié chez Brihx (qui
avec Obffs échappait jusqu'ici aux visites cordiales…)
où il gardait durant la journée sa fille, lui apprenant,
au grand désespoir de la femme de Brihx, tout ce que
l'argot de la rade comportait d'insultes et de jurons. De
sa précieuse escouade, celle des actions à risque, quatre
hommes sur neuf (les quatre encartés évidemment)
furent retrouvés par la police. Comme il était prévisible,
ils furent transbordés sur Cerclon III, au Camp d'Éducation Civique, pour un an.

J'avais connu trois personnes qui avaient « séjourné »
dans ce camp. Trois terriens vivaces et venimeux qui
n'avaient jamais supporté cette ville et dont la contribution sociale consistait à fracasser à la barre de fer tout ce
qui comportait une vitre dans le mobilier urbain, c'est-à-
dire presque tout. Ça, c'était avant leur départ… J'avais
organisé la fête pour leur retour et je me souviendrai
toute ma vie leur avoir mis une barre de fer à chacun dans
la main, pour les accueillir et… Et ce choc de voir leur

main qui pendait, leur poignet mou qui n'arrivait pas à la tenir, la barre. « Comment c'était, qu'est-ce qu'on vous a fait ? Racontez ! » Ils ne racontèrent pas. Ils ne parlèrent que d'écrans et de jeux. Ils jouaient toute la journée là-bas. Toujours le casque sur la tête et la combinaison. Ils jouaient. Quels jeux ? Ils ne se rappelaient pas. Il leur semblait qu'il y en avait des milliers, mais qu'ils choisissaient toujours les mêmes. Des jeux faits pour eux. Où ils rencontraient même leurs amis. « Amour, beaucoup d'amour, gentillesse », ils ressassaient ces mots, « bonté » aussi, « les gens sont bons », ils le disaient aussi souvent que Slift dit « putain » dans une phrase. Ils ne tenaient plus leur corps, c'était ça le plus frappant. Ils étaient devenus efféminés. Mais ils paraissaient heureux, heureux comme peuvent l'être ces gens qui n'ont d'émotions fortes ni dans la joie ni dans la tristesse. Alors je leur demandai s'ils aimeraient y retourner, au centre, puisqu'ils semblaient s'y être plus. Un frisson d'effroi les fit tituber tous les trois. Ils chancelèrent véritablement. Puis quelque chose en eux d'ancien, presque effacé, refit surface. Un instant, je les reconnus. Ils répondirent : « Jamais, Captp, jamais. Je me suiciderai avant, s'ils m'y renvoient. » Ils se suicidèrent tous trois, à quelques mois d'intervalle, sans que l'autorité eût agité la moindre menace. Chez l'un d'eux, on retrouva ces mots, gravés sur un miroir : « Je suis derrière la vitre. Je n'arrive pas à me traverser. »

L'escouade décimée et les recherches s'intensifiant, l'attaque de la tour télé qui, après analyse, ne pouvait avoir la moindre chance de réussite sans une équipe de dix hommes, nous obligeait à intégrer deux nouveaux venus. Deux hommes capables de grimper 80 mètres à la verticale sur une corde, avec un bloqueur. À la première des deux réunions préparatoires — parce qu'il n'y en aurait que deux, plus aurait été suicidaire — la passerelle de la cuve 13 fut le théâtre d'affrontements d'une virulence à peine contenue. Kamio refusait de participer à l'action : « une folie ! » martelait-il devant Slift qui manqua de le jeter par-dessus la rambarde dans un accès de rage. Brihx hésitait. Il proposait Etwas pour l'escouade, une connaissance dont les journées se déroulaient à cinq cents mètres de haut, à mettre en place les repousseurs magnétiques sur le Cube. Un authentique athlète. Il avait toujours rêvé d'entrer dans la Volte, mais Brihx, jusqu'à ce jour, ne lui avait pas fait confiance. Pour la tour, il paraissait idéal. Il fut pourtant accepté de justesse, Obffs hurlant qu'il travaillait pour le gouvernement. Je proposai Kohtp ensuite. Slift n'en voulait absolument pas :

— Kohtp, le sportif des discothèques qui drague Boule à ta barbe ? Cette mauve que j'ai décollée de la passerelle d'un coup de latte, direct cuve, aux tests, pour lui apprendre à pas jouer le nervi quand on débarque ? Un gars qui se rase ! Pas bon ça : ce sont les flics qui se rasent. Qui te dit qu'il n'est pas flic ?

— S'il l'était, nous serions tous au camp à l'heure qu'il est.

— J'en veux pas. J'en ai pas voulu pour le lac. C'est pas sur la tour télé que je vais le prendre. L'escouade physique, c'est moi qui décide !

— C'est nous tous, Slift.

— Toi, Kamion, tu ne veux même pas y aller. Alors boucle !

— Je n'irai pas mais j'organise. Même si sur le terrain, je ne servirai à rien.

— Je ne dis pas qu'il est pas musclé, même de la tronche. Je le sens pas, c'est tout. Quand il cause, j'ai l'impression qu'il crache par cœur le manifeste de la Volte ! Il faudrait le filer, voir ce qu'il a sous la peau. Pas le lâcher.

— Tu parles comme un traqueur… Un homme, tu le prends ou tu ne le prends pas. Tu as confiance ou tu n'as pas confiance. La confiance se donne, elle ne se vérifie pas. Comme en amour.

— Eh bien moi, je vais le filer. J'ai confiance en Baaer, j'ai confiance en Bmléo, en Onurb, en vous. Pas en lui. S'il est clair, on l'embarque avec nous.

On l'embarqua. Slift le fila une dizaine de jours. Du matin au soir, il le suivit partout, bricola une écoute, fouilla même chez lui, allant jusqu'à lire son journal intime. Un vrai traqueur. Presque convaincu, il confia néanmoins sa surveillance à trois radieux jusqu'à la nuit de l'assaut. Il fit de même pour Etwas.

La seconde réunion contrasta avec la première par sa sobriété. Kamio la dirigea de bout en bout avec un sérieux et une rigueur qui forçaient le respect. Ayant refusé de participer à l'assaut, il n'en avait que plus méticuleusement travaillé sur l'enchaînement millimétrique des actions. Muni du plan qu'Etwas (lequel nettoyait régulièrement la tour de télévision pour son travail) lui avait procuré, il avait dessiné de part en part toute l'opération en une quarantaine de croquis d'une telle beauté, d'une si délicate minutie que l'éminente noblesse qui en signait chaque trait semblait s'y étaler toute, toute s'y concentrer, au point qu'en découvrant tous ses dessins, se fit jour pour moi cette secrète évidence d'un cœur que l'amour de la vie empêchait de la risquer, qu'avait strié le sentiment coupable de nous abandonner et qui, par la puissance de sa pensée et la magnificence tranquille de son art, avait voulu nous offrir, par-delà la compensation qu'il croyait nous devoir, par-delà le souci même d'un rendu efficace, quelque chose comme la Fougue ; la Fougue d'une Volte qui jaillissait de chaque ligne, qui des cordes faisait des flèches tirées vers la nue, des ascenseurs des fusées de cristal et de Slift un naja aux yeux fulgurants se dressant à cent mètres de haut, accroché à une main devant la vitre de la salle de contrôle ; la Fougue dont il avait trop bien compris, habité par sa peur, qu'elle seule pouvait effacer suffisamment la nôtre

pour que l'action, sous l'emprise magique de ses dessins, nous parût, non plus l'assaut miné d'angoisse d'une
forteresse inviolable, mais une aventure fantastique au
bout de laquelle se trouverait propulsée ni plus ni moins
que la Volution. Sur la feuille d'action qu'il nous remit à
chacun était minutée chaque phase. Avec pour chacune,
les lignes de fuite possibles et la réaction à adopter prioritairement en cas de problème.

— Je répète pour que ce soit bien clair : Kohtp, Etwas,
Brihx et Torrj, emmenés par Slift, vous accédez à la salle
de contrôle par l'extérieur. Slift escaladera en premier,
fixera la barre magnétique et les quatre cordes. Les
autres se hisseront jusqu'en haut. Six minutes maximum.
Une fois sous le cône, vous serez en surplomb total sur
sept mètres. Il faudra passer le surplomb et vous mettre
en position sous la bande vitrée de la salle. Vous avez un
mètre cinquante entre la bande et le vide. Vous aurez
donc les tibias dans le gaz. La pente du cône est à 75°.
Vous ne tiendrez pas à la force des bras. Il faudra donc
placer votre bloc magnétique à vingt centimètres sous
la fenêtre, mousquetonner et vous reposer sur le baudrier. Tout ça avec délicatesse ! Un bloc sur une paroi
métallique, ça s'entend ! Slift se hissera, comme je lui ai
expliqué, jusqu'à la vitre. Il donnera le signal. Le reste,
vous le savez. Obffs, Onurb, Bmléo et Baaer, conduits
par Capt, vous entrez au bas de la tour avec le passe
que Blusq a dupliqué. Vous neutralisez au paralyseur les
deux secrétaires de l'accueil et le garde. Vous appelez
les trois ascenseurs. Après vous vous séparez : Capt à la
salle de contrôle ; Obffs et Onurb au tout dernier étage
pour l'antenne ; Baaer et Bmléo chacun dans un escalier, au 27e étage, pour bloquer les vigiles. D'accord ? La
nuit de l'assaut vous sera communiquée le jour même,
à 23 heures. Tenez-vous prêts. L'heure de l'assaut sera
donnée par Capt, au dernier moment. Ainsi que le point
de rendez-vous. Bonne chance ! Vous le ferez !

Slift me prit à part au sortir de la réunion et me glissa une enveloppe dans la poche : « Tu liras ça chez toi. »

C'était la photocopie d'une page du journal intime de Kohtp. J'eus envie de la jeter sans la lire mais le nom de Boule m'accrocha les yeux. Il parlait d'elle d'une façon très émouvante. Il en était manifestement amoureux. Finalement, ça me rassurait. S'il avait eu la moindre petite tentation d'empocher 5 millions, il ne le ferait pas. Pour Boule de Chat. Lui l'appelait « Chat » dans son journal. Chat. Tout simplement.

La semaine que je vécus avant l'assaut me fut salement éprouvante. Quelque chose avait changé en moi, un profond retournement. J'avais toujours vécu libre, peu ou prou, en dépit du contrôle et d'une paranoïa qui prenait de sérieuses proportions depuis ces quatre dernières semaines. Sans m'en rendre compte, je m'étais habitué à l'idée d'être arrêté. Je ne vivais plus comme un homme libre qui redoute d'être pris : je vivais comme un homme pris qui égrenait, à rebours, son sursis. Je n'en pouvais plus des micros et des caméras dans mon appartement. L'autodiscipline qu'ils m'imposaient m'épuisait nerveusement. Boule venait de moins en moins souvent, elle ne supportait plus. Et impossible d'aller coucher dans son dortoir d'étudiante. Je découvrais une cruauté du système que je n'avais pas soupçonnée : j'avais presque envie de me trahir. Exprès. Pour que s'achève cette petite terreur quotidienne. J'en étais aussi venu à douter de tout le monde, de Boule, de Slift, de Kamio même, à tous les suspecter. J'avais le sentiment que cette action serait la dernière. Que je n'étais pas le seul à le penser. Une telle pression s'exerçait sur la Volte, un tel acharnement policier sur le Bosquet que, quoi qu'il advienne, il nous était impossible de continuer plus longtemps notre entreprise de déstabilisation du pouvoir. Il fallait rafler la mise ou s'éteindre. D'où la tour télé. D'où qu'en dépit de l'aggravation de l'avis, personne n'avait vraiment hésité.

Avions-nous suffisamment *conscientisé* les gens ?
C'était ça l'interrogation cruciale autour de laquelle spiralait, sans repos, mon anxiété. Les gens étaient-ils prêts
à nous suivre et à descendre dans la rue maintenant ?
Combien nous soutenaient vraiment ? Un dixième de
la population peut-être. Les médias eux-mêmes avaient
changé de ton. Les visages de la Volte étaient de moins
en moins défigurés. Mais n'était-ce pas trop tôt tout
de même ? L'écran noir, je ne me faisais pas d'illusion,
était l'ultime cauchemar d'une bonne moitié du peuple.
D'ailleurs ni les lames ni les sabotages du Clastre ni les
piratages d'antennes, encore moins le lac n'avaient été
compris. Ou par si peu de gens. L'écran noir... Qui allait
comprendre ? Qui allait approuver ? Si nous réussissions,
il faudrait selon Blusq cinquante jours pour reconstruire
la tour et le système de diffusion. Quitte ou double, ces
cinquante jours. La Volution serait peut-être au bout...

Brihx m'inquiétait. Je n'avais pas compris l'histoire du
chat ; pourquoi il l'avait amené. Il n'avait pas été clair.
Derrière la photocopie que m'avait remise Slift, il avait
écrit : « Brihx, il est sûr ? »

Bravant toute prudence, quatre jours avant la date
que j'avais fixée dans ma tête pour l'assaut, je débarquai
à l'improviste chez Brihx. J'avais un besoin viscéral de
leur parler avant l'action — notamment du problème
des guetteurs. Leur joie de me voir fit chaud au cœur.
Une tension entre Slift et Brihx me frappa d'emblée toutefois. Brihx ne quittait pas son chat, un chat adorable,
remarquablement affectueux. Il le choyait comme une
mascotte. Il en était gaga et cela excédait Slift, en travers
la gorge duquel le coup du lac était resté. Par une allu-
sion stupide, je me mis à parler des cyborchats, ces chats
que le gouvernement récupérait pour leur greffer, dans
la boite crânienne, un système autonome de surveillance
vidéo. Une efficacité redoutable, selon la rumeur.

— Si ça se trouve, ton chat est un traqueur... Il a enregistré les noms de tous les guetteurs que j'ai cités... Derrière ses yeux jaunes qui nous regardent en clignant ronronne l'appareillage sordide du pouvoir... Notre condamnation à mort est inscrite dans ses tripes...

À ce moment-là, le chat, semblant comprendre ce que je disais, sauta sur la table et s'immobilisa secrètement. En face de Slift. Exactement en face. Il se mit à considérer le Snake avec une fixité obstinée. Le silence se fit. Slift avança sa tête vers la tête du chat, en étirant sa nuque selon une crispation souple qui s'apparentait au mouvement d'un serpent. L'animal en redressant imperceptiblement son port, plissa ses yeux et dans ce plissement fit étinceler une menace obscure et griffue. Le serpent s'avança encore. Il enfonça son regard comme une pointe par la fente de l'iris jusqu'au fin fond des yeux jaunes. Y vit-il quelque chose ? il le crut... Le chat s'ébouriffa de tension et décocha un coup de griffe. Alors Slift perdit tout contrôle. D'un geste plus vif que le coup de patte qui venait de lui lacérer le visage, il saisit l'animal au cou et l'enserra si férocement qu'un râle cassé lui déchira la trachée. Les vertèbres craquèrent. Le chat eut trois spasmes muets. Il retomba. Il était mort. Brihx et moi restions tétanisés. Il sortit alors son couteau et ouvrit le chat de part en part, à grands coups désordonnés, en hurlant : « C'est un cyborchat, je l'ai vu, j'vais lui arracher sa mécanique... Où elle est, ta putain de mécanique ?... Où elle est, ordure ?... Où on te l'a planquée ?... » Et dans sa démence, il tailladait le chat de partout, il le fouillait dans les tripes, il sortait les tripes chaudes, la table en était couverte, il avait les mains ruisselantes de boyaux et de sang, il plongeait, il plongeait les mains dedans, il cherchait un morceau de fer, quelque chose de dur, le chat s'éparpillait devant nous... Enfin il lâcha le cadavre... Il le regarda encore, encore... Il tremblait de la tête au pied... ses yeux tourbillonnant dans un gouffre… et il dit : « Ce chat… ce chat… c'est un vrai chat. » Et il s'effondra sur le sol comme foudroyé par une balle paralysante. Ce fut la seule fois de ma vie que je vis Slift pleurer.

Mis au courant de l'accident, Kohtp acheta un chat à Slift, pour qu'il l'offre à Brihx. Il était noir aussi, avec des yeux d'or et Brihx s'en consola. Du moins, nous le crûmes.

Quatre jours plus tard, je lançai l'assaut.

XII

Slift©

— Et si tu reviens jamais, papa ?
— Alors tu prendras mon corps et tu iras l'enterrer dans le Dehors…

[Brihx] Elle éclata en sanglots. Ma femme la prit dans ses bras. Je lui confiai le chat et elle l'enveloppa si fort avec ses petites mains… comme si c'était la seule chose qui devait rester de moi dans le futur. J'enfilai mon gilet pare-balles, mis mon pull noir par-dessus et laçai rigoureusement mes basks. Je les embrassai tous les trois et le chat ronronna. J'en eus bon augure. Ma fille releva la tête avec les yeux les plus méchants qu'elle put et miaula : « Si tu reviens pas, t'es qu'une mauve ! » « Ne répète pas les vilains mots que t'a appris monsieur Slift », corrigea ma femme. Mais j'étais déjà parti. J'étais déjà dans la tour. Sur le glisseur, l'air me parut plus froid que d'habitude. Il avait plu. L'asphalte avait une odeur de poussière mouillée.

[Kamio] L'appartement dominait la place de quarante bons mètres. Dès que j'entrouvris les persiennes, quelque chose qui n'apparaissait sur aucun de mes croquis me frappa immédiatement : cette place était une cible, et la tour une flèche encore vibrante, à la pointe enfoncée

sous le sol, qu'on supputait par quelque dieu habile du cosmos décochée. Le bassin circulaire entourant la tour et le petit pont jeté par-dessus pour accéder à la porte centrale renforçaient cette image médiévale. Autour de ce premier cercle, disposées en hexagone, six turbines pulsaient leur oxygène vers le ciel. Entre les turbines s'échappaient six allées, longues de cinquante mètres, qui découpaient la place en autant de parts d'un gâteau vert dont le trottoir formait la croûte noire. Puis la rue faisant le tour de la place, exempte à cette heure de glisseurs. Enfin le cercle des bâtiments fermant l'arène, sur les vitres desquels des faisceaux d'un or vif, partant des turbines, projetaient les chiffres d'un cadran d'horloge. Un trait de laser rouge marquait l'heure. Il était deux graduations avant l'énorme III jaune, à présent. Notre appartement se trouvait à l'aplomb du chiffre XII.

Debout derrière le store vénitien, Boule, qui n'avait pu se résoudre à ne pas être sur les lieux, balayait à la jumelle la hauteur de la tour, la place et les soixante guetteurs de la Volte cachés sur les toits, derrière les turbines et le long des avenues débouchant sur la place. En leur rappelant les codes, une heure auparavant, j'avais réalisé que je les connaissais tous, qu'ils avaient toujours été là, avec nous, depuis le début, depuis Zorlk, depuis toujours. Qu'ils étaient tous une part de moi-même, un fragment de ma Volte. Que je l'étais autant pour eux, que chacun l'était pour tous, un fragment de Volte pour les autres, un lambeau arraché de soi et rendu au Dehors, offert, que les autres happaient au vol et qui, aboutés, rapiécés à nos gestes, faisaient nos tenues de combat, nos *multiformes*, cousues à même la peau, armure nue pour hommes sans autres armes que celles construites de leurs propres mains. Car la vente d'armes n'avait jamais été autorisée sur les Cerclons — monopole de la police. Alors ces armes, nous n'avions pu que les créer. Et à les voir ce soir, toit après toit, j'avais ressenti combien elles étaient, pour nous, plus que les moyens du combat : elles étaient déjà le combat, sa fragilité, son incertaine grandeur. Arcs et arbalètes à visée laser, avec flèches narcotiques cohabitaient avec les propulseurs de tout et de n'importe quoi : propulseurs d'air et d'eau, de sable et de graviers, de limaille, de bouts de verre, d'ordures… qu'ils branchaient directement sur le tuyau d'éjection des turbines à ox. Quelques pièces uniques aussi : le boomerang d'Austral Le Sec, fameux dans toute la Volte, en était le chef-d'œuvre. Lancé au-dessus d'une certaine vitesse, son boo s'enveloppait d'une strate laser d'une intensité telle qu'il transperçait de part en part tout ce qui se trouvait sur sa trajectoire étincelante — métal comme chair. Sa vitesse chutant, il s'éteignait, de sorte qu'Austral pouvait le récupérer sans se trancher la main. Serkl avait transposé le principe au Frisbee. Il en avait cinq disques : des années de travail.

Je branchai mon localisateur et suivis des yeux les points lumineux qui progressaient sur ma carte 3D. Grâce à ce petit appareil et aux émetteurs que portait chaque membre du commando, je pourrais connaître leur position à chaque instant de l'assaut. Slift, Obffs, Kohtp, Baaer… Avec Boule, nous les suivions anxieusement, progressant des avenues vers la tour… Capt…

[Capt] Avenue du Président A 2070

« Plus un geste, vous êtes cerné ! », j'ai sursauté : juste une clameur, à mon passage… Mais bon sang, la frayeur ! La Tour est au bout, à cinq cents mètres : « Un vaisseau spatial posé en équilibre sur une colonne d'acier. Colonne : 83 m. Vaisseau : 21 m de diamètre pour une hauteur totale de 28 m, soit huit étages. Hauteur du sommet du pylône à la salle de contrôle : 8 m dont 6,5 m en surplomb. Hauteur de la salle de contrôle à l'antenne : 20 m, pente à 75° », le croquis de Kamio, sa légende, tout est là, devant moi, au bout. Et le pylône est si noir, si fondu dans la nuit, le vaisseau si lumineux qu'il semble en vol stationnaire au-dessus de la ville, exactement comme dans le dessin. Je pense à eux, aux dessins, je les feuillette encore en moi alors que… comme s'ils pouvaient faire écran à ce qui est maintenant… alors qu'à mesure que j'avance dans l'avenue s'élève la Tour… comme s'ils pouvaient m'insuffler la Fougue… elle s'avance au-dessus de moi. Elle me tord le cou, à la regarder monter au-dessus… alors qu'il est encore temps… de tout arrêter… que tout soit comme avant, que la poussière mouillée reste la poussière mouillée de cette nuit, seule, sans un pas, sans… Mon sac à dos veut me tirer en arrière, et la Tour aussi reculer, disparaître, je peux encore rentrer… S'il n'y avait Obffs derrière, comme une ombre, sans bruit et Bmléo sur le trottoir d'en face qui marche, nous marchons, nous marchons tous, tous nous y allons, vers elle, personne ne recule, les explosifs dégorgent presque du sac et la carrure épaisse de Bmléo est penchée en avant, il ne regarde que la place, tout droit, il avance.

Il suffira que j'ouvre ma main, que je casse le poignet et la balle paralysante partira et s'enfoncera dans le ventre du vigile. Le tube devient chaud le long de mes tendons, sous la manche. Nous arrivons sur la place. Elle est déserte. Boule est là-haut, avec Kamio, sous le XII. Tous ces bâtons jaunes, j'en ai le tournis, je cherche le III, la marque rouge est dessus, dessus, il est trois heures, où sont Baaer, Onurb ? Ils sont là, déjà dans la cuvette, je ne les regarde pas, j'avance dans l'allée, ils se sont rangés derrière moi, Bmléo, Baaer, Obffs, Onurb, dans l'enfilade, derrière moi, Slift sort de la turbine, quatre cordes croisées cou à aisselle, ses blocs rivés au bout du pied, un dans chaque main, dans son dos les trois fusils, il attend que j'entre, je monte sur le pont, glisse le passe et contresigne d'un geste du doigt : la porte coulisse — l'escouade se précipite dedans avec moi…

[Kamio] Capt était entré, avec les quatre autres. Kohtp, Etwas, Brihx et Torrj avaient entrouvert le local technique de la turbine. Place toujours déserte. Kohtp s'approcha de Slift. Il semblait lui parler :

— Qu'est-ce que c'est que ces trois tubes ? C'était pas prévu !

— Justement. Retourne te planquer, tête de cul, tu vas te faire repérer !

Kohtp est reparti dans le local. Slift commence à escalader le pylône de la tour. Il est parti du pont, à droite de la porte, et monte en diagonale, pour s'éloigner de trois heures de la porte, comme prévu. Il magnétise le pied gauche, magnétise le pied droit à hauteur du genou gauche, puis jette la main gauche très haut, puis la main droite et démagnétise chaque appui au fur et à mesure, mais si vite et en dépit de toutes les lois de l'escalade qu'il ne tient le plus souvent que sur deux appuis, toujours en mouvement, à enchaîner, en déséquilibre, ne fixant rien, semblant glisser verticalement sans effort, malgré les cordes, la barre dans son dos, malgré le poids, la tension et le vide…

[Groupe Capt] — *Rez-de-chaussée de la tour*

— Bonjour, messieurs, que puis-je pour vous à une heure si tardive ?

J'ai à peine ouvert mon poignet qu'il titube comme une statue sans socle et s'effondre. Les deux hôtesses d'accueil — pavlovisme sécuritaire — se sont couchées d'elles-mêmes au sol, mains sur la tête. Bmléo les pique à l'anesthésiant pour économiser les balles. Elles en ont pour quatre heures, le vigile deux. Nous respirons de tension contenue. Nous appelons les trois ascenseurs.

[Kamio] Slift s'arrêta à quinze mètres du surplomb, sans raison apparente. La fatigue ? Il sortit de sa poche un tournevis électrique et, se mettant en grand écart, il dévissa sans les enlever les huit vis qui tenaient la pla-

que d'acier placée entre ses jambes ! La plaque ne bougea pas. Il détacha ensuite dans son dos trois tubes qu'il magnétisa sur la tôle branlante. Ce devait être des fusils. Mais pourquoi ? Et pourquoi les laisser précisément là s'il les avait emmenés, contre toute attente et consigne ? Il repart très vite vers le haut, touchant en quelques gestes, de sa tête, le début du surplomb : le vaisseau… Il fixe le bloc 20 cm après l'angle entre pylône et vaisseau. Comme je lui avais dit. Il mousquetonne sur le bloc. Lâche tout. Il est suspendu à son baudrier. Dessous, 83 mètres… Il détache la barre dans son dos. La prend à deux mains. La magnétise sous le vaisseau. Enclique les mousquetons dans les quatre anneaux. Enclique le nœud de la première corde dans le premier mousqueton. Enlève la corde de son épaule. Jette la corde. Très fort. Pour qu'elle atterrisse au-delà des sept mètres du bassin, sur les dalles.

La corde délova gracieusement dans l'air tous ses cercles pour ne tendre qu'une ligne unique, oscillante à grands S, sur laquelle Brihx, réputé le plus lent, se précipita, s'arrachant du sol par-dessus la douve pour venir se placer sur le mince rebord au pied du pylône où il fixa son bloqueur sur la corde et, s'aidant de la paroi, à la force des bras, commença à grimper.

À peine parti que la seconde corde siffle dans son dos. Torrj sort à son tour de la turbine, s'en saisit, survole le bassin. Il a dix mètres de retard sur Brihx. Il va les combler. Il s'aide du pylône lui aussi. La troisième corde tombe : Etwas. Immédiatement après, la quatrième : Kohtp. Tous deux montent à l'équerre. À la pure force des bras. Font des séries très rapides de cinq mètres. Puis se lâchent sur le bloqueur. Se reposent cinq secondes. Repartent. Ils refont leur retard sur Brihx, puis sur Torrj. Ils vont arriver en tête.

J'eus soudainement une peur terrible que la barre se démagnétise. Je la vis dans une hallucination se décrocher et eux quatre dévisser, chuter… leurs corps claquer sur l'eau. Quelques voitures étaient passées sur la place, roulant doucement, à la manière des policiers, étaient reparties, sans danger. Si sombre était le pylône, ils avalaient tous si bien leur corde, l'enroulant à leur taille à mesure qu'ils se hissaient, qu'il paraissait très improbable qu'ils pussent, du sol, être repérés. Hormis Brihx qui, soulevant ses quatre-vingt-dix kilos, progressait à l'arraché, les trois autres semblaient happés vers le ciel par quelque trou d'air ouvert dans les nuages de méthane tant ils s'élevaient effaçant tout effort, souplement, leur corde tirée bien droite, silhouettes noires d'absorption qu'aucun geste infécond n'éclaboussait.

[Capt] — Ascenseur en mouvement
À travers les portes vitrées, les vingt-sept étages ont défilé plus vite que les images d'un mauvais clip. L'ascenseur s'ouvre. Je reste plaqué sur le côté…
— Tu peux sortir, Captain, c'est vide.
Baaer et Bmléo ont leur arbalète sanglée sur l'avant-bras gauche. À la main droite un canon scié à balle paralysante, récupéré sur des flics. Ils ont bloqué leur ascenseur. J'ai bloqué le mien. Les deux ascenseurs vitrés, côte à côte, occupent la moitié de l'étage. Ils font face aux deux portes des escaliers de secours. Un petit hall au milieu. Parfaite symétrie. Nous poussons chacun notre porte rouge. L'escalier de béton est poudré de poussière de ciment. Obffs et Onurb commencent à monter sans bruit. Leurs chaussures laissent des marques sur les marches. Ils vont aller jusqu'au trente-cinquième et dernier étage où se trouve la trappe d'accès à l'antenne et le faisceau des câbles terminaux. Sur le sol, je trace le cercle de la Volte, machinalement. J'écoute. L'escalier vibre un peu. Un étage plus haut commence le vaisseau. Un étage plus haut, lorsque je vais pousser la porte, je me trouverai devant les mêmes ascenseurs

avec le même petit hall. Mais au lieu des parois cylindriques du pylône qui murent les côtés, je déboucherai sur le couloir circulaire qui longe les quatre salles de contrôle. Elles sont cloisonnées en quatre portions égales par quatre murs. Sur le plan, l'étage ressemble à la mire d'un viseur. Chaque salle est vitrée à partir d'un mètre, côté extérieur comme face couloir. Deux vigiles font la ronde. Quelques autres au hasard des étages. Etwas a dit trois.

Maximales sont les chances qu'un des deux vigiles du 28 s'interroge sur cette anomalie : les deux ascenseurs de la tour bloqués au 27 ! Pour se l'expliquer, il n'a pas le choix : descendre par l'un des deux escaliers... Maintenant qu'Obffs et Onurb sont passés, je retourne dans le hall du 27. Baaer va se placer au demi-étage entre le 26 et le 27. Seule son arbalète dépasse, pointée sur la porte. Si le vigile descend, schhlaa — s'il le rate, je suis dans le hall pour le neutraliser. Je couvre les deux portes. À 3 h 19 min 40 s précises, si personne n'est descendu, je monte me caler derrière la porte du 28, casque à gaz sur le front...

[Kamio] Les quatre cordes ont été lovées et accrochées sous la barre. Slift attaque le surplomb. La marque rouge a changé de bâtiment. Il est 3:12. Dans les temps. D'une des cordes, il a coupé une longueur, attaché un bout à l'anneau de la barre, l'autre à son baudrier. À chacune de ses avancées, elle se déroule un peu. Il est littéralement couché, dos face au vide, sous le vaisseau, plaque ses blocs un à un, en douceur, malgré la gravité qui l'appelle, devient si forte dès qu'il lâche un appui. Il est presque parvenu au bout du surplomb lorsque je lâche un cri d'effroi qui fait accourir Boule :

— Mon Dieu...

— Qu'est-ce qu'il y a ? Qu'est-ce qu'il y a ?

Il avait décroché des deux mains et était parti à la ren-

verse, tout son corps balançant dans le vide ! Suspendu
par ses pieds, les bras tendus comme pour plonger, bloc
au bout des mains, il… il se reposait ! Je le compris à la
façon dont il sourit aux quatre autres dont la face avait
pris une teinte de polystyrène. Il faisait affluer le sang
dans ses bras. Puis se relevant à la force des abdominaux,
il vint positionner ses mains au-delà du surplomb, sur la
paroi inclinée du vaisseau, lâcha ses pieds dans le vide et
ainsi appendu, le corps droit comme la tour, démagnétisa
sa main droite pour la plaquer un peu plus haut… Il était
près de tomber. Mais d'un coup de reins, il regroupa ses
pieds à hauteur du ventre et… Ça y est, il était passé.

[Obffs] — 35ᵉ étage — Sommet de la tour

L'étage est vide. Les baies vitrées ouvrent sur le treillis
de lumière de Cerclon. Au-dessus de nous, l'antenne
pointe vers le ciel. À sa base, au centre du hall, un cylindre gris protège la terminaison des câbles. Onurb attaque la découpe laser. Je le laisse faire, c'est son métier.
Je m'approche des vitres et je scrute la paroi… Je l'ai
vu. Il est sous la salle de contrôle, arrimé. Une silhouette
noire qui doit être Kohtp est à sa droite. Quelqu'un sort
du surplomb — c'est Torrj. Je me détourne — un instant
je me suis senti à leur place, la peur du vide, glisser — je
pousse la porte rouge. L'escalier A sonne creux. Le B
idem. Onurb a presque achevé sa découpe. Je commence
à sortir les charges explosives du sac.

— Elle passe pour la deuxième fois, Kamio…

— Tu en es certaine ?

— Certaine. C'est une voiture banalisée. Capt m'a
appris à les reconnaître.

— Merde. Va dans la cuisine.

— J'éclaire combien de fois ?

— Deux fois quatre secondes.

[", ;, ; ;:/./]

Qu'est-ce que fout le Groupe d'Intervention ? Il ne reste que Brihx à passer. Dans deux minutes, Slift fracasse la vitre. Je lui ai donné son casque. Il l'a enfilé. Le triangle de percussion brille sur son front. Moins pourtant que ses yeux. Ses yeux sont incroyables. J'ai l'impression qu'il pourrait enfoncer le triple vitrage avec ces yeux-là. Je respecte ce mec. Je l'admire. Il ne sait pas ce qui l'attend. Il est tout entier tendu vers cette tour. Il ne doute pas une seconde qu'elle va exploser, qu'il va s'enfuir, que leur « Volution » est au bout.

[Kamio] Je repris les jumelles. Ils avaient tous mis leur casque à gaz, même Brihx, avant même d'avoir passé le surplomb. Il était presque arrivé à son point d'ancrage, sous la bande vitrée, Kohtp lui tendait la main, lorsque… il dévissa subitement — son mousqueton racla les parois du vaisseau il dévissa sous le surplomb le long de la corde jusqu'à l'anneau de la barre qui le bloqua net, balançant, ventre et cuisse sciés par le choc, cœur décroché.

[Slift] — *Sous la vitre de la salle de contrôle*

Le « putain ! » bloque dans mes poumons. Au bruit, la barre a tenu. J'ai cru qu'il allait faire la pizza quinze fromages en bas. Faut qu'il remonte, le tas de brique, presto ! Je lève mon casque vers la fenêtre… Un gars est dans l'encadrure. Il m'a vu !

D'un coup de casque je fracasse la vitre le gars recule dans la pièce en beuglant je lance le fumigène une voix gueule « couchez-vous ! » et illico rafale de balles traçantes attaque la vitre à en bouffer du verre. Il s'approche le requin — j'balance la capsule de gaz.

[Capt] — *Escalier de secours de la salle de contrôle*

J'ai entendu la vitre voler en éclats, le gaz siffler. Masque mis, j'attends que le vigile vienne sauver ses poumons dans l'escalier pour le cueillir. Un bruit de porte lourde qu'on fait coulisser. Je n'entends plus le gaz qui siffle. Quelque chose bourdonne… Ça ressemble à la vibration d'un faisceau laser à balayage thermique.

[Groupe Slift] — *Salle de contrôle n° 2*
Techniciens liquides au sol. Un vige s'écroule à un pas. Il m'a collé une balle dans le casque. Je le déleste de son flingue. Un Optir ! Un putain d'Optir ! À visée indexée sur le regard. Il suffit de mater ta cible — la balle part direct dedans. Quarante ballepars au chargeur ! Pas normal qu'ils soient équipés d'Optir… J'aime pas ça… Torrj est à côté de moi. Kohtp et Etwas sont calés dans l'axe de la lourde. J'entends les blocs de Brihx tinter sur la paroi…
— Rentre, Brihx, aboule !
Il y a dans la salle un mauvais silence. La lourde a été fermée et doublée d'une coulissante coupe-feu. Le gaz calte un peu par la vitre éclatée. Mais global, il stagne. Il suffirait qu'un petit malin nous balance une allumette pour qu'on fasse la torche… Brihx a rappliqué tout près de moi. On se cause par signe, nos signes à nous, que les autres connaissent pas. Il a bien le filin de cent mètres. Il dit que Kohtp l'a lâché. Puis silence. Il reste trois saloperies de salles à gazer — et le couloir — et un vigile quelque part à planquer — et trois autres qui vont débarquer — et l'alarme va être donnée — et

[Capt] — *Escalier de secours*
Le vigile doit lire ma tache thermique derrière la porte. Visualiser Slift avec l'escouade, exactement où ils se trouvent, dans la salle 2. « Il faut que tu sortes, Captain. » Sors !
J'ouvris brusquement la porte au moment où le mur vitré de la salle 2 vola en éclats transpercé par un obus noir casqué — Slift the Snake — qui atterrit fusil au poing

dans le couloir tandis que sifflaient dans son sillage les
capsules de gaz et qu'il fonçait dans la galerie circulaire
générant un déluge de mitraille et de vitres explosées,
pris de folie, contre toute prudence, que bondissaient à
sa suite Etwas et Brihx traversant le hall pour couper la
fuite du vigile et la coupant ! net ! d'une volée de balles
paralysantes, Kohtp et Torrj s'engouffrant dans les salles
pour placer les charges et moi, moi surveillant l'escalier
de secours, vers le haut, car c'est par là que le reste des
vigiles allait descendre, qu'il fallait les bloquer, que…

[Kamio] La police a été prévenue. Prévenue avant
l'assaut, c'est l'évidence. Des barrages viennent d'être
posés à l'embouchure des six avenues. Quatre voitures
banalisées se sont garées sur le trottoir. Deux équipes
de quatre flics se sont disséminées sur la place. Les huit
autres sont placés derrière les deux turbines qui font
face au pont, à l'entrée de la Tour — tous huit armés
de casques Optir. En les scrutant, le petit chiffre argenté
qui les signe me fait sursauter : 7. L'escadre 7 ! Ils nous
ont envoyé l'escadre 7. « C'est foutu », me dis-je. Debout
derrière la turbine, d'une immobilité obsédante, ils n'ont
d'humain que le tronc. Au-dessus règnent le casque, le
regard derrière la visière noire, l'aileron rotatif qui en
suit chaque infime déplacement, d'où partira la balle. Le
casque est prolongé sur le cou par un lamé, comme une
coulure d'acier qui descendrait de l'épaisseur du casque
pour recouvrir le corps jusqu'au pied, y imprimant cette
efficacité rigide de cyborgs, dont chaque geste, si éco-
nome, si précis à mesure des rails et rotors qu'il invoque
pour se déplacer, paraît pourtant si lourd, même dans sa
vitesse — cette vitesse qui toute a été déléguée à l'aileron, minuscule, posé sur le globe du casque comme un
oiseau sur une statue de plomb. Arrimée au sol, l'escadre 7 a calé ses hommes-forteresses. Aucune de nos
balles, aucune de nos flèches ne pourra en entamer

l'épaisseur de lâcheté. Ni l'acide ni le feu. Ni le gaz. Ni les fumigènes ne brouilleront leur regard. J'avais prévu l'encerclement de la tour, bien sûr. Mais un encerclement à l'image de l'ancien P et de ses techniques : discret, avec des policiers équipés de gilets pare-balles et de fusils à visée laser. Pas l'escadre 7. Si vite et si près de la porte. Quelqu'un a trahi. Boule me regarde :

— Qu'est-ce qu'il y a ? Tu...

— Il faut les sortir de l'axe de la porte. Par n'importe quel moyen. Les empêcher de voir. S'ils voient, ils touchent.

— Il faut les ensevelir !

— Avec quoi ? Des ordures ? Ils sont trop loin. Les plus gros propulseurs n'arrosent pas à plus de cinquante mètres. Il faudrait propulser du sol, c'est impossible.

[Capt] — Couloir de la salle de contrôle

Baaer est remonté jusqu'à moi. Bmléo tient l'autre escalier. Kohtp et Etwas, suivant le plan, se sont postés au palier du 30 pour faire tenaille. Brihx refait le tour des quatre salles pour vérifier l'emplacement des charges. Slift le précède en fracassant les moniteurs vidéo à coups de crosse et les caméras de surveillance. Obffs et Onurb descendent jusqu'à nous. Ils n'ont rencontré personne. Où sont les trois autres vigiles qu'Etwas nous avait annoncés ? Au 29 se trouve le restaurant ; au 30, les unités de montage virtuel ; au 31, des salles de réunion ; du 32 au 34, la machinerie. Alors ?

Je n'ai pas le temps d'y réfléchir. Obffs me tire par le bras jusqu'à la salle 3, vide. Il marmonne dans son casque :

— Capt, ils sont en bas.

— Qui ?

— Les flics. Quatre voitures banalisées. Plus des fourgons qui viennent d'arriver.

— Ils sont placés où ?

— Je ne sais pas. Ils se répartissent. Vous ne les avez pas gazés tout de suite ?

— Si. Presque. Tu as le détonateur ?

— Je l'ai. Il faut riper d'ici, Capt. Plan 5.

— D'accord. Tu récupères Onurb, Bm et Baaer. Vous descendez l'escalier A jusqu'en bas. Vous attendez Kohtp. Il va me couvrir pour monter au 33. Je place toutes les charges qui restent. Kohtp vous rejoint. J'envoie « l'oiseau blanc » du 33. Les guetteurs ouvrent le feu. Vous sortez. Torrj et Etwas descendent en rappel par l'extérieur. Puis Slift et Brihx. C'est clair ?

— Limpide. Mais toi ?

— Au palier du 27, tu débloques mon ascenseur. Tu l'envoies au 35. Dès que j'aurai lâché le signal au 33, je fonce jusqu'en bas. Je sortirai à 3:30 pile. Vous me couvrez comme prévu au plan 5.

— D'accord.

Il prend ma tête casquée entre ses mains et me regarde profondément derrière ma visière. « Dès que tu sors, tout explose, Captain. L'éclipse totale ! »

[Kamio] Les trois brigades sorties des fourgons se sont réparties sur le pourtour de la cuvette. Tous les guetteurs attendent l'oiseau blanc pour tirer. Celui qui a trahi n'est pas du Bosquet. J'en ai maintenant la preuve : aucun flic n'a été dépêché sur les toits. Ils ne savent pas pour les guetteurs. Ils n'ont pas été « prévenus ». Ce second rideau a été décidé par Slift, Captp et Brihx quatre jours avant l'assaut. Obffs est dans le secret. Il sait aussi pour le filin et pour la trappe du bassin. Personne d'autre.

[Obffs] — Couloir salle de contrôle
Au moment où nous sortions de la salle 3 pour aller à l'escalier A, j'entendis un cliquetis provenant des cages d'ascenseur et je stoppai Capt du bras. Les cages vomi-

rent un torrent de verre sur les dalles du hall et en une fraction de seconde, les deux portes rouges et le mur face aux ascenseurs furent criblés d'impacts.

— Bloquez-les au 27, ils descendent par les câbles !

Les trois vigiles ne posèrent pas les pieds sur le plafond des ascenseurs bloqués au 27 : ils s'y effondrèrent. En brisant les vitres de l'ascenseur, ils avaient créé un appel d'air tel que le gaz s'était engouffré à grosses volutes dans la cage, les asphyxiant.

Capt monta au 33. Kohtp tint tout de même à le couvrir, au cas où… Onurb, Bmléo, Baaer et moi descendîmes jusqu'en bas. Lorsque je me précipitai dans le bureau de l'accueil pour y regarder les deux moniteurs, je m'attendais à les trouver noirs. Non ! Bien qu'elles nous permissent, de l'intérieur et porte centrale verrouillée, de voir le pont et une partie de la place, les flics n'avaient pas déconnecté les caméras extérieures. Je compris tout de suite pourquoi. Des deux turbines placées symétriquement de part et d'autre, quelques mètres après le pont, enflaient huit globes lisses surmontés d'un aileron. Ils les avaient placés là pour qu'on « comprenne » — comprenne que nous n'avions aucune chance — aucune chance de faire trois mètres — de faire trois mètres sur le pont — avant de nous écrouler.

— On attend Kohtp. Redressez le bureau à la verticale. On va le placer devant la porte. Il nous servira de bouclier pour sortir.

[Slift] — Fenêtre de la salle de contrôle nº 2

— Etwas et Torrj, vous passez devant.

— Pourquoi nous ?

— Plan 5. Vous avez maintenant des Optirs, les gars. Avec ça dans les pognes, vous êtes invincibles. J'vais me placer au bord du surplomb pour guider Brihx. Il va vous descendre à la moulinette.

Je fais ce que je dis. Brihx me fait glisser à plat ventre
sur la paroi, tête vers sol. Trois secondes que ma tronche
dépasse du surplomb, que j'ai le temps de percuter que
la place est criblée de smokings, qu'une volée de balles
vient ricocher sur ma boule. Ils fusillent au paralyseur.

— Remonte-moi !

Matant les trous dans le casque, Etwas et Torrj commencent à caquer sec.

— Bon, les mecs : on attend l'oiseau blanc, que les
guetteurs nous nettoient un peu le parquet en bas, sinon
je vous donne pas ce que j'ai de doigts en secondes
avant de statufier.

[Capt] — 32e étage

Toutes les charges placées, je dis à Kohtp de descendre. Il entrouvre la cage de l'ascenseur et se saisit du
câble central.

— Fais attention à toi, il y a plus de cent mètres
là-dessous !

Les battants se sont refermés en douceur. Je le regarde
disparaître dans la fusée de cristal. J'ai presque terminé.
Il faut donner le signal aux guetteurs d'arroser la place.
Je sors l'avion en Kevlar blanc du sac et casse la fenêtre laborieusement. Je le lance dans le vide. Il tombe en
faisant des tourbillons. Aussitôt les coups de feu. D'une
façon incompréhensible, je fouille deux, trois fois, quatre
fois le sac sans parvenir à retrouver le descendeur ! Il me
faut descendre quand même — ne pas perdre de temps.
J'entrouvre à mon tour les battants et remets mon casque. J'agrippe le câble fébrilement. Quatre étages plus
bas, un flux de lumière, rendu épais par le gaz moribond,
inonde la cage. Au-dessus de moi, l'ascenseur suspendu,
lourd, me donne l'impression que le Cube tout entier
est venu se résorber dans cette cage et qu'il balance…
J'enroule le sac à dos autour du câble, mes mains autour
du sac, en priant pour que le frottement brûle le sac

avant mes gants et mes gants avant ma peau. Très loin, très bas, comme venant du fond d'un puits, j'entends le râclement du descendeur de Kohtp. En proie à des accès d'effroi, mes muscles trop tendus et vibrant tout seuls, je commence à me laisser glisser vers la nappe de lumière qui s'épand sous mes pieds. J'ai peur. Je passe le 31, je passe le 30… Brusquement une ombre humaine se projette sur la nappe, dans la vapeur qu'elle épaissit, à l'étage 28… Elle appuie sur le bouton… Un déclic métallique fait résonner la cage. L'ascenseur fonce sur moi — je me jette d'un coup de reins dans le hall.

L'ascenseur s'est arrêté… à l'étage. Quelqu'un l'a donc appelé — d'ici ! Je me précipite vers la salle 2 où Slift, Brihx, Torrj et Etwas préparent leurs cordes.

— Hé ! C'est vous qui avez appelé l'ascenseur ?

— C'est moi, oui.

— Tu ne savais pas que j'étais dans la cage !?!

— Kohtp m'a dit que tu descendais sur le toit de l'ascenseur jusqu'à nous, au cas où il rest…

— Il débloque complètement, ce connard !

[Kamio] Sur la place, une guérilla effroyable et anarchique vient de se déchaîner. Des flèches et des carreaux strient la nuit des toits jusqu'à la cuvette et s'abattent sur les flics du pourtour qui s'écroulent sous les salves, au hasard, sans ordre, sans loi. Les propulseurs vomissent des flux tendus d'ordures enrichies de tessons, de pierre et de fer — du gravier grêle sur les casques — tout ce qu'ils ont amené, tout ce qu'ils trouvent, tout ce qui vient, tout y passe, et quand il n'y a plus rien, il y a encore de l'eau, encore de l'air pulsé, encore l'oxygène qui jaillit direct de la turbine et qu'ils propulsent vers le sol pour couper l'entrée des immeubles d'un mur d'air glacé. Quarante flics peut-être contre soixante voltés, dont certains, postés sur les toits, sont vite délogés par un regard, par une rotation fulgurante de l'aileron, par la balle qui

en part, terrible. Les tuyaux lâchés se lèvent alors en boas, se convulsent et éjaculent leurs boyaux vers le ciel, sur les façades, partout. Au sol, l'escadron de Slift multiplie des charges qui frôlent la démence. Ils surgissent des avenues, chevauchant leurs glisseurs, un tireur en croupe, traversent en trombe la cuvette, aussi rapides que les flèches qu'ils décochent, ils se croisent, recroisent, tracent d'époustouflantes diagonales pour piéger les optireurs et finissent par virer brutalement dans les douves, s'abritant sous la gerbe — un glisseur vient de fuser sur la dalle — touché — le corps du conducteur glisse inanimé sur soixante-dix mètres — percute une turbine — son tireur blessé par la chute est fusillé à bout portant.

Il est 3:21. Le bruit des combats est tel qu'il a amené près de leur fenêtre la plupart des habitants de la place. Consigne leur a été donnée par porte-voix de se terrer chez eux et ils se terrent, derrière leurs persiennes, entre excitation et terreur, eux qui pour beaucoup n'ont jamais entendu un coup de feu, jamais vu un flic s'acharner, un volté déchaîner sa haine, jamais vu la fureur d'un combat. Dans une minute doit sortir le groupe du bas. « La cavalerie » des glisseurs est partie se rassembler dans une rue adjacente. Dans une minute, ils vont charger, les six glisseurs déployés en triangle de percussion, pour dégager les Optireurs de l'axe du pont. L'angoisse, ce sont les munitions. Au rythme où tirent les guetteurs, il ne va bientôt plus rien leur rester. On a liquéfié un sacré nombre de policiers mais sans cesse arrivent de nouveaux renforts et notre supériorité en nombre et position, notre vitesse de déplacement, les guetteurs perchés, l'encerclement, tout ça, progressivement, devient de moins en moins efficace. Boule a sorti le fusil de Capt et tire à travers les persiennes. Je dirige les opérations avec une seule lumière, celle de la cuisine, par laquelle toutes les directives codées partent.

[Obffs] — Rez-de-chaussée de la tour

— Vous avez dégondé combien de portes ?

— Cinq, Obffs.

— Ça suffit. Mettez-vous en position devant l'entrée. Bmléo et Baaer, quand j'ouvre le sas, vous poussez le bureau vertical sur le pont en vous abritant derrière votre porte blindée et vous avancez. N'usez pas vos carreaux et vos balles sur les optireurs, ils sont intouchables. Onurb et Kohtp, vous restez accroupis derrière le bureau jusqu'à mon signal. La cavalerie va vous couvrir, normalement…

— Sinon ?

— Il n'y a pas de sinon. Ils vont vous couvrir.

— Et le détonateur ?

— Je l'ai passé à Kohtp : il est meilleur nageur que moi. Il tiendra plus longtemps en apnée. Moi, j'attends Capt. Avec les optireurs, il n'a aucune chance, seul, de sortir. Vous êtes prêts ? Tous ? Pour la vie !! Pour la Volte !! 3… 2… 1… Go !

Le roulement sourd du sas et immédiatement, une explosion terrifiante de tirs, une grêle de feu innommable. J'entends simultanément, montant en écho, un vrombissement inespéré et les hurlements de la cavalerie fusant à travers la place… Puis le silence des tirs, telle une syncope, comblé par le cri sortant autonome de ma bouche même :

— Onurb, go !

À peine discernables dans leur violence, il y eut les rafales crépitantes, la raclure métallique des glisseurs sur les dalles, le choc des barres sur les casques, en pleine vitesse, des sifflements de câbles, des cris et des râles, les moteurs, la chair rendue dure s'affalant, des balles sur le métal, le splash des portes jetées, des corps claquant fraîchement sur l'eau et parmi eux, parmi cet effroyable magma de bruits se fit entendre, tout près de moi, le seul que je voulais entendre : le plongeon court, à peine audible par sa pénétration furtive dans l'eau, de Kohtp et du détonateur, s'enfonçant dans la profondeur de la douve pour y nager à trois mètres de fond, au ras du sol et par une succession de brasses lentes, invisible du bord, sans vague et sans bulle, suivre la courbe de la douve pendant quinze mètres pour aller se placer diamétralement opposé au pont, de l'autre côté et y attendre riveté au fond, retenant sa respiration jusqu'à ce que la mort vienne l'y desceller — et qu'il jaillisse de la douve, appuie sur le détonateur, que la tour explose, que le vaisseau s'arrache au pylône et vienne se fracasser en miettes au sol.

[Kamio] Murés derrière le blockhaus précaire du bureau et des portes blindées, Bmléo et Baaer tiennent toujours le pont. La charge de la cavalerie a mis hors circuit cinq optireurs dont l'un a été presque empalé par une lance. Il a enlevé son casque et il vomit dedans son sang — il vient d'être embarqué par un ambulancier. Un autre agonise — il a été traîné par un câble à travers la place avant d'être lâché sur un mur à une vitesse inhumaine — pur acte de rage dont je ne perçois plus ni la barbarie ni l'horreur puisque j'ai pris le fusil des mains de Boule et que je tire, je tire comme un sauvage, je crible de balles ces ordures qui s'acharnent à coups de crosse sur la jambe brisée de Nabke — qui a percuté une turbine pendant la charge.

[Bdcht] Qu'est-ce que fout Capt ? Il devrait être déjà sorti. Il est 3:31, il a plus d'une minute de retard sur le plan, tout à fait anormal, qu'est-ce qu'il lui est arrivé, il faut qu'il sorte, il y a de plus en plus de flics, il ne va jamais s'en sortir, je ne vais jamais le revoir, il…

Kamio a vidé le chargeur. Il me regarde dépité. Nous n'avons plus de chargeur.

[Brihx] — *Surplomb de la tour*

« Si tu reviens pas, t'es qu'une mauve ! » — sa voix tourne, tourne, j'ai mes boyaux serrés en nœud de corde

par la peur, jamais su que la peur était si dure, si roc au
ventre, bloc nœud la peur, rien de faible, pas de chiasse,
des boyaux comme des barres de fer tordues. Etwas et
Torrj viennent de passer le surplomb. J'obéis à Slift : je
les descends le plus vite possible, des balles tintent sur
les parois, la corde se désenroule à vue d'œil. « Tirez,
pilonnez ! » leur gueule Slift. Il est suspendu par les
pieds et dès qu'il peut il sort la tête du surplomb et tire
d'instinct, au regard, à peine quelques secondes, des
incursions ultra-rapides et il gueule « deux ! », « trois ! »,
suivant ce qu'il touche. Il touche à chaque fois, il est
extraordinaire, d'un courage, c'est pas une mauve, pas
une mauve, Slift, il n'est même pas fier de ce qu'il fait,
il est joyeux, il est concentré à l'extrême, il sort, il tire…
« Il va falloir y aller… Descends-les, pulse, tas de briques,
mouline, ils vont se faire déchiqueter ! » — « Lâche-les
dans la douve, lâche-les ! » Il reste dix mètres de corde à
mes pieds… Je les lâche. Le bruit de leur corps sur l'eau
est si violent qu'il remonte jusqu'à nous.

— Il faut y aller, ils les ont criblés.

— On ne va jamais s'en sortir !

— Surtout s'ils nous balancent les hélicos, ce qui va
pas tarder. Prépare-moi un bout de corde de quinze. Je
sors le grand jeu.

[Kamio] Autant d'ambulances que de fourgons, à
présent, au bord de la place. Des renforts sont encore
arrivés mais ils se contentent, calés derrière leur bouclier transparent, de barrer les avenues et d'encercler la
cuvette sans s'y risquer. Tous nos glisseurs qui ont tenté
une percée ont été pris au piège. J'ai ordonné l'arrêt
des charges. Leur cordon nous coupe totalement de la
cuvette. Une dizaine de tireurs s'occupe du haut de la
tour. Deux optireurs ont rejoint les trois qui surveillent
le pont. Ils savent qu'il ne reste que deux personnes,
sinon ils seraient plus nombreux. Ils savent. Onurb s'est

fait tirer comme un lapin et a été embarqué. Grâce à sa
diversion, Kohtp s'est laissé rouler sous la barrière du
pont, dans la douve, masqué par Bmléo, sans que personne le remarque. Il doit avoir le détonateur. Deux
minutes quarante qu'il tient sous l'eau. Où est Capt ? Je
pense qu'il va passer par le haut avec Slift et Brihx. Ou
alors… Il n'y a pas d'autre explication possible.

Sur le pont — *statu quo* — les tirs ont cessé. Je fixe
le haut de la tour. Tout le monde attend ce que va faire
Slift. Ses chevaliers se sont regroupés dans un angle mort
de la place. Les moteurs hurlent. Ils sont prêts à l'ultime
charge. Pour Slift. Pour la Volte. Avec pour blason et bouclier des sens interdits décrochés aux poteaux. Pour seule
protection leur trajectoire. Pour seules armes des câbles
rouillés, leur rage, des barres. L'attente fige la place. J'ai
les jumelles rivées sur la salle de contrôle (…).

Tout à coup, enroulé dans un nuage de verre, Slift
s'éjecta ! Casque en avant corps groupé fauve à travers
le vitrage du vaisseau — comme s'il eût été expulsé par
le souffle d'une explosion — là où personne ne l'attendait — hors des lignes de tir — s'éjecta avec une
puissance telle qu'il dépassa largement le surplomb et,
se retournant en plein vol — un trait de corde se tendant derrière lui, sa silhouette plana un instant dans
le ciel sans que personne ne songe, sous la stupeur, à
tirer — puis tombant comme une pierre, la corde se cou-
dant au surplomb, il fut ramené par un effet de balançoire
sur le pylône où, les membres arc-boutés, il allait s'écraser ! — *à l'endroit précis où il avait, durant l'ascension,
dévissé une plaque et posé ses fusils !* Alors en un éclair,
le génie pratique de Slift apparut dans toute sa grandeur :
d'un coup de reins décalant sa trajectoire fatale et se
retournant une nouvelle fois dans une incroyable volte,
il évita le choc frontal et, de ses pieds repliés derrière lui,
dos au pylône, presque à l'aveugle, vint arracher en plein
vol la plaque branlante ! — et la plaque ainsi magnétisée

sous ses chaussures, il se mit à surfer dans l'air, avec de grandes oscillations qui empêchaient les flics de viser, les obligeant à faire ce qu'on ne leur apprenait pas — tirer d'instinct — et Brihx le remontant à toute vitesse, les balles s'écrasant sur le carré de tôle, et lui, le Snake, dont ne dépassait plus de la plaque que le casque noir et deux canons, lui réussissait, époustouflant, à frapper, lâcher ses balles au goutte à goutte et au sol les flics s'écroulaient, un par un, foudroyés — à présent reculaient, en proie à une étrange terreur.

Alors une clameur extraordinaire roula des toits jusqu'à la cuvette, si profonde et vibrante que les flics du pourtour, pris de panique, revinrent s'abriter dans les fourgons — car les chevaliers de Slift, galvanisés, maintenant chargeaient de front, un câble tendu au ras du sol entre les quatre glisseurs. Fauchant tout ce qui se trouvait sur leur passage, ils trouèrent le cordon et ressortirent par l'avenue du président A 2070, défonçant le barrage.

[Slift] — Fenêtre de la salle de contrôle

— C'est le moment, tas de briques, accroche-toi ! On se droppe ensemble jusqu'à 40 de haut. Après je bloque et on commence à fusiller. Tu mates l'intérieur du genou et t'appuies : c'est là qu'ils sont pas protégés. Ça part tout seul dedans ! On nettoie puis on se pose presto et les chevau-légers nous embarquent ! *Capito ?* J'vais pas arrêter de nous faire balancer dans tous les sens, t'en occupe pas : toi tu tires tout le temps. Pour la plaque, tu suis mon mouvement.

[Brihx]

On descend si vite que j'ai l'impression que la corde s'est décrochée. Slift bloque brutalement la descente. « Je prends ceux de gauche ! », il me gueule. Je n'arrive pas à me caler tant la corde balance, je regarde les genoux, j'appuie, le flic s'effondre, je n'en reviens pas,

je recommence, des balles tintent de partout sous nos
pieds, Slift fait de la plaque un bouclier, des balles s'enfoncent dans mon gilet, choc, choc, les flics n'arrêtent
pas de se déplacer, ils se répartissent en arc autour du
pylône, il y en a tellement, je tire, je tire, tout balance
dans ma tête, tout s'endort, envie de vomir...

[Slift]
— Brihx ! Brihx, ça va ?
Il a sa grosse pogne en sang et le bras qui devient tout
dur, ils l'ont pilonné — je droppe de cinq mètres pour
fausser leurs lignes de tir. Je cartonne, ils grouillent de
partout ces putains, je me colle au pylône, plaque rele-
vée, ils me mitraillent comme des enculés, la carrure
de Brihx me sert de plastron et je tire par-dessus son
épaule, tonnes de balles lui bourrent l'estomac, soit je
me largue avec lui dans la douve, soit...
— Halte au feu ! Halte au feu ! gueule un flic !?
Temps mort.

[Kamio] Lorsque les deux hélicoptères arrivèrent
au-dessus de la place, projetant du ciel leur cône de
lumière, un drôle de silence se fit. Dieu écartant d'un
doigt les nuages de méthane n'aurait pas fait sur les flics
une autre impression : tous cessèrent leurs tirs et vinrent se replier dans leurs fourgons blindés, à la manière
de gosses surpris dans leur guerre totale par des parents
sévères et qui découvrent, sous leurs regards, l'exacte
dimension d'une puissance dont, un moment auparavant, ils se croyaient la dernière incarnation. De cette
suspension, Slift sut profiter. Il débloqua Brihx tétanisé
et le fit glisser dans la douve.

[Slift]
— Il est pour toi, Bm — à gauche du pont ! Il est paralysé, c'est Brihx !

Même si j'y reste, je laisserai pas ces enculés désamorcer la bombe !

[Kamio] Cinq minutes dix que Kohtp est sous l'eau. Il est à sa limite, il va sortir. Il faut qu'il sorte, qu'il appuie sur le détonateur, même si Capt est encore dedans, même si Obffs — ils ne risquent rien dans le pylône. Slift a complètement pété les plombs ! Pourquoi il remonte ? Pourquoi il ne plonge pas dans la douve ? Il veut se faire tirer comme un disque de plâtre ? Que le vaisseau s'effondre sur sa tête ? — si ça explose, il est mort, mort !

[Obffs] — Entrée de la tour
Au bruit des hélicos, les optireurs placés derrière les turbines en ont surgi. Ils chargent maintenant sur le pont !
— Repliez-vous, repliez !
Ils ont déblayé le bureau, ils fusillent Bmléo à bout portant, fusillent Baaer — ils viennent sur moi… Sauver ma peau : tout ce qui compte maintenant. J'appuie sur le bouton qui commande la trappe de la douve — lance mes fumigènes sur le pont — sort comme un diable et bondis par-dessus la rambarde du pont, plonge dans la douve — mon casque m'emporte au fond et vient frapper le béton, je tâtonne… Je ne trouve pas la trappe… Je me laisse aspirer par l'appel d'eau… Ça y est je la sens… un corps obstrue l'entrée… je le pousse dedans, vois rien, passe à travers la trappe, percute les parois du tunnel, le courant m'emporte — chute dans l'égout, patauge, j'arrache mon casque — Réussi ! J'ai réussi ! Je suis vivant ! J'ai de l'eau nauséabonde jusqu'à la poitrine et un corps flotte près de moi — c'est… c'est Brihx, oh merde — c'était lui qui bouchait la trappe ! — il faut que je la referme — refermée — je suis sauvé.
— Obffs, c'est toi ?
— C'est moi, avec Brihx. Il est paralysé. Il faut le vider de son eau.

— Il faut fuir tout de suite par le réseau d'oxygène. S'ils trouvent la trappe… Je porte Brihx. Comment ça se passe au-dessus ? Vous avez réussi ?

— Pas encore. Les hélicos sont arrivés. Il y a l'escadre 7.

— L'escadre 7 ! Et Slift ? Et Capt ?

— Slift fait un carnage. Je ne sais pas s'il va s'en sortir. Il est fou furieux. Capt, je ne comprend pas… il s'est passé quelque chose…

— Remets ton casque. Ferme tout hermétiquement. On va entrer dans le conduit. L'oxygène pulse suffisamment fort pour que tu n'aies pas besoin de ramper. Je mets Brihx devant, je le tiendrai. Tu ne lâches pas mes pieds. Nous allons être propulsés dans un puits à ox qui donne sur le square Thétys. Après, vous êtes sauvés.

[Kamio] Sur les toits, les guetteurs vivent leurs derniers instants d'hommes libres. Le premier hélicoptère est parti de neuf heures et survole inexorablement tous les bâtiments qui entourent la place. « *Rendez-vous ! Vous n'avez aucune chance. Notre hélicoptère est équipé d'un spectrographe. Nous suivons votre trace thermique où que vous soyez. Nous avons trente optireurs à notre bord. Il ne vous sera fait aucun mal* », toute la place en résonne, « *Rendez-vous !* », mais personne ne se rend. Les tuyaux propulsent leur dernier flux de gravier, les derniers morceaux de ciment qui viennent mourir sur le titane de l'hélicoptère — d'où riposte une salve de tirs. Brève. Efficace. Le guetteur vacille, s'affaisse au bord du toit. Un câble le tracte jusqu'à l'hélico… Certains voltés n'ont plus que leurs flèches pour se défendre… Certains qu'une ultime pierre qu'ils lancent à travers l'avenir, à travers ce cerveau de cristal blanchi que le Camp d'Éducation Civique leur transplantera, moins pour le briser par avance, puisque le souvenir même de cette pensée leur sera extirpé, que pour pouvoir garder, enkystée

dans leur corps, longtemps après que leur âme aura été
lavée, la mémoire physique, viscérale de ces gestes de
rage qui un jour, ils le savent, reviendront les hanter,
hanter leur corps pour fracturer leur crâne. Certains
hurlent « Vive la Volte ! » et restent debout, bras en V,
poings fermés, pour que la balle qui va les figer les fige
là, au sommet d'une certaine idée de la vie. Et la balle
part, et leur chair raide monte dans la nuit...

« Vous pouvez briser des statues mais vous ne pourrez jamais briser le moule ! Le moule vous survivra !
La Volte vous survivra ! » hurle Boule. Les larmes lui
coulent des yeux. Slift atteint le surplomb. Il s'y est collé
comme un drone. L'hélicoptère commence à descendre
jusqu'à lui... C'est la fin. Il peut encore se laisser glisser dans la douve, prendre la trappe, non : il a décidé
d'en finir là, qu'il ne fuira pas. Il s'est suspendu par les
pieds, un fusil dans chaque main, il attend l'hélico — il
va encore tirer, encore prouver ce que tout le monde
sait : que de Zorlk, c'est lui le seul héritier, le seul qui
soit capable de ça : penser avec son corps.

À ce moment-là, une clameur retentit. Je lâchai mes
jumelles, je ne le vis pas tout de suite — puis ce fut
comme un éclair : un objet d'une luminescence aveuglante perfora le ciel, se dirigeant vers la tour dans un
sifflement prodigieux — c'était le boomerang d'Austral
le Sec. Il visait l'hélicoptère — mais le boomerang, lancé
avec une puissance peu commune, contourna sa cible et
amorça un vaste arc de cercle derrière la tour. Le temps
se suspendit au plafond de la nuit. Dans le ciel, les lames
laser, sous le spin étourdissant, hachaient l'espoir au-delà
du visible. Puis le boo surgit à nouveau, du fin fond, dans
sa lumière solide et allait revenir vers Austral lorsque,
virant beaucoup plus serré que je ne l'avais supposé, il...
il fonça curviligne sur le chapeau de la tour et y pénétra comme si c'était de l'air pur ! Il disparut de longues
secondes, sans qu'on sache s'il s'était bloqué ou s'il tra-

versait l'épaisseur du vaisseau de part en part... — mais
il jaillit subitement à hauteur de l'hélicoptère ! trancha
le rotor ! et revint presque en feuille morte vers le toit
d'où il était parti, s'éteignant à quelques mètres du bord
pour retrouver la main de son lanceur ! L'hélicoptère
décrocha et vint s'écraser sur la place comme une tombe
d'acier. La haute silhouette d'Austral, debout sur son
toit, laissa exploser sa joie. Elle fut aussi courte que le
trajet d'une balle. Placé trop près du bord, il bascula
dans le vide. Il avait la main serrée au creux de son boomerang lorsqu'on le toucha. Il chuta dans la nuit, quatre-vingts mètres... À la fin de sa chute, il y eut dans sa
main un éclair fugitif, la flamme d'un V qui y étincela,
peut-être sous la vitesse, peut-être pas. Je ne sais pas s'il
la vit. Mais je sais qu'il l'avait vécue. Jusqu'au bout.

   Slift n'eut que le temps de passer le surplomb et
d'entrer à nouveau dans la salle de contrôle : un troisième hélicoptère, plus véloce que les précédents, fit
son apparition. Sur sa plate-forme externe se dressaient
deux tireurs d'élite armés d'un cylindre dont le modèle
m'était tout à fait inconnu. J'en conclus au prototype...

[Slift] — Salle de contrôle
Serkl, lourde ton frisbee ! Balance-leur dans les pales !
Balance !!

   Faut croire qu'il m'a entendu beugler, le Serkl, puisque
sa pizza micro-onde sauce laser décolle soudain de trois
heures direct sur le copter. L'a pas oublié d'être droit,
le Serkl, et je parie ce qui me reste de balleparts qu'il les
tranche en deux — qu'alors un des deux porte-cylindres
enclenche une boule bizarre dans son protop. Un bruit
style mur du son met mes oreilles au noir. Le gars, je
vous le jure, il a pas visé, il a pas eu le temps. D'ailleurs
sa boule part complètement de l'autre côté — et je me
marre — quand tout à coup, elle fait un putain de demi-
tour, genre foudre pliée en deux et zigzague comme un

truc téléguidé… Le gars regarde même pas le frisbee, il regarde le toit d'où c'est parti… Il recharge une autre bouboule et avant qu'il enclenche, la première a touché le frisbee, se dissipe dedans, le frisbee continue quand même mais c'est niqué : il est dévié ! La deuxième boule explose mes tympans : elle est pour Serkl. Il est cuit. T'as plus aucune raison de moisir ici, le Snake. Il faut calter !

Je sors le filin. Enclenche l'hyperaimant dans le fusil. Enroule l'autre bout autour du pilier. Reviens à la fenêtre. Je vise l'armature d'acier qu'est juste en dessous du toit du bâtiment où s'est fait pilonner Serkl. Tire. Ça fait le bruit d'un câble qui fouette l'air. Plus vif que ça. J'accroche mon baudrier au filin. Enfin, je m'enroule une longueur de corde lestée d'un bloc, que je serre à mort dans ma main.

[Kamio] Les brigades ont commencé à forcer l'entrée des immeubles. Les derniers résistants se font abattre, au ciel comme au sol. J'ai peur qu'ils inspectent notre bâtiment. Il faut fuir. Boule veut encore rester.

— Capt n'est pas sorti. On ne peut pas le laisser !

— Qu'est-ce qu'il faut faire ?

Elle me dévisage comme si j'étais la dernière des ordures. Puis la lucidité la cueille. Un électrochoc :

— Il faut fuir, tu as raison.

Avant de fuir, je regarde une dernière fois le pont, une dernière fois la salle de contrôle… Ce fut ma dernière vision, la plus forte de toute : Slift tira un câble de cent mètres entre la tour et l'immeuble de Serkl. Il s'éjecta de la salle de contrôle et grâce à la pente du câble prit très vite une accélération suffisante. L'hélicoptère s'était stabilisé tout près du câble — ils ne le virent pas arriver. Surgissant à droite du tireur, Slift l'arracha d'un lancer de corde à sa plate-forme. Le flic ripa dans le vide tandis que Slift, qu'une boule de feu trop tardive ne rattraperait jamais, atteignit une vitesse folle. Son mousqueton giclait d'étincelles. Arrivé à quelques mètres de la façade où il allait s'écrabouiller, il — d'un coup de couteau — décrocha sa sangle et, chutant juste ce qu'il lui fallait, finit comme une bombe dans la vitre du dernier étage de l'immeuble — où j'eus toute ma descente au sous-sol, toute ma fuite à travers le réseau jusqu'à la cache de l'antirade pour l'imaginer roulé-boulant à travers la pièce et se relever, vivant !

[Capt] — Pont de la tour

« Plus un geste, vous êtes cerné ! » La clameur… la clameur qui m'a fait sursauter tout à l'heure… Sa voix, c'était lui… Lui. J'ai une dernière convulsion acharnée. Bestiale. Mon corps se débat, hurle, s'arrache d'un coup aux traqueurs. Je suis libre !… Roumf ! Nuque… Râ_â ! Ventre cassé en deux par un coude… je m'affale, hoquetant l'air, spasmes… Ils me portent à travers la place recouverte de flics et de déchets, la voiture, souffle court, sueur brûlante imbibant ma chemise. Me retrouve dans une limousine blindée, quatre gardes du corps, robots sombres, devant et derrière, à mes côtés, quatre murs. Je reconnais dans le brouillard le périphérique central… la boucle qui amorce le cercle du pouvoir et — le gorille le moins dégrossi l'eût sans peine deviné — l'approche du cube gouvernemental.

Je n'arrive pas à réaliser. L'événement est plus vif… trop vif pour ma conscience. Pris. Je suis pris. Pris comme un rat. Je me répète le mot, violemment, en coup de poing, en roulant le R comme un vieux barillet de revolver… PRRR… et j'appuie sur la détente : i — un i compact, court et percutant comme une balle. Prrri. Coupé net. Fauché en plein vol. Ne pas réfléchir, ne pas chercher à réaliser tout ce que cela implique. Slift, Slift the Snake… Kamio et son humanisme si beau, Boule, ma Boule de Chat… Les nuits à glisser dans l'angle mort des caméras, toutes ces tentatives, toute cette double vie jouée sur le fil du rasoir, je l'aime à cet instant plus que jamais et je donnerais la dernière goutte de mon sang pour pouvoir la revivre entièrement, telle quelle, une fois, une seule fois... Boule, Brihx... Oublier ça. Empaqueter cette vie dans un torchon blanc : pris. C'est Kohtp qui a bloqué mon ascenseur et verrouillé les deux portes blindées du cinquième étage de la tour. Qui a scellé mon caveau. Kohtp. On n'a pas su le surveiller. Le dépister. On sait pas faire. On sait pas. Et la tour n'a pas explosé, hein ? Pas explosé. Où m'emmènent-ils exactement ? Ça file si vite. La limousine passe trois sas glacés et finit sa course dans un élévateur de verre. Nous devons être sous le cube gouvernemental, je pense. L'élévateur traverse plusieurs planchers translucides, avant de s'immobiliser à l'étage P.

P.

XIII

EDCBA

— Nous y voilà, monsieur Captp, c'est tout droit.

> L'ascenseur se referma avec délicatesse dans mon dos.

— Tapis rouge et marbre gris, pourquoi me faire tant d'honneur ? demandai-je en poussant l'affectation.

Aucun des quatre vigiles disposés derrière moi ne crut nécessaire d'abuser de sa salive. Au bout du couloir, bleu roi sur porte acier, je pouvais lire la réponse : P. Et comme si la lettre eût signé l'homme, le P se disloqua dans un jeu de panneaux pour laisser un homme, seul, se détacher sur le seuil. Le privilège de la parole du ministre devait m'être réservé puisqu'il ne daigna donner de la voix qu'après s'être assuré d'un signe du départ des gardes. L'homme était étroit et sec, le visage pointu, avec des yeux opaques. Il dégageait une acidité contenue et domestiquée. En quelques mots, sa voix aride coupa l'air assourdi par le confort du couloir.

— C-A-P-T-P, soyez le bienvenu.

— Appelez-moi Capt et gardez-vous le P : c'est votre seule richesse.

— Entrez, mon ami.

> Le révolutionnaire pénétra dans mon bureau le cou rentré et l'œil mauvais, dans cette attitude encagée assez banale chez les délinquants pris. La porte close, il s'assura

de l'absence de gardes, balaya la pièce d'un regard, cherchant l'ouverture… Les fenêtres ! Il enchaîna d'un seul
geste un saut et un stupide demi-tour qui devait — si la
fenêtre avait été autre chose qu'un mur camouflé — lui
permettre de traverser la vitre tout en s'accrochant au
rebord extérieur, pour ensuite fuir par les armatures,
agripper une volante, gagner le toit, que sais-je ? ce qu'il
trouverait… Mais son dos trouva le mur et les appliques
encastrées. Il parut secoué, se releva pourtant d'un bond,
saisit une chaise et la fracassa sur la seconde « fenêtre ».
Le fauve sentait sa cage. Et le cirque continuait. La porte
du fond encaissa deux chaises et un bureau. Sans plus de
succès, évidemment. Il n'avait toujours rien remarqué…
Puis, enfin, avec l'épuisement…

— Qu'est-ce que c'est que ce bruit ?

Je souris :

— Le laser. Il est dans votre dos.

Il se retourna vivement. Il ne le voyait toujours pas. Il
se guidait au son, au grésillement.

— Sur votre poitrine !

Il blêmit et chercha à s'abriter derrière le bureau.
Ridicule…

— Sur votre nuque maintenant.

Je stridulais. Il était effaré, le rayon était désormais entre ses yeux. Il scrutait le plafond avec anxiété.
J'égrenais alors placidement :

— Huit canonras à visée *et* tir laser. Cible humaine para-
métrable, suivi instantané du mouvement, guidage thermique, évidemment… Votre main gauche par exemple…

Il ne me crut pas complètement. Il s'agita encore, cercles, ondulations, mouvements éclairs… La tache bleue
lui collait à la main. Le miroir, pensait-il au miroir ? Un
bon test, le miroir… Aucun délinquant qui se respecte
ne peut croire qu'il soit réfléchissant… depuis Zorlk.
Zorlk et sa boucle de ceinture, c'est devenu un cas
d'école pour n'importe quel garde du corps — du génie

et un sang-froid rare pour réussir ce qu'il a fait. Captp parcourut la salle : le miroir donc, le verre des cendriers, l'écran du terminora, tout ce que nous avions dépoli depuis Zorlk. Le coupe-papier aussi.

— Je crains de n'avoir pas affaire au gentleman professeur que l'intelligentsia loue dans les colloques. Asseyez-vous, monsieur Captp. Je vais vous présenter Ksa qui va vous poser quelques questions.

Lorsque Ksa fit son entrée, Captp consentit à s'asseoir, les nerfs à vif. Elle se mit au clavier, croisa ses fines jambes élégamment et commença :

— Pouvez-vous me donner votre âge ?

— Ce n'est pas dans votre fichier ?

— Si. Mais il s'agit ici d'une déposition.

— J'ai passé ma vie à déposer.

Il allait se relever, mais Ksa l'apprivoisa de sa voix délicate :

— Vous le pensez sincèrement ? Tout est loin d'y être. Écoutez plutôt…

> Elle lut. À peine avait-elle commencé ce qu'ils appelaient le réseau relationnel que je restai muet : ils savaient tout de moi, ou presque : qui étaient mes amis, à quel degré et depuis quand ; quels jours je les rencontrais ; pour quelles raisons ; comment et où ; s'ils appartenaient ou non à la Volte ; ce que je faisais de mes soirées ; le pourcentage de mes nuits découchées et avec qui (en pourcentage aussi…), ma marque préférée de savon et le nombre de savons que j'usais dans l'année — deux fois moins qu'un citoyen *normal* —, que mon filtre se bouchait après une bonne douche parce que je perdais mes cheveux, que j'allais tous les vingt-quatre jours chez le coiffeur, que j'aimais le radrock et me promener seul sur l'antirade au crépuscule, que chaque été réapparaissait une mycose sous mes pieds, mais qu'il y a deux ans je n'avais rien eu, que je lisais peu, souvent à haute voix, toujours les mêmes livres, et que le dernier extrait que

j'avais parcouru, le 12 mai, comportait vingt-sept pages, m'avait pris 42 minutes 08 secondes et s'était refermé sur les mots « … instaurés par la récurrence des normes ».

— Tous les fichiers que vous tenez sont aussi… complets ?

— Ça dépend.

— H-V-I-U par exemple ?

Elle pianota. Je connaissais assez bien HVIU, c'était un ami d'enfance, enclastré, mais que je ne voyais plus depuis quatre ans.

— Hviu, 31 ans, marié le 07/05/2082, un enfant de trois ans — turbulent, claustrophobe, œdipe marqué… a marché à 12 mois, parlé à 16. Réseau relationnel par amitié décroissante : Yrdg, Klsue, Pagqs, Hdof, Afsel…

— D'accord… Ksa ?

Elle ne se démonta pas et fit mine de lire sa propre fiche… Je la coupai :

— P ?

Elle l'interrogea du regard.

— J'y suis également, monsieur Captp. Les 1-lettrés sont soumis aux mêmes devoirs démocratiques que n'importe quel citoyen. J'ajouterai qu'ils y sont d'autant plus soumis que leur fonction l'exige. Comment garantir de saines conditions d'éligibilité si le citoyen ne dispose pas d'une transparence totale quant à la personnalité de celui qui est appelé à le représenter ?

— Un simple citoyen peut-il consulter votre fiche ? fis-je en m'approchant de l'écran.

Sa réponse se fit glaciale :

— Un *vrai* citoyen le peut. Mais êtes-vous encore de cette cité ?

— Ksa, voulez-vous me lire la fiche de P, s'il vous plaît, plaisantai-je.

P me repoussa violemment sur mon siège.

— Ksa ! Commencez la déposition, je vous prie. Sautez l'État-Civil, le réseau relationnel, le comportement au travail et les variables d'adaptation à l'environnement. Passez directement à l'affectif.

Il intensifia le laser.

— Monsieur Captp, avant de commencer, la loi m'oblige à préciser que les informations que nous allons maintenant vous demander ne sont destinées qu'à l'usage interne du Service de contrôle et de sécurité intérieure. Elles ne seront en aucun cas rendues publiques, sauf, ainsi que la loi le stipule, si le ministre de la Justice en fait la demande expresse.

— Ah ! Ah !

> Le laser se mit à bourdonner sur mon front. J'avais mal.

— Votre cursus sentimental indique onze femmes, avec des durées respectives d'un an, trois semaines, six jours, quatre mois, un mois, cinq ans et demi, sept mois, quinze jours, un jour, un jour, quatre mois et trois jours. Vous confirmez ?

— Non.

— Vous rectifiez ?

— Non.

— Je confirme, monsieur le ministre ?

— Laissez-moi faire.

[P] Je m'installai face à lui. Il allait moins rire.

> Il s'installa face à moi avec une assurance de flicard. J'attendis sa question. Elle vint exactement comme je l'attendais :

— Parlez-moi de « Boule de Chat »…

Je laissai volontairement un temps, le temps de simuler cet embarras qu'il espérait… Sa face sèche se fendit d'un léger sourire — il jouissait le précoce, mais j'avais la réponse qui lui nouerait la bite :

— Kohtp ne vous en a pas parlé ?

Ksa le regarda. Le visage du politicien se battit quelques secondes pour garder une contenance, n'importe laquelle, puis il craqua, d'un coup, comme une gangue de plâtre. Mais le mur tint. Et la voix fusa :

— Il n'a émis, voyez-vous, que des hypothèses, hypothèses que nous aimerions confirmer. Il semblerait que
votre charmante amie vous ait fait quelques infidélités…
Et nous avons, pour appuyer nos indiscrètes allégations,
quelques indices probants. Écoutez plutôt : le 17 avril à
19:30, elle se rend, très joliment habillée, chez un ami, un
certain Gfmqa…

Je le laissais parler, je l'écoutais à peine. Je savais ce
qu'il allait dire, comment il allait le dire et pourquoi il le
dirait. Ce n'était pas à proprement parler notre vie sentimentale qui l'intéressait — sans doute même la connais-
sait-il déjà entièrement, avec, sur un seul noyau dur, tous
mes coups de téléphone, toutes mes lettres. Et non seulement ça, mais les films, des centaines d'heures de film
sur ma vie, que sans doute personne n'avait encore eu
le courage — ou le temps — de visionner, mais qui pouvaient, sur chaque instant de ces derniers mois, témoigner. Témoigner de quoi ? De ma façon de diriger la
Volte, de donner mes cours, de pisser, de me torcher les
fesses, de dicter à mon terminora, de gémir lorsque je
faisais l'amour… de tout et de n'importe quoi.

Face à ça, il n'y avait qu'une parade, instinctive chez
moi : reculer dans le réflexif, reculer, me distancier.
Verglacer l'émotion au concept pour ne pas pleurer,
pour ne pas souffrir.

Ce qui comptait pour cette police, ce n'était pas tant
de savoir, mais de s'assurer que l'on *pouvait* savoir, que,
potentiellement, la vie de n'importe quel individu, de A
jusqu'à Qzaac, pouvait faire l'objet d'une connaissance
exhaustive — parfaite. Oh, naturellement n'était-ce pas
un savoir intrinsèque, intime, qui irait fouiller les crânes pour en extirper l'insolite, ou quelque idée incon-
grue qui s'y trouverait enkystée, non… On n'allait pas
se perdre dans les détails. On n'avait même plus cette
dernière politesse des grands régimes inquisiteurs, qui,
patiemment, avec une méticulosité inexorable, remon-

taient le mal à la racine, fouillaient et cherchaient…
oui… cherchaient à vous guérir, à vous purifier du mal
qui vous rongeait. Inutile tout cela en démocratie, trop
cher. On avait fait des études : trop cher… *Le 23, un
camérat la file à la sortie d'un concerto*… Quoi de plus
réel de toute façon qu'une image ? Quoi de plus objectif
qu'un regard vidéo, qu'un œil électronique épiant dans
un bocal sous vide et qui ne craigne rien tant que l'air
vicié des corps-à-corps ?… *et elle va retrouver Gfmqa au
café*… Il continuait sans se lasser, sans chercher à résumer ou à circonscrire, abrité qu'il était derrière la trame
inaltérable des faits. Les Faits… J'en finissais par me
demander si l'avenir de cette démocratie ne tenait pas
tout entier dans le projet d'une immense vidéothèque où
serait archivé précieusement, un à un, le film complet des
vies de tous les citoyens — de l'accouchement, enregistré
dès la sortie de la tête du bébé par une caméra d'hôpital jusqu'à l'enterrement, confié au vidéaste des pompes
funèbres… *le 25 avril, « Boule de Chat » lui téléphone
pour*… Que personne ne visionne jamais ces noyaux (n'y
faudrait-il pas justement une vie ?) n'avait même pas, à la
limite, d'importance. Ils étaient là, c'est tout. Ils *existaient.*
Et tout y était gravé. Très finement. Pour toujours… *le
8 juin, d'après notre camérat, elle vous rejoint très fati-
guée*… Et c'était suffisant. Un rêve hantait ces gens-là :
la lumière, une lumière qui inscrive chaque être dans un
régime de visibilité totale… *Le 9 au soir, Kohtp raccom-
pagne en la serrant par la taille*… et un cauchemar : l'angle mort. Il n'y avait qu'à regarder ces lasers : toute une
technologie du visible, couplée si étroitement à celle de
la mort que voir, c'était tuer. Encore fallait-il une voix
humaine pour la dicter ou un œil derrière la caméra… P
acheva, enfin, son énumération « probante ».

— Avez-vous des précisions, rectifications ou commentaires à apporter à ce que je viens d'énumérer ?

Je gardai le silence.

— Votre vie sentimentale ne vous intéresse pas ?

— Qui intéresserait-elle sous cette forme ? Des dates, des actes, des durées… Qu'est-ce que cela a à voir avec une vie ?

— Tout cela a été vérifié.

— Vérifié. Et vos conclusions, alors ? Qu'est-ce que vous en pensez ? Elle me trompe ?

— Tirez par vous-même vos conclusions. Je n'ai pas à juger.

— Vous n'avez pas « à juger » ?

— Ce n'est pas mon rôle, C-A-P-T-P.

— Et quel est votre rôle alors, P ? Vous branler sur ma femme ?

— Je vous conseille de vous modérer ! Vous êtes ici pour répondre de vos crimes ! Pas pour fanfaronner !

— J'exige un avocat.

— Un avocat ? Ah ! Ah ! Un avocat ! Le crypto-fas-ciste qui exige des droits démocratiques ! Êtes-vous donc si crétin ?

> Captp me regarda, interdit. Je me levai pour me placer dans son dos, et lui sifflai, presque dans un murmure : « Croyez-vous que l'on accorde des avocats aux… *terroristes* ? »

— Aux terroristes.

— Vous avez bien entendu.

Je me rassis confortablement. Il comprenait ce que ça voulait dire.

— Terroriste à quel titre ? Le gouvernement n'a pas été…

— Au titre de meurtrier. Responsable de la mort de deux employés et d'un agent de sécurité dans l'exercice de ses fonctions !

J'intensifiai le laser pour le clouer à son siège. Sa tête lui faisait mal…

— Vous mentez ! Je n'ai fait que les paralyser. Je n'ai tué personne !

— Je vous crois, je vous crois, fis-je, paternel, mais, voilà… ma parole est de peu de poids face aux images.

— Quelles images ?

— Laissez-moi finir. Juste avant votre arrivée, un agent de la tour est venu m'apporter l'enregistrement des caméras de surveillance… Vous savez que depuis deux mois, un tel enregistrement, pour peu qu'il soit certifié par les experts de la commission Nortex, vaut preuve, n'est-ce pas ? Et celle-là est pour le moins… accablante.

J'allumai l'écran mural. Il devait deviner ce qui l'attendait parce qu'il sourit faiblement dans le noir. Légèrement salie, granuleuse parfois, la vidéo était, dans son genre bien particulier, un petit chef-d'œuvre de montage. Tout y était faux bien sûr, quoique des faux aussi crédibles, sans l'enrôlement récent d'un imageur de la radzone, nous eussions été incapables d'en produire. Presque rien, dans les cinq minutes de film, ne paraissait mis en scène : les entrées-sorties incohérentes, les plans décadrés, la fixité exaspérante de la caméra… tout cela *composait une réalité* criante de vérité. Puis, par deux fois, le coup de griffe de l'artiste : les cris hors-champ des employés, avec le bruit des tirs ; et bien sûr la défenestration du vigile, sobre jusqu'à l'effroi, laquelle forcerait la conviction du plus obtus père de famille. Enfin, la tête de Captp, en plan rapproché, et son geste, antidémocratique par excellence, d'abattre la caméra d'un coup de feu. Pour couvrir son forfait ? Par provocation ? À dire vrai, aucune importance pour le téléspectateur. L'écran noir, ainsi, d'un coup, sauvagement, était en soi insoutenable, ignoble.

Je coupai l'écran et me tournai vers Captp. Il vibrait presque sous la commotion.

— Qu'est-ce que vous en pensez ?

— Excellent travail. Sauf la fin peut-être.

— Oui ?

— Si j'avais fait ça, j'aurais tiré *d'abord* sur la caméra.

— Vous ne l'avez pas repérée, le feu de l'action…

— C'est vrai. Beau travail, vraiment.

Capt opina mécaniquement sous l'effet du choc. Il parut réfléchir quelques instants, accuser une sévère chute de tension, puis il se reprit. À plat :

— Demain, la vidéo est sur toutes les chaînes. Matin, midi et soir : des défenestrations jusqu'à en vomir. Le surlendemain, une grande manifestation, que vous ne réprimez évidemment pas, réclame le rétablissement de la peine de mort. Des années que l'idée est en balance ; elle cherchait sa tare : mon « crime » (il avait une façon extraordinaire de placer ses guillemets oraux) fera basculer le plateau…

— Dans une semaine, l'assemblée siège avec la peine capitale à l'ordre du jour. Dans deux semaines, le projet de son rétablissement pour les crimes terroristes est voté. On annonce un référendum pour le ratifier.

— Un mois plus tard, les gens tapent « oui » sur leur télécommande…

— Vous m'enlevez les mots de la bouche, monsieur Captp.

J'admirais son calme. Il avait projeté son avenir sans trembler, lucidement, comme une froide évidence qui s'appliquerait à un autre. Logique. Une logique qu'aucune passion parasite ne troublait. Il fallait maintenant que j'en vienne à l'essentiel :

— Dans un de vos pamphlets, il y a cette phrase : « Aucun destin n'est inéluctable… »

— « Aucun destin n'est inéluctable, l'arborescence des possibles nous tisse le sang aux poignets. »

— Oui. Cette vidéo, n'est-ce pas, est notre seule preuve. Qui nous oblige à l'offrir en pâture aux médias ? Nous sommes maîtres de nos actes. Prenons le temps de peser le pour et le contre, le temps de la réflexion… (Je marquai délibérément une pause) A, vous le savez, n'a

jamais été un partisan du Cube — il s'y résoudra, naturellement, si l'opinion l'exige — mais il a tenu à vous
donner une chance, la chance d'un avenir autrement
plus lumineux que vos, disons… reptations souterraines
au sein de la Volte. Vous n'ignorez pas que E n'est pas
au mieux dans les sondages. Sa dernière réforme s'est
empressée de gaspiller le lent capital de confiance que
son attentisme était parvenu à accumuler. A songe donc
à le remplacer. Vous connaissez bien l'université, vous
êtes un professeur reconnu, voire apprécié… Le portefeuille de ministre de l'Éducation et de la Culture vous
conviendrait, je crois, à merveille.

Je guettais sa réponse du regard. Il eut un sourire
équivoque.

— Voilà une idée. Il faut en discuter. Quel délai ?

— Délai ?

— De réflexion.

— Deux heures. C'est le maximum que l'on puisse se
permettre vis-à-vis des médias. Pas d'objections ? Je préviens le Président que vous montez.

J'appelai quatre gardes du corps pour l'escorter. Une
fine sueur lui graissait le front. Il puait. Il allait lâcher, le
pur… Il allait lâcher — comme les autres.

> Vide, je me sentais, vidé. Avec en même temps
comme une vibration du dedans, un câble sous tension
qui me tenait vif. J'avais maintenant une carte en main.
Rien que du vent, mais de quoi jouer. Un choix, même
piégé, restait toujours un choix, un vasistas vers les toits.
Un garde appuya sur A. Nous montâmes. Symbolique un
peu primaire de la hiérarchie : Z au rez-de-chaussée, A
au dernier étage.

— Premier carré à droite.

Ils me laissèrent. L'étage était parfaitement silencieux.
Aucun garde en vue, pas de canonra… ce serait trop
beau si… Je ne l'avais pas vu… Pourtant dans la pénom-

bre… Il partait de la glace du fond, un miroir sans tain…
Un mince rayon vert vif… Je fis quelques décalages…
Lentement… Il était indexé sur mon cœur… Lugubre.
Je poussai le lourd double-battant qu'on m'avait indi-
qué. À peine un crissement étouffé dans l'huile. La
pénombre, comme renforcée par le silence.

> Je le regardai entrer à pas feutrés. Il est des démar-
ches courtes et étriquées qui fatiguent les meilleures
moquettes et les esprits forts. Il en est de longues et
amples où les muscles se contractent et se déploient
dans un beau froissement d'étoffe, d'autres hâtives et
chancelantes qui dénotent quelque folie cachée ou quelque fourberie dont il faudra se méfier… Captp s'avançait très doucement… Il avait le pied précis, glissant à
fleur de sol, l'épousant presque, de sorte qu'il paraissait
vouloir y adhérer continûment — un Terrien, conclus-je
un peu précocement. Car au-delà de la ligne du bassin,
l'impression rigoureusement contraire dominait, avec
des bras comme suspendus et un tronc si tonique que
tout le corps semblait aspirer à s'élever. Étonnante
disjonction qui devait marquer l'homme.

> La salle où je pénétrai ne devait sa faible clarté
qu'aux cercles de lumière qui couvraient l'horizon.
Je m'approchai de la baie pour admirer la perspective du Cube et le jeu des vaisseaux dans un ciel sans
Saturne. Deux heures… Il me fallait les gagner, minute
par minute, faire durer… Ils n'oseraient pas donner le
montage aux médias… Ils n'oseraient pas si je tergi-
versais habilement… Pourvu que les autres s'en soient
sortis, pourvu… Dans ce cas, tout n'est pas foutu…

— Cerclon I à ses pieds, tel un tapis d'étoiles… Belle
impression de puissance, n'est-ce pas ? Le Pouvoir, avec
son goût des vues plongeantes…

La voix avait jailli dans mon dos, en même temps que
la lumière du lustre qui me blessait les yeux.

— Monsieur Capt, je suis heureux que votre fougue ait
cédé le pas à des perspectives plus raisonnables, et que
vous ayez accepté de discuter ma proposition. Excusez
ma petite mise en scène : il est rare que je m'autorise
pareille facétie, mais, que voulez-vous ? Vous êtes vous-
même un être rare, un aventurier opérant dans l'ombre,
et je n'ai pas souhaité d'emblée vous imposer mes jeux
de lumière. Prenez place, je vous prie.

> Captp s'assit, avec une rassurante docilité, sur le
divan.

— Je pense que P a évoqué pour vous ma proposition ?

— Oui.

> Il attendait que j'enchaîne. Silence.

— Eh bien, qu'en pensez-vous ?

Il traquait la réponse sur mon visage avec une intensité presque impudique.

— L'idée vient de vous ?

— Dans une certaine mesure, oui. J'ai toujours été,
ce n'est pas un secret pour la presse, hostile à la peine
capitale. Aucun homme ne mérite pareille peine — et
d'autant moins un intellectuel de votre envergure,
quelles que soient par ailleurs ses activités anti-
démocratiques.

Anti-démocratiques… Terroristes me brûlait la langue, mais c'eût été cautionner à ses yeux la campagne,
un peu grossière à mon goût, que menait le gouvernement et qui visait à faire accroire aux citoyens que la
Volte, sous les oripeaux d'une louable lutte, masquait la
fomentation d'une future dictature. Plusieurs opérations
tendant à discréditer le gouvernement, des coups média-
tiques insolents, une guérilla pénible qui contrariait le
fonctionnement des institutions et surtout, surtout, la
sympathie croissante du mouvement auprès d'une frange
non négligeable de la population — plus de 11 % au
dernier sondage du ministère — avait déterminé l'ex-P

à démanteler le réseau. De sa propre initiative, avait-il décidé de mettre Captp sous téléfilature, sur la foi d'un simple paramétrage de la main gauche. Certes, en tant que théoricien des pouvoirs, il pouvait être suspecté d'entretenir des relations avec la Volte. De là à en être le leader…

— J'ai donc soutenu du bout des lèvres l'opération imaginée par P — plus par solidarité gouvernementale et pour protéger la démocratie que par réelle conviction personnelle. J'avais néanmoins posé une condition : que vous puissiez prendre le poste de E si vous le désiriez.

> A mentait, et quelque chose d'impalpable dans son honneur le lui reprochait presque, si bien qu'il parlait un cran en dessous de sa puissance potentielle de persuasion, légèrement en retrait, à distance de lui-même, comme pour ne pas trop se salir. Simultanément toutefois montait en lui la lie d'habitudes sans doute contractées de longue date et qui lui assuraient une capacité d'autoconviction telle que n'importe quel discours, fût-il répugnant d'hypocrisies, prenait, au fil de ses phrases, une tonalité véridique.

— C'est un poste exposé qui exige de grandes qualités politiques, une connaissance approfondie de la machine universitaire, et, naturellement, la fibre d'un artiste pour la gestion culturelle de la ville.

« Gestion culturelle. » L'impur mélange ou l'impur côte à côte. Gestion… culturelle : ça sonnait comme « fascisme humaniste » ou « guerre propre ».

— Vous avez apporté la preuve de vos compétences de leader en dirigeant la Volte comme vous l'avez fait, avec poigne et rigueur, Sta nous en a beaucoup parlé…

— Sta ?

— Oui, Kohtp, excusez-moi, je viens de parapher son surclastrage. Vous avez énormément de charisme, vous êtes exceptionnellement jeune pour le portefeuille : vous bénéficierez sans aucun doute d'une promotion médiatique appréciable pour votre nomination. Un *capital de sympathie*, comme disent nos experts en communication, qu'il faudra faire en sorte de conforter, de *capitaliser* si je puis dire.

> Je m'approchai du variateur pour tamiser la lumière. Il me regarda faire en souriant.

— Quel sort me réserve-t-on si je décline l'offre ?

— Peut-être pourrons-nous évoquer cette éventualité un peu plus tard ? Concentrons-nous, si vous le voulez bien, sur ma proposition.

— Quelle sera ma marge de manœuvre ?

— Celle de tous les E : celle que permettent les professeurs et l'administration, les parents d'élèves, les syndicats, les étudiants et l'opinion…

— Et le Président ?

— Oui, ainsi que B et C, tous les 1-lettrés de l'équipe gouvernementale.

— Aucune en clair.

— Ne soyez pas si catégorique. Cette marge existe, fût-elle difficile à cerner et à gérer. Libre à vous ensuite de l'élargir. N'est-ce pas justement le propre des grands ministres ?

— Croyez-vous qu'un marginal puisse se satisfaire d'une marge ? Vous me proposez l'un des plus beaux postes politiques et vous m'offrez un couloir pour y régner.

— On ne règne bien, vous l'apprendrez, que dans des couloirs.

— On ne règne bien que les mains libres et le front au vent. Je vais vous dire : j'accepte le portefeuille, j'accepte de devenir E, mais à une condition expresse.

— Laquelle ?

— Que ce E soit majuscule : que je dispose d'un vrai pouvoir, total et sans limite, que rien n'arrête, que rien ne borne ou subordonne ; que je puisse décider et diriger à ma guise, sans compromis ni compromission, comme ce devrait être le cas pour n'importe quel ministre digne de ce nom !

— Ah ! Ah ! Vous parlez comme un vieux monarque : pouvoir total, sans limite… mais que croyez-vous ? Que le pouvoir se trouve ici, dans ce cube, concentré et compilé sur vingt-six étages ?

> Il marchait, le grand président… Piqué au vif, prêt à parler. Il se rapprocha imperceptiblement de la fenêtre, le regard dans le vague.

— Je le croyais aussi à votre âge. Je regardais ce cube, avec ses fascinantes parois noires et je me disais : là-haut se trouve l'homme qui ne reçoit pas d'ordre : A. Obéir… obéir à un soi-disant *supérieur* m'a toujours été insupportable. Je n'ai jamais cherché à me repaître de la masse croissante de subordonnés que mes promotions m'allouaient nécessairement. Commander ne m'intéressait pas, ne m'a jamais intéressé. Je n'ai jamais voulu le pouvoir pour cela.

Il semblait maintenant parler pour lui-même. Peut-être le faisait-il parfois dans ce salon, quand ses masques glissaient avec la nuit.

— Dans mon esprit, A, ce n'était pas l'Homme du Pouvoir, c'était précisément l'inverse : l'homme libre de tout pouvoir, l'homme délivré. Maître enfin de son dessin… J'étais fou ou stupide — stupide comme seuls ceux qu'une idée obsède peuvent l'être. À 64 ans, j'ai été élu A : « consécration suprême » croit-on. Ah, j'étais ivre d'orgueil, je me répétais : *Tu as touché le sommet du cristal social, tu n'as plus rien au-dessus de toi que le cosmos…* Mais au bout d'un mois, j'avais compris : je n'avais plus un supérieur, non, mais des millions. Sept millions de petits chefs exactement, devant lesquels louvoyer et s'aplatir, passer compromis sur compromis, sous peine de renvoi immédiat…

> Pas fini, le Snake, t'as pas fini je t'le dis ! Si tu sais encore compter sur ta pogne, t'es à quatre bifurques, pas moins, d'un puit à ox… À contreflux avec le mélange à − 8 °C qu'ils balancent dans cette tuyauterie pour raton cryogéné, sûr que ta trace thermique, à trente mètres sous l'asphalte, risquent pas d'en capter grand-chose, sauf à te lâcher dans le trou une saloperie de camératon qui va t'arpenter tout le réseau avec sa fouine plus vite que s'il avait du ronron au cul !

Quand j'ai vu la flaque en costume au pied de la tour télé, je me doutais que sortir de leur toile, ç'allait pas être de la balade, mais ça a été plus que ça… Du rugueux ! Surtout que voir un de leurs potes plonger du copter et faire une bolognese sur l'esplanade, ça leur a un peu tordu le groin, aux autres… Quand j'ai cogné sur le carreau de l'appart, en bout de câble, pas trop timidement, avec le casque accéléré à 3 g, la baie a explosé et j'ai ricoché comme une caillasse sur deux pièces avant de finir dans un canapé. Y avait un couple, pépouf, qui trônait là, qu'alunissait, je me suis relevé. Je te les ai dégagés à coups de latte dans l'escalier ! « Filez prévenir mes collègues du bas », je leur ai gueulé ! « Y a un volté sur le toit qui veut faire tout exploser ! » Avec le casque Optir sur la tronche, z'ont pas mouffeté et sont partis en cavale, générant la trace thermique dont j'avais besoin pour piéger les capteurs des copters ! Moi, j'ai filé direct dans la douche, calé le varios sur 10 °C, au taquet, et je suis resté jusqu'à faire tomber ma température au niveau de l'ambiance, histoire d'avoir une tache qui bave, pas trop situable au spectro. Puis j'ai retraversé l'appart, opposite à la Tour, pour me trouver, comme prévu, face au boulevard Kerr, juste dans l'axe, impec pour la fuite en zigzag. Alors, j'ai pris mon deuxième filin, j'ai fracassé la vitraille d'un coup de boule, j'ai arrimé le câble et j'ai armé le harpon magnétique. Sous moi, quand j'ai bondi au dehors, crocheté au câble, y avait soixante mètres de gaz, des fourgons dans le genre bleu nuit et un bruit de moteur que j'ai reconnu tout de suite — les glisseurs trafiqués — mes chevaliers, ceux qu'étaient pas encore parallèles au bitume, qui cartonnaient sévère, qu'étaient là comme ils l'avaient toujours craché, pour me couvrir. Mes potes. Mes seuls potes ! Les derniers !

— J'ignorais que le Chef de l'État avait peur de ses employeurs. Vous aviez lu les clauses du contrat, celui qu'on dit social ? (Il appréciait modérément mon insolence, qui n'avait d'autre but que de le relancer, pourtant je sentais qu'il était prêt à continuer.) Soyons sérieux : qui commande, qui détient le pouvoir, si ce n'est vous ?

— Qui le détient ? Le pouvoir ne se détient pas, vous le savez pertinemment, mon ami, tous vos essais le martèlent.

Il cherchait manifestement des accents paternels, à défaut de trouver son registre et sur ce thème du pouvoir, il me donnait parfois l'impression de mimer mes essais pour mieux m'apprivoiser.

— Le pouvoir n'est pas une substance ou un fluide magique que le Président, qu'une classe ou un appareil d'État posséderait en propre, comme une chose. Personne ne peut vraiment dire ce qu'est le pouvoir en démocratie car le pouvoir est essentiellement... multiple... diffus, il s'exerce avant de se posséder... Mais il ne s'exerce que dans des rapports complexes et entrelacés, au sein d'un écheveau de lignes qui se coupent ou se nouent étroitement : médias, religions, multiplanétaires... syndicats, groupes de pression... peuple... président même... Si vous cherchez LE Pouvoir, vous ne le trouverez jamais, parce qu'il est partout.

— Partout, oui, avec des densités et des concentrations si variables toutefois qu'il est possible de dégager des masses sombres, des pôles de condensation où le pouvoir gravite, spirale. Le cube où nous sommes est précisément une telle masse, non ?

— Le cube ? Savez-vous pourquoi il est le seul bâtiment non transparent de Cerclon ? Pour qu'on ne voie pas qu'il est vide. Les politiciens n'ont plus qu'un rôle véritablement sérieux à tenir aujourd'hui : masquer qu'ils sont inutiles, que la politique est morte parce qu'elle n'est plus le lieu du pouvoir. Et ne croyez pas que ce soit un rôle facile à tenir. C'est un vrai métier, éprouvant, exigeant, que de paraître maîtriser des processus qui nous échappent presque complètement. D'aucuns s'attristent de voir les fonctions politiques accaparées par les comédiens. Nous devrions au contraire nous en réjouir : c'est une chance de pérennité pour le métier, une clause de survie. Non, le cube nous cache, monsieur Capt, les vrais pouvoirs sont ailleurs.

— Où donc ?

— Pourquoi vouliez-vous détruire la tour de télévision ?

— Répondez à ma question.

— Pourquoi vouliez-vous détruire cette tour ?

— Le drapeau noir.

— Pardon ?

— Qu'il flotte dans tous les téléviseurs, partout. Vous n'avez pas répondu à ma question.

— J'en conviens. Approchez-vous donc de cette baie vitrée, monsieur Capt, et regardez. Qu'est-ce que vous voyez ?

— Sept millions de corps qui dorment.

— Savez-vous ce qui a rendu cette ville possible ? Ce qui a permis que ces bâtiments et ces tours tiennent debout sur un sol si dur qu'il nous interdisait de creuser la moindre fondation ? C'est une invention anonyme, une de ces inventions de peu à laquelle aucun homme ne s'enorgueillit de prêter son nom. Ce n'est pas une formule ni un objet, ni même une matière qui permettrait de faire des objets. C'est une propriété : celle de faire tenir ensemble des pièces de béton et de les unir sans qu'elles se touchent, dans leur distance même. Le *ciment magnétique*, puisqu'il s'agit de lui, ne se trouve nulle part en particulier, il est toujours *entre*… Retenez cette leçon : aucun homme politique ne gère des personnes, monsieur Capt, mais des flux de béton. Il en coupe la pâte. La liquéfie ou la durcit. Il la polarise. Plus ou moins. Puis il en fait des sols et des murs — des cadres d'évolution, des espaces précontraints… Il fait son travail. Regardez cette ville : vous dites qu'elle dort. Moi, je trouve qu'elle tient debout. Alors vous me demandiez où sont les vrais pouvoirs ? Je ne sais pas.

— Vous savez au moins qu'il vous faut tenir compte des médias, et puis, de temps à autre, de ce que disent et pensent effectivement les gens. Enfin, de ce qu'on leur permet de dire sur une grille préétablie de sondage et de penser à partir du vomi culturel que vous servez pour soupe chaude à leur appétit de comprendre.

— Hum… Vous forcez le trait.

— Je ne le force pas, je le décoche : où en est l'éducation du peuple aujourd'hui ? Qu'en avez-vous donc fait ? Y en a-t-il encore en stock ? Dans quel cosmarché de la zone 5 ? Vous avez des noms, des adresses ? Et l'école, hein ? Qu'est-ce que l'école dans les Cerclons ? Une antichambre du Clastre ? Je vais vous le dire : vous ne cherchez plus à élever des hommes, mais à *former* des câbles supraconductifs pour votre réseau informatique — appelez-le ville, appelez-le société ! La *formation permanente*, voilà votre première et dernière ambition. À l'école, au bureau, sur les trottoirs, sous le casque virtuel ou devant la télé : former ! Toujours former ! Former les corps ! Formater les cervelles comme des noyaux durs ! Pour y graver dessus vos modèles mortuaires et vos mots d'ordre !

> Sa colère avait quelque chose de stimulant et d'agréable à suivre. En neuf ans de règne, je n'avais encore jamais rencontré d'homme assez fou — ou assez libre — pour se

payer le luxe de m'attaquer. La fonction présidentielle est
un morne cocon. Personne ne prend le risque d'y planter
un aiguillon. Le courage... Le courage de critiquer et de
s'opposer, voilà ce qu'on aurait cherché en vain dans le
cube. Peu de choses avaient changé en dix siècles... Les
flagorneurs s'étaient faits plus subtils sans doute, ou bien
les despotes plus accessibles... Il fallait laisser une chance
à ce Captp, je l'avais bien senti, lui donner un peu de
champ... Il était frappant de voir à quel point cet homme
était vivant dans la colère, à quel point il était convaincu
de ce qu'il disait. Convaincu. Je me contentais d'être
convaincant, c'était l'essence de mon métier, c'était mon
art... J'avais depuis longtemps perdu ce cri primal qui
casse la voix, cette crispation émotive qui jaillit au milieu
du discours et le rend vrai malgré lui... Lisser et neutraliser son timbre pour *fabriquer* la conviction, c'était devenu
une seconde nature chez moi ; pas même seconde : une
nature tout court... J'avais envie d'affronter cet homme,
de le pousser au bout de ses idées, de lui offrir la possibilité de sauver sa peau : de me convaincre, justement.

— Ces modèles sont plutôt l'œuvre des médias, il me
semble. Lesquels sont indépendants de notre pouvoir...

— Bien entendu : indépendants ! Tacitement, vous
n'inquiétez pas les holdings qui imposent leur norme
de profit aux télévisions, aux radios, aux programmes
de virtue, aux journaux, aux magazines de toute sorte
et qui suppriment irrémédiablement ceux qui, trop ori-
ginaux ou destinés à un public trop restreint, ne permettent pas leurs indispensables économies d'échelle. Vous
savez très bien pourquoi vous laissez faire : pour pouvoir survivre, financièrement parlant, les médias en sont
contraints à une stratégie de canalisation des désirs de
leur public, *dont vous-mêmes bénéficiez pour gouverner*.
Mais tout ça n'est encore rien. J'attends le jour où vous
dirigerez les instituts de sondage, où non seulement vous
commanderez les études comme vous le faites déjà, mais

où vous donnerez vous-mêmes les résultats qui vous sont favorables. Là, votre démocratie « directe » sera accomplie : Cerclon sera gouverné à partir des opinions fictives d'une population fictive à laquelle tout le monde se sentira obligé de se plier, puisque ce sera la voix de la majorité ! Et qui pourra démentir les pourcentages ? Dénoncer la tricherie ?

— Qui le peut aujourd'hui ? le coupai-je.

J'avais brisé son bel élan dialectique et il me regarda sans vraiment comprendre.

— Personne.

— C'est pour cette raison que nous avons créé Sondophage…

— Créé ? Vous voulez dire…

— Que nos sondages sont d'ores et déjà entièrement fabriqués. Vous parlez d'un avenir, monsieur Captp, qui est déjà notre présent. L'idée, vous vous en doutez, était en germe depuis longtemps. Mes prédécesseurs avaient fait plusieurs tentatives intéressantes : falsifications, redressements statistiques, noyautage des entreprises et même un rachat avorté… un grand institut. Tout cela restait cependant de faible envergure, comportait des risques de fuite et de dénonciation publique, toujours très coûteuse politiquement… Alors pourquoi insister ? Il suffisait de créer notre propre institut, avec une politique de prix qui ramène à nous la clientèle des concurrents. Tout cela sous le couvert du secret naturellement et avec un statut parfaitement légal d'entreprise privée. C'est ce que nous avons fait. (Il fulminait littéralement sur place.) Rassurez-vous, nous avons une déontologie : les enquêtes que nous menons sont de vraies enquêtes. Nous ne falsifions que dans la limite de plus ou moins dix pour cent. Ce qui reste honorable.

— C'est monstrueux !

Il était jeune. Très perspicace, très intelligent, mais encore jeune… Nul doute qu'il sût discerner avec une remarquable acuité les stratégies à l'œuvre derrière nos plus innocentes pratiques sociales, mais il ne les voyait encore qu'à son image : de grands blocs lisses et purs s'affrontant, s'entrechoquant et se brisant net comme des pains de glace. Alors que toutes ces roches étaient si pourries, si pleines d'impacts et de trous usés qu'elles ne cessaient de s'effriter au moindre choc, si bien que le gros de toute politique consistait, suivant les cas, à débusquer ou à reboucher les failles tactiques, et, au fond de chacune, à reconnaître le désir qui l'avait creusée… puis à le traiter. Mais pour cela, un bon politique devait, sous les apparences convenues du roc, tenir plutôt du bloc de sel qui tout à la fois conserve la viande morte et qui, des hommes seulement blessés (ou des hommes sains qu'on blesse), saupoudre les plaies vives, s'y immisce et les ronge… Cela n'avait rien de « monstrueux », au contraire, c'était tellement humain. Tellement. Jusqu'où la tête de Captp était-elle capable de vieillir pour comprendre cela ? C'était ce que je souhaitais voir maintenant.

> La tactique, en fuite aérienne, la meilleure pour ce que j'en sais, quand t'as un brave fusil qui te tend le câble à deux tonnes, assez de filin pour enchaîner les tyroliennes, que tu pars d'assez haut, que t'as pas la tremblote, que tu sais te poser fluide sur un rebord sans te crasher comme une merde, que flinguer en suspension te paraît aussi naturel que de pisser d'un balcon, c'est le zigzag. De part et d'autre d'un boulve, en ligne brisée, et chaque fois que tu coupes la rue, tu tires à l'aplomb sans te poser de questions, entre tes palmes. Personne n'est à l'aise dans l'oblique. Savent pas faire, ça, à l'école du rire, chez les branleurs de la sûreté. Une ligne de tir, chez eux, c'est droit comme le i de flic, ça perpendicule ou ça parallélise, mais viser une cible qui se décale sur les deux axes, ça te leur grille le cortex comme du plastoc fumé.

J'ai décollé de chez les encouplés. J'ai volé par-dessus le boulve Kerr, de façade à façade — une longueur — deux longueurs — trois longueurs — chaque
coup un peu moins haut, plus facile à cribler, avec quelques chevaliers à moi, en glisseur, isolés, qui foutaient le
box au sol, qui coupaient les trajectoires des fourgons, et
eux avançant sans broncher, au pas, avec des artilleurs
sur le toit des cubes roulants, qui leur réglaient l'addi-
tion en balles de caoutchouc — et dès qu'ils avaient un
répit, ils visaient le cake suspendu au ciel : Snakos. J'ai
eu le temps d'aligner un W, pas plus, que j'ai su qu'il
fallait recycler la combine. Le Kerr coupait la rue des
Étoiles. J'ai atterri sur un rebord et j'ai plongé m'abriter dans un appart du douzième étage, sur la rive droite
du boulevard, presque à l'angle du pâté. Ça sifflait dur
dans les vitres. J'ai pris mon dernier filin, un trois cents
mètres. À l'arrache, j'ai rassemblé du lourd : des chaises, une table, accroché un lit et mousquetonné le tout,
arrimé à une pauvre sangle, sur le câble. J'ai harponné
à ras l'angle gauche du Kerr, de l'autre côté, pour aller
toucher au plus loin de la rue des Étoiles, sur le trottoir
droit, le pied d'une turbine à ox. Je me suis approché de
la fenêtre. Des velus enfonçaient la porte dans mon dos.
J'ai mousquetonné ma peau sur le câble, lâché à l'Optir, sur les artilleurs bien calés sur leur fourgon, quatre
des six boules qui me restaient au chargeur et j'ai sauté
en poussant mon bordel suspendu... Ça a été le grand
déluge... Ça crépitait de partout dans le tohu-bohu. Les
chaises à la déchique qui dropaient quarante mètres
plus bas, le lit chiait de l'étincelle avec des bruits de cloche. J'en ai pris dans le casque, dans les semelles en kev,
une dans le tibia, puis j'ai tout largué — le lit en acier,
la chaise qui pendouillait, la table en verre, en sciant
la sangle au couteau, laaaa ! direct sur leur gueule...
Crabouillé ! Tout est comme devenu calme. Cinq-six
secondes. Mais ça a suffi. Mon câble s'est retendu. Sec.

J'ai fléché jusqu'au sol. Mes deux dernières bullets, elles ont été pour les deux flics qui s'étaient crus plus malins en sprintant jusqu'à mon point de chute, en bout de ligne… Dommage, c'était jour de paye.

— Que voulez-vous, monsieur Capt, nous n'en finissons pas de payer nos révolutions. « Les hommes naissent libres et égaux en droit. » Quelle folie, quelle inconscience dans une telle déclaration ! Et voilà trois siècles que les gouvernements du monde se débattent avec cette folie, avec cette liberté dont personne ne sait que faire. Comment gouverner un peuple qui se dit libre ? Comment gérer la liberté ? Nos rois avaient Dieu, les valeurs transcendantes, la religion ; nos empereurs la discipline ; nos tyrans la terreur… Mais nous, que nous a-t-on laissé ? Ne se devait-on pas d'innover ? La démocratie pure, sans défaut et sans tache, peut-être est-ce ce dont vous rêvez, monsieur Capt, mais c'est l'anarchie.

— Exactement.

— Comprenez donc qu'il fallait que son avènement soit doublé, et comme contrebalancé par un surcroît de contrôle, opéré politiquement par le vote qui brise l'expression individuelle du pouvoir, économiquement par les circuits de consommation où nous fait graviter le capitalisme, socialement par la discipline du Clastre…

— Et psychologiquement par une diffusion de l'Opinion qui assure la circulation optimale du « bon sens ». Alors l'imitation et le conformisme se propagent en coulée de ciment et pourvoient à la cohésion du corps social. Je me trompe ?

> Il ne daigna pas me répondre, s'approcha d'un bar escamoté dans le mur et en sortit une bouteille de vodka. Il poussa les lumières au maximum.

— Plus un pays progresse vers la démocratie, plus la liberté accordée à chaque individu menace la société d'éclatement. Plus, par conséquent, le pouvoir doit s'exercer haut — et profondément. Passer sous les cœurs et dans les nerfs afin de gouverner de l'intérieur les comportements. L'ironie de l'histoire, monsieur Capt, veut que ce soit paradoxalement la lutte acharnée de gens comme vous, de révoltés épris de justice et de liberté, qui ait poussé les gouvernements à se remettre en cause, à affiner et à perfectionner sans cesse leur stratégie pour finalement édifier la plus fantastique machinerie de pouvoir jamais mise en œuvre : le contrôle. Je ne parle pas du contrôle des idées, de la propagande douce et des modèles idéologiques que nous entretenons — quel gouvernement peut s'en passer ? Mais d'un contrôle plus subtil et plus puissant, d'un contrôle qui ne vous enveloppe plus simplement de l'extérieur ainsi qu'une camisole vous entraverait, mais qui vient agir en vous, à la source, pour la *purifier*. Un contrôle interne, intime, *in petto*, qui opère directement à partir des foyers émotifs primaires : la peur, l'agression, le désir, l'amour, le plaisir, le malaise… Une camisole, n'est-ce pas, on l'enlève, on l'arrache, on la découpe : il y a toujours moyen de s'en débarrasser. Mais si la camisole devient chimique, si elle devient peau, si ce sont vos tissus nerveux qui servent d'étoffe, c'est que le contrôle est passé en vous : *self-control*. Ne cherchez pas à vous l'extirper, ne tirez pas sur les fils, vous vous déchirerez…

Je me reculai comme s'il eût enfoui sa main dans mon ventre et qu'il le tordait. J'étais glacé jusqu'aux tripes. J'avais cherché ces choses si longtemps, si longtemps… Lui les avait énoncées sur ce ton de la plus triviale évidence qui signe les certitudes acquises de longue date. Dix ans… Cela faisait dix ans que je me battais contre un système aveugle, inhumain, fait d'écrans de contrôle, d'aliénation douce et de concurrence absurde. Mais je n'avais pas vraiment compris, au fond, contre quoi je me battais. Je me battais par instinct. Je m'étais toujours battu par instinct. J'avais eu beau écrire, spiraler avec mes étudiants autour de ce qu'était le contrôle, comment il s'exerçait, j'étais resté à la surface des choses : aux grands rapports de force Peuple/Médias/Gouvernement, aux caméras et à la fonction sociale du Clastre, à la publicité et à la libido capitaliste… Bien sûr j'avais senti en deçà comme un flux plus puissant qui émiettait ces masses friables et en dispersait la poudre à travers l'ensemble du champ social, à travers nos pores et le flot de nos sangs. J'en avais senti l'odeur, recueilli par poignée la poussière, mais je n'avais pas cru à la force des vents, pas de ce côté-là du combat, pas chez eux. J'avais cherché encore et encore dans mes déserts des pyramides, d'où ne pouvait que provenir pour moi cette poussière qui épaissit nos sangs. Et je n'avais trouvé que du sable. Des tourbillons de sable. Partout. À perte d'horizon. *Contrôler les affects*. C'était ça, le mystère en pleine lumière. Ça, le ciment magnétique. Il fallait que je me reprenne, que je réponde, que je le relance, que je le pousse à parler.

— Viendra peut-être un jour béni, monsieur le Président, où vous n'aurez plus besoin de prison, ni de loi, ni même de « forces de l'ordre » car l'ordre ce sera tous et chacun, la loi ce que tout le monde s'accordera à considérer comme juste et la prison un lieu vide où ne pourra échouer aucune subversion, puisque les désirs seront devenus hémophiles et qu'ils couleront, de plaisir en plaisir, en pente douce. N'est-ce pas d'ailleurs l'idéal d'une certaine démocratie ?

Il me dévisagea en opinant légèrement de la tête, avala d'un coup sa vodka et reposa délicatement son verre sur le bureau d'amarante.

— Vous êtes un interlocuteur de grande qualité, monsieur Captp. Vous récupérez vite, très vite. Vous ferez, j'en suis convaincu, un excellent politicien. Pour répondre à votre question : je ne crois pas qu'une telle société soit possible, ni viable. Et puis, quel plaisir ? Gouverner,

c'est gérer des résistances. Souvenez-vous des monar-
chies, regardez les dictatures : n'ont-elles pas sombré
précisément parce qu'elles étaient incapables de gérer
les contre-pouvoirs ? Je ne dis pas faire face, je ne dis
pas affronter, je dis : *gérer*. Il y a un siècle et demi, la
démocratie était regardée comme le moins mauvais
régime possible. Aujourd'hui, une majorité s'accorde à
le considérer comme le meilleur. Pourquoi ?

— Parce que les gens vivent leur liberté comme la
possibilité de choisir entre le vidéoguide ou le pilote
vocal pour conduire leur glisseur ! Parce que vous les
avez persuadés que notre système économique était
indispensable et fatal, qu'une société civilisée ne pouvait qu'aboutir à ce système comme à la fin de l'Histoire — dût chacun en reconnaître, pour la forme, les
imperfections.

— Vous n'avez pas tout à fait tort. Mais c'est surtout
que nous n'avons jamais été aussi proches de ce que
j'estime être le summum du pouvoir : *une aliénation
optimum sous les apparences d'une liberté totale.*

— C'est une définition de la démocratie ?

— C'est un constat.

> Il se ramassa sur lui-même dans un accès de colère
sombre et vint se coller à la baie vitrée. La ville scintillait
dans le lointain. Il semblait se débattre avec ses valeurs
et ses convictions dans un état de tension avancée. Il eut
plusieurs gestes rentrés, puis il éclata :

— Libérez le peuple de cette aliénation-là et vous
verrez de quoi il est capable ! Vous ne savez pas ce que
peut un peuple. Vous ne voulez surtout pas le savoir, A,
surtout pas... Vous croyez gouverner, du haut de vos
trente étages, mais c'est la Peur qui vous gouverne — la
peur de cette masse *incontrôlable* qui vous pousse sans
cesse à la prendre en charge, à la prendre en main, à la
réguler, à la canaliser pour qu'elle s'écoule, sans heurt
surtout ! dans vos tamis. Je vais vous dire le fond de vos

tripes : vous tremblez de voir un jour un peuple libre, un peuple qui vit, un peuple qui vibre !

Je le regardai avec indulgence en me versant un second verre :

— Ce qu'il y a d'extraordinaire chez tous les révolutionnaires que j'ai rencontrés, monsieur Capt, c'est que, comme vous, ils voient le peuple à leur image : bon, généreux, énergique... c'en est presque émouvant — peut-être faut-il voir dans cette chimère une manière de narcissisme, un égocentrisme qui vous est propre, je ne sais pas, ce serait à creuser. Naturellement, si vous me donnez sept millions de Capt, je vous fais une Volution dans la minute ! Ce qui est utopique, ce ne sont pas vos idées, ce ne sont pas vos projets : c'est cette foi irraisonnée que vous avez dans le peuple, dans ce que *peut* le peuple comme vous dites, comme si le peuple n'était pas quelque chose de foncièrement passif, malléable, indécis... Je dois vous avouer que c'est toujours pour moi une surprise que de voir des intellectuels aussi brillants que vous — car vous êtes brillant, monsieur Capt, brillant — se fourvoyer sur un sujet aussi enfantin. Sans doute parce que vous cherchez à être plus infantile encore que les enfants, plus animal lorsqu'il s'agit d'être homme, tout bêtement homme et d'ouvrir les yeux.

Il sourit. Je vidai mon verre cul sec et repris brutalement :

— Et parfois vous les ouvrez, vous vous confrontez à la réalité. Mais au lieu de l'accepter telle qu'elle est, vous vous rabattez sur la seule pirouette à même de sauver vos espoirs : le peuple est victime ! Victime de la répression, victime de la propagande, victime du contrôle, victime de n'importe quoi pourvu qu'on lui enlève ses responsabilités, qu'on l'absolve de sa faiblesse et qu'on trouve des excuses à sa passivité : il a beaucoup souffert, il est encore jeune, il a traversé de dures épreuves, il sort encore tout traumatisé de la Quatrième Guerre...

Pour moi, le peuple a le pouvoir qu'il mérite et il n'a pas d'excuses.

— Il n'a surtout pas d'armes. Dévitalisé par le confort et la consommation, où trouverait-il les ressources pour se battre ? Le goût de la lutte est une qualité qu'on inhibe ou stimule. Tout est question d'éducation, vous le savez pertinemment.

— Voilà ! Enfin ! Je suis heureux que vous reveniez de vous-même à l'enjeu de notre conversation, j'avais peur de vous y ramener de façon artificielle… Si l'éducation, comme vous l'avancez fort justement, est la pierre de touche de toute construction sociale, pourquoi n'accepteriez-vous pas d'en être l'architecte ? Vous regorgez de projets — j'en suis sûr —, le poste de E n'est-il pas pour vous l'occasion inespérée de mettre à l'épreuve vos conceptions ? À la tête de ce ministère, vous pourrez *agir* enfin, peser sur le destin de Cerclon, oui, agir de l'intérieur, actionner la puissante machine politique au lieu d'en être le triste saboteur.

Il me retourna un visage si inquiétant que je ne pus m'empêcher d'enfoncer subitement le clou qui le crucifierait :

— Votre carrière à la Volte est terminée, monsieur Captp, que vous acceptiez ou non ma proposition.

> C'est pas que j'ai douté de l'ami Blusq, au moment où j'ai encastré le bigarreau dans la porte de la turbine à ox, mais j'avais aux miches, à peut-être cinquante mètres, à peu près autant de flicos que lors d'un défilé du 9 septembre et qu'ils étaient, sauf à me gourer, pas plus prêts à faire la fiesta qu'un irradié à chercher les rayons du soleil. Le noyau dur a pirouetté ce qui m'a paru trois plombes sous les faisceaux de contrôle… Clac ! ça a fait. Si bien que j'ai décalé le sas, récupéré la bille et que je suis rentré dedans, refermant illicco. Pas balourd, j'ai balayé le panneau de commande qui crevait les mirettes

dans cette petite salle de deux sur deux. À nouveau la
bille dans le trou du tab, tapé un code que j'avais marqué
sur ma pogne, j'ai saisi le manchon et l'ai bloqué à 0. À
mes pieds, y avait un disque de métal avec une poignée.
La bille toujours. Un brave code à cinq lettres. J'ai
dégrippé la poignée. Vrrrooin… Le puits était dessous,
avec des barreaux de descente. Pas le genre avenant.
Ça sentait le frigo mal dégivré. « Halte au feu ! » qu'il
gueulait, un gradé derrière la porte blindée. « Cessez
de tirer, vous allez faire exploser les poches de gaz ! »
« Déverrouillez ce sas en manuel, bandes de crétins ! » Il
avait pas tort, le gradé. La porte était vilainement bosselée sous la mitraille… Sans gamberger plus avant, je me
suis fourré dans le puits. Bouclé le couvercle au-dessus
de ma tronche et cadecodé. J'y voyais rien, mais plus que
rien. Le noir noiraud de chez noir. Mais je pouvais pas
faire le gosse qu'a peur dans son placard. Fallait filer au
tréfond.

> Je m'enfonçai un peu plus encore, s'il était possi-
ble, dans le fauteuil luxueux du salon présidentiel. Du
cuir authentique de cette qualité, il était impossible d'en
trouver sur Cerclon. Importation terrienne. Je me sentais
à présent très lourd, écrasé de gravité, la même sensation que lorsque je revenais du Dehors pour retrouver
la pesanteur artificielle de Cerclon, et ce souvenir même
m'écrasa davantage. La Volte, terminé. Jamais je ne
pourrais y revenir, jamais relancer la moindre action.
Étrange comme le choc de rencontrer A, en tête à tête,
mano a mano, m'avait fait oublier à quel point le mot
avenir ne pouvait plus, pour moi, avoir le moindre sens.
J'étais fini. Sauf à m'évader. Ce qui paraissait impossible
sous traçage laser.

— Réfléchissez, mon ami. Voulez-vous vous condamner à l'inaction ? vous replier sur vos rêves frileux alors
que s'ouvrent devant vous des possibilités considé-

rables ? Être le numéro 5 de la planète... Vous aurez
davantage de pouvoir que vous n'en avez jamais eu.
Et peut-être réussirez-vous à réveiller le peuple, à le
dynamiser par une politique audacieuse d'éducation ?
Se présente en tout cas un challenge à la hauteur d'un
homme de votre envergure.

> Ses yeux brillèrent, il vacillait. Le clou de la Volte
avait figé sa morgue et il se trouvait maintenant obligé
d'affronter son avenir.

> Il cherchait manifestement à me pourrir la tête. Il
le faisait sans trop se faire d'illusion : trop intelligent
pour croire que je puisse être dupe de son lyrisme à la
petite semaine... Je ne savais plus vraiment comment le
prendre. Louvoyer pour gagner du temps était bon pour
un flic de cinquième zone, pas pour un président... La
brosse à reluire n'avait jamais été mon style... Alors
quoi ? La compassion, le coup de la pitié, ma vie brisée
par cette arrestation ? Je n'avais pas d'enfants, plus de
parents, une femme par intermittence, j'avais deux bras
deux jambes, aucune circonstance atténuante et je n'en
étais pas à mon galop d'essai... Non, l'estime : forcer son
estime, me battre en enragé pour lui prouver ma valeur,
c'était tout ce qui me restait. A était un homme à qui je
pouvais parler, je le sentais obscurément.

— Vous êtes désireux de me voir intégrer au plus
tôt votre équipe et cet empressement me flatte. Je me
demande toutefois si je ne risque pas de devenir — excusez ce doute déplacé — la pièce maîtresse d'un dispositif
contre lequel j'ai toujours lutté.

> Sa goguenardise lui était revenue. Déjà. Remar-
quable.

— E n'est pas une pièce, fût-elle maîtresse, E est le
dispositif même.

— Fascinant ! Je crains pourtant que le dispositif ne
soit capable de fonctionner sans E, voire sans professeur,
la pédagogie interactive ayant fait, assure-t-on, ses preu-

ves, comme on le disait autrefois des étudiants. Quant à l'art, depuis qu'il s'exprime sans artiste, une gestion lui suffit. (Il baissa la lumière). Si je parlais de pièce, monsieur le Président, je ne pensais pas machine, je pensais lieu, et celui que vous m'offrez est un espace comble où l'on ne bouge pas sans heurter. Non que je redoute les coups, mais on blesse facilement son honneur à vivre entre sol et plafond.

— Vous avez le goût des grands mots, monsieur Captp, et des grands espaces. Mais même les grands hommes s'y perdent, vous l'apprendrez. Si l'art se gère, c'est parce que la gestion est un art, un art de la nuance et du camaïeu qui ne cesse d'excéder la simple technique, même si elle s'appuie sur elle. Entre sol et plafond, comme vous dites, la gestion parvient à déployer un arc-en-ciel de teintes qui font le bonheur des peintres raffinés. À vous de savoir jouer de la palette, mon ami.

— Je hais les demi-teintes et les raffinements. Je n'aime qu'une couleur : le rouge, vif ou sang. Dans la Volte, j'étais libre. J'avais le ciel pour toit et les toits pour sol et vous me parlez d'arc-en-ciel plié en deux dans un cagibi blanc !

> Un vaisseau décrivait une très large courbe sur l'horizon noir. Le silence était décidément parfait derrière ces vitrages. Combien de temps restait-il ? Faire durer, trouver l'axe d'une relance...

— Il y a quelque chose de pitoyable dans votre démocratie, monsieur A : pour moi, elle n'a jamais dépassé le stade de l'oligarchie libérale. Le capitalisme lui sert à ce point de... derme qu'elle ne respire qu'à travers ses filtres...

Je déplaçais sciemment le débat pour le déstabiliser. Dans la joute intellectuelle qui s'était inexorablement mise en place, et dont je pressentais que mon sort dépendrait, j'avais repris le trait. Je gagnais encore du temps et je l'obligeais à nouveau à se justifier.

> Que lui répondre ? La remarque était si évidemment fondée — et assenée si fréquemment — que même un politicien de troisième claste pouvait ratiociner sur le sujet : « Il y a capitalisme et capitalisme. Si vous parlez de celui des financiers retors et des spéculateurs qui... gnagnagna... alors, oui, le capitalisme est une plaie... Mais il en est un autre, utile et vigoureux, celui des grands capitaines d'industrie, qui produit de vraies richesses, dynamise nos bases habitées et permet à l'initiative individuelle, gnagnagna... Ce capitalisme-là, nous sommes non seulement prêts à le défendre, mais nous en sommes fiers, gnagnagna... » Non, Capt méritait mieux que ces platitudes pontifiantes.

— Si le capitalisme est si bien toléré en démocratie, sinon réclamé, n'est-ce pas qu'il joue un rôle indispensable à la démocratie — et que celle-ci, politiquement parlant, ne pourrait endosser sans susciter le scandale ? Le capitalisme a dû s'attaquer très tôt à une problématique qui ne toucha nos gouvernements que plus tard et nous ne cessons depuis de courir après les solutions qu'ils ont su forger. Vous savez évidemment que l'enjeu capitaliste par excellence a toujours été le profit. Et que le profit est intimement lié aux ventes : plus on vend, etc. Or, rien n'a jamais été vendu sous la torture ou un laser sur la nuque...

— Il faudra y penser...

— Le problème du capitalisme était donc celui-ci : comment vendre à la plus grande masse possible de gens alors que l'on ne dispose d'aucun moyen de coercition ? Terrible problème. La réponse, pendant longtemps, fut : la qualité. Il faut faire un produit de qualité et les gens achèteront parce que notre produit sera, *objectivement*, le meilleur. Vous comprenez à quel point une telle réponse était ridicule, hors de propos. Car ce qu'il s'agissait de faire était d'atteindre des ventes optimales quel que soit le produit, *quelles que soient* ses qualités objectives, sinon quel intérêt ? Je veux dire : quel intérêt en termes de pouvoir ? Alors naquit le marketing, qu'on coupla solidement à la publicité, mais l'ensemble était encore un peu fruste, les cribles trop grossiers... On travaillait au jugé. Il fallut attendre l'*affecting* pour qu'on sorte véritablement de la préhistoire de la manipulation. Vous savez : on fait comme si la logique capitaliste avait envahi sournoisement le monde politique, y avait transplanté ses méthodes pour finalement en faire un vaste marché où une offre-politicien rencontrerait des demandes-électeurs, et certains s'en étonnent ! Mais en quoi *faire vendre* serait-il différent de *faire voter* ? Et même de gouverner ? Ne s'agit-il pas toujours, à partir d'une liberté présupposée, d'orienter des choix ? Et pour cela, eh bien, de quels moyens avait-on besoin ?

— Des sciences dites « humaines »...

— Oui, mais d'abord des médias. Des médias de masse comme producteurs de l'impact affectif... Et autour, en soutien, vous avez raison, d'une sociologie des comportements qui soit capable de dégager les principales chaînes émotives ; d'en dresser une typologie fouillée ; d'examiner la mécanique intime des schèmes stimuli/réaction ; de segmenter les tendances sentimentales par âge, sexe, plasticité, réseau relationnel, sociostyles, etc. — tout cela en fonction des stratégies d'impact et des cibles visées.

— Avec, au bout, le marketing personnalisé...

— Pour finir, d'une gestion probabilitaire qui détermine non seulement les effets prévisibles des stratégies menées — mais les écarts auxquels on peut s'attendre, la probabilité que ces écarts dépassent 5 %, etc. Toutes ces méthodes, les grandes entreprises multiplanétaires les avaient mises en place longtemps avant nous. Nous n'avons eu qu'à les adapter à nos stratégies politiques. Et en faire le nerf de la pratique gouvernementale. Il suffisait de comprendre à quel point, en dépit des apparences, nos préoccupations étaient similaires.

> Je m'étais battu quinze ans contre une machine sans visage. Une machine sans machiniste, que personne n'avait mise en marche, qui s'huilait et se réparait toute seule, et que nous subissions tous. Un ingénieur, un responsable, quelqu'un dont on puisse dire : c'est lui ! avec un index vengeur, n'était-ce pas ce que la Volte avait traqué au désespoir dans cette société d'omnicontrôle ? Cet homme était là, devant moi, et il énonçait limpidement ce que j'avais mis des années à comprendre... Je pouvais lui bondir dessus. Lui briser la nuque en deux morceaux bien distincts. Un craquement mat... Craac... Un râle étouffé dans la moquette... Il me souriait. Il attendait une réponse. Un visage. Était-il le visage ? Je comprenais obscurément que tuer ne servirait à rien. C'était pâlir un visage, mais le contrôle n'avait pas de visage. Il n'avait que des yeux. Des globes exorbités qui roulaient sans fin de nos cernes à nos bouches, moins pour en étouffer les cris que pour les nourrir, en boucle, et en obstruer l'accès aux aliments autres. Pouvoir parler au machiniste, à quelqu'un qui faisait beaucoup plus et beaucoup mieux que connaître la machine : qui s'en servait ! Qui en assumait erreurs et horreurs. Qu'un tel homme existe, c'était déjà pour moi un miracle ; que je puisse lui parler un irrépressible plaisir... Qu'est-ce que j'y pouvais, je l'estimais. J'admirais ses longs développements d'une altière bonhomie... J'aimais son cynisme profond et plein, dénué d'amertume et de toute honte et cette façon insolite qu'il avait de tenir son verre et de tamiser la lumière. Il y avait en lui quelque chose de léger, de fluide qui devait en faire un politicien exceptionnel, un exceptionnel comédien...

— Si vous n'aviez que repris leurs modèles... Mais vous vous êtes servis du travail des affecteurs sur notre intimité, de leurs incursions destinées à influencer, dès l'enfance, et sur chaque sensation, le goût des consommateurs. Vous l'avez récupéré pour discipliner à votre tour la population, pour l'assoupir dans le confort repu de la consommation et l'emboucher de plaisirs immédiats. Le terrain des consciences était meuble. Ils ont su le labourer profond, profond... Et vous, par après, vous récoltez, sans vous salir les mains, en rentier, sans qu'aucun soupçon de manipulation ne pèse sur vous puisque le capitalisme, après tout, ne vous concerne pas : vous vous contentez d'en dénoncer gentiment les méfaits... et de les recycler à votre profit !

— Naturellement, oui... Il est évident que l'accroissement du conformisme que la consommation induit est pour nous une bénédiction. Le capitalisme est une bénédiction. Et je me figure mal une démocratie de nos jours s'en passer. Imaginez-vous le travail pour un gouvernement ? Imaginez ! Normaliser à un aussi haut degré les comportements ? C'est l'affaire de plusieurs siècles d'éducation, sans évoquer les résistances... Un travail de titan. Et je ne reviendrai évidemment pas sur les techniques de gestion : nous leur devons tout.

> Nous avons retrouvé Obffs, ses vêtements trempés et givrés par larges plaques, qui portait Brihx à moitié déparalysé, sous le puits à oxygène du square Thétys. Avec Boule de Chat, nous avons suivi à la lettre le plan très minutieux que nous avait préparé Blusq. Il l'avait obtenu la veille de l'assaut d'un ingénieur du réseau oxographique, un volté de fraîche date à qui, cette nuit, nous devons tout. Sas après sas, en suivant des conduits circulaires d'un mètre cinquante de section, nous avons parcouru plus de cinq kilomètres très rapidement, toujours poussés par le flux d'air, sans risque d'être repérés par les spectrographes grâce au froid qui nous enveloppait. Sans masque à azote, il est presque impossible de survivre dans ces conduits quand l'oxygène pur y circule. Et si l'on avait coupé le flux, l'alerte aurait immédiatement été donnée au central. Mais l'ingénieur a poussé la rigueur jusqu'à nous donner tous les codes de franchissement des sas, si bien que nos mouvements sont passés inaperçus — prévus qu'ils sont dans le plan de maintenance validé pour cette nuit par le Terminor ! Un piratage de haute classe ! Malgré ces précautions, la sortie par la turbine du square Thétys m'angoisse. Un quitte ou double. Mais le choix, nous ne l'avons plus. Si nous sortons sans nous faire repérer, la cache sous l'anti-rade est à quatre cents mètres. De nuit, dans le petit parc désert, ce n'est pas insurmontable.

— Gestion ! Gestion ! Vous en avez la gorge encom-brée ! Soixante-treize ans pour devenir le chef de sept millions de citoyens et votre seule fierté est de savoir gérer ! Un bon petit gérant, voilà, qui tient la boutique de l'État, fait des sourires à ses clients et surveille bien que personne ne vole à l'étalage. Regardez-vous : c'est ça l'aboutissement de trois siècles de démocratie ? Un petit gérant prudent accroché au faible pouvoir que lui accordent encore les ploutocrates ? Nos rois avaient au moins une haute conception du pouvoir : ils régnaient avec grandeur, avec une majesté sans tache, insensibles aux grimaces du peuple, n'hésitant pas à trancher et à déplaire — s'il le fallait, lorsqu'il le fallait ! — dépensant et prodiguant sans compter, vous comprenez ça : *sans compter !* Mais vous ! Vous et votre gouvernement d'illet-trés qui mettez un chiffre sur chaque chose et une caméra derrière chaque homme libre, vous avez perdu jusqu'au sens de la grandeur. Vous voulez survoler Saturne avec vos réacteurs rognés ? Vous ne décollez pas du sol, l'en-vergure d'un drone… Toute une économie de la petitesse, du calcul, du moindre risque que vous osez appeler « gou-verner ». Mais vous ne gouvernez plus, plus rien : vous gérez… À peine vous agitez-vous encore sur les écrans comme des marionnettes usées et contrites. Gouverner… On dirait que vous n'y prenez plus aucun plaisir…

A me fixa un instant. Il était passablement ébranlé sur
son socle. Cela se voyait à la façon qu'il avait de remuer
la vodka dans son verre, le regard baissé, le corps droit
et légèrement crispé. « L'envergure d'un drone » : je
savais qu'il aurait du mal à avaler la pointe et son orgueil
devait pisser le sang. Il releva néanmoins la tête et, d'une
voix qu'il avait su garder calme et sonore, enchaîna :

— Vos remarques m'étonnent. Je pensais pourtant
avoir été clair. (Il s'approcha du variateur pour un menu
réglage.) Très clair. Voilà. Veuillez m'excuser : chaque
instant d'une nuit a sa lumière propre ; encore faut-il
la respecter. (Regard ostensible à sa montre.) Où en
étais-je ?

— À la fin de l'Histoire.

— Vous parliez de… petitesse, de plaisir… oui… Je
crois que vous avez la réflexion un peu courte sur ces
sujets. Prenons par exemple les monarques, que vous
citez tant. Faire mourir ou laisser vivre, voilà par exemple un pouvoir impressionnant, n'est-il pas ? Mais seulement pour le peuple ! Seulement *vu* du peuple ! Si vous
régnez, c'est au fond un droit assez simple, assez triste
et je conçois mal que l'exercice de la souveraineté se
satisfasse aujourd'hui d'expédients aussi tranchants qui
ne laissent précisément aucune place au plaisir — ou
alors tellement fugitif. Comment gouverner un mort ?
Comment le faire produire ? C'est ennuyeux. Et si on
lui laisse la vie sauve, eh bien il est libre. Alors ?

— Faites-le souffrir.

— Pardon ?

— Faites-le souffrir. Imprimez votre marque aux corps,
faites-les plier, vrillez-leur le tronc sous la contrainte,
brisez-les menu menu… Là se trouve la vraie jouissance
du pouvoir.

— Jouissance bestiale, jouissance sadique, monsieur Capt — jouissance archaïque. S'il avait fallu se
contenter de ces plaisirs bruts, de ces régimes despoti-

ques où la force et la loi dictent chaque comportement, croyez-vous que j'eusse brigué le pouvoir sur Cerclon ? Que l'exercice du pouvoir se fasse léger et imperceptible, qu'il ne se répande plus en ostentations et en démonstrations criardes, voilà ce que mes prédécesseurs et moi-même avons toujours souhaité. Les dictatures, reconnaissez-le, sont pleines d'ennui puisqu'on n'a de cesse d'y imposer des formes rigides et définitives, d'y figer l'ensemble des possibles dans un monolithe noir qui brille comme une tombe…

— Le cube.

— Le cube respecte la vie, monsieur le Volté, et vous n'y trouverez jamais aucune arme, rien qui puisse faire souffrir ou tuer.

— Et les lasers, monsieur le Présidé ?

— Simple précaution d'usage. Je ne me délecte pas, croyez-moi, de vous voir ramper sous les lasers ; il faut toutefois savoir maintenir l'agressivité à distance. P a fait son travail, c'est tout et c'est déjà beaucoup. Parenthèse fermée. Toujours est-il que notre jouissance ne se repaît pas du sadisme des supplices. Notre jouissance, ce serait plutôt quelque chose comme un dé qu'on jette et qui retombe, jet après jet, avec une insolence toujours plus étrange, sur la même face… Quelque chose comme *la liberté rendue prévisible*. Savoir qu'augmenter les caméras de 5 % fera baisser la criminalité de 3 points avec une probabilité de 85 %, et que la marge d'inexactitude par rapport à cette prévision majeure est de 2 points, c'est un plaisir de démiurge, une volupté abstraite et terrible. Que nous importe ce que fait Capt ou Kamio ou Slift si la masse statistique obéit de toute façon aux prévisions ? Votre dissidence elle-même est prévue. Nous avons un taux pour cela : 7 % — on ne sait pourquoi, mais c'est ainsi. Mes services ont même calculé que la décapitation de la Volte, dont *vous* êtes responsable, la fera passer sous le seuil critique des 5 %. Seuil en deçà duquel on parle de dissidence marginale. Oh, rassurez-vous, ce n'est pas certain. C'est seulement probable, fortement probable et cela nous suffit. Entendez bien que nous n'avons aucunement la prétention d'être des prophètes ou d'odieux savants déterministes se vantant d'anticiper chacune de vos réactions. Chacun de vous est libre, et le choix final de Capt nous restera à jamais une énigme, enfouie dans les tréfonds de votre conscience. Ce que je veux dire, très simplement, est que la liberté de chacun nous est indifférente puisque globalement la masse est aliénée. Nous ne gérons pas des individus, aucun pouvoir ne peut se le permettre : nous gérons des fractions statistiques, des « dividuels », comme le dit Drakf. Et c'est passionnant. Passionnant à condition que nous ne cherchions pas à supprimer l'aléa, à éradiquer tout ce qui, dans nos constructions, relève de l'incertain et du précaire, et que nous acceptions ces charmantes sueurs dont le hasard sait pimenter la décision politique comme autant d'opportunités de jouir. Nous ne fixons, nous ne figeons rien, au contraire, nous ne cessons d'encourager la dynamique profonde des flux — les flux d'argent, les flux d'hommes, d'affects, de marchandises, d'idées — et c'est cette dynamique, cette agitation perpétuelle qui nous stimule et nous ravit. Tout part en tous sens, mais nous épousons tous les sens, nous sommes le mouvement, le fleuve et les ponts ; et les piles du pont ; et les parapets ; et les gardes-corps qui maintiennent ; et les gardes-fous qui retiennent ; et les fous eux-mêmes ; et ceux qui les jettent du pont, et ceux qui les sauvent, et ceux qui les noient par mégarde... Des démiurges... une démiurgie éminemment, effroyablement humaine... Comprenez-vous cela ?

> Le souffle fort, le visage transfiguré par son discours, il n'écouta même pas ma réponse, ne chercha pas à l'écouter, continua, se calmant à mesure, *decrescendo*...

— Certains dinosaures s'éreintent encore à réclamer un projet, une véritable volonté politique : « Un grand

dessein », « Un grand dessein », les entend-on barrir. Mais
pour quoi faire ? Imposer est assommant — je m'éver-
tue à le répéter. N'est-il pas entre nous plus excitant de
suivre à la trace les errances de l'opinion, sa versatilité
exaspérante et méprisable, de sentir qu'insidieusement,
le mouvement cherche à nous échapper... puis, tranquillement mais avec poigne, en deux courtes semaines, de
réajuster tout cela par une bonne campagne de communication qui remette têtes et cœurs à leur juste place ?
Je vais vous avouer quelque chose, monsieur Capt : j'ai
horreur de la violence et des démonstrations de force. Le
pouvoir, je ne le dirai jamais assez, doit *épouser* les tendances profondes d'une société. Je me sens comme un
dompteur de fleuve qui *sait* qu'un courant ne s'obvie pas.
Les grands barrages font des lacs reposants, certes, mais
très vite aussi des étangs où l'eau s'étouffe et croupit.
Pour qu'une société vive, il ne faut pas chercher à réprimer les tendances naturelles du peuple à la contestation,
ne pas chercher à tout régir comme un monarque imbu.
C'est l'orgueil du pouvoir qui mine les gouvernements,
leur morgue stupide qui tôt ou tard les achève. N'est-ce
pas l'un de vos auteurs cardinaux qui l'affirme, M. Capt :
« Un gouvernement ne sait jamais trop bien... »

— « ... comment gouverner juste assez. »

— Oui, juste, juste assez. Nous sommes des minimalistes, des minimalistes à l'efficacité maximale. Je songe
quelquefois à ce mythe — le despote éclairé, régnant sous
la pleine lumière des cieux — et je me dis que nous avons
inventé précisément l'inverse : une équipe se mouvant
dans les nuances du clair-obscur, derrière des paravents
vitrés, en ombres chinoises, et retournant la lumière, tel
un gant blanc, vers le peuple. Des despotes *éclairants* : un
autre rapport, une autre utilisation de la lumière. Et de
nouveaux verbes pour dire gouverner : corriger, rectifier,
adoucir, aplanir, tempérer... neutraliser...

> Je tourne en rond dans les tripes gelées de cette ville avec des camérats qui couinent dans les conduits et des bifurques à devenir schizo... Ma veine, c'est que là-dessous, ça transmet pas à la surface : il faut que le rat me reluque avec ses yeux bleus puis reparte à la trot-tine, avec ses papattes, pour ramener ma position — sauf qu'ils en ont pas trop eu l'occasion, les ratons qui m'ont trouvé : je leur ai broyé le cartilage et la mécanique, à la poigne. Pas évident à choper, surtout dans le noir cru, mais faut reconnaître que la Police, quand ils font un casque, c'est pas juste un bol : l'Optir balance un fais-ceau, rien, un fil, et il t'accroît sa lumière du dedans, si bien qu'en réglant, j'y vois comme au soleil. Ça sert pas à grand-chose là-dessous, à part que la souris bleue m'aurait ripé des paumes sans ça. Buté j'ai, à j'sais pas combien de sas — il en tombe en plein milieu des tuyaux, sans arrêt, j'ai pu en passer deux seulement, avec mon noyau. Tout à l'heure, ma jauge d'air, elle a braillé « 30 minutes ! » J'ai ouffé ! J'ai cru qu'un cure-tuyau avait collé une clameur ! Parce qu'ils en collent, pour les collègues, même au fond du fond, dans le congélo : « Oxoduc — trouduc' ! », ça encore c'était marrant... Mais « Respire ! » a laissé un autre mec qu'a pas vrai-ment le même humour que moi...

> — Ce qui me glace dans votre démocratie, ce n'est pas qu'elle fige tout — au contraire, comme vous le dites : elle ne cesse de mettre le mouvement partout, d'immer-ger la vie sous une débauche d'actions fébriles et vaines. De sorte que je me demande parfois si la volution, ce ne serait pas d'abord sortir la tête hors de l'eau. Contempler le ciel, immobile, inébranlable au cœur même du courant. Être un roc. Devenir récif... Imaginez, Président, une horde de voltés, avec des étendards, campés au milieu du fleuve... Le courant les frappe de plein fouet. Ils ne bronchent pas : ils résistent. Alors c'est l'eau qui s'érode,

qui commence à s'égratigner, à se blesser franchement, qui saigne maintenant dans son lit… Les étendards claquent. Le fleuve est rouge de sang. La vie renaît en bruissant sur les berges…

> Je l'écoutais s'emballer en me disant qu'il ferait des merveilles au ministère. Il était agréable, il avait la stature et le sens politique, avec en sus cette sincérité plutôt sympathique qui ne pouvait que bien passer… À mesure qu'il développait sa pensée, je me rendais compte à quel point j'avais eu tort de le sous-estimer. Et à quel point P avait eu raison de le piéger : un homme de trente ans qui soulevât si crûment le problème du pouvoir en démocratie était déjà en soi un danger. Que cet homme fût d'action, riche de son courage et honnête par surcroît, et on ne pouvait décemment que l'enfermer ou l'abattre. Constat sans gaieté tant l'homme était de valeur. Mais constat. J'entendais bien ses critiques, je respectais ses convictions mais demeurait une chose que je n'arrivais définitivement pas à m'expliquer : pourquoi un homme qui savait mieux que quiconque qu'on n'échappe pas aux réseaux de pouvoir ne voulait pas gouverner ? Gouverner est le seul moyen, non point d'échapper au pouvoir, comme je l'avais longtemps cru, mais d'en devenir l'essence sans en subir les flammes. Pourquoi refusait-il d'exercer le pouvoir ? J'aurais pu lui poser la question, mais quelque chose en moi me retenait… Et je compris que c'était la crainte qu'il puisse répondre.

Le monde a une réalité. C'est d'elle qu'il faut partir, non d'un modèle idéal qu'il s'agirait d'approcher au plus près. Le monde est. Le monde est ce qu'il est. Peu importe ce qu'il pourrait être, ce qu'il aurait pu devenir, ce qu'il sera si… La terre était à feu et à sang. Mes experts géopolitiques souriaient lorsque j'évoquais une possible armistice… Les Cerclons s'en sortaient avec brio. La presse terrienne n'avait pas de mots assez tendres pour saluer notre réussite : « havre de joie », « joyau

pur de la démocratie solaire », « enclave de paix dans
un monde en guerre », et j'en passe... Cerclon I était
devenu en trente ans un modèle pour le développement
spatial... Cerclon IV était en construction et l'on envi-
sageait d'ores et déjà une plate-forme géante de sept
cerclons agglomérés pour l'horizon 2100... Que vouliez-
vous, les gens vivaient bien. Tous nos sondages le prou-
vaient... Deux tiers des Cerclonniens affirmaient qu'ils
ne souhaitaient vivre nulle part ailleurs qu'ici, dans le
Cercle Bleu, et il avait fallu que surgisse ce groupuscule
anarchisant pour que nous soyions contraints de recourir aux labeurs du chantage, et — mais je ne le souhaitais pas — à la violence. Bien sûr, nous mentions. Bien
sûr, nous trichions. Nous espionnions. Nous manipulions
à grande échelle. Mais n'était-ce pas profondément ce
dont les masses avaient besoin ? Un régime de vérité à
partir duquel chaque individu puisse mesurer la valeur
de ses actions, n'était-ce pas la moindre des grilles à
offrir à leurs errances de pions ? Le Clastre était à
cet égard une invention extraordinaire. Pour chaque
homme une place. Pour chaque place un homme. Aucun
laissé-pour-compte, chacun y était, tout le monde était
concerné, connaissait sa valeur et savait qu'il pouvait
progresser. Pouvait-on rêver système plus démocratique ? Le temps pressait. Il me fallait maintenant mettre
Captp au pied du Cube... Je ne pouvais plus me permettre d'attendre.

> « Vingt minutes de réserve ! » : ça y est, ça recom-
mence, c'est le casque qui se croit sur un pas de tir...
Arak, si je trouve pas un puits qui ouvre, c'est la fin du
match, ils retrouveront mes poumons en flocons... Sûr,
j'aurais fait mon effort. Je les aurais fait chier, ça ils en
bavasseront, les costumés, du Slift. Si je croise encore
un camérat, ce coup-là, je le suis à la trace... Quitte à
crever, autant à la surface, face à la meute, qu'ici, dans

cette chambre froide, à entendre un connard crier pour
l'éternitude « Respire ! », chaque fois que mon fantôme
passera sans moufter dans son tuyau.

> — Monsieur Capt, je suis sincèrement désolé d'in-
terrompre vos rêves par un assaut de prosaïsme, mais
nous manquons malheureusement de temps et j'aimerais
revenir à la proposition que je vous ai faite. Je n'ai pas
la vanité de croire à la perfection du régime auquel je
préside et je vous prie de croire que je saurai tenir compte
des critiques et remarques que vous m'avez prodiguées,
parfois avec excès, pendant l'entretien très stimulant
que nous avons eu. Je voudrais attirer une dernière fois
votre attention sur quelques points cruciaux. Le portefeuille de E n'est pas une charge honorifique, j'espère
avoir été clair là-dessus. Il constitue très certainement la
chance de mettre à l'épreuve vos idées et votre éthique
et de remédier de façon sensible aux insuffisances que
vous dénonciez. Je ne chercherai pas à vous bercer d'il-
lusions : la place est exposée et vous aurez des contraintes, non point de résultat, encore moins de moyens, mais
de popularité, de même que tous mes ministres. Vous
ne serez pas jugé sur vos actions, mais sur leur impact,
ce qui laisse, ainsi que vous le constaterez par vous-
même, le champ paradoxalement libre aux initiatives
personnelles tant que celles-ci restent dans les normes
de popularité imparties. Les évaluations sont mensuelles
et l'indice plancher de sympathie est de 40 %, normes
Sondophage, ce qui correspond à un 33 %. Voilà. Il
vous reste… voyons… trente-cinq minutes pour prendre votre décision. Je vous rappelle, pour épauler votre
choix, que l'alternative consiste à donner le montage aux
médias et à attendre la réaction de ce peuple pour lequel
vous vous battez. Je vais vous donner, à titre indicatif, et
toujours dans le but de vous aider à choisir plus lucidement, les dernières prévisions du Terminor.

Capt me suivit du regard, décontenancé. Je m'approchai du bureau et effleurai la table. L'image se projeta en suspension devant mes yeux.

— Voilà, je vous lis les indices : TIQ : 96 % — marge 1 %, TIAD…

— TIQ ?

— Taux d'Impact Quantitatif.

— Qu'est-ce que c'est que ça ?

— Le pourcentage de la population qui verra le montage.

— 96 % !

— Oui. Vous savez, 100 % des foyers ont un poste, 89 % le regardent tous les jours et lors des événements spectaculaires, on est proche de 100… Mais ici, en raison de la violence des scènes, on retire 20 % des enfants, à peu près… Je continue. Taux d'Impact Affectif Durable : 64 % — marge 6 %.

— Qu'est-ce que ça mesure ?

— Le pourcentage des gens qui se souviendront du montage un mois après sa dernière diffusion.

— C'est peu ! Sur 96 % ?

— Vous plaisantez, c'est énorme ! Le TIAD pour un événement de classe 1 — la classe 1 englobe des événements comme une modification importante des critères du Clastre, la mort d'une star, une élection, une nouvelle guerre sur Terre, etc. — dépasse rarement les 40-45 %. Nos concitoyens ont une capacité d'oubli fantastique, vous savez. Bon… Positionbase de l'opinion sur la peine de mort : 48 % pour • 46 % contre • 6 % ne se prononçant pas, n'ayant pas d'opinion, n'ayant pas compris la question… Variables d'impaffect :

– Dérive favorable de l'opinion : + 22 % — marge 4 points

– Contre-dérive : 4 % — marge 1.

– Basculement global : 18 % — marge 5.

> — Excusez mon ignorance crasse du jargon statistique, raillai-je, mais « impaffect » signifie ?

— Il s'agit d'un terme global. Certains le traduisent par « effet d'impact », mais dans un sens affectif. Vous saisissez l'idée ?

— Je ne la saisis que trop bien.

— Où en étais-je ? Bilan post-impaffect : 67 % pour • 30 % contre. Neutre : 3 %. Débat à l'assemblée de type D3, c'est-à-dire globalement dépolitisé, où les clivages politiques jouent un rôle mineur. Vote pour le projet de rétablissement de la peine capitale à titre exceptionnel : Pour : 61 % • Contre : 28 % • Blanc : 11 %. Référendum : Pour : 55 % • Contre : 45 % • Abstentions : 38 %. Bilan final de l'opération : succès. Effet : Captp condamné à mort.

> Il avait le regard perdu à l'horizon, un visage où son inextinguible sourire semblait ne plus vouloir briller et il resta de longues secondes à méditer les chiffres, sans bouger. Pendant un instant, je vis son squelette briller sous sa peau. Horrible. J'avais envie de le supplier d'accepter le poste, de lui dire de ne pas se suicider par entêtement, de ne pas achever sa vie pour sauver une idée, aussi importante fût-elle à ses yeux. Mais je ne pouvais pas. Je ne pouvais physiquement pas. J'étais complètement bloqué.

> Où était Boule en ce moment ? Est-ce qu'ils l'avaient eue, ces charognards ? J'avais envie de la voir, de la serrer contre mon torse… de sentir ses petits seins m'effleurer la poitrine, sentir son odeur de soleil frais et sa bouche… Si j'avais su ce matin… je l'aurais gardée tout contre moi, tout contre… sa peau chaude dans le creux de ma paume comme sous une petite grotte, à l'abri… hors-champ… Peut-être que je ne la… peut-être que je ne la toucherais plus… Ça dépendait de moi… Ça dépendait de ces putes à la sécurité, de la générosité de A…

> Il méditait, et puis il eut un sursaut du fond de sa torpeur, une bravade de grand comédien :

— Vous avez aussi les prévisions du Terminor sur mon choix ? Elles pourraient m'aider, vous ne croyez pas ?

— Le Terminor estime qu'il y a quatre chances sur cinq que vous refusiez.

Je mentais en espérant que son esprit de contradiction le pousse à accepter.

— Ah ! me voilà rassuré, répliqua-t-il les yeux brillants.

Et il se renfrogna dans son siège à nouveau, gravement.

— Désirez-vous que je vous laisse réfléchir, monsieur Captp ? Je sais par expérience à quel point ces décisions à brûle-pourpoint sont difficiles. Souhaitez-vous des informations complémentaires ? Ou ajouter quelque chose ?

— Qui d'autre de la Volte a été pris ?

J'avais envie de lui dire la vérité mais je me maîtrisai. Il était évident qu'il poserait tôt ou tard la question et que ses plaies vives étaient sentimentales. Je fis mine de consulter une liste et je répandis mon sel :

— Baaer, Bdcht, Bmléo, Brihx, Etwas, Kamio, Onurb, Slift, Torrj, tous ceux que Kohtp nous avait indiqués.

— Je peux les voir ?

— Naturellement non, pour des raisons de sécurité que vous comprendrez. Enfin, pas directement s'entend. (J'allumai l'écran mural.) Voilà : Slift. Et « Boule ». Belle prise, non ? Les autres sont en déparalysie à l'hôpital.

— Vous les avez séparés ?

— Monsieur Captp !

— Qu'est-ce que c'est que ces tenues militaires ?

— Les uniformes réglementaires de prisonnier.

J'éteignis sciemment l'écran.

— Non, laissez-les un instant, s'il vous plaît. Je veux les voir.

— Lequel ? Slift ou « Boule » ?

— Slift d'abord, puis Boule.

Je m'exécutai docilement. Il n'y avait aucun risque :

l'image de synthèse avait été faite à partir de films récents et la qualité en était parfaite. Les laboratoires avaient appelé le montage *Conviction* tant il était clair qu'il précipiterait la décision de Captp — dans un sens comme dans l'autre, je le craignais.

> Slift, nom de Zeus ! Je n'arrive pas à croire qu'ils t'aient eu. On ne peut saisir Slift le Snake… Il devait y avoir une marée de flics, peut-être même le GIR héliporté, ce serait le bruit de moteur que j'entendais. Surtout que la date et l'heure de l'opération, je les ai données au dernier moment. Slift se méfiait de Kohtp. Il s'était assuré une fuite au filin, avec plusieurs ponts suspendus au cas où… Je ne comprends pas. Ils ont dû vraiment mettre le paquet… Les salauds. Ciao, Slift. Chapeau bas pour tout ce que tu as fait. Peut-être que je ne verrai plus jamais ta face de renard. Mais toi, tu t'évaderas. Je le sais.

— Boule maintenant… Monsieur le Président !

— Oui ?

— Vous pouvez sortir un instant s'il vous plaît, je voudrais être seul.

— Naturellement. Je dois de toute façon m'entretenir avec P. Vous disposez encore de trente minutes. Inutile, je le précise, d'espérer une minute de délai, les médias sont en bas depuis déjà une heure, et tout retard supplémentaire alimenterait la rumeur. Je suis désolé, ce n'est pas de mon fait. À tout à l'heure.

Il resta de longues secondes sur le seuil en me regardant. Il semblait mal à l'aise, gros de questions ou de remords sans réponse. Peut-être voulait-il me dire quelque chose, je ne le sus jamais. Il referma finalement le double battant, éteignit la lumière et me laissa seul avec le visage de Boule sur l'écran géant.

XIV

Spasmes

Elle semblait calme, trop calme, presque apathique. Elle ne souriait pas, elle ne paraissait pas avoir pleuré, ni reçu de coup ou inhalé de gaz, ce n'était déjà pas si mal…

Il y avait un mot sur son visage, un mot griffonné à la hâte sur les plis de son front… un mot que je n'avais pas envie de lire : *abattue* ou simplement *triste*, ou *résignée*. Non, pas résignée : triste, triste… comme moi. J'étais moralement usé. Le dialogue avec A m'avait vidé de mes dernières énergies et je ne parvenais plus à réfléchir lucidement. Je scrutais le visage de Boule avec une intensité machinale. Je le détaillais comme s'il devait me donner la réponse, comme si le oui ou le non était inscrit en filigrane sur l'iris de ses yeux. À quoi pensait-elle en ce moment ? Est-ce qu'elle avait honte de s'être fait cueillir, d'être là, coincée, torpide, sous l'œil vitreux de la caméra ? Si elle avait su que je la regardais… J'avais envie de l'appeler, de rentrer dans le corps de la caméra, de me faufiler doucement dans la jungle des fils, et, arrivé à l'objectif, de frapper plusieurs petits coups secs et discrets sur la vitre… Elle ne comprendrait tout d'abord pas. Elle agiterait sa tête de toutes parts, puis elle regarderait la caméra dans les yeux et elle me verrait ! Elle rirait aux éclats en me traitant de fou… Je briserais la vitre d'un coup de poing et je bondirais dans la cellule comme un chat... D'un geste, elle monterait sur mon dos et l'on s'enfuirait, filant avec les électrons au hasard des connexions jusqu'à une petite ampoule discrète qu'on mettrait doucement en pièces... Évasion. Son visage était splendide, avec ses lèvres naturellement rouges, cette bouche fraîche, d'appel, à cri... C'était doux de la voir, doux à en faire mal.

Trente minutes. Abject... Jouer son destin sur trente minuscules minutes... Ils m'ont mis au pied du Cube. Vraiment ça : « Au pied du Cube ». Oui. Non. Pas compliqué : trois lettres chacun... Oui. Ou non.

« Votre carrière à la Volte est terminée, que vous acceptiez ou non ma proposition. » Oui. A a raison. Tellement raison que j'en ai la nausée. Si j'accepte, je vis. C'est certain. Tout aussi certain que la Volte mourra à petit feu de ma décision. « La Volte est récupérée... » ; « La Volte ? Leur chef est devenu ministre alors me parle plus de ça, s'il te plaît » ; « Capt est allé sucer la petite carotte qu'on lui tendait ». Et Slift ? Et Kamio ? Est-ce qu'ils comprendront que je n'avais pas le choix ? Que c'était ça ou le Cube ? Et quand bien même ils le comprendraient ! Est-ce qu'ils pourraient *l'accepter* ? L'admettre au moins en tant qu'amis ? — « Où ça un ami ? j'vois qu'une coulée de chiasse » — merci Slift.

J'incorporais, par bouffées, que ma décision engageait moins ma petite pute de peau prête à se coucher que ce que, pour une majorité de voltés, nous avions fini par faire rendre : un certain son à la volution. Non plus le vaste brouhaha des manifestations que le pouvoir « comprend », ré-articule et assourdit, mais le *beat* cru des jets discontinus, le clac d'un câble qu'on coupe, d'une lame sur un os... avec en-deçà et au-delà de l'expressif (infra- et ultrason), une certaine faculté de silence — celui qui précède et qui suit l'écho mat d'une clameur dans une rue vide. Que je devienne E et cette attente de fauve différentiel, cette griffe de tigre qui crisse sur le roc, ferait aussitôt place au rire ronronnant des plages de l'audible. Capt ministre… c'était comme Zorlk ressuscité se présentant aux élections pour le Progrès Démocratique : au mieux une farce stupide ; au pire, une infecte trahison.

Mais une trahison qui me sauve la vie. Une trahison qui me laisse une chance, même minime, de revoir Boule, de sentir ses seins ronds dans mes mains… Un mort, tout héroïque et auréolé qu'il soit de ses actions, reste toujours un mort : quelqu'un qui ne sert plus à rien et qui encombre la mémoire des vivants.

Je peux toujours accepter le poste, gouverner quelques mois et démissionner avec fracas… Oui… Quoique, en réfléchissant trois secondes, il est patent que non seulement ça n'atténuera en rien le choc traumatique que la Volte va subir de toute façon, mais que je n'aurai en outre pas la moindre chance de revoir le groupe — sauf à vouloir les « donner » aux flics. Coupé définitivement de la base, sous filature continue, que me restera-t-il, sinon une existence moisie de professeur « respecté », rédigeant à la besogne des pamphlets « critiques » débattus dans des séminaires d'entreprise ? Des séminaires sur quoi ? Sur la cyberté ! Par qui ? Par un prisonnier emmuré assis dans son impuissance… Je joue le jeu à fond ou je ne le joue pas. Les demi-mesures sont bonnes pour les demi-hommes et je suis un homme entier. Un oui franc. Ou un non net. Comme une mort. 31 ans.

Elle bougeait à peine, elle était ailleurs. Toujours superbe. Le dessin de ses lèvres. L'aile de son nez. Vingt-trois minutes.

Pouvoir agir. Pouvoir continuer à agir, par tous les moyens, même par la mort. Qu'est-ce qui prouve que je ne sois pas plus efficace, plus volté mort que vif ? Il suffit de penser à Zorlk. Difficile bien sûr d'extrapoler ce que serait devenue la Volte s'il n'avait pas été exécuté. Toujours est-il que son assassinat avait donné, à l'époque, un formidable coup de sang au mouvement. Des milliers d'insoumis de tous crins, survoltés par l'injustice, avaient gagné nos rangs ; des dizaines de factions alternatives s'étaient élevées sur son éparpillement d'atomes et perdurent aujourd'hui sur ses traces. Moi-même, est-ce que je ne lui dois pas mon destin ? Alors ?

Alors il y a E... E qui est le ministère stratégique par excellence — un de mes rêves — ces fouille-mails l'ont découvert, d'une façon ou d'une autre... Investir ce champ social pour en strier le sol lisse, en émietter la pellicule de glace et y laisser croître l'herbe à travers, la *mauvaise* herbe, celle qu'on ne sème pas, qui pousse partout, n'importe comment, par touffes drues, chiendent contre gazon ras... Disposer de tout l'arsenal législatif et coercitif d'un ministre, de ses énormes moyens de normalisation — et donc de subversion si je réussis à gauchir la turbine... Éduquer un peuple, l'élever vers l'intelligence active... La Volte comporterait un million de membres que je n'y parviendrais pas. Cette nuit, j'ai dans mes mains cette opportunité unique. Et je sais que je ne l'aurai jamais plus. Pourquoi ne pas la saisir, pourquoi dire non ! non ! encore et toujours non ! comme un automate débile ? Pouvoir agir. Me battre *pour* quelque chose, directement pour, et pas contre pour... À quoi ça rime d'avoir enlevé le *Ré-* de *Révolte* si c'est toujours pour nier et démolir en nihiliste forcené ? Construire, c'est aussi ça l'esprit de la volte. Il faut réfléchir, Capt...

Peut-être quelque chose est-il vraiment possible ? Être volté m'a rendu, pour une bonne part, obtus. La Volte m'a habitué à traverser la réalité avec un certain crible et à me fermer sciemment des portes et des pistes qui — à mieux y réfléchir — auraient été praticables. Je le sais très bien. Je sais aussi que c'est la condition de toute volution. Mais ici ?

Le ciel restait noir sur toute la largeur de l'horizon et, à en juger aux drapeaux, le vent cosmique venait de se lever... Au loin, les trajectoires enlevées des astronefs me paraissaient être la dernière chose libre de cet univers truqué. Je me mis à vibrer avec les vaisseaux qui atterrissaient en chute libre — et inversaient les gaz au tout dernier moment. Je déchargeais en pensée leurs cargaisons, leurs touristes et leurs hommes d'affaires et je repartais aussi vivement que je m'étais posé, zigzaguant au milieu des autres vaisseaux par glissements successifs, arcs brisés ou courbes, selon l'espace qui s'offrait. Avec moi serpentait dans le ciel une nuée de vaisseaux : navettes, fusées courtes, transporteurs dont les formes se montraient aussi hétéroclites que les fonctions. Les parallélépipèdes aplatis des transporteurs y croisaient les demi-sphères des soucoupes touristiques, les triangles — jets privés — ou ces grands galets harmonieux des vaisseaux de transit... Les coques s'affrontaient à distance. Fonçant l'une vers l'autre, elles semblaient se défier jusqu'au choc fatal, puis s'effaçaient en torero, l'une spiralant jusqu'à la piste, l'autre virant derrière le Cube pour se dissoudre dans le cosmos...

Que tout cela me paraissait irréel à présent ! Tellement loin...

À mes pieds, il n'y avait que la ligne claire et froide du boulevard central, fierté des concepteurs de Cerclon... Avec sa bordée d'halogènes blanchâtres, il ressemblait à un long couloir de neige déserté par la vie.

Ici ? Ils me piégeraient.

« Condamné à mort... » Il est à peine pensable qu'un gouvernement à qui l'on doit l'invention des camps d'éducation civique et du pouvoir carcéviscéral puisse en revenir à la barbarie d'injecter vif un homme dans un tas d'ordures nucléaires. Me croient-ils à ce point dangereux ? À ce point « irrécupérable » ? J'ai au contraire

souvent pensé que la Volte, de par son efficacité douteuse, était plus un contrefort du pouvoir qu'un contrepoint, et qu'elle le resterait tant que nous ne trouverions
pas les vecteurs proliférants de la lutte et les hommes
pour la mener au bout. Peut-être qu'après tout ils ont lu
mes essais, qu'ils les ont vraiment lus ? Ou qu'en attaquant la tour télé, nous avons vraiment dépassé les bornes de l'admissible, crevé la norme-sphère, rendant ainsi
toute rémission impossible ?

« Condamné à mort... » Trois mots qui dépendent
de trois lettres. Et trois lettres qui dépendent de quoi ?
D'une intuition. Je me noie dans les mots, je dis n'importe quoi...

La Volte n'a pas besoin de moi pour vivre et se battre. Personne n'a besoin de personne pour se battre. Elle
continuera sans moi. Avec la rage au ventre. Et cette
rage-là la rendra plus violente, plus tranchante, prête à
tout pour venger celui qu'on aura appelé le martyr de
la démocratie... Tôt ou tard, la vérité sur la machination éclatera au grand jour, catalysant les contestations
latentes, et la volution se propagera comme une nappe
d'ox enflammée... Sans moi. Sans moi et pourtant grâce
à moi, grâce à ma mort... On cassera tous les cercles !
On en fera des ellipses, des paraboles, des tortillons
dans tous les sens... Le grand périphérique externe
sera ouvert sur le dehors et on le baptisera *voie Capt*...
On apprendra l'histoire de ma vie dans les écoles, mon
enfance secrète, ma timide adolescence... comment
j'étais entré à la Volte, quel chef j'étais, à quel point
j'étais bon, intelligent et généreux, on réinventera tout
mon dialogue avec A, plein de phrases épatantes...

Des conneries, tout ça.

Il faut que je retrouve ma lucidité. Qu'est-ce que je
veux ? Qu'est-ce que j'ai toujours voulu ? Pourquoi je
me bats ? Pour la liberté. Pour la Volte. Pour les forces

vitales parmi — et hors de l'homme. Troquer Captp pour E m'aliénera la première, m'interdira la seconde et tarira à coup sûr les troisièmes. Mourir supprimera tout — mais ne souillera rien, laissera tout intact aux yeux des autres. Mourir fouettera même les meilleures volontés. Mort mais debout, je me battrai encore dans le ventre des autres. Je les peuplerai. Je me démultiplierai dans leurs muscles et dans leurs nerfs, jusqu'à serrer leurs poings arqués et c'est encore ma hargne qui viendra fracturer les boucliers du pouvoir.

J'entendis un cri lointain. Puis, au gré du vent erratique, des clameurs qui montaient de la façade. Je m'approchai de la baie vitrée et vit, quatre-vingts mètres plus bas, un chaos de voitures de verre et de projecteurs froids qui s'empilaient l'un sur l'autre aux abords du perron. Au-dessus de la mêlée et le long des façades, je reconnus les caméras luminescentes des huit chaînes holos qui, spatioguidées du sol, décrivaient à coups de réacteurs des cercles panoramiques en filmant tour à tour les faces teintées du cube, la place, les journalistes, les caméras-glisseuses, les faces... Quelques projecteurs flottants, tranquilles et stationnaires à vingt bons mètres de haut, prêtaient leurs faisceaux aux facéties de ces caméras volantes — que suivaient par ailleurs, et comme en retour, deux caméras-glisseuses du sol. Bouffonneries ! L'ensemble était évidemment supervisé par les seize globes qui assuraient en permanence la télésurveillance du volume-cube — et qu'un œil un rien exercé reconnaissait à leur faisceau bleu nuit et à l'impressionnante vivacité de leurs déplacements aériens. Au niveau du bitume, les choses paraissaient beaucoup moins sveltes, si tant est que j'eusse pu discerner dans la masse compacte des journalistes qui circulaient à mon aplomb autre chose que des scarabées gorxiques affolés par les premières atteintes de la maladie. Subitement — mais je le devinai plus que je ne le vis à la vitesse à laquelle les scarabées s'agglutinèrent devant l'escalier — un homme sortit sur le perron. Sans doute Af, le porte-parole du cube, ou celui que la presse satirique surnommait Pq : l'attaché de communication de P. La foule se contracta une demi-minute, puis se distendit tel un ressort. Le ballet des caméras s'auto-filmant, qui avait été suspendu durant la scène, reprit aussitôt dans le ciel.

Je retournai m'asseoir pour contempler Boule. Elle avait conservé la même attitude lasse mais ses yeux verts et ses lèvres scintillaient toujours dans la lumière. Dix minutes encore à pouvoir la regarder, à saturer ma mémoire vive avec son visage. Dix minutes avant que ma réponse tombe. Avant que la fusée à étages élaborée par P n'allume ses réacteurs mortifères.

Je regardai toujours ses lèvres, ces deux traits de gouache rouge si mobiles... Je me souvenais de son... Où était-il ? Incroyable qu'il ait pu disparaître aussi vite ! Il reste toujours au moins une semaine, là, juste au coin de la bouche, à l'encoignure... À chaque fois qu'une opération est imminente, il se met à pousser, à cause du stress... Et il était particulièrement gros hier : un bouton de fièvre. Il manquait. Il « manquait » au visage ! Je restais interdit de longues secondes, sans comprendre. Comment se faisait-il ? Puis je compris. Le procédé était d'une puanteur techno écœurante. J'eus envie de lacérer l'écran avec mes ongles. Je me sentis trahi et violé au plus profond de moi-même. J'avais peine à croire que A eût pu être mêlé à un tel procédé, même de loin — il ne devait pas être au courant. Une idée de P. Ils avaient refabriqué Boule.

Et Slift alors ? Ce devait être la même chose ! Alors, c'est qu'ils ne les avaient pas pris ! Qu'ils étaient encore libres comme l'air ! Je ne pus comprimer une joie profonde et irraisonnée, comme si, tout à coup, j'étais eux ! j'étais moi-même libéré ! — et je l'étais de fait un peu à travers eux ! Ils étaient libres ! Sacré Slift ! Ils avaient fui, peut-être Kamio aussi, peut-être Brihx ! Obffs ! et maintenant ils se terraient dans la cache en attendant que les recherches se tassent. Ils avaient de quoi tenir deux mois, à cinq ! Pourvu qu'ils ne se fassent pas cueillir par négligence. Impossible, Slift était trop habile. Mon avenir dépendait de lui maintenant.

— Monsieur Captp, il faut mettre un point final à vos méditations. Le délai expire dans une minute exactement et M. le Président et moi-même sommes avides de connaître votre réponse.

Le visiophone s'était brusquement substitué à Boule sur l'écran mural. Le sourire de P s'étalait à l'endroit même de ses lèvres — sec et sans mystère.

— Montez mes amis, montez !

L'écran mural se brouilla et je les attendis, adossé dans l'angle de la baie, me retournant par moments pour admirer le maillage sophistiqué de l'espace aérien qu'opéraient, en silence, les globes bleus.

> À sa voix, il allait dire oui. J'aurais pu m'en enorgueillir, tant la bataille pour le convaincre avait été âpre et indécise. Mais j'étais simplement et sincèrement heureux. Heureux pour le gouvernement, qui s'enrichissait avec Capt d'un ministre de très grande valeur et pour lui parce qu'il pourrait exprimer à ce poste tout le talent qu'il gaspillait auparavant dans des opérations dérisoires ; heureux parce qu'il avait su être sage et avisé, s'en remettant à sa raison plutôt qu'à ses adolescentes pulsions ; satisfait enfin pour ma conscience qui, je le pressentais, aurait eu toutes les peines du monde à assumer le meurtre d'un être humain aussi estimable qu'innocent. Je demandai à P de bien vouloir m'attendre dans le couloir. Il obéit à contrecœur. Je poussai le double battant et entrai dans la pénombre de mon bureau. Capt, sans doute trop absorbé à fixer un objet dans le ciel, ne m'avait pas entendu entrer.

— Déjà de retour, monsieur le Président ?

— Ma célérité ne fait qu'écho à celle des médias.

— Je le constate. C'est Pq qui leur a demandé de patienter ?

— Oui. « Pq ».

— Qu'est-ce qu'ils savent exactement ?

— Qu'il y a eu un coup de force à la tour de télévision et que nous attendons de plus amples informations de la Sécurité intérieure.

— Banal. Vous êtes venu recueillir une réponse, je crois ?

— On ne peut rien vous cacher.

> Je traversai la pièce pour prendre une bouteille dans le bar et je la posai en évidence sur le bureau. Je saisis ensuite le cendrier cubique en or massif qui trônait sur la table basse et reculai de dix bons mètres au fond de la pièce.

— Approchez, monsieur le Président, approchez !

A hésita un peu, comme s'il soupçonnait un coup retors mais mon air affable eut raison de ses doutes.

— Vous voyez la bouteille sur le bureau ?

— Oui.

— Bien. J'ai, voyez-vous, réfléchi intensément à votre proposition, pesé longuement le pour et le contre… Mais voilà : je ne suis pas sûr d'être très doué pour les décisions mûries et je crois à la fatalité. Alors, plutôt que d'essayer de forcer le destin, j'ai pensé qu'il serait plus judicieux de s'en remettre à lui. Et vous êtes aujourd'hui le destin. Le principe est simple : vous prenez ce cendrier bien en main et vous le lancez sur la bouteille. De deux choses l'une : soit vous touchez la bouteille, et ma réponse est « oui » ; soit vous la manquez : et alors c'est « non ». Allez-y sans crainte, le destin guidera votre main.

A prit machinalement le cendrier et me dévisagea, tout à sa stupeur. Il ne savait manifestement pas quoi faire, ni répondre… Complètement estomaqué ! Il parvint néanmoins à se reprendre quelque peu :

— Vous… Vous ne pensez pas ce… ce que vous dites ? Votre idée… est tout à fait grotesque.

— Grotesque, en effet. Mais vous n'avez pas le choix : ne pas lancer, c'est ne pas toucher ! Et dans ce cas, je vous rappelle que ma réponse sera « non ».

— Ce cendrier est trop lourd pour moi, vous le savez bien. Jamais je ne pourrai atteindre la cible !

— Ne dites pas « jamais », dites : « très difficilement ». Nous sommes dans le domaine du plus ou moins probable. Ce ne sont que des pourcentages d'effectuation, des taux d'impact je-ne-sais-quoi, vous êtes rompu à tout cela…

— Raisonnez-vous, je vous en conjure. Vous ne pouvez pas prendre une décision aussi importante en vous en remettant au hasard, c'est indigne !

— Vous devriez vous concentrer, sinon vous n'avez aucune chance.

A secoua la tête de dépit. Était-ce par réelle intention de le lancer ou un fond d'obéissance qui ressortait incongrûment ? Toujours est-il qu'il se mit à soulever le cendrier et réussit — au terme d'un effort qu'il eut tout le mal du monde à dissimuler — à le porter à bout de bras au-dessus de sa tête. Son bras usé par les ans tremblait comme un pilier chancelant, et j'eus subitement peur que le cendrier ne lui tombât brutalement sur l'épaule — mais il devait avoir encore plus peur que moi puisqu'il le reposa très vite au sol en étouffant un cri geignard et honteux. Il me faisait pitié. Il avait l'air à cet instant si faible, si désespérément vieux…

— Je vois que la conviction manque. Je vais donc m'improviser Destin pour mettre fin à vos atermoiements. Je modifie, vous m'excuserez, la règle pour pimenter le suspense : un touché vaut désormais pour un « non » ; et un manqué pour un « oui ».

A acquiesça d'un signe de tête. Je ramassai le cendrier de la main gauche et, tout en reculant pour prendre quelques pas d'élan, visai la bouteille. Je m'élançai presque immédiatement — le corps légèrement cambré, le bras arqué — et je projetai l'objet dans un tir si violemment tendu que je finis ma course plié en deux, la main gauche touchant le sol. Je ne m'étais pas encore redressé que le cri bruyant du « non », empanaché d'éclats de verre, pulvérisait les derniers doutes de A…

— Vous avez entendu ma réponse ?

A me regarda avec une lassitude peinée où je ne savais s'il fallait lire la colère déçue ou l'incompréhension la plus totale.

— Si tel est votre choix… P ! Ah, vous êtes là. Appelez l'escorte serrée. M. Captp nous… refuse finalement ses talents.

— Bien, monsieur le Président.

Le bruit des bottes compensées fut prompt à parvenir du couloir.

— Monsieur Captp, dois-je vraiment considérer votre décision comme irrévocable ? Vous savez les risques considérables que vous encourez, c'est quasiment du suicide et je…

— Auriez-vous des remords, monsieur le Président ? Vous pouvez encore arrêter la machine et pour ce qui en est de votre conscience, l'épargner, en gardant la justice de votre côté…

J'entrevis en un éclair le possible sursaut. Il était visiblement bouleversé, en proie à une casuistique inextricable et il y eut dans ses yeux un long et étrange flottement. L'homme voulait répondre, mais ce fut le Président qui lui arracha la parole :

— Je ne suis pas seul à décider, monsieur Captp. Je suis responsable d'un gouvernement qui veut pouvoir gouverner. Je suis en charge d'un peuple qui tient par-dessus tout à sa sécurité. Mes décisions ne m'appartien-

nent plus depuis longtemps. Quant à ma conscience…
elle saura, avec le temps, s'en accommoder.

— Le temps ? Priez pour que Slift n'en écourte pas le
paisible écoulement…

— Je… Je passerai vous voir dans quelques jours, en
ami.

> L'escorte le saisit comme un vulgaire criminel et
l'emporta dans sa cellule. Je congédiai mes domestiques
d'un geste las et entrai dans mes appartements, l'esprit
agité d'un seul petit mot, que ni ma profonde fatigue ni
le cynisme ordinaire de mes nuits ne parvinrent à tout à
fait chasser, en sorte qu'il y resta tandis que j'ôtais mes
vêtements, cadecodais le sas et me couchais, il y resta,
tourbillonnant : « gâchis », « gâchis », « gâchis »…

XV

Capt/Capt

« C'est avec une vive émotion que nous vous présentons aujourd'hui *l'Événement*, et nous ne saurions commencer sans témoigner notre reconnaissance et notre gratitude à la Sécurité intérieure, et tout spécialement au Groupe d'intervention rapide héliporté, sans lequel votre émission, comme beaucoup d'autres, n'aurait pu vous être diffusée. Hier, dans la nuit, alors que beaucoup d'entre vous jouissaient d'un repos mérité, s'est en effet produit dans notre ville un coup de force d'une importance capitale. L'enjeu ? Rien de moins que la liberté la plus fondamentale de notre démocratie : la liberté d'expression ! »

Le public se lève pour applaudir à tout rompre le présentateur qui, en réponse, incline plusieurs fois le buste pour saluer. Un simple fondu met fin à l'euphorie. Premier écran publicitaire : « Défordre, vos désirs sont nos ordres. » Deux... Trois... Quatre... Cinq... « *Sérénitas Technologies*. Parce que la sérénité est un droit. » Fondu.

« La séquence qui va suivre est, nous ne vous le cachons pas, d'une violence presque insoutenable. Si nous nous sommes finalement décidés à la diffuser, c'est que nous croyons qu'il n'y a pas de liberté réelle sans liberté de savoir (le public du studio applaudit). Cette séquence est issue de l'enregistrement d'une caméra cachée de la tour de télévision et elle nous a été remise, au nom de la transparence et à titre gracieux, par la Sécurité intérieure, que nous tenons à remercier pour ce geste qui l'honore. Le film durant cinq minutes, nous avons hésité à le diffuser dans son intégralité. Mais le droit de regard que l'on vous doit, une nouvelle fois, nous interdisait de pratiquer le moindre découpage. Je ne saurais trop recommander aux personnes sensibles, aux enfants et aux personnes âgées atteintes de difficultés respiratoires de ne pas malmener inutilement leur organisme et leur imagination par les scènes d'une rare cruauté que comporte l'enregistrement. J'invite également les heureux possesseurs d'un système de projection holographique à s'en tenir aux deux dimensions ordinaires, le film qui va suivre exhibant — si vous voulez bien excuser cette boutade — suffisamment de relief pour qu'il ne soit pas dangereux d'y ajouter celui de l'holographie. »

Fondu. Juste un écran cette fois, silencieux, lettres bleues sur fond bleu : « *Sérénitas, vivre serein.* » Fondu. Le film commence. Se termine sur ces mots de commentaire : « Le chef de la Volte, meurtrier de deux employés et d'un agent de sécurité de la société Défordre a été placé en garde à vue, dans l'attente d'un jugement que l'on annonce déjà comme exceptionnellement sévère. »

> Boule cherchait le regard de Kamio. Kamio avait les yeux dans le vague. Personne ne savait quoi dire ni penser.

— Slift ! Capt a fait ça ?

— Calmos, Kamion.

— Tu as vu ce qu'il a fait ?

— C'est du bidon ! Un putain de montage !

— Un montage ? Comment tu le sais ?

— Le vigile qu'il balance par la fenêtre, je l'ai ouvert...

— Tu l'as…

— J'l'ai saigné de mes propres mains. Il m'avait tiré dessus.

— Tu n'es qu'un barbare !

Obffs, passablement tendu, s'interpose :

— Oh, Kamio ! Toi tu as suivi le combat derrière ton store… Alors ta morale, tu mets un mouchoir dessus. Je te signale que sans la trappe, Brihx et moi serions en camp avec les autres. Ou au paradis, comme Baaer qu'ils ont laissé se noyer dans la douve — s'ils ne l'ont pas noyé eux-mêmes !

— Je retrouverai Kohtp. Je vous le jure sur ma vie. À un câble, je le pendrai dans la cuve toxique, au-dessus, et je le descendrai, que l'acide lui boulotte les pieds d'abord, mollets, genoux, et quand il aura qu'un morceau de bouillie à la place des jambes, je le lâcherai dedans — et de lui restera queud, même pas un os pour un clebs.

Boule n'avait pas écouté. Elle était restée plusieurs minutes comme paralysée par l'annonce. Puis des larmes silencieuses commencèrent à couler sur ses joues. Elle ne sanglotait pas. Je la serrais doucement par les épaules.

— C'est pas fini, pas fini. Qui va croire à un montage pareil ? Ses étudiants connaissent Capt, ils savent que c'est un professeur honnête et bon. Allez, allez… Et s'ils le gardent en prison, on le fera évader, hein ? évader…

Elle ne me répondit pas. Ses larmes coulaient toujours, en silence. Kamio déconnecta le moniteur. Il jeta un œil machinal dans le périscope et alla se coucher dans le noir. Boule pleurait. Obffs et Slift faisaient des passes de couteau. C'était la nuit. De toute façon, dans ce trou à rat, c'était toujours la nuit. Je soulevai le rideau. J'éteignis la lumière et allai me coucher à côté de Boule. Je serrais sa main froide dans le noir. J'avais mal. Capt était pris.

> Ce qui me tenait lieu de cellule était une chambre
cubique qui devait faire dans les quatre mètres d'arête.
Elle était tout entière recouverte d'une sorte de verre
dépoli, gris clair, souple au toucher. Une table ronde
avec des pieds ronds et un peu de papier ; un simili-pouf
informe et mafflu ; un lit coquet, vissé au sol, d'un bois
rare venu de la Terre, constituaient l'agrément de la
pièce. Pas de fenêtre. Pas de lucarne. La porte blindée
n'avait pas de poignée à l'intérieur et l'unique bouche
d'aération de la cellule, perchée à quatre mètres de haut,
était électrifiée — et de toute façon hors d'atteinte quelle
que fût l'ingéniosité des empilements table-pouf que
j'avais essayés. Et puis, enclipsée dans le mur et protégée par plusieurs couches de plex, une télévision ordinaire, disposant de tout le réseau câblé… Une télévision
qu'on ne pouvait ni couper, ni masquer, ni briser, et qui
servait aussi de visiophone. Le moelleux des murs et du
sol, la rondeur exaspérante du mobilier, implacablement
matelassé, sans pointe et sans angle, qu'on ne pouvait
ni déchirer ni dégrader, prévenaient par avance toute
agression contre soi-même. Les sons eux-mêmes étaient
absorbés et étouffés, le toucher uniformément doux, la
vue plane. Aucune odeur. J'étais condamné au calme, à
la paix engloutissante des objets et à la télévision.

M'était revenue à l'esprit cette blague du prisonnier
à qui l'on avait accordé, afin de le récompenser pour sa
bonne conduite, une cellule très agréable, disposant de
tout le confort possible. Un an plus tard, les claustriatres
viennent le voir pour la visite de routine :

— Alors, comment vous sentez-vous ?

— Je vais très bien.

— Les surveillants nous ont fait état de… disons
d'une anomalie comportementale que nous souhaite-
rions éclaircir avec vous…

— Je me suis mal conduit ?

— Non, non, pas le moins du monde. Nous voudrions

simplement comprendre pourquoi vous regardez dix-
huit heures par jour la télévision…

— Pourquoi je… ? Vous voulez dire que ça ne fait pas
partie de la peine ?

J'avais suivi dans ma cellule, un à un, tous les journaux télévisés, tous les flashs, de *l'Événement*, toujours
aussi grotesque, jusqu'à ce torchon désinformatif par
excellence qu'était *Mon Cosmos à Moi* — qui n'avait
pas hésité à tronçonner le montage en quatre séquences d'une minute chacune, entrecoupées de séances de
téléachat. La couverture de ce qui était *de facto* devenu
un « coup d'État » m'aurait, en toute autre circonstance
que la mienne, paru scandaleuse. Mais étaient-ce les
répétitions, qui, séquence après séquence, émasculaient
un peu plus ma colère ? Ou cette étrange volupté que
je m'étais surpris à éprouver au fil des défenestrations ?
Je supportais remarquablement bien ce nouveau Capt,
ce Capt qui tuait comme on vibre… Plus je le regardais,
plus l'odieux mensonge que constituait le montage reculait dans le brouillard… Et ce qui s'approchait de moi,
dans la lueur flottante de l'écran, c'était la vérité d'un
homme à la violence explosive et aux gestes rageurs,
tranchés, sliftiens. Un homme qui allumait en moi une
jubilation telle que je ne pouvais me défaire de ce désir
inavouable… d'être cet homme, de l'avoir été véritablement, et de devoir ma place ici, dans cette cellule,
non à deux portes verrouillées par un traître, mais à de
vrais crimes. J'étais captivé par cet anti-héros absolu…
par cette face sombre… cette sorte de doublure ombrageuse qui tapissait les salles secrètes de ma conscience
et que hantait un démon intérieur inexpiable… Ce
démon, ils avaient été l'extirper au forceps dans les
caveaux de mon âme et ils me le montraient au grand
jour, l'immonde fœtus ! — avec ses longues coulées de
graisse et de plasma, son visage dégrossi par la haine et

le petit cliquetis sec de ses canines qui déchiquetaient
la chair néon des flics. Ils ne l'avaient pas inventé, j'en
étais convaincu : ils l'avaient trouvé en moi, déjà là à
défenestrer et à tuer. Et ce n'était pas là trouvaille cloa-
queuse d'un psychopitre mal clastré, c'était une lecture
d'âme à claire-voie qui trahissait l'analyste perspicace
et vétilleux. Parce que j'adorais précisément ça en lui...
en moi... cette violence, cette fureur qu'aucun cadre
humaniste ou paramoral n'avait la crétinerie de chercher à limiter. Tuer d'instinct : il y avait quelque chose
d'infiniment beau dans cette pulsion vitale, quelque
chose qu'aucun système de valeurs ne serait jamais apte
à juger et qui venait... de moi.

À minuit, la télévision s'éteignit enfin. Je continuais
cependant à la regarder, en proie à une invincible torpeur. Et ce que je vis alors, reflété par le verre grisâtre
de l'écran, ne fit que l'épaissir : simplement moi, assis,
qui me regardais. J'eus graduellement l'impression que
cet homme assis dans la télé m'observait, qu'il entrou-
vrait ma peau avec ses yeux gris et qu'il y contemplait
quelque chose de la lente lutte en moi. Un chien... Il
était revenu... Il avait mordu le tigre aux griffes de
silence... lui avait transmis sa rage... l'avait rendu
malade... malade comme un chien...

L'avenir de la Volte avait toujours dépendu d'un combat d'animaux, un combat sans fin qui se déroulait en, et
entre, chaque Volté. Peut-être y avait-il d'abord en nous
Le Chien qui Mord, l'animal domestique qui se croit
loup parce qu'il vit en bande et qu'il a les crocs longs.
La bête qui, à l'approche des maîtres, agite le métal de
ses chaînes pour qu'on les lui détache, s'étouffe en sau-
tant et clabaude de rage de ne pouvoir les mordre — si
bien qu'elle finit par se battre contre le berger allemand
qu'on a mis à côté pour aiguiser sa haine et qui l'aiguise
si bien qu'elle en finit par croire que ce chien policier,
avec sa niche en fer et les mêmes chaînes rouillées, est

son seul ennemi — elle en oublie les maîtres. Oui, en nous vivait ce mâcheur de viande froide, l'aboyeur des rêves-voltes arrimé à sa niche, le souleveur de chenil, qui croit montrer sa foi en montrant ses morsures, dégage son cou pelé pour preuve de sa bravoure, qui jappe, lutte ! lutte ! bien qu'il ne sache plus pour quoi, toujours à quêter cette pâtée qui ne vient pas, apte juste à glapir, à courir et à aboyer lorsque les autres aboient.

En chacun de nous aussi, poursuivi mais ne s'en souciant plus, se déplace un tigre, un de ces tigres du dehors, pourpre, aux « rauquements de rocs broyés », animal au sang bleu, au regard jaune d'aurores et de primes horizons, sans rêve pourtant, qui disloque d'une griffe les agrégats de sable, s'en nourrit et défèque sur ses traces des coulées d'or que la meute piste — qui s'éloigne des villes, des chiens et de leurs niches — parcourt — voyage si loin, si longtemps que la meute croit qu'il fuit, alors qu'il ne fuit que le sable qui arase ses pattes et alourdit ses bonds, qu'il ne cherche aucune proie et ne se reposera qu'au matin de ce jour où de son ventre coulera, de ces grains avalés, le tigron d'or à la fourrure de blé.

La télévision se ralluma, soudainement visiophone. Un visage souriant de gardien. Des phrases. Président, repas, vous fait l'honneur de… J'acquiesçai sans réfléchir, encore sous le choc de mes dédoublements et vis la porte blindée s'ouvrir pour laisser entrer deux gardes armés. L'un poussa un buffet-repas, l'autre portait une boule noire qui vint d'elle-même se fixer à la grille électrique du plafond. Canonra-laser-infrarouge-cibles paramétrables… La routine. Un vieil homme élégant attendait sur le seuil que tout fût en place. C'était A. Il portait sous le bras un volumineux paquet. Les gardes sortirent.

— Monsieur Captp, bonjour ! Ainsi que je vous en avais fait la promesse, je suis venu vous rendre une visite fugitive. J'espère ne pas vous déranger ?

— Aucunement, Président.

— Vous n'avez rien écrit, je suppose ?

— Non.

— Vous saviez qu'ils récupèrent tout ?

— Oui.

— Bien. La journée ne vous a pas semblé trop ennuyeuse ?

— Passionnante au contraire ! J'ai passé mon temps à m'admirer dans la glace.

> Il désignait la télévision.

— À propos de glace, et puisque vous la rompez si vite, je me suis permis de vous apporter un petit cadeau, qui, je crois, n'abonnira ni votre narcissisme naissant ni l'image déjà peu favorable que vous avez de mon gouvernement, mais qui peut toutefois vous amuser.

Je lui tendis le paquet, qu'il déchira sans précaution.

— Un programme de virtue ! Tiens donc… *Capturez Captp. Le coup d'État de la tour déjà en virtuel ! Revivez l'extraordinaire épopée-massacre des terroristes de la Volte et empêchez Captp de prendre le contrôle de la tour. Une aventure poignante en trois dimensions qui vous mettra face à face avec l'ennemi déclaré de la démocratie. Parviendrez-vous à enrayer la diabolique machinerie du coup d'État ? Résisterez-vous aux coups bas du démon de la Volte ? Ou finirez-vous comme M. Lnpor, le corps éparpillé par cent mètres de chute ? Pour le savoir, enfilez sans attendre la combinaison-action ! Vous êtes Lnpor. Vous suivez la progression de Captp à travers les écrans de surveillance… Mais attention ! Le diable surgit toujours là où on ne l'attend pas…* Magnifique ! Ah… Il y a aussi des indications en minuscules…

» *MISE EN GARDE : conformément au décret Nº AL-245, ce produit a été soumis à l'approbation de la Commission de contrôle des fictions interactives, qui a autorisé sa mise sur le marché. La CCFI met cependant en garde les consommateurs contre "les risques de pertur-*

bations physiques, affectives ou émotionnelles pouvant résulter de l'immersion dans un univers virtuel, ainsi que des possibles troubles, distorsions ou pertes de réalité que la pratique intense et immodérée du jeu peut entraîner chez un utilisateur psychologiquement fragile."

» *ATTENTION : la société Virtuoze, tout en s'efforçant d'apporter à ses produits le plus haut degré de véracité possible, n'est pas toujours en mesure de livrer au public un programme "100 % réel" et ne saurait donc être tenue responsable des éventuels aménagements opérés sur le matériel historique disponible, particulièrement sur les images d'archives, afin de les rendre accessibles à tout public. Ce produit est un jeu et doit être considéré comme tel.*

» *RECOMMANDATIONS POUR UNE MEILLEURE PRATIQUE DU JEU : la combinaison-action comporte toutes les armes d'un agent de sécurité ordinaire : matraque, gants à armature métallique, revolver longue portée avec balles paralysantes et fusil à décharges incapacitantes. Vous pouvez les utiliser indifféremment. Tous les coups portés par un membre de la Volte sont physiquement reproduits : coups de feu, coups de poing, coups de pied, prises diverses, clefs de bras, avec ou sans tentative de fracture, étranglements… sont vécus tels quels grâce à la combinaison ! La position de jeu "vécu maximal", que nous ne conseillons qu'aux virtuoses confirmés et physiquement irréprochables, peut provoquer bleus et hématomes, des griffures plus ou moins profondes, des brûlures de type balle, des luxations ou entorses légères, ainsi que des suffocations de durée indéterminée. Nous rappelons à ce titre qu'en vertu de la loi PK-531, la société Virtuoze ne peut en aucun cas être tenue responsable des blessures et suicides involontaires découlant d'une pratique dangereuse ou irraisonnée de ses programmes virtuels. L'arrêt du jeu peut s'obtenir à n'importe quel moment par la commande vocale HALTE ! STOP ! qui met fin à*

la partie et dresse un bilan de votre performance. Douze
niveaux de jeu sont actuellement disponibles.

» Eh bien ! Les recommandations sont encourageantes !

— Elles sont présentes dans tous les programmes virtuels dits « d'action violente ».

— Je l'ignorais.

— Vous n'êtes jamais entré dans un monde virtuel ?

— Jamais dans un monde violent.

— Il est vrai que le nôtre l'est déjà suffisamment. Cela
vous plaît ?

— C'est charmant… Comment se fait-il que le jeu soit
déjà sur le marché ?

— Il n'y est pas encore. Il y sera dans trois semaines :
une semaine avant le référendum sur la peine capitale…
et les derniers sondages. Avant, ce n'eût pas été — tech-
niquement parlant — crédible.

— Vous avez donné le marché à Virtuoze…

— Oui. Une semaine avant l'opération, le montage
était déjà prêt et P l'a transmis aux informaticiens de
Virtuoze, sous le sceau du secret, pour qu'ils élaborent
le programme. Dans trois semaines, je ne sais pas si
vous vous en souvenez, mais c'est la Fête des Enfants,
et d'après nos études de marché, on estime qu'environ
700 000 programmes seront vendus à cette date. Pour
Virtuoze, l'affaire est plus que juteuse — et fait taire
les inévitables scrupules moraux. Quant à nous, vous
comprendrez en jouant en quoi ce programme… Les
parents achètent pour leurs enfants, mais ce sont eux
qui, en définitive, joueront. C'est un principe connu en
marketing politique que les choix idéologiques répondent en fait à des affects primaires comme la peur, le
dégoût ou le désir… Ce qui est encore plus vrai pour la
peine de mort où les gens ont besoin d'une connaissance
concrète, presque intime, du coupable pour se pronon-
cer vraiment. *Capturez Captp* répond à ce besoin.

— Et, disons, « facilite » le choix, c'est ça ?

— Naturellement.

— Vous n'auriez pas dû venir me voir, monsieur le Président. Je gardais une haute estime de votre personne et vous venez en une minute d'en ternir l'auguste éclat.

— Je suis désolé. Le procédé n'est certes pas d'une élégance irréprochable, mais il est ingénieux.

— Vous l'avez essayé ?

— Essayé ?

— Le jeu.

— Ah ! Oui, en vécu minimum. Je me suis retrouvé en chute libre. Très impressionnant. Nous... Nous pouvons commencer à dîner si vous le désirez ?

> Il n'était pas fier de lui, vraiment pas. Pas fier de ses méthodes et de mon incarcération. Pas fier de partager ce plateau repas devant lequel ses narines et son palais éduqués cachaient mal un compréhensible dégoût. Je me demandais sincèrement pourquoi il était venu, quelle sorte de complaisance avait pu le pousser à s'enfermer ici... Et pour m'annoncer quoi, finalement ? Une stratégie, une de plus, pour m'enfoncer la tête encore plus profond dans le Cube... Non... Il devait vouloir me dire ou m'extorquer quelque chose, autre chose qui justifie qu'il s'abaisse à venir dans ce trou matelassé s'humilier un peu plus...

— En repensant à l'entrevue que nous avons eue, je me suis rendu compte qu'il était un problème que vous n'avez jamais évoqué, et qui figure pourtant presque toujours au nombre des revendications d'une extrême gauche dont je vous sais proche : c'est le Terminor et son rôle.

— Et alors ? Je ne vous ai pas parlé du Clastre non plus, de la traçabilité des corps, des services parasites, du chômage, des radzonards, du Cube, de la pollution radioactive, du Parc bleu... Vous voulez un cahier des charges de vos horreurs ?

— Quelle importance accordez-vous au Terminor ?

— Celle que vous lui accordez.

— Qu'est-ce à dire ?

— Que le Terminor n'a que l'importance que lui donnent ceux qui gouvernent dans leur action quotidienne. Que plus la politique se réduit à du social-quantitatif, plus le Terminor s'impose comme le pôle d'articulation de la vie sociale ; un pôle rationnel et désincarné qui met en œuvre des procès de mort — tout au moins des procès de vie inorganique. Si vous classez les gens, par exemple, à partir de critères calculatoires, en utilisant la puissance du Terminor, ce qui compte, ce n'est pas la sacralisation stupide de la machine que cela induit, ce n'est pas sa personnalisation : c'est le fait que les gens eux-mêmes se mettent à calculer, deviennent eux-mêmes de petits Terminors qui ne sourient plus à leurs collègues sans penser aux quelques points gagnés dans ce sourire et qui, multipliés par un coefficient 20, aboutissent à 40 000 places de promotion.

— Je pensais que vous considériez le Terminor comme un instrument d'aliénation.

— C'est vrai.

— Ce n'est pas ce que vous dites.

— Je me suis mal exprimé ?

A ne répondit pas. Il sortit subitement de sa poche une étrange télécommande et la dirigea vers la caméra laser, puis vers la télévision.

— Je coupe l'écoute. Voilà. Je dispose de peu de temps. Cinq minutes exactement — privilège présidentiel. J'ai reçu ce soir sur mon bureau les nouvelles estimations d'impaffect, et je dois vous dire qu'elles confirment malheureusement les funestes prévisions que j'avais portées à votre connaissance. Je me suis donc décidé à prendre le risque de vous révéler un… secret d'État dont, j'en suis persuadé, vous mesurerez tout le poids.

> Je guettai du coin de l'œil sa réaction, mais il restait délibérément de marbre.

— À l'origine des Cerclons, comme vous le savez, se trouvent les travaux du Comité Scientifique Interplanétaire, qui jouissaient à l'époque du prestige immense d'avoir, pensait-on, dissuadé à jamais toute guerre thermonucléaire par l'invention du Bouclier Total — ce Bouclier auquel on doit aujourd'hui, soit dit en passant, le retour de ces longues et meurtrières guerres classiques au sol. Mais passons… Le CSI, donc, s'était mis en tête d'élaborer l'architecture et le fonctionnement général de ce qu'il appelait dans son jargon « les Nouvelles Entités socio-économiques auto-régulées » qui devaient progressivement coloniser le système solaire et désenclaver la Terre dévastée. Les Nésears auraient dû, si l'on s'en tient au projet initial, comporter plusieurs modèles sociétaux, dont trois d'une originalité remarquable. Mais devant l'ampleur de la tâche et les problèmes de modélisation rencontrés, le CSI s'en tint à un unique modèle, très proche du système des multinationales qui prédomine sur Terre depuis le milieu du siècle. Ce modèle, ce fut le Cerclon. Le CSI était à l'époque persuadé — même si cela fait aujourd'hui beaucoup rire nos informaticiens — qu'il serait possible de gérer entièrement une ville de sept millions d'habitants avec un gigantesque ordinateur à système modulaire. Tout ce qui semblait pouvoir être informatisé devait être pris en charge par le Terminor : les adductions d'eau, la voirie, la distribution d'oxygène, les transports en commun, la circulation routière, le système bancaire, la publicité, l'approvisionnement en minerais et métaux, les plans de production, les sondages… Tout. Ils annoncèrent fièrement leur ambition et ils se mirent au travail… Il fallut vingt bonnes années avant que l'on se rende compte que même les plus brillants roboticiens étaient dépassés par le projet. Trop vaste, trop complexe, ingérable… et ils abandonnèrent officieusement. Mais pas officiellement ! Fut installé le Terminor et mis en fonction ce qui pouvait l'être : les fichiers individuels, la collecte lexicale, l'oxygène, les banques, etc. Et pour le reste, eh bien ! 50 000 4-lettrés travaillent en permanence pour suppléer aux déficiences de ce qui est censé fonctionner parfaitement depuis longtemps...

— C'est un secret de polichinelle...

— Oui, beaucoup de gens s'en doutent. Mais pour l'essentiel, le mythe est préservé. Pourquoi ai-je évoqué tout cela ? Parce que le CSI, échaudé par ses échecs et redoutant un possible emballement du Terminor — qui aurait, ne serait-ce que pour l'air, des conséquences catastrophiques —, a décidé, dès la construction de Cerclon I, d'implanter...

> Il jeta un coup d'œil anxieux à sa montre. Je n'y tenais plus.

— D'implanter quoi ?

— D'implanter un mécanisme de déconnexion définitif du Terminor dans un lieu top-secret et inaccessible.

— Un déconnecteur ! C'est ce que pensait Zorlk !

— Je sais. Cette conviction avait du reste précipité son exécution...

— Personne à la Volte ne l'a cru ! Tout le monde était persuadé, moi le premier, que le CSI n'aurait jamais pris ce risque...

— Oui, c'est surprenant. Surprenant de la part du CSI qui exhibait toujours publiquement une telle confiance dans ses réalisations...

— Alors le déconnecteur existe !

— Il existe bel et bien. Et savez-vous où il se trouve ?

— Là, n'est-ce pas ? Ici, sous le cube gouvernemental, tout près de moi ?

— Non. C'est ce que Zorlk croyait aussi. Ce choix semblait logique, trop logique, c'est pourquoi il ne fut pas retenu. Un lieu inaccessible, humainement s'entend...

— Le Dehors ! Dans la Zone du Dehors !

Il regarda à nouveau sa montre en grimaçant. Il se mit à hurler « Gardes ! Gardes ! » Je le regardai avec stupeur, mais il me fit un signe de la main pour me rassurer et, constatant que personne ne répondait, parut soulagé.

— Le déconnecteur a été placé à l'intérieur du Cube. Le grand Cube. Au point Zénith nord exactement. Coordonnées 990-990-996. Si bien que pour un condamné à mort, l'incubation devient, sous cette perspective, un espoir. L'espoir fou, mais réel, de déconnecter définitivement le Terminor. Et de déclencher la révolution.

— C'est incroyable.

— Voilà. Vous savez. Vous pouvez maintenant rêver… Vous avez un mois pour rêver. Je voulais vous laisser ce rêve. Je vous ai pris tous les autres…

D'un geste lent, il se leva, rétablit l'écoute et appela les gardes. Il me serra la main longuement, me dit qu'il souhaitait de tout son cœur que la campagne pour ma mort échouât et il sortit avec sa bonne conscience sous le bras.

> S'étaient écoulés les quinze jours. Tous, ils avaient compté sur leurs trois pognes. Leur gueule disaient un truc style « z'y va pas le Snake, tu vas te faire serrer ». Mais j'avais dit-craché quinze jours. Quinze, pas un de plus. Les trente mètres carrés de la planque, avec ses six lits collés et de la bouffe pour deux mois, j'en avais plein le cul. Plein le cul aussi de ces grimaciers qui venaient m'expliquer à la télévision pourquoi Capt avait ça et pas ça, où qu'il était son triangle d'Œdipe, la mort de ses parents, ses bouquins auxquels ils y comprenaient queud, et qui nous diluaient le crâne en soupe. Tellement que j'avais la tête qui ballotait et plus qu'une seule envie solide dedans : dénicher d'ici et aller les équarrir, tous, un par un, au coutelas, tous ces pitres costumés et leurs esclaves mangeurs de merde qui nous suçaient l'ox.

> Slift sortait cette nuit. Il le fallait si l'on voulait que Capt ait encore une chance. Je redoutais terriblement ce

raid un peu prématuré. Mais allez arrêter Slift… Notre cache se trouvait dans l'épaisseur même de l'antirade et l'on n'y entrait et n'en sortait qu'en rampant une bonne centaine de mètres dans un boyau large comme un homme. Ce n'était de toute façon pas la sortie même qui m'inquiétait. Il n'y avait à cet endroit aucune caméra fixe et le plan de vol des flottantes passait trois cents mètres plus à l'est. C'était la traversée à découvert de la radzone où patrouillaient toujours quelques brigades. Et surtout, le cercle industriel, très surveillé depuis que les médias propageaient la rumeur d'une contre-attaque imminente de la Volte. Comme si nous avions les moyens de contre-attaquer…

> Il était trois heures du matin. Si tout se passait bien, Slift serait de retour vers cinq heures. Sinon… Kamio n'avait pas voulu que je fasse le raid avec Slift. Moi, j'étais prête à tout maintenant. Maintenant que je risquais de ne jamais le revoir. Ils avaient annoncé « l'émission-vérité » pour samedi prochain. Ils affirmaient qu'il se refusait à parler avant l'émission. Son avocat le disait « en pleine possession de ses moyens » et « serein quant à l'issue du procès ». Pieux mensonges. Capt n'aurait jamais accepté d'avocat. Et il aimait trop la vie pour contempler sereinement la construction de son échafaud. Pour lui, le plus horrible devait être de nous croire pris. Cette pensée devait le ronger de l'intérieur. Est-ce que, pour Kohtp… Est-ce qu'il m'en voulait ? Personne ici ne m'en avait fait reproche. Slift se chargeait intégralement sur le sujet : « Infoutu, j'ai été, de le filer correct — même Qzaac l'aurait débusqué — je suis un flic série ZZ+, l'anti-costumé type. » Il m'aimait bien, Slift — pour autant que m'apprendre à lancer un couteau était de sa part marque d'estime et de tendresse.

> Le tapis de mensonges s'était déroulé comme nous l'avions prévu : avec une attristante facilité. « Peine de

mort : le retour » ; « Peine capitale : pourquoi il faut
la rétablir » ; « La mort pour les meurtriers » ; « Incuber
pour dissuader » ; « Que messieurs les assassins commencent »… Dans un souci « d'équité démocratique » —
encore une trouvaille de Af — mon gouvernement
avait attribué à chaque parti politique une dotation
de campagne proportionnelle à sa représentativité
(il n'échappait à aucun 1-lettré qu'entre le Parti bleu,
Cerclon + et le Progrès Sécurisé, presque 90 % des
budgets de communication irait dans le sens de l'exécution de Captp). L'impaffect des publicités, toutefois, fut
relativement marginal. Ce furent les faux sondages qui,
comme souvent, furent décisifs. Le premier soir, après
diffusion massive du montage, l'enquête réelle indiquait
un léger avantage 51 %/49 % pour la mort, en dépit
d'une riposte immédiate de l'avocat de Capt quant au
trucage, riposte qui fit douter entre 8 et 11 % de l'élec-
torat. Très classiquement, le problème consistait à déterminer le pourcentage de (faux) partisans de la peine à
annoncer par Sondophage, afin qu'en une semaine, le
désir de conformité jouant sur les indécis, ce pourcentage fictif soit réellement atteint… Nos experts firent
tourner les matrices : avec 60 % annoncé et un marais
évalué à 16 points, le pourcentage réel de partisans passa
« miraculeusement » de 52 % à… 60 %. En six jours
exactement. Magie du mensonge auto-réalisateur…
Magie de la production de vérité… Dans une semaine
sortait *Capturez Captp*, en même temps que l'émission-
procès où P allait soigneusement le piéger. La Volte ne
serait bientôt plus qu'une forme floue dans le brouillard
de l'Histoire.

> La parade tenait dans un déréglage combiné :
fréquence et couleurs. J'obtenais un bourdonnement
grisâtre d'électrons. Plus d'images : un tableau. Pointilliste.
Abstrait. Un repos de l'âme. Mon corps aspirait depuis à

exister, à reprendre de la densité, une épaisseur énergé-
tique interne. Alors, après quatre jours d'hésitation, j'enfilai enfin la combinaison de jeu. Je branchai le casque
d'omnivision, réglai les deux écrans à même l'œil et je
me mis sur le mode Exploration.

D'emblée, ce fut le choc : je marchais dans l'avenue
du président A 2070 et qu'est-ce qui se dressait devant
moi ? La tour. L'hyperréalisme du virtuel était bouleversant. À tel point que j'avais l'impression de sentir
l'odeur de poussière mouillée qui montait du bitume
ce soir-là, et que si je me retournais, cinquante mètres
derrière moi, il y aurait Bmléo, à ma gauche Obffs et,
de l'autre côté de la Tour, planqué dans le bloc-turbine :
Slift the Snake. Mon cœur s'accéléra subitement quand
je vis un flic déboucher à l'angle de la rue.

— Bonjour monsieur Lnpor. Déjà au travail ?
Le flic me salua d'un geste amical et continua son trop
bonhomme de chemin. Je dégainai mon revolver et vidai
mon chargeur sur lui. Paralysé dès la première balle, il
tituba comme une statue de plâtre sous le choc mécanique des plombs qui s'enfonçaient un à un dans son
visage crispé. À la cinquième balle, il s'écroula dans un
fracas d'os brisés. Je m'approchai de lui et lui enfonçai
la tête d'un coup de botte. Sa boîte crânienne grinça. Je
le pliai en deux pour achever de le rompre. Plutôt facile.
Je tentai enfin de le soulever pour tester la combinaison.
Je sentis tout de suite une pression énorme sur mes bras
et mon tronc. Je résistai quelques secondes, me redressai
avec effort, chancelai mais tins. Alors je rejetai le cadavre sur le bitume, satisfait.

La technologie de Virtuoze était parfaitement au
point. Tous les objets touchés dans le virtuel m'étaient
physiquement retransmis par la combinaison sous forme
de pressions, compressions et frottements d'amplitude
adaptée. Le complexe de câbles, rouages, pistons, cylindres et vérins de toutes tailles et de toutes formes qui

composait l'architecture de la combinaison déployait une sophistication telle qu'elle était à même de doubler n'importe lequel de mes gestes, n'importe laquelle de mes sensations visuelles par la transcription physique adéquate : la caresse, l'éraflure, le travail des muscles, le heurt d'objets... J'étais de fait tout entier charpenté et enveloppé d'une gangue électro-mécanique autorégulée, une sorte de second corps capable de tout faire ressentir au premier. Je ne cessais par exemple de marcher dans le virtuel — tout en restant sur place — et je fatiguais : une légère résistance mécanique de la combinaison. S'asseoir même était possible, la combinaison imprimant sous les fesses une poussée hydraulique équivalente à la réaction du support, de sorte que j'avais la sensation d'être assis et je me reposais réellement, sans aucune espèce de chaise ! Les sons aussi m'émerveillaient : tapoter sur un mur, faire crisser mes bottes, rayer le sol de mon revolver, casser une vertèbre : c'était ça, c'était si terriblement ça ! Cinq processeurs téléreliés assuraient de concert la gestion visuelle, l'univers sonore, les dialogues, la transcription mécanique des visions et l'interactivité. Un milliard de milliards d'opérations à la seconde indiquaient les spécifications techniques et des scénarios de jeu quasi infinis. Tout était possible tant que l'on restait dans l'espace prédessiné, ici un cercle de cent mètres autour de la tour et la tour elle-même, dans l'exhaustivité de ses recoins : un monde en soi.

La seule faiblesse du jeu, faiblesse apparemment irréparable, était... les dialogues. Dans *Capturez Captp*, les gens s'exprimaient, bien sûr, mais ils ne savaient que s'exprimer. Pas vraiment dialoguer. Les « Bonjour, comment ça va ? Très bien, merci », les questions bien formulées, les insultes classiques comme PD, tête de gorx, terreux, encubé de ta mère, ras de la zone, et tout ce qui n'excédait pas les poncifs de l'acommunication habituelle, amenaient des réponses sensées et parfois excellentes.

Mais deux pas à gauche s'ouvrait le gouffre sans fond qui séparait l'homme de la machine. Et il était remarquable que les scientifiques aient si lumineusement surmonté le problème du corps, avec son élasticité et ses contorsions soudaines, pour s'effondrer sur quelque chose d'éminemment moins spectaculaire : une simple question comme « T'as mangé tes dents ? » qui foutait en l'air un siècle d'analyseurs grammaticaux et de systèmes experts. Fallait-il en conclure que le corps présentait finalement si peu d'énigmes qu'on pouvait le maîtriser à l'envi ? Ou que les combinaisons de gestes humains étaient finies et dénombrables alors que les phrases que pouvait former un esprit étaient potentiellement infinies ? Je ne le croyais pas et j'étais même prêt à parier le contraire : qu'en raison de la finitude de notre lexique, l'ensemble des phrases énonçables était, innombrable si l'on veut, mais pas infini. Alors ? Peut-être que la machine était beaucoup plus proche du corps de l'homme qu'on ne l'avait longtemps pensé ? Le câble et l'acier plus proches des tendons et des os ? Alors que le silicium et l'électricité seraient si loin de la synapse et de l'influx ? Peut-être…

— Où est Capt ?

— Je ne sais pas, monsieur Lnpor.

— Où il est ?

Il ne répond pas et l'on sent que c'est sciemment.

— T'as mangé tes dents ?

Le garde « croit » que c'est une question effective, cherche, mais manifestement ne la trouve pas. Alors, astucieux, le programme gagne du temps, le temps d'analyser la question et d'y faire correspondre, sans doute par analogie lexicale, une réponse.

— Pardon ?

— T'as mangé tes dents ?

— Je ne saisis pas bien le sens de votre question.

Il veut me pousser à reformuler différemment. Le processeur tourne toujours. J'insiste :

— T'as mangé tes dents, connard ?

— Ne m'insultez pas, s'il vous plaît.

Il a reconnu « connard ». Dix secondes passent. Pas une flèche, ce garde... Puis subitement, au moment même où j'allais partir, les processeurs ont fini de tourner et les réponses à trois fois la même question tombent, à la suite, toutes différentes :

— Je n'aime pas les dents. Oui je les ai changées. Pas encore.

Ce n'auraient été que bugs excusables, ces répliques, si le reste du jeu n'avait été parfait. Car dans cet univers, un bruit de bottes était un bruit de bottes, un trottoir, un trottoir et un coup, un coup ! Alors, lorsqu'un garde attardé disait qu'il n'aimait pas les dents, il y avait comme un écart, une brèche d'où suintait brusquement l'inhumain, où l'on sentait la machine... C'était peu de chose et finalement assez rare dans le jeu, mais une unique fois suffisait à jeter le doute sur tous les dialogues passés et à venir, comme dans une pièce de théâtre où, tout à coup, l'acteur perd le ton et où l'on se rappelle qu'il n'est... qu'un acteur : qu'il joue. Ces dialogues n'étaient en rien des échanges, plutôt deux monologues disjoints accolés de force et qui ne tenaient que par les significations que j'y injectais. J'éprouvais ce sentiment poignant de ne pas être compris, tout au plus décodé, d'être le seul détenteur du sens dans un monde insensible où la seule chose qui passait, c'était un peu d'électricité dans des milliers de circuits. Je pouvais poser n'importe quelle question, on m'opposait toujours une réponse dans cet univers plein, et quelle que fût son ineptie, c'était à moi d'y insuffler un sens. Tâche étrange, dérangeante... Si dérangeante que j'en avais été progressivement enclin à rectifier mes libéralités verbales. Après une demi-heure d'exploration, j'avais malgré moi fini par normaliser mon langage et je me sentais de moins en moins seul... Je compris que j'étais prêt à jouer.

Je me branchai en vécu maximal. Terrible et grave, une voix jaillit dans le casque :

— Vous avez choisi d'affronter le démon de la Volte en vécu maximal. C'est tout à votre honneur, monsieur Lnpor. Je voudrais vous rappeler, néanmoins, que ce niveau de réalité présente des risques non négligeables pour votre santé physique et psychique. Afin de déterminer votre aptitude à y faire face, vous voudrez bien répondre en votre âme et conscience aux questions qui vont suivre. Dites : « Je certifie sur l'honneur l'exactitude des renseignements qui vont être enregistrés. »

— Je certifie sur l'honneur l'exactitude des renseignements qui vont être enregistrés.

— Bien. Avez-vous des antécédents cardiaques, même légers ?

— Non.

— Vous est-il déjà arrivé d'éprouver des vertiges ?

— Non.

— À quand remonte votre dernière fracture ? De quel membre ? Avez-vous un bras artificiel ? Vos mains sont-elles vraies ? Avez-vous déjà contracté le gorx ? Des antécédents de gorxiques dans la famille ? Vos amis et proches vous trouvent-ils paranoïaque ? Êtes-vous suivi par un psychologue ? Un stressologue ? Un claustriatre ? Avez-vous déjà rêvé d'aller dans la Zone du dehors ? Y rêvez-vous souvent ? Pourquoi ? Dans quel secteur habitez-vous ? Votre taux de radioactivité dépasse-t-il le seuil de 120 becquerels ? Avez-vous peur de mourir ? La violence gratuite vous fait-elle horreur ? Faites-vous confiance au Terminor ? Le Clastre est-il juste ?

À peu près soixante questions de la même eau... Des questions fermées auxquelles je répondis non ; et des ouvertes où j'affirmai absolument n'importe quoi : il n'y avait pas de vérificateur de sens pour les questions ouvertes. La voix me redemanda si je certifiais sur l'honneur… Je répondis que oui. Elle me demanda mon nom. Je lui répondis que je m'appelais Captp, C-a-p-t-p. Elle enregistra.

— Vous êtes déclaré apte à jouer. Félicitations, monsieur Lnpor ! Dites « Je suis prêt » quand vous souhaitez commencer la partie.

— Je suis prêt.

D'un mouvement brusque des pistons, je me retrouvai assis. Assis dans une pénombre bleutée face à un mur d'écrans de contrôle où s'agitaient des formes que je connaissais bien, mais que je ne voulais surtout pas voir : Bmléo… et un drôle de gars dont le visage me faisait peur… Ils étaient en train de monter à grandes enjambées les escaliers de secours et à voir avec quelle puissance ils avançaient, j'étais traversé d'un mélange de fascination et d'effroi. Il était 3 h 09. À ma gauche, un cloporte fébrile que je devais manifestement considérer comme mon collègue multipliait les appels d'urgence aux Escadres Démocratiques de Sécurité… Il voulait que j'appelle le GIR héliporté. Con à pleurer. Je le regardais tapoter sur son visiophone à la façon d'un automate de carnaval et je ne pus m'empêcher de le mépriser. Il était désagréablement gras, le visage rouge et boursouflé d'un irradié de la première heure et ses mains moites suintaient sur les touches argentées de l'appareil. Son beau costume d'agent de sécurité, confronté à sa veulerie, le faisait ressembler à ces gosses pourris de fric qui paradent dans leur panoplie de Noël. Il me tournait maintenant le dos. Stupidement. Je saisis fermement ma matraque, me campai derrière lui et… Laan ! je lui fracassai son crâne vide. Il s'écroula au sol. Un peu de sang vermeil dégoulinait dans ses cheveux propres et gras. Vainement, et dans je ne sais quel machinique espoir de survivre, il s'efforça de ramper. Je l'observai quelques secondes tenter de se hisser comme un crapaud gisant dans sa flaque de bave, mais tout ce qu'il parvenait à faire était noircir un peu plus les carreaux avec les traînées de son sang malsain. Quelques coups de bottes et il ne bougeait déjà plus, quoique ses yeux restassent indécemment ouverts : je l'achevai d'un coup de talon ferré dans l'arcade. L'œil droit ripa hors de l'orbite et vint rouler sous mes semelles en croustillant. Il était définitivement hors jeu. « –125 000 points ! » clignotait mon à-même-l'œil gauche. Je repris ma matraque bien en main et défonçai un à un les écrans de contrôle : « 130 000 », « 135 000 », « 140 000 »… Au dernier, j'en étais déjà à « 180 000 » points, mais j'étais à armes égales avec Capt. Prêt à un combat d'homme à homme. Sans caméra et sans gadget. Avec la même masse d'opacités et d'incertitudes.

Je sortis de la salle de contrôle en traînant le cadavre derrière moi. Je le plaçai couché à plat ventre, dans l'encoignure de la porte, un fusil à la main. Il était de ce fait visible du couloir et, partant, une cible séduisante pour qui déboucherait par l'escalier de secours. Mon idée était simple : m'embusquer dans l'ascenseur, portes fermées. Ils déboucheraient, les yeux captés par le cadavre. Je les abattrais par-derrière, sans voir leur visage. Pas de problème.

J'appelai l'ascenseur. Il serait là dans une dizaine de secondes. Je me collai au mur telle une sangsue. Au cas où. Pénombre dans le couloir. Cling ! Un faisceau rectangulaire, le couloir, coupe. Ombre dans le rectangle… Un fusil ! Je passe en missile devant l'ascenseur et tire en rafale. Touché ! Touché, j'en suis sûr. Cling ! L'ascenseur s'est refermé. J'appuie sur le bouton pour constater les dégâts. Cling ! Il n'y a personne ! Juste un fusil, un fusil attaché au plafond par une ficelle et qui se balance hors de l'ascenseur lorsque les portes s'ouvrent. Jolie feinte… Pas une idée de Capt, ça, trop rusé pour ma tête carrée. Baaer peut-être…

Je demeurai là, bras ballants, à admirer la simplicité du dispositif. Quelques secondes de trop, je demeurai... Crépitements de balles — percussion mécanique chocs-brûlures — hanches bras... « Halte ! Stop ! »

Performance : – 180 000 points. Désirez-vous rejouer ?

Tout s'était déroulé en une fraction de seconde. Quelqu'un avait débouché de l'escalier, profitant de ma stupeur et m'avait criblé de balles. Bmléo ? Moi ? Je n'avais pas eu le temps de le voir : j'étais mort.

Je tâtai mon épaule et ressentis comme des points de brûlure. Je me donnai le temps de récupérer et je repartis. Même début, en plus sobre. Deux balles dans la tête du gros et une dans chaque écran de contrôle. Je re-traînai le cadavre, le replaçai, ré-appelai l'ascenseur, attendis tranquillement le fusil-balançoire... Rien ! L'ascenseur était vide ! Le scénario avait changé ! J'entrai et je refermai les portes vitrées. Cling !

— Ouvre les portes, jette ton arme hors de l'ascenseur et sors sans te retourner si tu tiens à ta peau !

Cette voix...

— Capt ?

— Sors les mains sur ta face, flicos, ou je te fais baigner dans ton jus !

Je fis deux pas hors de l'ascenseur. Je n'arrivais pas désobéir à cette... voix.

— T'es sûr que t'as choisi le bon étage pour mourir ou tu veux qu'on descende ensemble en enfer ?

Ma voix... Exactement comme si ça sortait de ma bouche... Je sentais qu'il était... pas derrière moi, pas derrière... au-dessus... sur le toit de l'ascens...

— Bouge pas, mec ! Fige ta graisse ! Bouge pas !

Omoplates plaquées — chute avant — clef de bras... Il tire sur mon épaule, tire... presque luxation... Veut me vriller l'épaule cet enculé. Je sens sa poigne froide qui m'arrache l'avant-bras pour le faire remonter sur la nuque... Dois tenir, résister à sa force... Il ne peut pas.

Il ne peut évidemment pas, puisqu'il a ma force, strictement ma force et rien de plus. Moi j'ai plus : j'ai ma
colère. Préprogrammée, sa clef de bras, paramétrée sur
mes propres capacités physiomotrices, les capacités de
Capt... Ne pas chercher à le regarder... Pas de face-à-
face. Muscles écartelés par un trait de câble. Je résiste.
Altercation force sur force. Sa main est glaciale...
Toujours le *statu quo*.

  La force d'être plus fort que ce que son physique
peut... M'arracher... M'outre-dépasser... Au-delà de
mes strictes capacités pour trouver les ressources du
corps... les capter, les capter... Fureur ! Je déplie mon
bras, fais volte-face et le saisis violemment par le crâne.
Je lui fracasse la tête sur le carrelage — il est à moitié
assommé. J'en ai des frissons dans la colonne, mais je
surmonte la terreur qui me secoue. Je le traîne, mes
doigts dans sa boîte crânienne, enfoncés, cinq pinces
de fer crochetées sous sa peau... fichées comme dans
une boule de bowling. Ferrées... Vais l'éclater, lui éclater le visage sur un coin de bureau... Lui entrer l'angle
du bureau dans l'orbite jusqu'à ce qu'on voie le jour à
travers... Je fracasse sa tronche sur le bureau... Vom...
Gicle... Vom... Pisse sa gueule... Vom ! « – 180 000 »,
« – 210 000 », « – 240 000 » — il va crever, crever dans mes
mains... Vom... Vom... Crève... Vom... — Arrh ! Lame
dans le dos — lâche tout — vacille... lame s'enfonce en
moi — Horf !... Arrêtez, je me rends... « Halte ! Stop ! »

  Je restais un long moment au sol, sans pouvoir bouger,
avec le score rouge qui clignotait dans ma tête :
  « – 240 000 », « – 240 000 »...
  Je ne voulais par retirer ma combinaison pour le vérifier, mais j'avais une large estafilade dans le dos, qui
suintait un peu.
  Slift — par-derrière. Avec un couteau de boucher.
C'est ce qu'indiqua le bilan *post-mortem*. Ce fut tout

pour les faits. Pour le reste, la voix se crut habilitée à préciser que le jeu s'intitulait *Capturez Captp* ; que ce n'était pas qu'une simple allitération ; que la mission consistait à l'arrêter vivant, pas à ramener un cadavre exsangue et méconnaissable ; que massacrer Capt, de surcroît sauvagement, ne pouvait par conséquent rien me faire gagner, sinon le droit de rejouer ou de finir en prison — merci, je donnais déjà. Qu'il me fallait faire preuve de plus de sang-froid ; que détruire les écrans de contrôle était fortement handicapant pour la suite du jeu ; que j'étais responsable de mes actes ; que le collègue était une aide précieuse, pas un obstacle à abattre froidement. Bref, il y avait encore une bonne et une mauvaise façon de jouer, un comportement normal et civique et une pathologie clinique et fatale, des attitudes et des postures à suivre et des incongruités à proscrire. Ce n'était que des conseils bien sûr, des recommandations pour « mieux » jouer, plus efficacement sans doute, pour avoir plus de points à la fin, tout bonnement. Rien de bien méchant. Tout enchaînement, « aussi irrationnel soit-il », demeurait possible, insistait la voix d'outre-tombe. Possible. Dans l'esprit. Dans l'esprit, la liberté de principe. Et dans les corps, comme toujours, les pratiques d'aliénation. Tuez Capt et d'une façon ou d'une autre, vous finissez avec une lame dans le dos ou une balle dans la nuque. Mais faites ce que vous voulez. Vous êtes libre. Une balle dans le dos ou une lame dans la nuque. Au choix. Libre.

Je lui laissai déblatérer sa morale, fraîche émoulue d'un système expert de sixième génération. J'étais à la limite d'exploser. Qu'est-ce que j'en avais à foutre de leurs règles ? Ce jeu était une affaire entre moi et moi ! Ils croyaient pouvoir me dicter ne serait-ce que l'esquisse d'un commencement de conseil ? Qu'est-ce qu'ils croyaient, chez Virtuoze ? Que j'allais docilement me laisser glisser dans leur petit entonnoir logique ? Me

laisser guider par les cycles essai-erreur-correction ?
Jusqu'où comme ça ? Facile : jusqu'au fond d'une bouteille pleine d'eau saine, là où reposait la solution humainement acceptable du jeu. Car il y en avait une, c'était
certain, une bonne solution saine et bien-pensante,
avec une bonne petite dose de rationalité — mais point
trop — un happy end style *Kermesse héroïque* et la joie
du bon policier qui « n'a fait que son devoir » montrée
dans *l'Événement* avec interview des collègues, photo
de famille soudée et épouse épanouie ! Leur entonnoir
logique, j'allais le prendre à l'envers : par le goulet, par
le tunnel intenable d'une expérience limite. Et dans le
tunnel même, je forcerais les parois, je les bomberais
par surpression interne, jusqu'à ce qu'elles s'évasent en
cône, liquide coulant à l'envers.

… Comme ces fous qu'on représentait encore avec
l'entonnoir sur la tête… Pas une image typique de bien-
pensant, ça ? Le vrai fou, celui qui ne se laissait pas
récupérer par la folie, il avait toujours porté l'entonnoir
à l'envers, en équilibre, précaire, sur la pointe, afin que
la pluie et le sang du ciel lui entrent tout droit dans la
cervelle.

Jouer aux limites. Sur une ligne d'événements impro-
bables. Pire : improbabilisables. Tellement délirante
qu'aucun concepteur, y eût-il songé un seul, un tout petit
instant, n'aurait pu lui accorder la moindre virtualité,
même minime, même infinitésimale et l'aurait purement
et simplement écartée des arbres scénaristiques possibles — d'ailleurs, il l'avait déjà oubliée.

Je commençais à réfléchir à une piste, mais l'idée vint
me prendre par-derrière.

Je ne voulais pas le voir. Ma seule certitude. Pas voir
son visage. Et pourtant l'affronter. L'affronter d'homme
à homme. Pas à distance, pas par caméra interposée,
pas avec une arme : au corps-à-corps. C'était mon corps
que je voulais affronter, lui qui avait quelque chose de

décisif à m'apprendre sur ce que j'étais, sur ce que j'allais devenir. Intuition absurde peut-être… Qu'est-ce que pouvait m'apprendre la lutte à mort avec un complexe de câbles s'autoprogrammant, avec un homme qui n'avait finalement de moi que l'enveloppe corporelle, qu'un physique de clone ? Je n'en savais rien. Je me doutais bien que ses phrases et ses actes ne pouvaient que résulter d'une compilation hâtive des préjugés accumulés par les ingénieurs de Virtuoze. Mais son corps… Est-ce que ce n'était pas strictement le même que le mien ? Avec rigoureusement la même énergie ? les mêmes potentialités mécaniques ? J'étais sûr de cela mais je devinais — comme une sorte de supplément indu — que le processeur pouvait lui faire adopter n'importe quelle position opportune au combat. Son corps pouvait tout — tout ce que moi, sous la force restrictive de l'habitude, sous l'emprise de la facilité ou d'une postulée efficacité que je soupçonnais éminemment fainéante, j'avais perdu comme possibilités de gestes et de vie. Ouvrir une porte par exemple : je ne connaissais qu'une façon de le faire, une seule, toute fainéante et sans génie. Pas que la machinerie virtuelle eût, elle, du génie. Seulement, elle était globalement indéterminée, ou plutôt elle n'était déterminée à produire tel ou tel enchaînement de gestes qu'en fonction de la situation, et d'elle uniquement. Moi, je n'étais qu'un aliéné. Ce qui me poussait à agir était moins la situation elle-même que les frayages psychomoteurs percés de longue date dans mon corps et qui se rappelaient d'eux-mêmes pour des artefacts grossièrement similaires. Si j'avais outrepassé mes circuits intégrés, qu'est-ce que j'aurais pu produire ? Du virtuel pur, des potentialités d'actions et d'affections d'une inépuisable et virevoltante variété. Alors, du bas de mon système nerveux, avec ce corps répétitif et borné qui n'avait jamais pu dépasser les cent gestes en trente et un ans d'existence et qui s'en félicitait, comment allais-je pouvoir me battre ? Face à un homme, cent gestes, c'était déjà énorme, c'était suffisant. Mais face à un Capt virtuel plus riche, plus souple, plus définitivement inventif que moi ? Cent gestes…

Rien de très neuf dans ce constat, bien sûr : ça faisait déjà longtemps que les robokas gagnaient tous les tournois de judo extraterrestres et que l'escrime humaine n'intéressait plus que les nostalgiques des fronts en sueur et des avant-bras charnus… Rien de très neuf, sauf que, pour la première fois, je me rendais compte de ce que j'avais fait de moi.

Capt face à Capt. Sournoise tactique de A ? Me diviser, me trancher délicatement au scalpel, viscère après viscère, me confronter à moi-même dans un bain de sang, avec ce doux espoir, peut-être, que j'en sorte tout effaré et blanchi par mon image de fou dans un miroir glacé ?

— Je suis prêt.

Mon bras. Au bout : ma main. Dans le prolongement : un revolver. À l'extrémité du canon : une tempe : perforation laser. Odeur succincte de cortex brûlé. Le collègue a quelques convulsions cloniques, puis son corps s'affaisse, sac de chair qui disparaît dans le sol obscur de la pièce.

Je n'existe pas. Tout part de là. Ma chance avec. Je suis la seule chose qui n'existe pas dans l'univers virtuel. La table, les écrans de contrôle, cette salle avec ses murs trop blancs, tous ces personnages scannholoïsés habitent l'image. Ce qu'ils attendent, tous, Bm, Baaer et Capt, la table comme la porte, c'est un corps en mouvement qui les fasse entrer en scène, glisser, grossir à fleur d'écran. Non, je n'existe pas : je n'ai pas d'image. Absent et tout entier là pourtant, à hanter cette tour, et à la faire se déployer autour de mes gestes les plus insignifiants. Un pas en avant et tout a changé : la porte a grandi d'un mètre, l'écran 21 s'est décalé, le gros est mort… Et non seulement ça, mais au-delà, une invraisemblable série d'événements vient de fasciculer et fuse sur des lignes temporelles qui n'ont d'autre réalité que quelques segments de silicium parcourus à la vitesse de la lumière.

Je regardai les écrans de contrôle : couloirs et salles vides. J'avais le temps de faire un essai. La régie de réglage vidéo qui s'offrait à moi disposait, comme je l'avais supposé, de la dernière merveille technologique en matière de rendu télévisuel : l'image hypraréelle. Une appellation plutôt modeste tant ce qu'on voyait sur les dalles de ce type de téléviseur transcendait la civilisation de l'image. Ce qu'on y voyait ? Le réel. Tout simplement. Le monde comme vu d'une fenêtre sans vitre. Sur les meilleurs appareils, il était absolument impossible de discerner la moindre différence : la lumière de « l'image » ne restait plus à la surface de l'écran : elle la traversait jusqu'à nos yeux. Tout reflet d'écran était effacé ; toute surluminence, tout scintillement, neutralisé ; définition évidemment parfaite. Voyait-on un visage de femme qu'on avait envie d'approcher les lèvres pour aller l'embrasser. Une technologie prodigieuse.

Pressé, je parcourus les touches qui constellaient le tableau de commande. Un pavé de petits cônes multicolores, bordé par l'indication « hypraréel », m'arrêta. Lumin., Hyprabrllce, Rectit. lum., AntiDistort. : je portai tout ça au maximum. J'appuyai pour conclure sur le bouton *All Screen* et relevai mes yeux sceptiques sur les vingt-cinq écrans de la salle.

Je ne sus jamais ce qui des boutons ou de moi-même avait été le mieux manipulé : l'effet était terrifiant. Le mur d'écrans s'était transformé en une immense fenêtre à croisillons, percée de vingt-cinq carreaux, qui ouvrait sur le visage immense et parmi tous redouté de Capt. Sa voix battait le tambour des haut-parleurs avec un rire grinçant attifé de haine. N'eût été l'artifice de ce rire dont l'horreur trop banale avait réveillé ma méfiance, sans doute aurais-je perdu la face, mon idée première et

cette détermination que j'avais eu tant de mal à retrouver pour affronter cette troisième partie. Mais ce rire
était faux. Ils l'avaient inventé. Il ne sortait même pas
distordu d'un séquenceur vocal, il n'était pas approché
ou raté : il sonnait faux. Ce n'était pas mon rire, jamais
ce n'aurait pu l'être.

Alors l'idée maîtresse me revint, et avec elle l'intuition que ce choc hypraréel qui prenait à la gorge le
joueur trop malin devait être voulu ! Voulu pas tant
pour ajouter un pic à la chaîne déjà émotionnellement
surchargée des surprises de la partie que pour dissuader, par un sévère traumatisme, l'esprit rusé d'user du
réglage hypraréel à des fins insolites. Intuition trop
subtile peut-être, mais qui me poussa à poursuivre mon
invraisemblable tentative.

Je modifiai le *All Screen* en *Screen by Screen* et mon
visage s'atomisa en halls et en couloirs, tous aussi parfaits et réels que si je me tenais moi-même derrière les
vitres sans tain qui abritaient les caméras. Sur l'écran 9,
Obffs se tenait debout, pantalon aux chevilles, tenant
une vigile à genoux qu'il braquait à hauteur du sein gauche. Une de ses mains était crispée sur la détente, l'autre
sur les cheveux de la femelle dont on devinait qu'elle
tentait de lui prodiguer, du fond de sa terreur, bouche
mal ouverte et lèvres sèches, un hypothétique plaisir...
Cette scène ressemblait si peu à Obffs qu'elle en était
bouffonne dans sa cruauté. Mes réticences s'en trouvè-
rent minimisées. Je me plaçai donc en face, très exactement, de l'écran 9, fléchis légèrement les genoux pour
me trouver à la hauteur adéquate et me rapprochai avec
la rectitude d'un travelling : dans l'espace entier couvert
par mes à-même-l'œil, je ne voyais plus que l'écran 9,
bordures exclues, c'est-à-dire une suceuse et un pervers de mes amis, à la taille même où je voyais depuis le
début tous les personnages du jeu, et avec un degré de
réalité absolu.

La réussite de ma tentative insane était maintenant suspendue à cette question simple : la machinerie virtuelle qui animait le jeu était-elle capable de discerner le « vrai » Obffs de son image ? Ou pour le dire autrement : le réel de sa représentation — alors même que ce « réel » n'était déjà que du virtuel, et le contenu de l'écran que l'image d'une image ? Concrètement, est-ce qu'en continuant à avancer, j'allais me cogner à l'écran 9 ? Ou passer comme un pur esprit à travers l'image, pour me retrouver derrière la vigile, au beau milieu de cette scène d'amour si touchante ? La réponse tenait en un pas. Que le joueur brûlait en moi de faire, mais que le philosophe, lui, s'amusait à retarder. Mon matérialisme frimait : la réalité n'est qu'une perception physique, le simple calque d'une déficience chronique de l'œil qui, à visions semblables, conclut instantanément à l'identique. Comment diable les capteurs du virtuel, autrement plus sensibles que nos pauvres yeux justes bons à pleurer sur leur insuffisance, pourraient laisser passer une différence pour eux si manifeste ? L'infime reflet d'une lueur nocturne sur la dalle suffit au distinguo. Mon nez s'écrasera sur l'écran. L'idéaliste se mit alors à pouffer et me lâcha à peu près : comment une image qui n'a même pas *conscience* d'être une image pourrait-elle discerner une image d'une autre ? Réel, re-présentation du réel, image, image d'image : ces nuances ne prennent sens que pour un esprit humain. Démultiplication abyssale de l'image, telle est l'essence de l'univers virtuel. Et un homme, fût-il le reflet de mille miroirs, conserverait, aux yeux des capteurs, la même stricte réalité que le gros qui gît dans le noir. Pas de hiérarchie du réel, mais totale équivalence de tous les niveaux d'image : démocratie si tu veux, Capt.

J'avançai d'un pas et je tombai du plafond. Obffs se retourna éberlué, la bite encore vivace et la main trouée par la balle que je venais de tirer. Derrière lui, le cadavre

de la vigile dont le front écopa de la balle (« 25 000 ! »...
« -25 000 ! »)

— Mains sur la tête, jambes écartées. (...)
Escadron 2 ?

— Ici Escadron 2.

— Je tiens Obffs. Quatorzième étage.

— Votre code ?

— KP 46. L-N-POR, comme ça se vomit.

— OK, conforme. Félicitations, monsieur Lnpor, on
arrive !

Ils arrivèrent, l'embarquèrent et me demandèrent des explications pour la vigile. Je répondis qu'il
l'avait descendue avant que j'arrive (l'écran indique
« + 50 000 pts », pas si moral que ça, ce jeu...).

Je remontai sans attendre à la salle de contrôle.
Je bouclai la porte et je scrutai plusieurs minutes les
« fenêtres » : sur aucune n'apparaissait Capt. Les caméras étaient censées (dans le jeu...) couvrir toute la tour,
sauf... la salle de contrôle ! C'est donc qu'il était là...

— Mains sur la tête, le besogneux, face aux écrans !
Voilà... Bien !

Il avait vraiment ma voix. Impensable. Plier doucement les genoux, me mettre bien en face de l'écran 21...
Il cadrait l'intérieur de l'ascenseur...

— Je compte jusqu'à trois, la loque. Jouissif d'être
encore de ce monde pour trois petites secondes, hein ?
Un... Deux...

Un pas, sans trembler des yeux...

— Trois !

Le coup de feu était parti... M'écroulai du plafond de
l'ascenseur. J'étais passé à travers l'écran 21 ! Quelque
chose grésillait le long de mon torse — plasma ? Je me
regardai dans la glace. Qui est ce flic ? À peine si je
reconnus le visage, si je m'en souvenais : il faisait partie des cinquante physiques possibles du héros. C'était
celui que j'avais choisi, choix qui n'avait d'importance

que pour les reflets et pour les médias, à la fin, si l'on gagnait. Mon uniforme semblait comme brûlé de haut en bas. Il fallait immédiatement que je remonte et que j'arrive à temps pour le surprendre dans la salle. Après tout, il devait me croire mort…

Je revins dans une salle désertée. L'écran 21 fumait encore et de drôles de traces de sang brûlé maculaient ce qui restait de la dalle. Ainsi que je commençais à m'en douter, par contre, nulle trace de Capt sur les écrans. Avais-je oublié que je ne me déplaçais que dans l'angle mort des caméras ? Impossible par conséquent de me surprendre en traversant un écran, comme pour Obffs. Impossible de jouer de mon ubiquité virtuelle pour être partout où j'étais. Capt ne pouvait piéger Capt… Sauf à rendre mobile un écran, aussi mobile et insaisissable que moi ? D'une brusque traction, je décrochai l'écran 16, le mis sur mode autonome et je l'embarquai. La caméra 16 couvrait le couloir du réfectoire, lieu où les chances de croiser une patrouille restaient minimes — donc celles de rencontrer Capt, maximales. Le couloir faisait face aux ascenseurs, passait entre les deux escaliers de secours et menait à un petit bureau sans âme. Fixée au-dessus de l'ascenseur, la caméra filmait par destination tout le couloir jusqu'à la porte du bureau. Je réglai le zoom, qu'il cadre la porte seule. Je pénétrai ensuite prudemment dans le bureau et plaçai le moniteur 16 sur la table, afin de la porter à la hauteur de mes yeux. Je parachevai le traquenard par une porte entrouverte à ne laisser suinter qu'un filet de présence, lumières allumées dans la salle et dans le couloir, et me calai, avec une minutie d'horloge, face à l'écran, revolver au poing.

Fut-ce le léger grincement hydraulique de la porte de l'escalier de secours ou la succession de brefs frottements étouffés sur la moquette murale du couloir qui me prévint de l'arrivée imminente de Capt ? Le sentiment que tout allait se jouer là pourvoyait à la conviction que ces frottements furtifs ne pouvaient être que les siens — miens tout autant par la méthode. Resté vide, l'écran trahissait par ce vide même sa présence. Nulle image autre que mentale : glissant à trois mètres de haut, en opposition pieds/dos, la caméra ne pouvait aucunement le détecter. Il glissait telle une ombre dans l'angle mort de mon regard, le vicieux, il croyait, il espérait m'échapper, mais mon esprit le transperçait verticalement à travers toute l'épaisseur de toutes ces putains de dalles de béton de la tour et mon esprit le scannait, il le voyait infesté de lumière, blanchi et à demi brûlé par la ligne filamenteuse des halogènes courant sous le plafond, il le voyait… le cloporte dans son corridor moquetté qui allait lui servir de caveau, la tête râpant le couvercle et les pattes collées aux parois de sa tombe, espérant s'y maintenir, semblable à ces morts qu'on avait enterrés vivants et qui avaient cru pouvoir inverser leur destin…

J'attendis, la main crispée sur mon revolver, qu'il fût à l'aplomb de la porte, à cet endroit où, en dépit de ses précautions d'insecte, il ne put comprimer son ombre portée par l'halogène sur la clarté livide des montants. L'écran se salit un peu : il était là. D'un geste d'une banalité dosée, je fis couiner un tiroir, mime sonore qui marquait la présence d'un homme. Capt en tout cas ne pouvait en douter. Prenant le risque qu'il bondisse dans le bureau et m'abatte, je lui tournai le dos et m'avançai d'un pas vers cet écran qui montrait avec une perfection sans tache la porte de la salle, vue naturellement du couloir. J'avançai encore et je levai mon bras à la verticale, revolver chargé… Visuellement, rien ne m'eût permis de percevoir l'instant précis du passage : l'image ne bougea pour ainsi dire pas. La chute millimétrique des organes dans mon corps, seule, figura la trouée. Une sensation si peu intense qu'à deux doigts je l'eusse manquée, ce

fut elle qui m'accorda cette fraction de temps où je le
vis sans qu'il pût rendre mon regard. La balle déchi-
queta son tibia. Il s'effondra de son perchoir. Il avait
lâché son calibre en chutant : mauvais instincts vitaux.
Je jetai le mien et l'arrachai du sol par son parnox. Issue
indûment de ma radio, une voix solide me conseillait de
le « bloquer » et de le ramener fièrement au directeur
de la sécurité de la tour qui me féliciterait. Comment
pouvaient-ils savoir que je l'avais à ma merci ? Puisque
j'avais embarqué l'écran 16 !? Ils ne le savaient pas :
c'était le processeur de morale qui caftait. Et qui voulait
juste m'aider, hein ? Que je gagne, c'est tout, gentil. Je
logeai de rage une balle dans ma radio. De force, je traî-
nai Capt dans le bureau.

Pour la première fois, et parce qu'intimement, je sus
que ce serait la dernière, j'acceptai de regarder son
visage. Face à face. Les yeux dans les yeux, jusqu'aux
stries de l'iris, jusqu'au fond de sa pupille où la méticulosité technique du jeu allait jusqu'à me renvoyer un beau
flic en costume, qui n'avait décidément pas ma gueule, le
bon flic, ce bon flic fier de défier un anarchiste à l'agonie… Je pris Capt et lui fourrai la gueule dans l'écran 16.
La dalle implosa. Il n'avait plus de visage. Alors je le mis
sur mes épaules et je me jetai avec lui par les fenêtres
de la tour.

XVI

Le Grand Rupteur

> La seule chance qu'il nous restait de sauver Capt du Cube, c'était Kohtp. Lui seul pouvait dénoncer la supercherie et avancer des preuves. Retrouver Kohtp et le convaincre : telle était l'idée de Boule de Chat.

— Pourquoi il ferait ça ?

— Par amour !

De tout autre qu'elle, la proposition de quémander auprès de ce traître dont Slift avait juré de dissoudre jusqu'aux globes de l'œil dans une cuve d'acide, aurait reçu, de sa part, au mieux une réponse au couteau, au pire un coup de poing. Mais l'idée venait de Boule… Et Boule était la seule femme dont il eût jamais toléré la présence chatoyante, écouté les avis et même accepté jusqu'à la tendresse d'un sourire. Très vraisemblablement, passer dix jours avec une femme était pour le cœur hérisson acier de Slift une première et il était touchant de voir à quel point ses gestes, arides à force d'être efficaces, prenaient de jour en jour une manière d'arrondi.

— Tu crois vraiment qu'il t'aime ?

— Il risque sa peau en dénonçant le gouvernement !

— Il ne risque rien à partir de l'instant où il l'annoncera aux médias. Il sera alors politiquement impossible de le « suicider ». Par contre, entre l'instant où il entendra notre clameur et sa dénonciation publique…

— On débloque totalement ! Il nous a infiltrés, il nous a balancés et maintenant il va aller balancer P et toute la clique 1-lettré ?

— Qu'est-ce que tu crois ? Qu'il y a une autre solution ?

— Tout le monde pense que la clameur est le meilleur moyen ?

— D'entrer en contact ? Oui. S'il aime Boule, il reconnaîtra immédiatement sa voix. Il s'arrêtera, il repassera devant la clameur.

— D'accord. Mais où placer cette clameur ?

— Quand il sort le matin, il crochète par la rue du Repos pour rejoindre le distrib d'orange chimique qu'est à l'angle du boulevard Encélade. Toujours, il fait ça. J'l'ai pas filé dix jours pour des plosses ! Et la rue du Repos, c'est une rue sans collex ni caméra : une putain de bonne rue à clameur. Il faut la foutre là !

— Je propose comme date de rendez-vous le six, dans deux jours, à 16 heures et pour le lieu, le parc de l'antirade, devant la Pomme d'un mètre de haut, la monstruosité botanique…

— Pourquoi pas la radzone, la nuit ? Ce serait plus sûr.

— Obffs, ils viennent de positionner cette nuit même le satellite Vigital 4 en orbite géostationnaire au-dessus de la radzone pour y surveiller les mouvements anormaux de population. La nuit, les déplacements sont rares et d'autant plus faciles à repérer et à zoomer. Et puis, ils s'attendent à ça : qu'on sorte la nuit. Slift a déjà pris suffisamment de risques. Il nous faut privilégier les déplacements courts autour de la cache, d'où le choix du parc de l'antirade.

— Pour le coup, j'suis Kamion pneu dans pneu.

— Reste à désigner celui qui ira poser la clameur ce soir…

— J'irai.

— Obffs, personne ne t'oblige…

— Qui d'autre que moi ? Slift est le seul qui puisse couvrir Boule lors du rendez-vous — s'il a lieu. S'il se fait prendre ce soir, qui ira ? Brihx a une femme et une fille. Kamio, tout le cercle culturel le connaît, sans parler de tous ceux qui l'ont vu blablater dans un centre de rencontres.

— Je ne blablate pas, j'éveille !

— Et évidemment, ça ne peut pas être Boule. Alors il ne reste que moi. S'il y a une possibilité, même infime, de sauver Capt du Cube, il faut l'épuiser. Vous savez, tous les amis que j'ai jamais eus sont ici : c'est vous. Pour moi, être enfermé ici dans cette cache ou ailleurs dans une cellule… P plastronne qu'avec son système de traque, nous sommes *déjà* en prison. Il a raison ! On pourrit là, entre quatre murs, depuis deux mois ! Alors oui, je vais sortir ! Parce que je n'ai que mon petit moi à perdre et qu'il y a des moments où la toute conne envie de respirer ton odeur d'homme libre te pousse dehors pour la risquer.

> La première fois qu'ils le déclenchèrent, ce fut la deuxième nuit. La deuxième de ces étouffantes nuits halogéniques où, la lumière coupée, l'obscurité tombait immédiatement si parfaite, si massive, qu'ouvrir ou fermer les yeux n'avait plus d'importance.

Je dormais mal et me retournais sans cesse. Je manquais d'air. L'impression d'une présence épiante autour de mon lit… L'échangeur d'air, au-dessus de moi, tournait… tournait… un ronronnement régulier. J'entrouvris à un moment, sans raison, les yeux, comme si le noir absolu pouvait être autre chose que noir. J'eus alors l'impression que le mur phosphorait… Je me dressai sur mon lit. Les quatre murs, le sol et le plafond, toute la surface de ma cellule était baignée de lumière — une lumière fade, qui paraissait ébaucher des formes.

J'écarquillai les yeux du mieux que je pus et me concentrai sur le mur face à moi : la lumière s'intensifia. Je vis alors apparaître, comme s'il eût été pris dans l'épaisseur même du mur, un homme, face à moi, assis, qui semblait fixer quelque chose devant lui que je ne voyais pas, mais qui devait être assez extraordinaire pour… C'était moi ! C'était moi dans l'épaisseur du mur ! Mon image !

Il fallut le temps que ma torpeur se dissipe : ils devaient me filmer avec une caméra cachée dans le mur d'en face et ils projetaient ce qu'ils filmaient en temps réel, sur ce même mur. Je me tournai vers la gauche. Je constatai le même phénomène : l'image, couvrant les quatre mètres sur quatre du mur, me montrait de profil. À droite, derrière moi… Idem. Je levai alors la tête vers le plafond. La silhouette écrasée d'un petit être, vu en plongée, le visage tourné vers un ciel incertain, s'étalait comme une immense araignée au plafond. Je me rassis enfin, et sans y prendre garde, fermai de mon regard en errance la dernière face du piège, le sol : même effet de miroir.

La substance dont étaient faits les murs présentait cette curieuse propriété de cristalliser la lumière de sorte que ma cellule restait prise dans la pénombre : les murs n'éclairaient qu'eux-mêmes. Ils suaient une sorte de lueur d'hôpital blanchâtre et poudreuse, avec un homme nu dans la salle d'opération qui était moi. Vainement, je m'efforçai de fermer le plus complètement les yeux pour fondre au noir ce supplice lancinant où je me cognais de mur en mur à moi-même, comme une mouche de laboratoire l'aurait fait aux parois d'une cage construite avec des copies génétiques de ses ailes.

Le matin, je voulus allumer l'halogène. Il ne s'alluma pas. La même pénombre. Les murs s'étaient rapprochés d'eux-mêmes et se penchaient vers moi. Les vibrations de mon ventre m'étaient renvoyées de partout et je pouvais presque les sentir rebondir ouateusement dans la cellule et s'amplifier à chaque écho. Un volume de temps plus tard, ils rétablirent le « jour ». Mais ils maintinrent les projections murales. Et ils ne les coupèrent désormais plus.

À mesure, je m'habituais. Ils ne m'avaient accordé aucun livre. Je n'avais que ma table, mes toilettes encastrables, un bloc-notes et un stylaser. J'écrivis un peu. Tout ce que j'écrivais était projeté sur les murs. Lorsque c'était sombre. Uniquement lorsque c'était sombre. « Vive la Volte ! » resta comme un petit tas de mots calcinés, insignifiants, sur le bloc.

Au début, ils s'en tinrent là. La télévision demeurait allumée en permanence et je la regardais. Ne me restait plus que ça ou ma silhouette chaque jour plus voûtée sur le lit, ou debout faisant péniblement quelques exercices ou jouant à *Capturez Captp*, à la longue aussi insinuant, aussi carcéral que la mise en boucle de moi-même. La nourriture m'arrivait ensachée par tuyau. J'étais incapable de dire si mes repas venaient à heure fixe. Je n'en avais pas l'impression. J'avais atrocement faim parfois. D'autres fois, j'enflais. Le « jour » se distordait sans que je sache si c'était eux qui jouaient avec, qui étiraient, qui contractaient, pour me perdre, ou moi qui…

Au troisième jour, ils coupèrent la télé. Et ne l'allumèrent plus qu'aux informations quand mon visage apparaissait, sans son et vaguement cireux.

Le quatrième jour apparurent les premiers symptômes. Alors que j'entamais une série de pompes, le reflet de mon corps sur le sol disparut. Je me relevai subitement pour regarder le mur. L'image me montrait… dormant. Un rêve ? J'étais debout, drogué, capsulé ? Non. Simplement, ils ne faisaient plus du temps réel : ils décalaient les événements. Ils projetaient des scènes d'il y avait quelques minutes, parfois des déjà oubliées heures précédentes. Souvent des événements de la veille. Ils projetaient la chute au sol du sachet repas. Mon réveil. Le matin. Pas n'importe comment. Pas n'importe quand. Pas n'importe quoi. Ils projetaient selon une logique — selon les instructions d'un claustriatre, je le pressentais. Ils ne projetaient que des images affligeantes — mes moments de fatigue, d'absence, de chute en moi-même. Ils me projetaient mes masturbations nocturnes. Filmées par procédé thermique, avec mon sexe qui se tendait en arc cramoisi. Lorsque je pissais. Que je chiais. Mes larmes.

Le cinquième jour, ils exploitèrent le son. Car je fermais les yeux presque tout le temps à présent. Le bruit de mes pas. De mon lit s'enfonçant. De la table crissante. De mon souffle. Ils l'amplifiaient à me rendre fou. Je me bouchais les oreilles et fermais les yeux, mais je ne tins pas. La prison du noir et du silence suturé était encore plus intime que celle des murs. Je relevai la herse des paupières et laissai mes oreilles à découvert s'user sur le froissé du pantalon et le frottement triste de mes pas. Puis ils décalèrent les sons à leur tour — lorsque je me sentais un peu mieux, je m'entendais pleurer — j'étais réveillé en plein sommeil par mes cris de la veille, hystériques de claustration. Régulièrement, ils passaient le chuintement pneumatique du sachet projeté à travers le tuyau et invariablement, je sursautais et je salivais en me tournant vers le mur.

Au bout d'un nombre de jours que je ne parvins plus exactement à compter, j'avais perdu toute sensation du temps. Les images projetées se fondaient insensiblement dans la réalité translucide de ma vie et effaçaient ce que ma chair massant l'espace avait de tangible. Je ne savais plus si le repas m'avait été servi, s'il allait l'être, si j'avais dormi et quand ou combien de temps, je ne me rendais plus compte s'il faisait « jour » ou « nuit ». Le serpent droit du temps perdait ses écailles dans un aquarium.

Il n'y avait plus d'événements dans ma vie. Rien ne s'y passait. Une coulure. Je m'efforçais de penser au Cube et à la mort. J'essayais de noter quelques arguments pour l'émission et d'enchaîner quelques répliques, de les mémoriser. Dès que j'essayais, un son jaillissait. Une image me culbutait. La lumière s'éteignait ou se rallumait. Plus vive. Le repas arrivait.

J'étais incapable de dire si ce repas m'avait déjà été servi. S'il avait déjà eu lieu, si c'était l'image du repas d'hier, si je ne rêvais pas à celui de demain. Tout était interchangeable. Un segment de futur prenait la place du présent. Le passé devenait le futur. Chacun de mes regards, tout ce que je touchais, chacun des sons que je produisais par l'incompressible fait de vivre me poussait vers moi-même. Ma cellule était engorgée par mon propre corps et je m'y cognais, je m'y rentrais dedans. Tout ce que j'y sortais de moi était immédiatement stocké et entassé dans ma cellule. Ça s'empilait de pas, de cris solides, de bras ballants. Ça se répandait…

J'en vins à ne strictement plus rien faire. Plus bouger ni parler ni entendre ni regarder. Plus rien manifester de moi-même qui puisse, avalé puis régurgité, obstruer un espace que je sentais par bouffées se réduire, physiquement se réduire, jusqu'à me frôler. Alors je ne fis rien. Silence. Rien. Obstinément. Je devins obnubilé par cette vision : arrêter de nourrir le long serpent enregistreur que je pouvais sentir se délover silencieusement parderrière les cloisons. À peine avais-je commencé que la vanité de mon entreprise me parut manifeste. Je persévérais cependant.

Au bout d'un certain temps vint à mes oreilles une manière de bourdonnement. Au début assez faible ; puis à mesure qu'il s'amplifiait, le son se rapprochait plutôt d'un sifflement. Comme un liquide sous pression projeté par saccades dans un tuyau très étroit, et vivant, qui se dilatait sous le passage avec un froissi de vent torrentiel. C'était… un bruit très dérangeant que j'avais déjà entendu et il me fallut de longues minutes pour me souvenir d'où il remontait… Il remontait du Clastre, de l'examen médical du Clastre. C'était le bruit du sang sous pression enflant et déformant les parois de mes veines. Ils le captaient en temps réel, je le sus viscéralement. Tout aussi carcéviscéralement que je compris que je ne pouvais rien contre ça : respirer, battre mon cœur, battre... Sauf à m'ouvrir les veines... Mais je les devinais capables de filmer mon cadavre infiniment et d'écouter, jusqu'après ma mort, la succion grouillante des vers s'engrossant de mes intestins...

Pourtant je m'entraînais encore. En prévision du Cube. Des pompes et des pompes — coups de pied — coups de poing — je soulevais mon lit — lançais ma chaise — sautais — frappais les murs pour me réveiller. Ça, seul, me restait : le sens de mon corps, l'envie de le sentir. Ils le comprirent bientôt. Alors ils chauffèrent. Ils chauffèrent ma cellule. Ils la chauffèrent lorsque j'étais à l'acmé de mes exercices, à suer. Puis au fur et à mesure de l'abaissement de ma température, ils refroidissaient violemment. Je crevais de chaud puis je crevais de froid. La nuit devenait intenable. Nu même, étendu sur le sol dallé, je suais sans bouger. Je collais au sol. L'air se raréfiait...

> Un drôle de silence se fit. Slift se leva, déplia la carte de Cerclon. « Cale-toi ça dans le plot ! » C'était l'itinéraire à suivre. Entre chien et loup, je descellai la plaque de terre surmontée d'un similierre et je sortis du tunnel. La petite allée du parc de l'antirade était déserte. En quelques enjambées, je me retrouvai sur le chemin, moi Obffs, le blouson passe-muraille du parfait incitateur publicitaire sur les épaules et ma main serrant mécaniquement la poignée d'une mallette bidon. J'avançais vite, sans penser, fataliste. N'y avait que deux techniques contre l'angoisse : la cool, avec respiration du ventre et zen attitude ; et la sliftienne : accélérer toute émotion et concentrer peur sur point de tension qui la verrouille. Là, j'avais un treillis de nerfs en manière de main droite.

Le reste : calme. Arrivé sur l'avenue de la Paix sociale, je commençai à croiser des gens, des groupes qui se rendaient à Subvirtue. À coups de pardon, je coupai les queues devant les cabines de réox, où, comme chaque fois que la chape d'air de la ville se fêlait sous les rafales d'ammoniac, le gouvernement conseillait aux citoyens d'aller s'oxygéner. Même le secteur centre puait une odeur de Javel. À peine pourtant si je la sentais. Suivant le conseil de Slift, je me mouchais le plus souvent possible pour masquer aux caméras mon visage et fausser autant que possible les cadrages d'identification.

J'avais eu raison de garder ma barbe. J'étais loin d'être le seul à en porter. En pied-de-nez au gouvernement qui leur avait demandé, par sens civique, de se raser afin de faciliter le travail d'identification du Terminor, beaucoup de barbus, et d'autres qui ne l'étaient pas mais du coup l'étaient devenus, se promenaient sans complexe dans la rue. Tous ces gens-là, ces têtes rétives et ces provocateurs tranquilles, j'avais envie de leur serrer la main et de leur dire : « Merci ! » À voir leur nombre, j'avais chaud au cœur. Ils étaient là, les Voltés ! Je pouvais presque les compter : c'était ces pas glabres, ces poilus de la face ! Eux, sûr et certain, ils nous soutenaient ! — ou s'ils ne nous soutenaient pas, ils étaient en tout cas *contre le contrôle* et alors c'étaient nos amis, le vivier de la Volte en marche ! Je traversai quatre petites rues en arc de cercle, changeai de trottoir pour éviter le champ des réflecteurs placés sur les toits et continuai à me passer la main sur la barbe et à moucher de l'air. Le plus beau, c'étaient les gars de quinze-vingt ans qui avaient des gueules de mauvaise herbe et des joues comme des friches industrielles à l'abandon. Ils ressemblaient à des cartes grossières de la radzone. Sur le boulevard Encélade, je croisai même une fille qui, à s'y méprendre, correspondait au portrait de Boule projeté, comme nous tous, sur les murécrans de la ville. J'étais convaincu qu'elle avait copié son style dans l'intention de noyer les identificateurs sous les fausses alertes.

À l'angle du boulevard et de la rue du Repos, trois personnes faisaient la queue devant le distrib. La troisième, je la reconnus à l'équerre de ses épaules : Kohtp. Je me retournai : alentour, aucun de « ces plantons qui te font semblant de pourlécher de la vitrine ou de mater sur le murécran un putain de spot que si le Clastre leur niquait une place à chaque fois qu'ils l'ont vu, ils s'appelleraient Popov ! » (Slift®). J'attendis que le distrib forme dans la main de Kohtp l'orange reconstituée et qu'il reparte. Au bide, une envie crue de le cylindrer... Il prit la rue du Repos. Je l'observai faire le changement de trottoir que m'avait décrit Slift...

— Monsieur, vous cherchez quelque chose ?

Un vieux sociophile au double menton lipposucé m'avait pris le bras. J'avais déjà la main sur le couteau.

— Tout va bien, pépé. J'étais pris dans mes pensées.

— Ah ça, je connais bien ! Moi aussi quand...

Je le plantai littéralement sur place, m'enfonçai dans la rue du Repos et, m'assurant d'être hors de vue, je jetai la clameur bien haut contre la façade métallique d'un immeuble. Elle s'y magnétisa. Je passai dessous : « *12 rêveurs éviscèrent leurs rêves. 6 par 11 : 66 hémisphères appariés observent amoureusement mademoiselle Dehors* ». Je revins : « 12 **R**êveurs é**V**iscèrent **L**eurs r**Ê**ves. **6** par 1**1** : **66 H**émisphères a**P**pariés **O**bservent a**M**oureusement **M**ademoiselle **DE**hors ». Code Volte. RV LE 6 À 16 H – POMME.

Puis je rentrai sans croiser un seul flic, mission accomplie, accueilli par une bouteille de brax bien fraîche, la pogne de Slift, et de Boule un baiser qui ne se refusait pas.

— Comment va-t-il ? Il s'use ?

— Beaucoup moins vite que nous ne l'espérions, monsieur le Président.

— P m'a indiqué qu'il semblerait être entré depuis hier dans une phase de réversion. Il parle beaucoup, m'a t-il dit.

— Oui… Il semblerait, malheureusement, qu'il ait retrouvé ses repères. Sa pensée est nette et incisive…

— Je souhaiterais écouter ses propos. Pouvez-vous brancher le haut-parleur, je vous prie.

« … *experts en déstabilisation émotionnelle, psychologue de chaise roulante et de divan à ressorts crevés, vous tous pousseurs de curseur, qu'est-ce que vous foutez ? Chaud-froid, chaud-froid ! Faites votre boulot ! Projetez ! Allez-y : larmes de trois jours, ma branlette quotidienne avec le sperme qui sort orange et finit bleu ! Vous n'avez plus d'idée ? Les matrices sont saturées ? Ça suit plus ? Allez demander à P ce qu'il…* »

— Comment expliquez-vous cela ?

— Je ne l'explique pas, monsieur le Président, je le constate simplement. Nous avons intensifié les différentiels de température. Depuis deux jours, nos indices d'activité montraient une atonie prononcée. Nous avons voulu l'approfondir et…

— Et le voilà de nouveau en pleine possession de ses moyens ! Monsieur Cr, avez-vous la moindre conscience du métier que vous faites ? Comprenez-vous seulement pourquoi je vous ai nommé à ce poste ?

— Vous m'avez donné pour mission de déstabiliser Captp et je crois que j'ai fait tout mon…

— Savez-vous à qui vous avez affaire ? À un homme qui est prêt à payer de sa vie ses convictions ! De sa vie ! Croyez-vous que vingt degrés de plus ou de moins vont le dérouter ? Le plonger dans la catatonie, le briser ? Si vous étiez seulement fait d'un alliage de laiton avec le métal dont sa colonne vertébrale est armée, vous ririez de vos propres procédés !

— J'approuve votre sentiment, monsieur le Président. Je souhaitais justement obtenir de votre autorité une

dérogation discrétionnaire qui permette d'aller au-
delà de la gestion calorifique dont vous avez très pertinemment relevé les insuffisances sur une personnalité
telle…

— Qu'entendez-vous par aller au-delà ?

— Recourir à des techniques plus directes… Sans
aller jusqu'à la torture, peut-être pourrions-nous le soumettre à des traitements plus sévères…

— Vous ne comprenez décidément rien ! Vous voulez à nouveau lui communiquer davantage d'énergie ?
M. Captp est un révolté et, comme tel, tout excédent de
violence qu'il subit le renforcera dans des proportions
que vous ne soupçonnez pas. Il prend l'énergie de votre
violence et il l'inverse, accrue, à son profit. Torturez-le !
Allez-y ! Non seulement vous ne le briserez pas, mais
vous en ferez une bête de proie. Tous les recours de l'ordinaire barbarie, coups ou torture, nous sont interdits,
comprenez-vous ? Et pas pour de louables sentiments
humanistes, comme votre naïveté vous le fait accroire.
Pour des raisons économiques ! D'économie de pouvoir,
j'entends ! Votre mission consiste à le déstabiliser, oui.
Mais sachez lire entre les mots ! Il faut avant tout *dévi-
taliser* Captp. Je suis sans illusion : nous n'amènerons pas
devant les caméras du système solaire un homme amolli
incapable de se défendre. Mais de grâce, que pour le
moins il ne sorte pas d'ici la rage au cœur et le verbe
aiguisé ! Cette cellule grise, ce mobilier inexpressif, le
renvoi récurrent de son visage n'ont qu'un but : le priver
d'énergie — user sa formidable capacité de penser par
l'absence de stimulations, en le confrontant perpétuellement à ce qu'il ne connaît que trop et dont il se désin-
téresse, homme du dehors qu'il est : lui-même. L'efficace
n'est jamais l'excessif, monsieur Cr. Apprenez à gérer
vos interventions psychologiques comme un politique.
Ce que vous cherchez devant ce pupitre, avec votre
équipe, n'est pas fondamentalement dissemblable de ce

qu'il me faut chaque jour trouver : cet équilibre orageux entre le trop et le trop peu. Lequel est moins une affaire de dosage que l'art d'épouser, à force de corrections infimes mais continues, la ligne de moindre énergie du corps social. Le laisser sereinement s'épuiser, ce corps, faute d'opposition. Chaque être, chaque société possède sa pente intime vers un état de calme sans ennui — sa plaine. Sachez trouver celle de Capt. Et alors il lui sera facile et reposant de mourir, monsieur Cr !

> Les nuits halogéniques se succédaient, et avec elles un rêve. Un rêve oublié, ou plutôt cru tel et dont je sus pourtant, avec une certitude absolue, dès qu'il survint et s'installa, que je l'avais déjà fait, il y avait de ça une épaisseur de durée qu'il m'était impossible de percer... Peut-être était-ce un rêve d'enfant, peut-être datait-il de mon arrivée sur Cerclon, le choc effroyable de l'alunissage lorsqu'étaient apparus, sous le sol vitrifié de la navette, les cercles, les sept cercles étriqués du « paradis » vanté — et mon père qui cherchait à voiler l'accès de déception terrible qui lui montait aux tripes, mon père qui n'arrivait pas à fixer la prison urbaine, qui regardait l'horizon, la planète, ailleurs : « Et là, la terre rouge : le dehors, ils appellent ça, le dehors... C'est là que vivent les tigres mutants, les tigres pourpres. Tu te rappelles, les tigres pourpres ? »

J'avais six ans quand mon père, par exception, m'avait permis de regarder les Saturnales, une émission consacrée à la vie des Cerclons. Un documentaire montrait le dehors, filmé par une sonde. Je ne me souvenais de rien — que des nuages, des couches et des couches, roux, déchirés par des tornades et, parfois, on apercevait le sol avec les cratères, mais surtout les nuages, oui, la violence avec laquelle ils se disloquaient. Puis à un moment l'image se figea. Quelque chose de solennel dans la voix du commentateur. Une silhouette sur le pourtour d'un

La Zone du Dehors

cratère, un animal. « Un tigre pourpre », disait la voix et
moi qui disais à mon père : « C'est un chien ! Et d'abord,
il est violet ! »

Mon rêve venait sans doute de là. Mais pas uniquement. Quelque chose du Capt adulte s'y était mêlé. Je ne
comprenais pas du tout pourquoi il revenait, nuit après
nuit, dans cette cellule. Aussi bien avait-il toujours été là,
en moi, pli. Qu'il s'était désenroulé, anneau après anneau,
tout au long de ma vie, sans que je le sache — avant que
ne vienne ce mauvais sommeil et les réveils fréquents qui
l'avaient fait passer en mémoire vive.

Le déroulement en était presque toujours le même.
Je me trouvais dans un vieux train terrien qui me transférait, à travers un paysage de montagnes arides, avec
d'autres détenus, vers une ville où se trouvait la prison.
Au passage d'un pont très haut, je sautais par la fenêtre
du train dans la rivière. Puis je m'enfuyais le long des
berges boisées et je me retrouvais subitement dans le
dehors, à courir sans oxygène, vers une sorte de plateau.
Avec le train arrêté derrière moi sur l'anneau périphérique (il n'y avait jamais eu de train sur Cerclon !) et
des policiers qui en descendaient, avec une bonne longueur de retard sur moi, pour me poursuivre. Je courais
très difficilement, jambes de plomb. Je ne regardais que
devant moi la pente qui menait au plateau rocailleux,
avec cette intestine sensation que, là-haut, je serais hors
de portée. Toujours alors, je passais une première butte,
suivie d'un replat. Je me retournais et je voyais, très
loin, qu'ils avaient lâché les chiens. Je savais que si j'atteignais le sommet de la colline avant qu'ils soient sur
moi, je serais sauvé. Tout dépendait de la vitesse de ma
course… Mais je ne parvenais jamais à délier ma foulée, je hoquetais vers l'air… J'avais les muscles comme
entravés par des bandes adhésives… Je me traînais… Et
j'entendais bientôt les chiens aboyer, aboyer de plus en
plus nettement…

Devant moi, à quelques centaines de mètres avait surgi un tigre qui se dirigeait, avec ce calme particulier aux fauves, vers le sommet, comme moi. Il entendait les chiens et je me persuadais qu'il y avait de grandes chances que les chiens foncent par instinct sur lui, que peut-être il me sauverait ainsi, mais aussi j'avais honte d'espérer sa mort à ma place, tout ça à la fois — tout ça et là-haut, sur le sommet, quelque chose qui nous attendait...

Il y avait un vent tourbillonnant et du sable sous les pattes du tigre qui le gênait. Il avançait exactement à la manière d'un chamois, avec des bonds rapides et puissants puis l'arrêt, long, la latence qui me faisait me rapprocher de lui... Puis à nouveau les trois bonds. Là-haut, à mesure que les chiens fondaient sur nous, le vent imprimait des mouvements bizarres aux nuages qui spiralaient au sommet. Il me semblait que quelque chose se passait qui ne relevait plus de l'aérologie ordinaire du dehors, dont je connaissais trop bien les aberrations. Il y avait là-haut une présence...

Les chiens se rapprochaient : je donnais tout ce que j'avais pour avancer, je patinais dans la pente de sable... Néanmoins, péniblement, je montais...

Le tigre pourpre n'était plus qu'à une longueur de moi. Mon seul espoir était maintenant de le rattraper pour que les chiens... Le tigre avait fait encore un bond et s'était arrêté. Il avait les narines dressées et sa tête majestueuse était levée vers le sommet comme s'il savait...

Alors moi aussi, je l'aperçus... C'était comme une forme faite avec du vent noir. Une sorte de spectre, sans cou ni crâne, de pure vitesse, les membres disjoints, se maintenait au sommet, samouraï. Ses lames de vent noir sifflaient à travers les masses d'air et les tranchaient en deux, imprimant à la tornade des ruptures de flux inimaginables. Les courants étaient littéralement hachés,

serpés, et partaient en drapeaux sur la ligne de crête.
Le Grand Rupteur — le nom tombait avec cette clarté
étrange — découpait des tronçons de ciel en mouvement. Béait sous le bleu, derrière lui, par les écorchures,
le fond noir du cosmos, qui nous aspirait…

À ce moment-là du rêve, le tigre pourpre se retournait
et je savais obscurément pourquoi il en avait maintenant
la force. Il attendait les chiens. Les chiens venaient sur
lui. Moi-même avais disparu du rêve, j'étais devenu le
tigre, mais pas exactement puisque je le voyais. Alors il
se mettait à gronder, en retenant au nœud de sa gueule
une telle profondeur de rugissement que les chiens
reculaient avec des pas chassés, même plus capables
d'aboyer, juste jappant ! jappant !

Lorsque je me réveillais, mon ventre vibrait encore du
grondement.

> Vendredi 6. Slift est déjà sorti. 15:50. C'est mon tour.
Obffs m'ouvre la plaque. J'ai relevé mes cheveux et je les
ai attachés dans l'espoir de ressembler le moins possible
au portrait-robot. Je sors. J'ai la nuque nue et l'air froid
me saisit le cou. Brihx au périscope m'a dit qu'il faisait
beau et c'est vrai, la lumière me fait plisser les yeux, je
dois avoir une fente à la place de la pupille, comme les
chats. Je ne sais pas pourquoi, mais j'ai la certitude qu'il
sera là. Les trois Kohtp ne cessent de batailler en moi :
l'amoureux de l'université avec le Volté de l'assaut et
une dernière figure qui ne m'appartient pas, qui n'arrive pas à s'approcher vraiment, ce visage toute honte
bue du chien de gouvernement qui ramène sa prise à P.
Ils n'ont tous que cette vision-là en tête mais elle n'est
pas parvenue à s'installer en moi. Elle passe, oui, comme
passe le rire de Capt et me revient sans cesse ce sérieux
inquiétant qui rendait ses gestes si brusques quand il
parlait de la Volte et que je sentais jusqu'où il était prêt
à aller, poussé sur ce rail logique qui, même à l'approche

de la mort, ne semblait pas pouvoir courber. À personne je n'ai osé le dire, et j'ai souffert de me l'avouer, mais Kohtp n'est pas à mes yeux ce pourceau, ni Capt ce lion qu'ils décrivent. Capt était doux et très cérébral, il avait du mal à relier ces deux mondes à travers lui, et aussi avec moi. Chez eux existe cette même envie d'action et le même drôle de sentiment qu'ils ont, tout au fond, que n'a pas Kamio qui est plus ample, plus ouvert, de la portée si locale de ce qu'ils font et de l'extrême nécessité pourtant de le faire — tout en vivant. Je n'ai pas de haine pour Kohtp. Je n'arrive pas à en avoir. La rancune est un sentiment qui fait bien d'honneur à ceux qui nous l'infligent et puis, pour moi, il n'a trahi personne. Il a été là, avec nous, tout entier, totalement, il l'a été jusqu'au bout, jusqu'à la dernière seconde et là, il a basculé. C'est tout. Kohtp n'a pas triché. Il a été un Volté sincère, sans distance. Il n'aurait pas pu vivre aussi près et aussi intimement avec nous avec une pensée derrière la tête qui clignotait. Les derrière-la-tête, on finit toujours par les voir s'entortiller avec les rides du front. Non, il a été comme tous les vrais traîtres : absolument pas un traître jusqu'à la seconde où il fallait l'être et où, à cet instant, j'imagine, il doit y avoir un claquement fulgurant de personnalité et les masques qui pivotent. Clac.

Slift, qui vaut depuis l'assaut un facteur 8 (quiconque permettra sa capture verra son classement divisé par 8 : vous êtes 6 400 000ᵉ, vous vous retrouvez 800 000ᵉ...), est parti plus nerveux, s'il est possible, que d'habitude. « En solo, j'peux pas t'overcontrole l'ovale qu'ils vont tracer autour du toutou. S'ils bossent en double rideau, c'est la cueille assurée. Ça pue le traquenonosse... »

Kohtp et moi avions quelque temps longé la frontière entre amitié et amour, lui du côté de l'amour, moi sur les rives de l'amitié, à nous faire des signes par-delà, à nous lancer des petits galets galants que, pour le traverser, on faisait ricocher sur l'eau-lisse-du-fleuve-frontière et que l'autre récupérait en face comme il pouvait, si le caillou n'allait pas trop vite.

Progressivement, le fleuve frontière s'était élargi, avait pris des anses, s'était trouvé des îles et là où tout le monde ne voyait qu'une ligne d'eau sombre et dangereuse, qui ne pouvait qu'être crainte ou franchie, nous avions appris au contraire à nous y baigner en riant, sans souci des Amitiens nous hurlant de revenir ni des Amoureux encouplés nous montrant leurs maisons avec un sourire de « vous aussi, vous pouvez être heureux… ». Nous ne nous étions pas placés tels des fil-de-féristes sur la frontière pour y éprouver le vertige bien connu ami/ amant. C'était plutôt la frontière qui s'était évasée, en pays d'eau, pour nous accueillir. Au milieu des flots, nous ne manquions pas d'une berge sèche pour nous poser et faire notre petite cabane forcément un peu semblable aux autres cabanes d'amoureux ; nous filions simplement dans le courant du plaisir d'être ensemble et de saisir les poissons à même l'eau à pleine main. De part et d'autre sur les berges, le paysage qui défilait ne changeait pas beaucoup, mais le fleuve, lui, prenait à chaque méandre de nouvelles couleurs sang bleu, sirop de citron ou menthe fraîche et s'enluminait davantage d'anses et d'îles flottantes où venaient se reposer les oiseaux de longue migration. Kohtp avait bien été tenté d'agripper la racine d'un arbre pour revenir au pays et quitter le lit du fleuve pour un autre plus carré et plus sec, mais progressivement, il s'était pris à aimer le jeu intense et compliqué des courants et à la fin il se demandait juste vers quelle mer nous allions — sans se douter qu'aussi bien nous remontions vers la montagne, peut-être même vers la pluie dont nos gestes étaient faits.

Si j'aimais Kohtp ? Je l'aimais et je ne l'aimais pas, souvent en même temps, comme Capt. J'aimais sa virilité, sa simplicité. Je ne me posais pas vraiment la question, pas pour fuir la réponse, mais parce que tous les

poissons sensuels que nous attrapions ensemble étaient
réponses, les taches de soleil sur l'eau, le calme d'une
crique, la furie d'un rapide, tout : réponse. Et réponse
d'aucun « mais où je dois tracer la frontière ? » puisque
nous étions dedans et que nous déboulions si vite que
les barrages des castors eux-mêmes ne parvenaient pas
à couper deux volumes d'eau l'un de l'autre. Tout ça, de
toute façon, c'étaient des problématiques de berges et
de bergers et l'Amour, le beau pays sage, je ne l'aimais
que dissous, lorsque notre eau en ravinait les rivages
et que des pans de sa terre, s'y affaissant, teintaient la
rivière de sable et de filets roux.

— Eh bien, C, comment se présente cette émission
vérité ?
— Sous les meilleurs auspices, monsieur le Président.
La couverture terrienne sera maximale.
— Vous avez finalement opté pour le géodôme ?
— Seule une salle sphérique à gravité modifiée autorise cette densité de spectateurs autour du débat. Les
65 000 places se sont arrachées. Comme convenu, Capt
sera placé en suspension gravimétrique au centre de la
sphère, debout, sur un disque frappé au logo de la Volte.
P et les journalistes seront devant lui sur le même plan,
avec à quatre mètres au-dessus d'eux et, légèrement en
retrait, les douze citoyens sélectionnés pour l'interroger.
— Sélectionnés par qui ?
— Cablaxie et Bleu Nuit. Vous souhaitez que j'exerce
une pression amicale pour…
— Surtout pas de pression, surtout pas… Laissez-les
faire leur métier. Combien seront les Voltés qu'ils envi-
sagent de placer en contrebas de Capt ?
— Quatre : deux étudiants, un radieux et un cyborx.
— Quatre ?! Ridicule ! C, faites en sorte qu'il y ait,
non pas en dessous mais *au-dessus* de Capt — j'y
tiens — une trentaine de radzoniens, les plus agressifs

qui voudront bien venir se compromettre, et placez-les sans disposition, en vrac sur des glisseurs ou des blocs de métal en suspension.

— Bien. Je prends acte.

— N'oubliez pas que l'émission, pour peu qu'elle soit menée conformément à nos souhaits, doit opérer une conversion d'image. Les trois semaines qui viennent de s'écouler nous ont permis de ramener le problème luxuriant de la Volte au destin d'*un* homme. Mais attention : l'émission vérité ne doit plus se contenter d'être le procès d'un chef, mais du mouvement dans sa globalité. Que Capt finisse ou non au Cube, c'est là affaire de drame populaire, pas de politique. La politique commence lorsqu'un homme vaut pour les milliers qu'il efface. Captp = la Volte, soit ! Encore faut-il le sentir à l'image… Suis-je clair ?

— Vous souhaiteriez, si je vous ai suivi, générer un effet de groupe derrière Capt ?

— Je veux que l'on puisse sentir la menace d'une foule incontrôlée ; qu'à l'ordonnancement logique des douze jurés, des six journalistes et de P, pointe de cette flèche, s'oppose le cercle rougi de Capt et cette masse chaotique et grise, gravibloquée au-dessus de sa tête au point qu'elle semble en émaner. Les uns assis sur un mobilier sobre et bleu, les autres debout, agités, agglutinés, braillant ! Il ne s'agit pas d'attirer la compassion sur un homme seul et trois pauvres bougres ! Tout au contraire, les journalistes en arc sage, les jurés alignés, P devant eux, ferme mais rapetissé, doivent faire sentir ce que l'ordre de notre société a de labile, combien nous sommes faibles, et si peu peut-être, face à l'agrégat d'acier qui grossit derrière nous et dont Capt, par son rideau de phrases, voudrait nous masquer la ruée prochaine. Il y a peu de sentiments qui peuvent pousser un homme à vouloir la mort d'un autre : la haine, la folie bien sûr… Mais surtout : la Peur. Capt n'a pas la figure d'un assassin. Mais il a ce visage de la Peur.

— Je songeais à votre idée des cubes d'acier comme support des radzoniens. Je la trouve remarquable. Ces cubes correspondent exactement à l'image que nos citoyens se font de la bombe à radiations…

— Oui, et rappelez-vous que tous les Terriens d'origine ont subi ce trauma des bombes à radiations. Ces bombes qui n'explosaient pas et que les terroristes plaçaient dans un lieu à forte densité de passage pour irradier jusqu'à la moelle trente mille personnes sans même qu'ils le sentent. Au début tout au moins. Une semaine après, il est déjà trop tard… Ce terrorisme nucléaire a été, sur un plan psychologique, le vrai déclencheur de la Quatrième Guerre mondiale.

— À ce titre, la rumeur insinuant que la Volte stockerait dans la radzone une masse extrêmement radioactive et qu'elle s'apprêterait à en faire usage sur Cerclon I a d'ailleurs alimenté une terreur qui a dépassé de 6 points nos prévisions ! Votre suggestion me paraît excellente, monsieur le Président.

— Assez flagorné, C. Faites votre travail.

> Il s'est jeté dans mes bras. Il a les larmes aux yeux. Il me serre comme s'il n'en revenait pas que je sois vivante.

— Tu es là… J'ai reconnu tout de suite ta voix, votre code, tout de suite ! Tu es folle d'être venue. Où vous vous cachez nom de Dieu, je vous croyais en fuite sur Cerclon 3 ?

— Kohtp, j'ai très peu de temps. Tu sais pourquoi je suis venue ?

— Non. Pour m'abattre. Slift est tout près.

— Tu l'as vu ?

— J'ai coupé une clameur qu'il a posée… Il cherche à m'impressionner.

— Qui j'ai devant moi ? L'amant ou le traître ?

— Boule, je n'ai jamais pensé m'en sortir, jamais !

J'étais persuadé qu'ils me piqueraient comme un animal
sitôt l'interception de Capt. Je suis resté quatre minutes
dans la douve avec le détonateur dans la main. Je voulais le faire ! Je te jure sur les anneaux de Saturne que je
voulais la faire exploser cette putain de tour ! Pendant
quatre minutes, j'ai pensé à toi, à vous, à tous ces gens
que j'ai aperçus sur les toits quand j'étais accroché sous
la salle de contrôle ! Il y en avait qui avaient des arcs. Tu
te rends compte ? Des arcs en bois ! C'était tellement
misérable et en même temps si… Tout a défilé, tout, et
je te voyais derrière le store, je t'imaginais attendre Capt
et la tour qui explose, j'ai pensé à ton visage si la tour
explosait, je le voyais, ce visage. Alors je suis sorti de la
douve et j'ai appuyé. J'ai dirigé l'antenne vers le sommet
et j'ai réappuyé. J'ai appuyé je ne sais plus combien de
fois, comme un pur dément ! Puis un impact chaud m'a
percuté à l'aine et je me suis écroulé, le trou noir. Quand
je me suis réveillé, il y avait Pa à mon chevet — le bras
droit opérationnel de P. Il m'a dit : « Bonjour, lieutenant
Sta », il m'a serré la main et il est reparti.

— Tu es suivi ?

— Non, je ne crois pas. Mais j'ai peur d'avoir été
opéré.

— Opéré ?

— Ils savent implanter des nanocaméras sur le nerf optique, au point aveugle. Ils le font sur certains « collabora-
teurs fragiles », comme ils disent. S'ils me l'ont implantée,
ils te visionnent en ce moment même par mes yeux. Ce
qui veut dire qu'ils seront là dans… une minute vingt, au
maximum. Il aurait fallu que je ne regarde pas ton visage,
mais je n'ai pas pu. J'ai tellement espéré te revoir…

— On attend cette minute vingt ?

— Tu es venue pour Capt, n'est-ce pas ? Parce que
tu crois que je peux le sauver de l'incubation ? Je n'ai
aucune preuve. Rien ne leur sera plus facile que de récu-
ser un témoin oculaire.

— Je suis venue pour moi, pour toi, pour toute la Volte. Tu nous tiens tous dans ta main. Tous les irradiés précoces. Tous ceux que tu as vus, connus, qui y ont cru. Tous les guetteurs. Le Bosquet. Et Capt bien sûr. Il suffit que tu débarques au bureau de Qe à Cablaxie. Tu peux y être dans onze minutes. Je n'ai pas le temps d'argumenter et puis à quoi bon ? Tu décides. Tu sais les sentiments que j'avais pour toi avant l'assaut. J'ai toujours les mêmes. Combien il nous reste de temps ?

— Trente secondes à peu près. Pars si tu veux. Je reste. Je ne passerai pas ma vie à me demander ce que j'ai derrière l'œil. Tiens, prends-le.

Il sort un disque sphérique pas plus gros qu'une bille, criblé de fines nervures électroniques et le pose dans ma main, en l'effleurant. Je sens son souffle, et sur ses lèvres, une détresse intense.

— C'est une copie de mon noyau dur. Il contient tous les éléments de ma mission. C'est la seule preuve que j'ai de quoi que ce soit. Prends-le !

— J'attends avec toi.

— Ils devraient être sur nous dans quinze secondes maintenant.

XVII

La vérité est produite

« *Mesdames, Mesdemoiselles, Messieurs, qui vous êtes battus pour être ici au cœur du géodôme ! Chers télé- et holospectateurs qui nous regardez de la Terre, des bases lunaires habitées, qui nous recevez de Starlight, des modules de Jupiter et de l'orbite ombrageuse de Vénus, chers pionniers d'Uranus qui édifiez dans le zéro absolu les Cerclons de demain ! Chers Cerclonniens, enfin ! Sachez que vous êtes plus de quatre milliards les yeux rivés sur la fine colonne laser qui s'élève en ce moment même au centre du géodôme. Car c'est le long de cette colonne, dans exactement deux minutes, que va s'élever devant vous l'homme que toutes les démocraties solaires redoutent comme leur futur fossoyeur. On l'annonce comme le successeur du terrible Zorlk ! On l'a dit tour à tour philosophe et chef de guerre, poète et criminel, visionnaire et terroriste, intellectuel inspiré et intellectueur sanglant ! Mais qui est-il exactement, cet homme que toute la Volte vénère ? Cet homme dont les parents entendent en tremblant le nom sortir de la bouche de leurs enfants ? Cet homme dont on ne sait plus s'il est accusé d'un meurtre réel ou, au fond, de diriger un mouvement qui menace l'ordre paisible de nos nésears... Porte-t-il en lui la mort de nos démocraties ou veut-il vraiment, comme il le proclame, nous libérer de nous-mêmes ? La Volte qu'il dirige est-elle le masque d'une nouvelle dictature ou le visage riant des libres esprits que nous avons renoncé à être ? Toutes ces questions, nous les avons ressassées jusqu'à la nausée parce qu'obscurément nous sentons que ne s'y joue pas seulement le destin des Saturniens que nous sommes, mais quelque chose de l'histoire à venir des communautés humaines que la Volte prétend préfigurer — et qui nous terrorise… Ces questions, nous les taisons maintenant parce qu'un homme est venu ce soir pour y apporter ses réponses et qu'il est là, ici même, attendant son heure dans les entrailles du géodôme ! Il y est venu seul, délibérément, refusant son avocat, les experts qui lui ont été proposés, les soutiens — et il s'avance vers nous avec pour toute arme son verbe, ce verbe qui seul à présent peut sauver la Volte, et lui sauver… la vie ! »*

— Vous allez recevoir une poussée d'antigravité qui va vous élever jusqu'au centre de la sphère. Vous ne craignez pas le vertige ?

— Non.

— Tenez-vous droit et rappelez-vous qu'il n'y a pas de protection et que vous risquez à tout moment de chuter si vous faites un faux mouvement.

> La trappe s'est ouverte et j'entends une foule innombrable scander mon nom — CAPT ! CAPT ! CAPT ! CAPT ! Je commence à monter, enveloppé par cette scansion assourdissante qui me paraît jaillir de tous les points de la sphère. Je suis pris dans une colonne de lumière aveuglante et je ne distingue absolument rien. Je flotte littéralement à l'intérieur de ma peau. La gravité s'inverse. J'ai les chevilles comme des sacs d'eau. Il doit y avoir une cinquantaine de mètres de vide sous moi et le disque où je me tiens n'a que la largeur de mes pieds. Je n'ai aucun repère. Tout est noir. Sauf moi qui suis prisonnier de la lumière. Un vibrato synthétique a imposé dans la sphère un silence métallique. Devant moi, à ma hauteur, en suspension, ils viennent d'éclairer un être sur un fauteuil : P.

— Bonsoir, monsieur Captp.

Puis une ligne de journalistes s'illumine, puis douze personnes devant des pupitres. Encore au-dessus, des avocats et des magistrats :

— Bonsoir, monsieur Captp.

J'ai gardé le silence. L'hologramme hyperréel de Cablaxie, mademoiselle C, s'est allumé dans les hauteurs de la sphère. Elle explique le déroulement du procès : questions personnelles, questions sur la Volte, puis débat sur mon crime.

« Citoyens de Cerclon I, je vous rappelle que le procès se déroule en temps réel et que vous en êtes les seuls juges. C'est vous qui, seuls et souverainement, en votre âme et conscience, jugerez de la culpabilité de M. Captp et déciderez de son incubation… ou de son acquittement ! Vous pouvez voter à tout moment de l'émission, en tapant sur votre télécommande votre nom suivi de votre code confidentiel citoyen. Faut-il, oui ou non, condamner Captp à l'incubation ? *Si vous votez OUI, tapez alors 0. Si vous votez NON, tapez 1. Votre vote sera automatiquement décompté et il est, je vous le rappelle, unique et définitif. »*

Un énorme **54 %** tridimensionnel flotte près d'elle en luminescence rouge — avec juste en dessous un 11 % qui indique que 11 % des citoyens de Cerclon ont déjà voté. Que donc, pour l'instant, avant même que j'aie commencé à parler, 54 % du peuple souhaite… ma mort.

À 360° autour de moi, d'absolument tout ce que l'espace volumique dans toutes les directions épuisables permet de *points de vue* sur un seul objet — moi — convergent les regards. La sphère est tout entière tapissée de visages et de rétines scintillantes tournées vers ce que je vais dire et faire. J'ai la sensation pénible d'avoir du sirop dans les conduits. Transcendée. L'énorme attente du public draine sur moi une telle énergie que je me sens chargé comme un tore nucléaire. Débutent les questions :

— Qui êtes-vous, monsieur Captp ?

— Oui.

— Je… Je vous demande qui vous êtes.

— Oui.

— Pouvez-vous vous définir pour les quatre milliards d'individus qui vous regardent ?

— Oui.

— Comprenez-vous le sens de ma question, monsieur Capt ? Qui êtes-vous ?

— Oui.

Un frisson de malaise indescriptible nervure la sphère. Des rires d'incompréhension éclatent en coups de tambour sur toute la surface du dôme. Mais un silence fasciné domine. Je les tiens.

— Je vous rappelle que vous êtes ici pour répondre d'un crime que vous niez et il est légitime que nous cherchions à connaître la vérité…

Attente minérale.

— Vous m'avez amené ici pour un procès-« vérité », oui. Mais la vérité est produite. Comme mademoiselle C, comme votre cortex à damier. Vous voudriez que, comme tout le monde, j'appose ma signature dans les cases de votre grille. Seulement, je ne suis pas un analphabète : je ne signe pas d'une croix…

(Sssssssssssssccccccccccccccccccchhhhhhhiiiiiiiiii………)

« Ma signature est longue, épaisse, baveuse. Parce que ma plume fuit, et que je n'ai plus de cartouches. Parce que le sang de Baaer a séché dans vos mains et que je n'ai plus que le mien, orphelin, qui bat et qui bout. Vous l'avez vu ?

— Quoi donc, monsieur Captp ?

— Un goutte-à-goutte pend du plafond. Combien faut-il prélever à cinq millions d'êtres humains pour faire cinq litres de sang ? Combien de fois 1 pour la vie d'un homme ? Et pour vous convaincre, combien de mots ?

[52 %]

> Nous sommes tous les cinq vissés au moniteur. Sur la gauche de Capt grondent des clameurs d'encouragement entrecoupées de chocs : un groupe de gens placé sur une portion presque verticale de la sphère s'éjectent avec fureur de leurs fauteuils, ils planent quelques secondes au-dessus du vide et sont ramenés tout aussi furieusement par le champ gravimétrique à leur place. Un essaim de caméras volantes les filme tant la manœuvre est stupéfiante. On dirait un cœur se soulevant et battant choc après choc.

> J'ai des picotements sous la peau comme si de petites bulles d'air y éclataient. Mes cuisses et mes bras, alternativement, me démangent à me gratter jusqu'au sang. En parlant, j'ai l'impression d'avoir libéré une poche d'air autour de moi, mais sitôt ma voix éteinte, le scintillement minuscule des rétines qui capitonnent la sphère s'est comme décollé des parois pour retomber sur moi à la manière d'un film plastique thermoformé par le silence.

— Monsieur Captp, la première question du public nous vient d'un habitant de la Terre, plus précisément du continent africain.

Entre P et moi, un visage de Blanc s'holographie :

« Monsieur Captp, vous avez la chance de vivre dans la démocratie la plus confortable du système solaire. Et vous vous plaignez ! Avez-vous oublié que la guerre chimique a fait plus de sept cents millions de morts sur les cinq continents et que tous les jours que Dieu fait, des millions de gens se demandent le matin ce qu'ils

*vont pouvoir manger le soir ? Pour nous qui souffrons
sur Terre, votre révolution est une honte et nous insulte !
Votre Volte n'est qu'un caprice de bourgeois trop nourris.
Si vous n'êtes pas contents de l'endroit où vous vivez, je
veux bien échanger avec vous ! Venez en Afrique ! Là,
vous aurez de vraies raisons de vous révolter ! »*

— Monsieur Captp ?

— Paratonnerres ici ! Boucliers d'air ! Brise-champ !
Coupe-vent et prises de terre, ici ! Portes coupe-feu ici !
Parapluies !

— (…) Monsieur Captp… Pourquoi la Volte ne va-t-
elle pas se battre en Afrique ?

— Précisément parce qu'il y aura toujours des hommes
nobles aptes à faire face à la mort qui les guette et que
personne mieux qu'eux qui sont nés *par* ce combat ne
pourra le mener à bien ! La Volte, c'est le combat d'après.
Celui de la vie *après la survie*. De la vie lorsque nos
organes ne crient plus « faim ! », « soif ! », « malade ! ».
Personne non plus ne viendra le mener à notre place. Il
ne remplacera jamais le premier, non, mais il le relaie. Et
lui donne une extension qui, en noblesse et en difficulté,
le vaut. Jusqu'à peu, et encore maintenant sur Terre, vivre
ne pouvait être une recherche — vivre, c'était tâcher de
survivre. (…) Alors nous devrions avoir honte, hein ?
Honte de quoi ? Honte d'avoir la grandeur de vouloir
inventer ce que vivre peut être ? Au lieu de sans cesse se
retourner pour dire : « Les pauvres Terriens ! Ils boivent
l'eau souillée à même les flaques… Quelle chance d'avoir
le robinet à commande vocale ! »

— Pourquoi il se gratte comme ça ?

— Je n'en sais rien, Boule, il est peut-être ému.

— Non, il y a autre chose. C'est anormal.

— Vous ne pensez donc pas que la Volte serait plus à
sa place sur Terre à soulager la souffrance des peuples

que sur Cerclon où vous menacez un système qui marche plutôt bien ?

— Si. C'est bien ça ? C'est « si » que vous voulez
entendre ? Alors, « si ».

— …

— Moi, je vous *superpose* une autre question : pourquoi les guerres sur Terre nous intéressent-elles au point
d'occuper les trois quarts de n'importe quel journal
holovisé ? Pourquoi la Volte, qui n'a pas fait plus que
d'électrifier un lac, poser quelques clameurs et tenter
d'enrayer trois semaines le canon à électrons, pourquoi
mon procès, qui se réduit au fond à savoir si en quatre
phrases bien senties je vais sauver ma petite peau, polarise ce soir quatre milliards d'individus ?

— Vous êtes devenu un symbole…

— Parce que les gens s'ennuient. Puissamment. Vous
vous ennuyez, les gens ! L'actif en vous, le vif, a perdu ses
adversaires, se morfond, n'a, pour ses conquêtes, plus d'espace, plus de front où aller tremper le métal de ses os !
Plus de quoi s'user, épuiser ses forces, hein ? Ah si : dans
les *petits plaisirs* : les capsules, les stimulations artificielles,
la virtue, le jeu, les images… Les gens ne sont pas morbides : ils veulent juste de l'intensité. Un peu de rouge dans
leur gris. Alors ils regardent les guerres, ils en sucent la
pulpe africaine, ils suivent les rescapés que la mort talonne.
Pour ressentir ce souffle de vie, un petit peu, quelques
secondes. Les événements positifs, les médias savent que
ça rend le spectateur jaloux, et amer, ça renvoie à l'avachi
que vous êtes son avachissement torpide. Mais si c'est tragique, atroce, alors là… Le fauteuil de l'avachi prend soudain des allures de trône au-dessous duquel l'empoignade
boueuse des survivants, Capt en sursis, suspendu dans le
vide, prend cet odeur de *souffre* sans laquelle il vous est
devenu impossible de sentir quoi que ce soit.

— Vous ne vous sentez donc pas solidaire de la souffrance des Africains ?

— La souffrance ! La souffrance ! MERDE ! Parce que nous ne souffrons plus, il faudrait fermer sa gueule, s'agenouiller, obéir et prier ? Faire ce qu'on nous dit et là où on nous dit de faire ? Se contenter de répandre un peu de sperme et attendre la mort ? Comprenez-vous que l'homme n'a même pas commencé à être un homme ? Que l'histoire des bases solaires n'est que l'histoire du triomphe des forces réactives, du ressentiment, du larmoiement, une petite histoire pleurnicheuse et atermoyée qui fornique sur la honte d'être heureux et la mauvaise conscience de voir les autres souffrir tandis que nous sommes sains et d'équerre ! Nous devrions au contraire nous dresser sur l'horizon tels des soleils tournoyants et ivres de fougue ! À flamboyer parmi le cosmos, à faire des avenues des flaques de feu ! Devrait même plus pouvoir se regarder en face tellement chaque être, par sa prestance et son éclat, éblouirait ! Nous sommes les premiers extraterrestres ! La première race sidérale ! Alors où êtes-vous, soleils d'homme ? Où êtes-vous naines brunes, femmes comètes à longue chevelure de plasma, nova-filles, protoplanètes qui promettez ? Qui de vous enfantera un pulsar ? Qui ?

[51 %]

> Capt vient de tomber. Droit comme un i. Il a basculé de sa minuscule plate-forme dans le vide. Il percute le champ de force vingt mètres plus bas et ricoche comme une balle de golf sur un carrelage. Il remonte en apesanteur, flottant, un champ de gravité le happe vers la paroi. Il s'effondre parmi les spectateurs. Boule, Brihx, Obffs, tout le monde le croit mort. Mais Slift dit :

— Il va se relever !

Il se relève. La sphère n'est plus qu'une grille de nerfs électrifiée. Il reprend :

— En nous grondent des forces qui veulent croître,

bondir, faire du monde proie ! Que deviennent ces forces ? Que devient notre énergie ? Voilà la question qui me hante : *Est-ce que nous sommes en vie ?* Vous qui avez 15 ans, 30 ans, 50 ans, 85 ans, *est-ce que vous êtes en vie ?* Est-ce que vous avez seulement *commencé à éprouver ?* Vous ne voulez pas mourir, hein ? Mais pour avoir peur de mourir, encore faudrait-il que vous ayez vécu ! Vous quémandez à la société encore un peu de soin, encore quelques prothèses pour tenir encore un an — mais vous êtes prêts à appuyer sur la touche zéro de votre télécommande pour assassiner un homme qui n'a pas commencé à vivre !

[49 %]

Il y a une bousculade d'applaudissement et de sifflets, et vers le haut de la sphère, dans les grappes serrées du plafond, de larges plaques de silence. Des agents de sécurité ont saisi Capt et s'assurent de sa santé avant de venir le replacer sur son disque.

— L'homme s'assoupit.

» L'homme *ronge* l'homme.

» L'homme s'est fabriqué une nouvelle nature à défier — une sorte de surréel par-dessus le réel qu'il a pacifié, et avec laquelle il joue, sans risque, à s'exciter : l'espace virtuel. Voilà ce que nous sommes devenus. Voilà nos réponses à nous, les extraterrestres de l'après-survie, au grand concours "inventer ce que vivre peut être". À ces trois réponses fainéantes, la Volte veut superposer trois autres, qu'elle n'impose à personne, mais propose à tous. Gravez ça :

» Un ! L'homme en vie, vitaliste, aux aguets
    tout en explosion, frication,
    ressenti,
    éprouve et épreuve.

» Deux ! L'homme qui *ouvre* l'homme — qui *dissent* au lieu de consentir, qui ne se contrôle ni ne contrôle plus, mais fuit et fait fuir, n'unifie pas mais multiplie, ne fait plus de l'autre un outil, son père ou son fils, son image ou son ennemi, mais quelque chose comme un bouquet de forces spontanées et réceptives, un paquet de désirs, de couleurs et de sons avec lesquels faire écho, eau-forte, œuvre insolite ou inouïe !

» Trois ! Plutôt qu'un espace virtuel aujourd'hui balisé et banalisé, plutôt qu'une machinerie à fantasmes où se fondent en des moules préconstruits nos désirs d'être patron, d'incarner A, d'être une bête de sexe ou une femme fatale sans risque, *et sans le devenir*, un cosmos hyperréel où ma femme devient fatale à force d'être regardée.

— Si nous vous suivons, monsieur Captp, vous souhaitez l'avènement d'un homme nouveau ?

— Dans cette ville, je ne sais pas si vous avez remarqué, il n'y a pas un panneau qui ne commence par « *pour votre confort et votre sécurité…* » et qui ne finisse par une restriction.

— Comment la Volte compte-t-elle parvenir à ses fins ? Voulez-vous la Révolution ? Une de plus ?

— Nous en avons fini avec les révolutions culbuto qui remettent sur leurs pieds ce qu'elles renversent, parce que, ne l'ayant jamais conquise, elles rêvaient de la liberté *comme d'un ciel* lorsqu'il nous faut apprendre — nous — à la vivre *en tant que sol*. La révolution, c'est un quotidien qui vibre.

— Mais concrètement, qu'est-ce que vous voulez ?

— Coooobbbbbrrrraaaaa !!!

C'est le signal. Slift s'expulse d'un bond de sa chaise :

— Allez les gars ! Arrrrrachez-vous !

Le mouvement part du bas du géodôme. La queue du cobra se met immédiatement en branle. Par grappes entières, les Voltés s'éjectent de leur fauteuil, flottent suspendus et y retombent, générant une immense

traînée — *Sssssssssssssssssssssssssiiiiii iiiiiiiiiiiiiiiii* — qui se
propage à travers le public. À l'écran, l'effet est saisis-
sant et dépasse de loin toutes nos espérances : on dirait
qu'un gigantesque et jusqu'ici secrètement lové serpent
se déplie inexorablement. Il monte, monte dans l'aba-
sourdissement général — Capt l'enchanteur, main levée,
donne seul l'illusion de guider la reptation — et la vague
humaine atteint assez vite l'équateur, où se tient, prête,
la tête du cobra.

— Jectez-le ! hurle Slift.

Propulsé par six Voltés, Stlak — tête du cobra — perce,
dans un claquement formidable de mâchoire, le champ de
gravité qui le plaquait jusqu'ici à sa paroi. Il a été projeté
vers le centre du dôme, en direction de P, et, fort de sa
lancée, traverse en flèche la zone apesanteur — mais rate
P de quelques mètres ! Il ne peut plus freiner, il déploie
trop tard une toile, il arrive trop vite… Paniqués, les spectateurs placés dans son axe s'écartent. Férocement, la gravité l'aspire. Il percute de plein fouet une travée…

L'animateur du débat calme professionnellement
l'agitation. La civière embarque Stlak. Je lève la tête :

[52 %]

Un journaliste enchaîne :

— Politiquement, que revendiquez-vous exactement
pour la Volte ?

— Politiquement ? Rien.

— Le pouvoir ?

— Le quoi ?

— Le pouvoir…

— Nous vous le laissons volontiers ! Gardez-le au
chaud !

— Monsieur Captp, doit-on comprendre que la Volte
entend se passer du pouvoir ?

— Plutôt passer à travers, entre les gouttes. Je vais
vous apprendre une chose : A m'a proposé le poste de
E. Je l'ai refusé.

> Là, il dépasse quelque peu les bornes de la convenance ! Ces révoltés se ressemblent décidément tous : ils
privilégient la provocation sur la subtilité.

— M, je vous prie…

— Oui, monsieur le Président.

— Demandez aux experts un calcul d'impaffect. Je
veux l'arbre des réactions à cette révélation inopinée.

— Est-ce encore une boutade, monsieur Captp ? Ou
une information ?

— Le marché était le suivant : soit j'acceptais le poste,
soit le montage truqué sur lequel se fonde ma condamnation était diffusé.

— Bien. Si vous le voulez bien, nous réserverons ces
affirmations pour la troisième partie de l'émission. Je
voudrais aborder l'assaut de la tour de télévision. Vous
vouliez la détruire, oui ou non ? Répondez sincèrement :
vous prépariez un coup d'État ! En muselant la liberté
d'expression !

— Ce que nous voulions, c'était le black-out total.
L'éclipse télé. Une sorte de silence atmosphérique. Si
nous avions voulu prendre le pouvoir, nous aurions
investi les locaux et gardé l'antenne !

— Pour y propager vos idées ?

— On méconnaît de beaucoup la puissance de la
télévision. On la croit forte par ses séries, ses magazines et les modèles qu'elle imprime, fait circuler et met
en boucle. On sait qu'elle conforme plus qu'elle n'informe. On voit bien qu'elle normalise les modes de vie
plus efficacement que ne le fera jamais aucun pouvoir
étatique. Qu'elle est par là le plus sûr garant de la cohésion sociale. Tout cela est vrai. Mais on fait semblant
d'oublier la matière. Ce qui concrètement se passe : des
êtres isolés sont assis, immobiles, les yeux fixés sur des
points lumineux en balayage constant, lumière atténuée,

maintien de l'excitation auditive à un niveau relativement égal, monotonie qui centre l'attention consciente
sur le peu d'influx qui reste. Voilà ce que sont la télé ou
l'holovision. Peu importe la qualité des émissions ou
toute critique de contenu !

— Il n'arrête pas de se gratter, bordel ! Qu'est-ce
qu'il a ?
— Lui ont glissé une capsule, je vous dis ! Ils te le télé-
guident, ces enculés !
— Il est trop personnel, il n'est pas centré sur Cerclon,
il dévie sans cesse…

— Qui regarde aujourd'hui les images holovisées ? Je
veux dire, qui les regarde vraiment, en conscience, avec
son cerveau en mode on ? Après un siècle d'existence,
qu'en reste-t-il ? Des couleurs et du bruit de fond…
de l'hypnose… une sorte de technique un peu archaïque mais bien commode de relaxation… quelque chose
comme un accompagnement au sommeil… Que reste-
t-il sinon de l'immobilité ? Sinon ce face-à-face solitaire
avec un œil central qui ne sait plus quoi nous dire, si ce
n'est de rester là, encore et encore, et d'attendre avec lui
que passe le temps et que la mort vienne. Voilà ce que
nous voulions achever : ce temps mort qui n'en finit pas
de mourir et d'empêcher qu'un peu de vie sorte. D'où
l'idée du black-out et l'assaut…

[51 %]

— Monsieur Captp, vous veniez tout à l'heure de
passer sous la barre fatidique des 50 %. Vous voilà à
nouveau à 51 % Si l'émission s'arrêtait là, vous seriez
condamné à mort…
> Je flotte littéralement dans mon enveloppe de peau.
L'impression d'être à moitié ivre de paroles et de vertige.
Sous le dôme de la sphère, des voltés se jettent vers le bas
en criant mon nom, sont ramenés, se rejettent, bravant

toutes les consignes de sécurité. Virtuoze a fait avancer une plate-forme volante pour sa première coupure. Un groupe de cyberock, de la variété putride, est posé dessus. Il joue « Virtue-tête ! ». Mes veines enflent. J'aimerais tant avoir Boule avec moi, juste la savoir là. Ça me soulagerait. Il faut que je tienne le cap, le cap…

La plate-forme est déjà retirée. Une jeune intellectuelle issue du jury populaire a demandé la parole :

— Si l'on se réfère aux communiqués de la Volte, votre principal ennemi serait ce que vous appelez la « norme ». Pouvez-vous vous expliquer là-dessus ?

— Allons-y. Je vais vous parler des femmes. Elles se sont libérées, paraît-il, à la fin du siècle dernier. Politiquement, sexuellement, etc. Admettons la blague.

[53 %]

» Toute libérée qu'elle est, aucune femme n'échappe au désir d'être belle. Et plus insolite encore, l'idéal auquel elles tendent — petit-cul, taille-ronde, gros-seins, belle-bouche — n'existe tout simplement pas à l'état naturel ! Les seules femmes qui l'atteignent sont des images de synthèse ou des Croisées de la chirurgie ! Cette compulsion à être belle, couplée à cet idéal, voilà ce que nous appelons une norme. Il en prolifère des milliers dans toute société. Peur d'oser, peur de l'inconnu, refus de la liberté, instinct de facilité, identification, imitation… — une norme a toujours un faisceau de désir pour elle. Imposée par personne, elle s'impose à tous. Elle uniformise, elle homogénéise les comportements et les sensations plus et mieux qu'aucune dictature n'y est jamais parvenue ! Les normes sont le négatif exact des Voltes. Les combattre est une sorte de bataille de Merlin avec un ennemi en métamorphose perpétuelle et d'autant plus redoutable qu'il plonge dans l'infime et se fait virus. Ce n'est pas un combat qui se gagne en une fois, ni en trois, par une révolution qui l'achèverait. Ce n'est peut-être même pas un combat qui se gagne tant l'ennemi est passé en chacun, se relaie et se fortifie par tous et n'en peut être extrait, ou fixé, et concentré ailleurs pour être vaincu. Ce n'est peut-être même pas... un combat !

— Qu'est-ce que ce serait alors ? Et comment en venir à bout, de cette norme ?

— Ne pas porter de coup, en sortir, se dégager... Trouver *l'échappée belle* : une clameur, une éclipse... Reprenons la beauté. Sentir comment vient et se développe en soi le désir d'être belle, et belle de cette façon-là serait l'inévitable premier mouvement. Deuxième mouvement : couper une à une les connexions être aimée = séduire = belle = bonheur, se sentir bien = belle, être belle = être femme, etc. Et chaque fois qu'on sectionne, s'arrêter pour sentir où passe maintenant l'énergie, ce que le désir, à présent, investit.

« Le troisième mouvement en découle. Commencent à se libérer des sentiments inconnus : séduire ne passe plus nécessairement par être belle. On se prend à aimer la splendeur des rides, l'expérience qu'elles dessinent, les sourires qu'elles gravent ; les lèvres fines attirent ; on se sent regardée pour tout autre chose que sa paire de silicone...

— L'échappée belle est terminée, monsieur Captp ? Nous pouvons enchaîner sur...

— N'enchaînez rien. Laissez... Reste le quatrième mouvement, le plus délié, *allegretto*. C'est un mouvement très différent que ce quatrième qui ne force rien, n'arrache rien, mais s'obstine, *lento*, très délicat, qui se joue avec le temps pour frère. Un nouveau réseau sent et agit maintenant en nous. Il ne fonctionne pas à l'influx électrique 0/1. Il n'utilise pas les nerfs. Il n'informe pas. Chaleur, vitesse, pression : c'est tout ce dont ce réseau est capable et encore sans mesure possible : du chaud quelque part entre 0 et 1, de la vitesse incalculable. Juste *un ordre de grandeur*. Et cependant, toutes les émotions passent.

> Boule a les larmes aux yeux. Elle me regarde et ma vue aussi se brouille…

— Là commencent les Voltes ! Quand séduire, parce que, parmi, sentir, jouer entre, demain, fendre et tendre, penser, cesseront de circuiter d'égocentre en égocentre pour devenir des passes de bruine. Quand l'eau qui nous fait ne viendra plus des robinets, ne retournera plus aux caniveaux et aux piscines, ne finira plus aux lacs… Quand il n'y aura plus de gravité universelle — et du coup plus de dégoulis probables, que des flaques hautes, de la flaque partout, éparse, et des pieds dedans, de l'éclabousse ! ouais ! avec juste au-dessus une manière de chaleur — des passes de bruine s'en dégageant, entrefrôlées, et parfois se rencontrant comme un gosse rencontre la neige la première fois.
— C'est sur cette envolée lyrique que nous allons laisser nos spectateurs se reposer avec une démonstration de Kuang Expert signée Défordre. Le Kuang Expert est, comme vous le savez peut-être, une des plus efficaces techniques d'autodéfense. Après ce show, parole sera donnée à P, puis à nos amis radzoniens et enfin à l'homme mystère que nous vous avons annoncé !

— Tu le trouves trop compliqué, toi, Obffs ?
— Je le trouve… trop. Tout court. Trop !
Le discours de Capt se faisait à mesure plus étrange et raréfié. Il dérivait, à l'évidence, à chaque réponse, un peu plus loin de la Volte, avec ce mélange d'émotions enfantines et de concepts en archipel qui signait aussi ses cuites dans les fêtes de la Volte, où, après quelques verres serrés, il empoignait le micro et parlait doucement, sous la musique, avec les parties les plus solitaires d'une philosophie en éclats qu'on savait sienne et dont les bribes s'interpolaient parmi le beat cru. C'était ce Capt qu'on entendait, c'était ce Capt qu'on aimait. Nous. Mais les autres ?

P a pris la parole. Il a développé un discours éminemment conforme à sa fonction. Un vrai programme pour école de police… Suit la litanie revancharde des exclus de la radzone avec leurs problèmes d'adductions d'ox et de déchets…

— Monsieur Captp, nous vous voyons sourire aux revendications de vos frères radieux ? Vous ne vous sentez pas solidaire de leurs requêtes ?

— N'appelez pas « frères » des gens qui sont pour moi des chiens !

— Ce sont pourtant, comme vous, des révoltés…

— Des révoltés comme vous dites. Pas des Voltés ! Je vais vous raconter l'histoire de ces gens. Je la connais bien parce que ça fait trente et un ans que je me bats pour ne pas la confondre avec la mienne.

» Ils passent leur vie dans un chenil de plein air dont on ne sait plus très bien qui le subventionne ni qui le dirige, mais dont on voit assez bien qui en tire profit. Des hommes à fonction, des fonctionnaires si vous voulez, viennent leur apporter chaque jour deux kilos de pâtée. Parfois, ils ne viennent pas. Soit qu'il manque de pâtée en ce moment (c'est ponctuel, c'est l'usine qui "dysfonctionne", puis ça devient du ponctuel qui dure, puis cent ans plus tard on se rend compte que c'était du structurel fait exprès — passons…), soit qu'ils mangent eux-mêmes la pâtée qui manque.

» Il est très possible que 200 grammes suffisent par jour ; il est très probable qu'un chien sauvage n'ait pas besoin de niche. Mais les chiens ont pris l'habitude du toit et des deux kilos. Alors ils exigent deux kilos. Ils aboient que c'est leur droit. Personne ne dira le contraire… Mais ils auraient vécu avec un kilo, ils diraient qu'un kilo, c'est le droit. Ils jappent que c'est inscrit dans la déclaration des Droits du Chien, qu'ils n'ont naturellement ni écrite, ni forgée. Les fonctionnaires ergotent, mégotent, négocient : allez ! Un kilo quatre ! Les chiens ne sont pas du tout contents, mais il y en a toujours suffisamment qui admettent qu'un kilo quatre, c'est toujours mieux qu'un kilo. On passe le balai dans les niches. C'est fait.

» Le plus épatant est qu'autour d'eux, il n'y a ni grillage ni barbelés, mais des bois giboyeux tout proches, mais des plaines où s'élancer, mais des lapins de garenne derrière la colline, dont, d'où ils se tassent, ils peuvent entendre les bondissements étouffés. Alors quoi ? Ne m'intéressent pas ces gueules qui pour affirmer un désir ont d'abord besoin qu'on leur fabrique un manque — et qui ne savent désirer qu'à mesure de ce manque. Reconstruire un mur avec les pierres qu'on vous a prises — c'est peut-être ça que vous appelez "faire la révolution". Alors regardez :

Capt fait un saut périlleux arrière et retombe de justesse sur son disque.

— Ça, ça s'appelle faire une volte !

— Va-t'on encore longtemps le laisser placer ses pirouettes mentales et physiques ? Que P le coupe, qu'on hache tout cela ! Que disent les experts ?

— Ils sont en train de calculer les matrices d'impaffect, monsieur le Président.

Au-dessus de Capt, les braillements n'ont pas discontinué. Les crachats pleuvent de la bouche des radieux mais la plupart, faute de l'atteindre, sont aspirés par les champs gravimétriques et rabattus en comètes de bave vers les parois de la sphère où ils finissent sur des visages de spectateurs ! Boule, bloquée jusqu'ici par l'angoisse, se libère dans un magnifique fou rire.

« Je voudrais maintenant introduire un homme qui n'a encore été entendu par aucun magistrat. Cet homme s'est

rendu de lui-même au siège de Cablaxie pour nous livrer
un témoignage capital. Cet homme n'est pas un Volté. Et
pourtant, il a participé à l'assaut au côté du Bosquet !
Il appartient à la police et cependant il vient témoi-
gner devant vous contre *la police ! Voici l'agent double*
Kohtp ! »

La stupeur de P vaut celle de Capt : elle est totale.
Boule saute de joie, Obffs rugit, Brihx se jette dans mes
bras. Kohtp commence à témoigner : qui l'a embauché,
quelle était sa mission, comment s'est déroulé l'assaut…
Il avoue qu'il n'était pas au courant pour le film truqué,
mais il certifie que Capt n'a pas commis le moindre
crime. Capt, incompréhensiblement, demeure impassi-
ble. P crie à la mascarade et nie en bloc. Au-dessus d'eux,
avocats et juristes laissent suinter un brouhaha d'indignation et de scandale. Le géodôme entier n'est plus
qu'un vrombissement de réactions épidermiques. Le
compteur est tombé à **[47 %]**, avec 56 % de votants.
On tient le bon bout. L'avocat civil de Capt demande
une suspension du vote avec report de séance pour
enquête complémentaire. Le tribunal refuse. Il attend
une réaction de Capt.

— Parle à Kohtp, parle-lui ! Montre que tu lè
connais !

— Parle ! Réponds ! Dis-leur !

— Parle !

Capt ne bouge absolument plus. La caméra scrute en
gros plan son visage vide. Slift est au comble de l'exaspération. Entre ses doigts, il a saisi ses deux couteaux
qu'il fait tourner à une vitesse d'hélice. Brihx se donne
machinalement des coups de poing dans le ventre. Les
ongles de Boule saignent…

— Parle !!

La prostration de Capt est invraisemblable. Il tremble.
On voit qu'il tremble.

— Arachnas 08 ! Il est bloqué à l'Arachnas 08 ! Il a les neurotransmetteurs bloqués ! Il n'arrive pas à briser la camisole chimique !

Il n'y a même pas d'indignation dans le voix d'Obffs, seulement l'illumination subite.

— Il essaie ! Regardez ! Il essaie de faire sauter le verrou chimique ! L'Arachnas travaille sur le flux émotionnel, c'est connu chez les claustriatres. Il libère ou il bloque… Tout le long, ils ont poussé Capt au lyrisme ces fumiers, pour qu'il s'enferre, qu'il poétise… Et maintenant ils le cadenassent !

Le tremblement de Capt, visage déserté, signe seul la terrible crampe nerveuse qui le serre et le tord comme un tronc synthétique.

— M, faites cesser le contrôle capsule. Cela devient trop voyant. Faites vite.

— Il y arrive, regardez ! Il commence à forcer le verrou !

Capt titube, s'excuse, dit qu'il se sent mal et remercie d'une voix pâle et désincarnée Kohtp d'être venu témoigner pour lui. Ses mots fatigués sonnent faux.

[48 %]

Tout se précipite alors. Les juges maintiennent le vote. Kohtp est emmené. Cablaxie, déçue pour son scoop mais têtue, annonce qu'elle poursuivra son investigation sur le noyau dur qui lui a été remis. Pour que vérité et justice soient faites ! Capt, ainsi que Obffs nous l'a prédit, entre en réversion accélérée. Il déstocke ses émotions, pleure, hoquète, et lance les assauts.

— Coooobbbbbbbbbbrrrrrrrraaa ! Coobbbbbbbrrrrraa ! Coobrrra ! Cooobbbbbbrrrrrraaa ! Cooobbbbbbbbbrrrrrrraaa !

Les vagues successives, avec une violence et une vivacité qui les rendent incontrôlables, se déclenchent, serpentent, spiralent, rainurent la sphère. Pris de vitesse et

déboussolés, les sécurisants en tenue noire cafouillent. Et
crache le cobra ! Et eux toujours trop tard ! Les champs
claquent, percés en haut, en bas, sur les parois, par les
hommes ou par les balles qui les cueillent, avant qu'ils
n'atteignent leur cible : P. La zone en apesanteur, près
de P blafard, s'engorge à mesure de silhouettes paraly-
sées qui flottent à son entour à la manière de cadavres.
Les ingénieurs lancent un appel solennel au calme. Ils
craignent un effondrement gravitationnel du géodôme,
une sorte de trou noir par convergence de champ.

— C'est exactement ce que nous voulons, tête d'œuf !
crie Obffs.

Les claquements de champ redoublent. Les ingénieurs
poussent la gravité au maximum pour littéralement scot-
cher le public à son fauteuil. Le calme revient.

[53 %]

— Monsieur Captp, je ne sais pas si nous allons pouvoir finir ce procès comme la justice et la décence l'exi-
geraient. Il nous reste quatre minutes seulement avant
le compte à rebours final. Je ne peux donc que vous
laisser la parole pour vos ultimes arguments.

> Tremblant de fièvre, Capt semble chercher en
lui une manière de calme. Il puise dans ses dernières
réserves. Son émotion, poussée à fond par l'arachnas, le
transperce, il ne maîtrise presque rien. Le géodôme tout
entier s'est tu. Le moment est capital.

— Aux gosses, nous demandons parfois : « Qu'est-ce
que tu veux faire de ta vie ? » « — une œuvre d'art ! ».
Ce serait beau si les enfants répondaient comme ça.
Mais ils répondent « virtudiant » ou « incitateur » parce
que... parce que rien... On ne sait pas pourquoi ils
répondent même, au lieu de vomir les normes qui leur
poussent dans le ventre. De la même façon, vous m'avez
demandé en gros : « Qu'est-ce que la Volte veut faire
de sa vie ? » parce que des individus comme nous, qui
refusent ce qui est, sont forcément un peu puérils, pas

bien domptés, pas trop adultes obéissants, n'ont pas trop
bien compris qu'il faut qu'ils remplissent une fonction,
n'importe laquelle, hein, mais une fonction, comme les
autres ! Ce que j'aurais voulu vous dire pour finir ne
tient pas en quatre minutes… Ni en dix, ni en mille… Ça
ne tient même pas dans la durée d'une vie. Il faudra des
siècles encore pour que l'animal unique que nous sommes apprenne à inventer ce que vivre peut être. Nous ne
le savons pas. Moi pas plus que vous… Nous ne savons
pas ce que peut un corps en tant qu'il serait vivant. La
vérité est que nous n'avons jamais eu aussi peur de la
liberté. Que plus fraîche et proche elle a été de nous,
plus nous l'avons fuie, comme une femme magnifique
et facile. La liberté est un feu. On veut bien s'asseoir
autour pour s'y réchauffer. Éventuellement souffler sur
les braises avec des mots. Mais pas se jeter dedans pour
faire torche, ça non !

» Vous savez ce qui m'amuse ? Un enfant de cinq
ans en sait plus long sur la vie… Plus long que nous…
Après, il… s'adapte. Se régule, obéit… il se contrôle,
il se calme : il désapprend. À six ans, il a déjà peur de
se tordre la cheville. Je voudrais vivre juste assez pour
retrouver, aguerri, ce fantastique bondissement croque-
cosmos d'un gosse qui…

— Plus que deux minutes, monsieur Captp !

— (…) Pour finir, que veut donc la Volte, hein ? Je
vous préviens que vous n'allez rien comprendre à ma
réponse, qu'elle vous permettra donc d'y mettre, à la
place, n'importe quelle interprétation vendable sur vos
marchés publics. Car la Volte veut se sculpter elle-même.
Voilà ! Elle cherche. Elle cherche une forme inouïe,
toute en angles, une masse critique qui ne s'emboîte
dans aucun moule. Elle veut une vie hors-série ! hors de
prix ! hors-bord ! Elle veut que l'air sue, que l'eau brûle,
que le rouge de vos lèvres se retourne et s'embrasse,
que l'ox aime toujours la flamme, que ce qui mouille,

que la sève, que ce qui touche et sent, que tout ce qui pousse, féconde, que tout ce qui sort, elle veut que... elle veut qu'on... elle veut pas savoir ce qu'elle veut, mais que ses forces, elles, le sachent, qu'elles se détachent des hommes pliés des rues, une par une, elle veut faire de l'arrache-corps, oui, et redonner tout ça aux orages magnétiques de Saturne pour qu'ils les recomposent autrement, elle veut du feu parmi feu, avec et entre, pour et au-delà, du feu coupe-feu et tellement de pression interne, tellement de force gravitationnelle que nos désirs éclatés se mettent à percoler comme des noyaux d'hydrogène métallique liquide au cœur d'une planète qui s'inventera dans nos dos, à la beauté des dissonances, au-dehors et debout. Vive la Volte !

[52 %]

« *Mesdames et Messieurs, le procès est à présent terminé. Vous avez pu entendre longuement Monsieur Captp. 62 % d'entre vous se sont déjà prononcés et l'incubation présente pour l'instant un léger avantage. Pour ceux qui n'ont pas encore accompli leur devoir de citoyen, il vous reste, conformément à la loi, cinq minutes exactement pour voter. Nous ne saurions assez vous recommander d'utiliser au mieux ces cinq minutes, pour, en votre âme et conscience, décider du sort de l'homme qui a défendu ce soir sa vie devant vous. Attention, je lance le compte à rebours !* »

> L'écran s'est divisé en quatre parties. En haut à gauche, les minutes. Au centre, le pourcentage en faveur de la mort de Capt. À droite, le pourcentage de votants :

5 h 00 Incubation : 52,4 % Votants : 62 %

En dessous, le visage de Capt, une femme, P, A, les ministres, un Volté, alternent lentement... Avec par-dessus une bande « 0 = Incubation • 1 = acquittement ».

L'intensité des champs de gravité plaque le public dans son fauteuil. Le plus puissant des voltés serait maintenant bien incapable de se lever. Momifié, le géodôme sue l'attente. Les Voltés paralysés sont évacués de la zone apesanteur. Dans tous les foyers de cette ville, des femmes et des hommes tapent sur leur télécommande des chiffres. Au moment de voter, le chat saute sur le zéro, ou le chien, la main ripe, la tasse de café enfonce la touche, le gosse joue à Starwars, la télécommande tombe… Les gens votent. Ceux qui ont attendu jusqu'à présent sont des êtres réfléchis — ou lents, ou pervers ? Ils sont réfléchis. Il y a toutes les chances qu'ils votent pour sauver Capt. Dans la cache, Brihx a le menton dans les mains, hypnotisé par le 52,1 %. Boule invoque je ne sais quelles forces. Obffs se lève, s'assoit, se lève, tourne, s'assoit. Se lève. J'esquisse des formes dans la poussière, les raie. J'écoute Slift, le tournoiement des couteaux dans les mains de Slift, précis comme l'accélération d'une trotteuse. Là-bas, sur son disque frappé de la Volte, Capt se tient droit dans la colonne de lumière. Le reste du géodôme a été plongé dans le noir. Il est droit. Rien ne l'interdirait de parler encore, mais sa présence seule, dans la lumière, sa présence seule et droite, vaut pour l'ultime 1 qu'elle indique et qui se suffit.

1 h 48	Incubation : 51,0 %	Votants : 84 %
0 h 52	Incubation : 50,8 %	Votants : 87 %
0 h 15	Incubation : 50,7 %	Votants : 89 %
0 h 00	Incubation : 50,7 %	Votants : 90 %

XVIII

Chaque. Chaque.

Le lendemain, nous étions libres.
Libres !

« ... *les autres membres du Bosquet, à l'exception de
M. Slift, condamné par contumace au camp d'éducation
civique à perpétuité, ne font donc plus l'objet de poursuites. Sur demande expresse du Président, la commission aux affaires terroristes a annulé les charges pesant
sur messieurs Brihx, Obffs, Kamio, ainsi que la compagne de M. Captp, Bdcht. Autorisés à circuler librement,
ils devront toutefois, pour gage de leur bonne volonté,
venir se présenter à la police afin d'y subir la greffe d'un
traceur. Ce traceur permettra, "sans dépense d'effectif", a
insisté P, "de s'assurer de leur citoyenneté respectueuse".
L'incubation de Captp a été fixée à trois heures du matin.
Malgré cette heure très tardive et en dépit des violents orages magnétiques dus au périhélie de Saturne, le ministère
de l'Intérieur prévoit des émeutes sans précédent sur l'esplanade de l'astroport. Face à ces menaces, le Président de
Starlight s'est déclaré "surpris" de la libération précipitée
des membres du Bosquet tandis que l'amiral Sperkov, en
direct du vaisseau Urania, a regretté que "la pionnière des
bases solaires habitées cède aux facilités du marchandage
et des rééquilibrages politiques".*

À Cablaxie, nos experts poursuivent avec la plus grande minutie leurs investigations sur le noyau dur remis par l'agent double Kohtp à notre chaîne. Bigs, où en êtes-vous ?

— *Nous sommes en train de percer une à une les strates d'encryptage du noyau. Nous faisons face à des autovirus d'effacement très réactifs qui nous obligent à travailler avec beaucoup de précautions. Une seule certitude pour l'instant : le noyau provient bien des services spéciaux du ministère ! Les autod'effs utilisés en portent incontestablement la griffe.*

— *Bigs, dans l'état actuel de vos recherches, avez-vous déjà pu lire quelques lignes de code en clair ?*

— *Affirmatif. Il s'agit bien d'une mission d'infiltration. Je ne peux pas vous en dire plus pour l'instant. Mais nous avons tous ici l'impression que les vérités inavouables du procès se trouvent bien là, au cœur de la bille !… »*

— Je vais aller le chercher dans le Tas !

— Ouais et tu vas te retrouver au camp jusqu'à la fin de ta putain de vie ! Avec un casque virtuel vissé sur l'occiput et les mains verrouillées aux manettes de jeu ! Tu bouges pas, le Snake ! Tu campes là !

— Je calte avec vous !

— Slift, il faut que tu te préserves. Tu ne peux plus rien faire pour lui.

— J'étais là pour l'incube de Zorlk. J'ai rien fait. Le Captain, je le sortirai ! Même si mon plot doit devenir pas plus remuant qu'un pot de confiture ! De toute face, j'ai les tripes qui font masse ! Circuit-court par nerfs, ça fait ! Peuvent venir me vider la boîte avec une petite cuiller, je m'en carre ! J'irai le chercher !

> En face de la mise à mort de Capt, du désir incoercible d'être là, qu'il le sache, qu'il le sente, en face de l'espoir énergumène et frénétique de pouvoir encore,

à son destin, l'arracher, rien ne tenait. Slift voulait sortir et il sortirait, dût la carrure de Brihx s'interposer dans l'embrasure du tunnel. Ce matin était le trente-deuxième de notre vie de taupe traquée et il serait lè dernier. En chacun de nous spasmait le soulèvement de la foule au moment où Zorlk, suspendu au-dessus du Cube et treuillé vers le puits, s'était mis à se balancer sauvagement, tirant de toutes ses forces sur le câble pour faire basculer l'hélicoptère, et l'hélico qui, dans le ciel, sous les à-coups de sa poigne prodigieuse, hoquetait ! Aucun de nous n'avait oublié la puissance des émeutes qui s'étaient alors déchaînées. Ne pas être de celles qui éclateraient cette nuit ? Impensable. Traceur ou pas au bout, camp ou pas pour Slift, nous serions sur l'astroport. Restait à savoir pour y faire quoi, avec qui et comment. Orbka, notre contact avec l'extérieur, était passée ce matin à six heures. Nous lui avions dit de toquer tout ce que la radzone comportait de Voltés *avérés* et de les réunir au vaisseau pour un plan d'action. Ajoutant qu'évidemment, nous serions là — peut-être même avec des idées… Brihx, pour y travailler depuis huit ans, connaissait chacun des robots aléseurs, des autorouleurs, chacun des recoins et points de repli de l'entrepôt R, et comptait bien avec ses potes métallos sortir la quincaille-rie des hangars pour déblayer l'esplanade des énormes bornes à plasma que le gouvernement allait inévitable-ment y installer pour nous empêcher d'approcher du Cube. Kamio, de son côté, nous avait sorti une de ses idées hirsutes, si bénigne au premier aspect qu'on l'avait rejetée, avant d'y revenir, et de l'adopter inconditionnel-lement sur trois arguments de Boule en sa faveur. Pour une fois, je ne l'avais pas ouverte — trop d'images, de pulsions, trop d'envie de sortir, retrouver la foule électri-sée et d'ajouter à sa rage ma présence voltaïque.

H – 24

> J'ai vomi sur le carrelage de ma cellule, puis j'ai
pleuré, de solitude, d'échec, de dégoût… De ce que j'ai
dit, pu dire au procès, presque rien ne me revient, des
lambeaux de phrases en archipel, des îlots, l'oubli. Passé
à travers, je ne peux plus y retourner. J'ai été nul, émotif,
à côté de la plaque, tout le long. Demain pour moi, le
programme est simple : mourir. J'ai vingt-quatre heures
pour boucler ma vie. Avec ma vanité de vivre quatre-
vingt-dix ans et l'immense champ de ce que je voulais
faire, avais à, rêvais de faire… Et qui restera là sans
personne pour l'accomplir, sans personne qui puisse dire
ni deviner ce que j'aurais encore fait… Mon retour sur la
Terre… mon ultime voyage jusqu'à Pluton… aux confins
noirs du cosmos habité… la fondation d'Anarkhia…
des livres que j'allais inventer, des combats que je
prévoyais… nos quatre enfants… deux seins de Boule
au creux de mes mains… Et tout le reste… Tout le
reste me donne le vertige, tout le reste s'enfonce si loin
dans un avenir que je n'atteindrai maintenant jamais…
Mourir. Tirer le trait sans avoir fini. Qu'est-ce que je
serais devenu ? Qui ? Peut-être rien, mais au moins ce
rien, à 90 ans, avec tout cet amas de vivre derrière moi,
ç'aurait été un putain de quelque chose… Même raté,
même minable et vide. Je me suis couché et j'ai demandé
le noir, qu'ils m'ont accordé. Le Cube sera noir comme
ça, exactement le même noir, et ils le savaient dès l'instant où j'ai mis le pied dans cette cellule. J'ai envie d'accepter maintenant. D'accepter le poste de E. Point de
retour, non-retour. Point de non-retour. Ouverts, mes
yeux scrutent au-dessus de mon lit vers une trappe qui
ne s'ouvrira plus. Le futur est un plafond trop lourd de
ce qu'il perd et ne sera pas. Il me tombe dessus. Acculé.
Crasé. Muré devant.

Combien de fois me suis-je dit : vis chaque instant
comme si c'était le dernier… Et j'essayais. Je me disais

qu'un fou perché sur une tour panoptique allait me tirer dessus dans un instant. Que c'était ma dernière minute. Dix secondes peut-être, vingt secondes durant lesquelles les visages des gens que je croisais s'empourpraient subitement de rubis, le relief sortait des murs lisses, l'asphalte même devenait un lac d'or noir. Dans ces moments-là, je ne triais plus, je n'avais plus le temps, je prenais tout, je sentais à quel point *tout* était absolument unique et miraculeux dans le fait de vivre ! Je ne tenais pas longtemps toutefois, jamais longtemps, avant que cette acuité de tact et d'écoute, avant que le flacon du monde soudain débouché, les couleurs partout plus vives, comme en feu, le grain du bitume *vu*, s'édulcorent et s'estompent. Alors avec ses différentiels roturiers, ses aplats et sa vitesse rapetissante, l'existence reprenait, profane, à demi myope et sourde et toujours anticipée. Je renfilais mes pulls entre la peau et le froid et je clignais sagement des yeux dans la lumière. J'oubliais vite.

Ce soir, je ne veux pas oublier.

Je veux que chaque seconde soit vécue. Chaque. Chaque. Chaque. Chaque. Encore.

H – 19

Boule de Chat est entrée dans ma cellule à la faveur de la nuit et s'est glissée dans mon lit en silence. Je la sens contre moi, toute, respirer. L'air chaud roule nos corps comme des graviers et nous berce l'un avec l'autre, vague après vague, sous la marée d'une petite lune qui ne brille que sous nos draps. Elle a, lorsqu'elle bouge, ses mouvements de magma et de terre retournée. Boule étale, de douceur dissoute, dépose sur nos deux corps des caresses alluviales. Jamais je ne l'aimais plus profondément qu'au cœur de ces nuits où, la peau endormie, sa chair sans bruit se levait… Toutes les secrètes petites poches de caresses engourdies par la pudeur inutile du jour, toute cette volupté terrée sous les pores rétrécis

s'épanchait en une brume sous des draps sans bordure.
Alors le lit, obscurément, tanguait dans notre somno-
lence et les draps, soulevés souffle à souffle, prenaient
des froissements de voile.

Nous n'ouvrîmes plus les yeux, nous ne pensions
même plus, mais nous savions. Nous savions qu'il n'y
avait plus de cellule, plus de cube gouvernemental, ou
alors très profond, très loin en dessous, sous une telle
épaisseur d'eau englouti... Il n'y avait plus de ville, mais
seulement les lits de bois des amoureux flottant sur un
océan de bleu simple et la chaleur des voiles enroulant
le soleil. Il n'y avait plus que Boule et moi, nous, tous
les autres, Boule à la peau lente et aux chairs ouvertes
ensommeillées, qui sentaient l'offrande pourpre, la sueur
infime des nuits et la braise encore chaude, Boule même
plus humaine, même plus femme ni enfant, Boule élar-
gie, évastée, Boule animale, ourse enroulée, chat bleu,
marmotteau échappé et blotti là tout contre, embabouï-
nant l'hiver dans sa tanière de drap et de chaud — Boule
sans limite sans peau, tout sang dehors, tout souffle expi-
rant, Boule, oui Boule liquide, lourde de lave, doucement Boule en moi versée, avec le moule craquelé sous
la coulée, coulée une, coulée une... qui vibre langoureusement sur son lit de bois, perdue, avec cent autres lits,
tanguant sur le bleu simple, par-devers l'amour, parmi le
somnolent clapotis du temps enfin dissous.

H – 16

Le matin, un soleil halogène creva le ciel gris. L'océan
s'évapora. La masse d'eau qui noyait Cerclon se mit à
spiraler autour des bouches d'égout pour s'enfoncer
dans l'épaisseur de la planète à la vitesse d'un lavabo
qu'on débouche. Notre lit chuta avec la terrible décrue
jusqu'à s'effondrer sur le sol sec de ma cellule. Il n'y eut
pas de langueur du matin. Pas de ces états de conscience
brefs encore solubles, de ces têtes froides émergeant

des couvertures et y replongeant aussitôt avec la même envie d'y rester que lorsqu'on se baigne sous une pluie glacée tandis que la piscine est si chaude. Pas de grâce. Des gardes nous secouèrent avec ce sadisme pubère des réveilleurs de clochards qui « doivent faire leur travail ». J'en distinguai quatre. « Laissez-nous ! Laissez-nous encore un peu », demandai-je d'une voix inconcevablement geignarde. Et je me retournai pour me blottir contre son corps. Ma poitrine et mes bras serrèrent un volume vide près du mur. J'ouvris brutalement les yeux. Une forme fugitive, dont je pouvais encore sentir, dans les draps, la tiédeur, s'évanouit vers le passé…

— Monsieur le Président vous fait l'honneur d'une visite. Habillez-vous !

Les gardes sortirent. La porte coulissa à nouveau sur ses rails. A entra à son tour, seul et souriant.

Il ne fit pas trois pas dans ma cellule. Il n'ouvrit pas la bouche.

Mon poing part dans son plexus. Son visage se claquemure. Face en avant, il s'écroule sur le carrelage. Immédiatement, une volée de gardes investissent ma cellule — la décharge du paralyseur grésille dans mes fibres.

Coma.

H – 12

Mon second réveil fut plus lent et plus pénible encore que le premier. La sensation persistante de l'anesthésie me rendait nauséeux. J'avais les muscles courbatus et l'œil droit qui, d'une façon insistante, me brûlait. Après une bonne demi-heure à reprendre mes forces sur le lit, je me levai. Aussitôt retentit une voix charmante : « La porte de votre cellule est ouverte, monsieur Captp. Une hôtesse vous attend pour vous accompagner au salon d'honneur où vous pourrez prendre le délicieux repas que vous nous avez commandé pour votre départ. » Mon départ ! En sortant de ma cellule, je me rendis

compte que j'étais déjà habillé des vêtements que j'avais
demandés pour le Cube : un pantalon en texnil imper-
méable — indéchirable, des écrase-merde cramponnées,
un maillot rouge, une chemise hermétique et un parnox
noir. Espiègle et enjouée comme si elle allait me remettre un chèque-voyage pour Starlight, l'hôtesse m'ac-
compagna jusqu'au sommet du cube gouvernemental
et me fit installer à l'intérieur d'une majestueuse coupole de verre perchée sur le toit, d'où je pouvais voir
le soir décliner. Faveur pour faveur, j'avais demandé un
groupe de radrock pour égayer mon repas, et cité, sans
trop y croire, *Spastic* $\sqrt{\bullet} \approx \Delta$, que j'adorais. Et ils étaient
là. Sur une estrade de peu, à régler leurs instruments.
Ils vinrent me serrer la main. Il y eut dans les quelques
mots sobres, probes, qu'ils m'adressèrent, une chaleur
émue qui me toucha profondément. Autour de moi, une
dizaine de tables accueillaient des citoyens de Cerclon,
des quidams, ainsi que je l'avais demandé.

— Vous ne devinerez jamais combien de personnes
se sont présentées pour partager vos dernières heures,
monsieur Captp...

— Allez-y.

— Nous avons reçu vingt-cinq mille demandes !
Imaginez la joie des heureux élus ! Ne leur en veuillez
donc pas s'ils vous dévisagent...

— Je suis trop content qu'ils soient venus. Ils sont là
pour moi ; et moi j'en suis là pour eux, alors...

Les musiciens de *Spastic* $\sqrt{\bullet} \approx \Delta$ avaient, au pied et au
poing, fixé leur instrument. Je ne pus m'empêcher de
rire à voir la tête ahurie des citoyens lorsqu'ils enta-
mèrent la *Danse Combat*. Lançant leurs coups dans
l'espace, ils faisaient jaillir des faisceaux laser qu'ils
étiraient, écourtaient, faisaient rebondir sur les cymba-
les, les chaises rouillées, les compressions, les tronçons
de rails et les fûts qu'ils avaient entassés sur la scène.
En sortaient des sons diffractés, libres, toniques, des

vibratos lourds et longs qui enflaient avant de casser. Ils jouaient ce soir comme jamais, imbus d'une hargne comprimée qui rendait d'autant explosifs leurs accords. Ils frappaient avec l'envie d'en finir, de vriller et d'usiner les pavillons des « heureux élus », lesquels, trop manifestement, en étaient excédés et se demandaient comment je pouvais aller vers la mort avec une telle absence de silence. Cette musique était ma marche funèbre. Nonobstant. Marche sans mélodie, toute de heurts, fracas, marche rupture, exigeante, neuve à chaque jetée de rayon, ne répétant rien. Outre qu'elle jouait avec la matière brute — rouille, rail —, laquelle m'attendait au Cube, et déjà sur cette scène, grâce à eux, me parlait, me disait, à chaque faisceau qui s'y diffractait, par le son, par quoi elle vibrait et comment je devrais la toucher pour l'apprivoiser. Peu de gens apparemment sentaient cela dans la coupole, mais deux jeunes femmes et un homme qui ne cachaient pas leur bonheur d'être là eurent le culot de venir s'attabler avec moi au dessert pour parler musique, vie, mort, Volte. J'eus un plaisir rare à les entendre.

— Vous avez une chance avec les orages magnétiques. Pendant trois jours, les transborduriers ne peuvent plus déverser : tout ce qui est ferreux risque de retomber sur l'astroport. Il n'y aura donc pas de matière aspirée dans le Cube pendant que vous y serez ! C'est une chance !

— Oui, bien mince... Vous avez suivi mon procès ? Comment...

— Vous avez été extraordinaire, incroyable ! Votre conclusion était magnifique ! Vous allez peut-être mourir, physiquement. Mais je peux vous dire que ça, ça restera à jamais. Vous êtes un pur, comme Zorlk. Vous continuerez à vivre en nous et nous, on racontera à nos enfants, et cette soirée, et comment vous êtes resté fier et gai et debout, jusqu'à la fin, jusque dans le Cube parce que je sais que vous vous battrez jusqu'au bout, qu'il faudra qu'un pan d'immeuble vous tombe sur le ventre pour que vous renonciez, hein ?

— Oui. Enfin, un petit bloc suffira, malheureusement !

— Vous allez survivre, je l'ai rêvé. Je le sais.

Je partis danser avec la fille. Elle était adorable, elle sentait bon et elle se laissa embrasser, par jeu, comme une amoureuse. Pendant quelques minutes, avec elle, je me sentis immortel. Nous sortîmes tous les deux sur la terrasse, dans l'air fraîchissant de la nuit qui s'annonçait. De l'horizon courbe jusqu'à nous, le ciel vespéral s'enflammait. L'incendie partait du dehors et allumait un à un tous les nuages effilochés par le vent cosmique. La ville s'éclairait petit à petit, par touches jaunes à travers le cristal des vitres. Saturne n'avait jamais été aussi proche de notre astéroïde que ce soir. Des trombes de sable et de limaille scintillaient là-bas, dans la radzone. Les radieux devaient caquer pour le toit de leur cabane et les chats mauves s'ébouriffer en sentant les courants magnétiques leur courir à travers le corps. Que la ville était belle… Les cylindres des tours brillaient de l'intérieur comme des phares anticipant la tempête… Les glisseurs filaient sur les anneaux périphériques. Seul le Cube, massif et frontal, restait désespérément sombre dans le contre-jour, sombre mais sans malignité — juste plein de sa démesure, juste inhumain. Je serrai mon amie d'un soir contre moi et je vis qu'elle pleurait.

« Nous sommes actuellement dans le Coptercide n° 4 et nous survolons ce fameux Cube dans lequel le condamné à mort va être inséré. Je suis en compagnie des meilleurs spécialistes de la Zhext, la Zone d'Hostilité EXTrême, comme ils l'appellent dans leur jargon. Il y a à côté de moi M. Dfq, ingénieur général du Cube, MM. Gykb et Hpvr, vérificateurs nucléaires, ainsi que M. Elrz, spécialiste en légende urbaine et M. Cr, psychanalyste et claus-

*triatre, qui a soigné Captp durant toute sa détention.
Monsieur Dfq, pouvez-vous rappeler à nos spectateurs,
en deux mots, ce qu'est le Cube ?*

— *Volontiers. Très schématiquement, la Zhext se présente
comme un empilement compact de déchets métalliques. On
y trouve également des éléments minéraux — pierre, roche,
béton — des rebuts chimiques et plastiques, du bois et,
bien entendu, des déchets nucléaires. Bien que nous le net-
toyions sans cesse par des infiltrations d'acide, le Cube n'a
rien de la masse tranquille que vous voyez de l'extérieur.
Il est soumis en permanence à des champs magnétiques
extrêmement violents qui déplacent les couches de déchets,
compriment des zones, en dilatent d'autres ou créent ce
que nous appelons des clives, c'est-à-dire de grandes failles
internes. C'est le premier problème. Le second concerne
évidemment les radiations. L'intensité des compressions en
vient parfois jusqu'à fracturer le socle de plomb des fûts
radioactifs. Certaines zones, notamment vers la base du
Cube, deviennent ainsi particulièrement riches en radioé-
léments. Nous les surveillons. Enfin se posent de graves
problèmes d'échauffement. La température de la Zhext
monte par endroits jusqu'à 300 °C, ce qui, sans traitement
adéquat, pourrait conduire à la catastrophe. Pour prévenir l'inflation thermique, nous perçons par jet de gaz des
carottes d'oxygène liquide, lesquelles traversent le Cube de
part en part et forment une sorte de grille de refroidisse-
ment. Voilà.*

— *Monsieur Dfq, y a-t-il, dans un pareil milieu, la
place pour la survie d'un homme ? À quoi le condamné
doit-il faire face ? Et de quoi meurt-il généralement ?*

— *Toutes les morts déplorées chez nos vérificateurs
l'ont été par broyage. C'est le seul risque que ne couvre pas leur combinaison. Maintenant, pour un homme
habillé en civil, tout peut être cause de mort, et très vite…*

— *Par exemple ?*

— *Le manque d'oxygène, les radiations, le gorx, l'acide,*

une chaleur supérieure à 80 °C, couper une carotte d'air liquide... Et puis tous les accidents : chute, blessure, brûlure, explosion, écrasement, effondrement, compactage subit... Ou le fait tout bête d'être bloqué — ce qui est la règle dans le Cube ! Enfin, la cause la plus simple de toutes : l'épuisement !

— Selon vous, monsieur Dfq, est-il imaginable qu'un homme équipé de souliers et d'un blouson de cuir, puisse remonter quatre cents mètres à travers les couches de déchets et sortir par le sommet du Cube ?

— C'est absolument impossible. Vous savez, même les rats mutants ne survivent pas une demi-heure dans la Zhext ! Alors, un homme... »

> Alors que le vaisseau est plein à craquer, des Voltés affluent encore par le tunnel... J'ai des bleus à l'épaule à force de recevoir des tapes et des accolades « Content de revoir ta gueule, Kamion ! ». J'avais espéré quelque chose comme du sang-froid et un semblant de démocratie pour la mort de Capt, mais la tension des visages trahit l'incoercible désir de briser et de venger. Il n'y aura pas, ce soir, de débat, pas de construction collective possible. La violence déploiera d'elle-même ses propres volutes ou le Bosquet imposera son plan d'action. J'échange quelques regards avec Brihx et Obffs : il faut prendre les choses en main. Slift parcourt une par une toutes les rangées et s'assure de chaque Volté : « Qui t'es, toi ? D'où tu viens ? Qui t'a amené ? » Il connaît de tête quatre cents Voltés et il serre tellement de mains qu'on le croirait en campagne électorale...

H – 2

> Ils m'ont laissé, à la fouille, le misérable briquet que j'avais caché dans la doublure du parnox. Lorsque le médecin légiste m'a demandé si je désirais des cachets contre l'angoisse, je lui ai craché dessus. Un prêtre s'est

approché pour me bénir. D'un coup de boule, je lui ai
fracturé le nez. « Dieu vous garde ! » P a renoncé à me
serrer la main. La coupole, gardes mis à part, est maintenant vide.

> En quelques tirades et sans faire porter sa voix,
Brihx a rallié tous les métallos du cercle industriel à son
projet. Obffs s'est intégré à un groupe de grimpeurs.
Ils échafaudent un plan de percussion pour accéder à
la base du Cube. Après quoi — folie... — ils pensent
pouvoir escalader les huit cents mètres de paroi ! Dans
la salle du vaisseau, bandes, cercles et regroupements
forment une mosaïque agitée. Je me suis isolé sur le
côté de l'estrade. Des camarades viennent me voir pour
recueillir mon avis. Il y a un tel enthousiasme dans cette
agitation tandis que Capt, seul, se prépare à la mort...
Je sais bien qu'il aurait aimé ce qui se passe et qu'il
y aurait trouvé, je pense, le plus beau des hommages.
Quelque chose manque pourtant, terriblement, et me
rend taciturne : un hommage précisément, une manière
de recueillement, quelque chose qui serait comme la
dignité. Je n'ai pas le courage de couper les débats et
d'exprimer ce que je ressens. Slift vient de quitter son
escadron et prend possession de l'estrade. À la vitesse
où le silence se fait, chacun peut mesurer ce qu'il
incarne.

— J'sais pas si dans ce vaisseau, y a un gars qu'a chopé
la leçon de l'assaut ! Ça jacte glisseur, pont roulant, pro-
pulseur... Vous avez percuté où ça se passe ce soir ? Sur
l'esplanade de l'astroport ! En gros, un carré de six bornes sur six, plat comme mon encéphalo, total à découvert,
avec à peine dix hangars pour se replier ! Pour P, c'est du
billard : il sort les copters et tout ce qu'il a de vaisseaux,
et il fait tourner au-dessus de nos tronches. Dès que ça
remue pas clair, il arrose... Et nous on fait quoi ? On sort
les parapluies ? La guérilla au sol, il s'en branle ! Il sait
qu'on va craser contre le plasmur, bam ! On va même pas

atteindre le mur d'enceinte du Tas ! Moi, je sors pas pour aller au carnaval. J'ai un pote à qui on va mettre la tronche dans l'aspirobroyeur. Alors je voudrais savoir qui sait piloter une navette ou une fusée courte ici. D'après Txse, y a plus de trois cents vaisseaux bloqués dans les hangars de minuit à sept du mat, cause l'incube.

— On va pas nous donner les clefs !

— Sûr !

— Va y avoir de l'escadre casquée autour, le Snake !

— Ouais, plat-plot ! Mais on a bien pris une tour télé ! C'est pas un hangar qui va nous faire caque ! Obffs, explique-leur le topo ! Dans un français que plat-plot percute…

— Quatre groupes. Le premier au pied du Cube, groupe Obffs, en percussion. Objectif : percer le plas-mur, passer l'enceinte, escalader. Le deuxième investit les entrepôts de réparation, groupe des métallos, sort les mastodontes et fonce sur les bornes à plasma. Double but : faire diversion et créer la brèche pour les grim-peurs. Troisième groupe, mené par Kamio, dans une zone vide bien découverte : la poésie, il vous expliquera… Quatrième groupe, groupe du Snake : prise d'assaut du hangar 6 — d'après ce qu'on sait, c'est le moins protégé. Vous sortez le maximum de vaisseaux, vous décollez illico. Après c'est la guerre des étoiles ! Comme pour l'assaut, nous restons reliés par ondes courtes avec indicateur de position. Si l'un de nous, Boule comprise, risque la capture, le code d'alerte est 0.0.0. Les autres codes restent inchangés.

« — *Messieurs Gykb et Hpvr, bonjour ! Vous êtes, de par votre expérience, au sommet de la hiérarchie des véri-ficateurs nucléaires. Pouvez-vous, en deux mots, nous expliquer votre travail ?*

— *Nous sommes chargés d'effectuer les relevés de terrain à l'intérieur même de la Zhext — radioactivité,*

*magnétisme, température — et d'y éradiquer toute forme
de vie organique.*

— *Jusqu'où pénétrez-vous dans le Cube ?*

— *Le maximum autorisé est de 50 mètres. Au-delà,
aucun signal radio ne parvient plus à l'extérieur. Nous
pénétrons par des trappes, à toutes les hauteurs et sur toutes les faces du Cube. Et nous progressons, avec quinze
kilos de combinaison, plus les appareils de mesure…*

— *Il faut être physiquement irréprochable…*

— *Vous savez, ce n'est pas le physique qui lâche dans
la Zhext. C'est la tête. C'est dans la tête qu'il faut être très
fort. La combinaison nous protège de tout, mais pas de
voir, pas de ressentir et surtout pas d'entendre car nous
avons un excellent casque…*

— *M. Cr a parlé de ces troubles psychiques qui sur-
viennent…*

— *M. Cr a parlé d'hallucinations. Mais ce ne sont pas
des hallucinations. C'est vrai ! J'ai vu de véritables aurores boréales dans le Cube. Des phénomènes d'électro-
luminescence que vous ne pouvez pas imaginer.*

— *Et puis il y a ce qu'on entend…*

— *Oui… Gybk a entendu distinctement, une fois,
comme une musique…*

— *C'était un jeu d'échos très lointains, qui se rapprochait de moi, avec des cris déformés…*

— *Beaucoup de gens se font inhumer dans le Cube,
dont des comas dépassés, enfin, vous voyez… L'acide ne
peut pas… Le Cube vit. Il vit. Quand vous entrez en lui,
vous sentez qu'il le sent. Il est vivant. On ne sait pas ce
qui se passe au centre…*

— *Parfois, ça bouge comme une bête, toutes les parois
ondulent, grincent, ça digère… »*

> Le temps est hémophile. Je le sais aujourd'hui. Il est
blessé. Il ne cicatrise pas. Il coule, a coulé. Coulera. C'est
une extraordinaire chose qu'aucun instant n'ait jamais

pu se maintenir. Se poser là. Debout. Et rester indéfiniment ce qu'il est. J'ai le sentiment que si je pouvais rester deux secondes exactement le même, alors le temps appuierait sur pause. Je ne sais pas être calme.

Calme.

Spasmes au ventre.

Le président n'a pas encore annoncé sa décision pour la grâce. Sans le coup de poing... Possiblement qu'il...

De se transformer, la moquette rouge n'en finit pas. Si l'on était conscient de tout ce qui change... à chaque moment, de ce que devient la table, si l'on voulait bien faire l'effort de le voir... Je suis en train de tirer sur la durée, doucement, comme sur un élastique. Je m'accroche à mon cerveau, quand il peut encore. Du concept, des vitres entières de concept qui fissurent à la moindre poussée. La peur me jette dans le Cube, par saccades, comme si anticiper pouvait m'aider... Les images montent... câble... le puits... le noir qui se fait au-dessus... J'ai laissé aux jeunes une lettre pour Boule de Chat, et une autre pour la Volte, avec les coordonnées du Déconnecteur, comme un relais qu'on passe. J'ai jeté les mots sur la terrasse. La mort, je ne la personnifie même plus, je sais qu'elle passera son chemin et que je serai au milieu —   — Il est terrifiant de passer, avec la plus tranquille indifférence, son existence à tuer. À empêcher de croître. La viande, les fruits cueillis, le blé coupé... Les antibiotiques. Toute cette énergie obstinée à fusionner des neutrons et à fracturer des noyaux — à exploiter puis à rejeter. Puis quand vient notre tour, d'être la matière première, d'avoir peur. Peur. Parce que l'acide brûle. Il creuse. Une goutte suffira. Ça me fera un trou dans l'épaule, à travers, jusqu'aux côtes. La mort n'existe pas. Je le sais. Je crève de peur. Il n'y a que des excès de vie. Des empiétements. De la matière qui métamorphe, prend ce qu'il lui faut, tue sans le vouloir. Chiasse humide au cul. Je l'ai fait. L'homme humanise tout. Le Cube est plein de ce que vingt-cinq millions d'hommes

ont fait de la matière dont ils avaient besoin. L'acide…
Un cachet effervescent, qui creuse pleine chair…

« — *Monsieur Erlz, de nombreuses légendes circulent
à propos de la Zhext. Pouvez-vous…*

— *En deux mots ?*

— *Oui !*

— *Je vais essayer. Dans l'imaginaire des Cerclonniens,
le Cube est d'abord ressenti comme une sorte de nécro-
pole pour déchets industriels, un vaste cimetière pour les
rebuts infâmes, irrecyclables, ce qu'on appelle la matière
noire. Les communiqués officiels n'y font rien : le Cube
reste, au gré des terreurs et des fantasmes de chacun,
grouillant d'espèces mutantes, hanté par des zombies, il
est dirigé par des âmes magnétiques, par des morts, par
Zorlk. Son centre serait un soleil nucléaire en activité,
l'enfer chrétien, pour d'autres un puits d'antimatière, un
trou blanc, un tore, une sphère liquide en suspension,
un mandala… Zorlk y est pour certains toujours vivant.
Pour d'autres, son âme damnée hante le Cube et ne parvient pas à en sortir. Il commande une armée de déchets,
il est un golem d'acier, de thorium, d'acide… Le Cube
est un poumon, un cerveau, un protoviscère, un muscle
volumique… Il recèle un trésor faramineux. Il contient
une porte cosmique. Un portique vers l'hyperespace.
Une machine à compacter le temps. Une étoile. Il parle, il
gémit, il commande au Terminor, il se nourrit de déchets,
il nous regarde. Enfin, parmi les théories mystiques ou
intellectuelles les plus courantes, la Zhext serait une réin-
carnation de la planète Terre. On y trouverait absolument
tous les paysages terrestres et l'on pourrait y vivre tout
ce qui s'y est vécu à n'importe quelle époque. Un groupe
d'analystes est lui convaincu qu'elle est l'inconscient collectif de Cerclon, le Surmoi incarné dans la matière.*

— *Il existe également des théories paranoïdes…*

— *Bien entendu. Le Comité scientifique interplanétaire*

y aurait installé un laboratoire génétique où se dupllique-
raient les premiers clones humains, dont celui de Zorlk
évidemment, cerveau inverti. On y cryogéniserait les pré-
sidents. On y réanimerait les morts, on y fabriquerait des
cyborgs pour Uranus et ainsi de suite… Enfin, dans les
hypothèses animistes, la matière elle-même serait en train
de se structurer pour préparer sa vengeance. Les déchets
humiliés seraient entrés en rébellion ! À l'origine de cette
idée, il y a le taux de casse des robots mesureurs, plus de
90 %, qui fait penser à une malédiction…

— *Pensez-vous que Captp soit au courant de toutes ces*
légendes ? Et croyez-vous qu'elles puissent avoir sur lui
une influence ?

— *Inévitablement… S'il survit quelques minutes…*

— *Personnellement, monsieur Erlz, y a-t-il, dans ce foi-*
sonnement dont vous nous avez donné un aperçu, une
hypothèse qui vous paraisse, à vous, fondée ?

— *Dans mon métier, il est difficile d'être juge et par-*
tie… Il y a simplement un petit fait qui m'a toujours pro-
fondément troublé. Au-delà de 120 mètres d'enfoncement,
il n'existe aucune image de l'intérieur de la Zhext. Aucune
sonde, aucun cameraman n'a jamais pu rapporter UNE
image du centre du Cube.

— *Les films reviennent noirs ?*

— *Blancs ! Ils reviennent absolument blancs. »*

< Kamio 01:32 >

Nous avons accédé à l'esplanade du Cube sans rencontrer de barrage. Au-dessus de nous, médias et police
pêle-mêle, s'activent une trentaine d'hélicoptères dont
les cônes de lumière font des taches agressives au sol. Par
moments, ils interceptent dans leurs faisceaux les globes
errants des caméras volantes, par le vent magnétique cha-
hutées. Quelques excités usent leurs balles à les descendre.
Malgré les rangs serrés de Voltés autour de nous, je me
sens mal à l'aise. Il y a beaucoup moins de gens que je ne

l'avais espéré. Les camarades de Cerclon II sont à peine trois mille et ceux de Cerclon III, avec leur brassard rouge, pas plus nombreux. Heureusement qu'il y a ces touristes arrivés par Cosporteurs des satellites proches... Plus les curieux, ceux qui s'ennuient, les insomniaques, les couche-tard et les sympathisants qui font masse. À en juger par le croissant occupé devant les bornes, il y a là trois cent mille personnes — modeste île égarée dans un océan de bitume. J'ai le pressentiment que tout cela va ne servir à rien. Capt est déjà mort. Ce n'est pas le lac ce soir, ce n'est pas du piratage d'antenne, ce n'est pas poser des lames. Ce n'est pas la tour télé. Ils nous attendent, ils sont suréquipés, ils ont l'expérience de Zorlk. Ils sont archiprêts.

   < Obffs 01:44 >

Tout s'enchaîne à merveille : on a déjà branché treize propulseurs sur les prises de force des turbines à ox ! On les alimente à la limaille de fer. Il sort des tuyaux un flux argenté qu'on dirige vers l'espace vibrant, entre les bornes. C'est parti ! Invisible il y a trois secondes encore, le plasmur vient de surgir devant nous ! La foule se recule sous le crépitement formidable des copeaux qui percutent la surface du plasma, lequel étincelle, se matérialise au fur, à mesure déploie son lourd rideau électromagnétique. Ptraz vient d'armer un fusil d'assaut comme on n'en trouve plus sur Cerclon :

— Reculez-vous ! Vous allez voir si ça ne se perce pas, un mur de plasma !

Il est à dix mètres. Il vise le mur. Le plasma explose littéralement sous la détonation. L'onde de choc est terrible, aveuglante, elle se propage sur toute sa surface en une véritable nappe de foudre. En une seule traînée, le mur tout entier s'allume et se cabre devant nous. La forteresse de plasma n'est plus qu'un prodigieux bouclier de lumière qui tonitrue. Et se plisse. Puis il se calme, s'égalise et s'éteint tout aussi vite. Toujours debout — à nouveau invisible. De la balle de Ptraz, il ne reste rien. Son fusil même, happé par la nappe de plasma, lui a sauté des mains. Poudroyé.

> Ils vont me treuiller, comme Zorlk, mais moi je n'ai pas sa force, je ne serai pas foutu de tirer sur le câble, j'aurai trop peur déjà. Qu'il lâche. Qu'ils me lâchent. L'acide ruisselle. Hurler de chaud. Ils filment jusqu'au bout, jusqu'à ce que le signal vacille et se brouille. Il paraît qu'on sent comme une houle solide dès qu'on entre. Étouffé. L'oxygène va s'enflammer dans la poche de mes poumons. Un sac qui prend feu. Puis plus rien. Un goût de feu. Je voudrais que personne ne me connaisse. Je voudrais n'avoir jamais eu d'amis, n'avoir jamais existé pour Boule. Partir en avalant mes cendres. Ils vont me remorquer, je les connais, se sentir obligés de penser à moi, « ne pas oublier ». Et puis il y aura les souvenirs qui vrillent. Tout est marqué. Tout est marqué quand on a aimé. Surtout le plus inconsistant. Que je n'avais jamais de freins à mon vélo — jamais vraiment — mais que je savais freiner tout de même. Je voudrais avaler mon visage à travers ma gorge. M'autoeffacer, me réinitialiser, d'eux.

< Brihx 02:01 >
Ils ont cerné l'entrepôt R. Impossible d'approcher. Tout le secteur 6.0 a un couvercle de copters sur la tête, qui tirent des rafales paralysantes dès qu'un gars tente de s'approcher d'un bâtiment. Sur ma centaine de gars, j'en ai déjà vingt durs comme du fer. Il faut se replier dans la radzone Est et aller chercher des glisseurs, des Jeeps et les quelques tractopelles qu'on a — et faire avec. D'ici trois heures, avec les émeutes, les copters vont migrer vers le Tas, ce sera plus facile alors.

< Slift 02:14 >
Ça passe pas.

< Kamio 02:25 >

Nous avons presque terminé les marquages au sol. Hormis le K, le M et le W qui sont encore mal chorégraphiés, les autres lettres sont tracées avec une célérité qui m'impressionne. Il faut sept personnes pour faire un I et seize pour tracer un M. Boule a peur qu'à mille mètres de haut, nos lettres de cinq mètres ne soient pas suffisamment visibles mais j'ai fait des essais dans la radzone et je sais qu'il nous lira. Dans cette portion déserte de l'esplanade, à l'écart des mouvements de foule, les rares Voltés qui nous ont rejoints ont dans leurs gestes une altière gravité qui les rend calmes et efficaces. Ici, à l'évidence, nous ne sommes pas dans le coup, pas au feu et nous ne changerons rien au cours des choses. Résignation ? Nous avons l'orgueil de nous coucher par terre pour que s'élèvent vers Capt, au moment où il jettera ses derniers regards sur ce monde qu'il quitte, nos mots. Ce sera la dernière clameur, laquelle ne s'articule plus.

Qui l'aurait imaginé ? mais nous n'avons pas pu rassembler cinquante Voltés pour cet hommage… Il a fallu que, intrigués par notre ballet, viennent vers nous des gens qui trouvent l'idée attachante ou simplement drôle. Il y a là des radieux, des étudiantes de Jupiter, des vagabonds de l'espace, des désencartés s'allongeant côte à côte avec des 3-lettrées, et même d'anciens de la Molte qui m'ont, sous mon déguisement, reconnu — mais se taisent.

« — *Monsieur Cr, je me tourne maintenant vers vous parce que vous êtes le claustriatre officiel du gouvernement et qu'à ce titre, vous avez assuré le soutien psychologique de Captp durant sa détention. En deux mots, comment l'avez-vous trouvé ?*

— *C'est un garçon solide dans l'ensemble, intelligent, affable, mais qui présente d'étonnantes fragilités que je me suis efforcé de soulager. Un peu méfiant au début, c'est lui qui, à la fin, réclamait ma venue et je crois lui avoir apporté, sinon des solutions à ses crises d'angoisse, du moins un peu de chaleur et de réconfort.*

— *Que pensez-vous du diagnostic de certains de vos collègues qui, après avoir vu le procès, l'ont déclaré fou ?*

— *Il cumule indiscutablement tous les symptômes du délire de persécution...*

— *Sur le plan physique et mental, que va-t-il se passer pour lui dans le Cube ?*

— *Psychologiquement, il devrait être confronté à des troubles de la volonté avec perte de la mémoire immédiate, dysboulie cyclique et dysmnésie. Sa paranoïa, déjà forte, sera hystérisée par l'omniprésence des menaces. On peut légitimement s'attendre à des accès paniques de claustration, phénomène que j'ai pu constater lors de son mois d'incarcération et que je l'ai aidé, avec patience, à surmonter. Physiquement, nous connaissons bien les effets du Cube. Dans notre jargon : dysesthésie avec perte de sensibilité, apraxie motrice et oculaire, dysphonie, dyspnée, cycle erratique d'hypo- et d'hypertonie...*

— *En clair si vous le voulez bien, monsieur Cr...*

— *En clair, il aura très vite des pertes d'équilibre. Il entendra des bourdonnements. Il aura des hallucinations fréquentes et prégnantes. Ses muscles ne lui répondront plus, il ne sentira plus ce qu'il touche, il perdra par instants la vue...*

— *Monsieur Cr, en vous entendant, je n'ai pu m'empêcher de m'imaginer en condamné, enfermé à quatre cents mètres de profondeur dans ce Cube. Et je me demandais ce que je ferais à sa place...*

— *Ah ! Nous entrons là dans le domaine des stratégies comportementales. Trois attitudes me paraissent possibles pour le condamné : le suicide ; la recherche d'un abri protecteur ; l'escalade à travers les déchets, vers l'impossible sommet. C'est la peur qui décide ici.*

— *Vous qui le connaissez bien, quelle stratégie va adopter Captp ?*

— *Il va se suicider.* »

> Je n'entends plus que l'air haché au-dessus de moi et les vibrations de la carlingue, je ne vois plus que les cercles cloutés de tours d'une ville que je ne reconnais plus, je n'ose plus regarder Saturne parce que je ne veux plus pleurer.

— Tiens-toi droit, tu es filmé !

On vient de passer l'antirade et on fonce en droite ligne sur le Cube.

— Regarde tes copains en bas !

L'esplanade est si violemment éclairée que je ne vois que du blanc cru. La surface ne se piquette que peu à peu de mouchetures agitées et de traits.

Je sursaute à mon nom écrit tout seul dans un espace vide ! Il se brouille et devient « vivra ». Je ne comprends pas. C'est un manège intrigant avec de petits segments qui s'ajustent et se défont là-bas — aio — Kamio — ça se brouille — dit : — s'efface — le Cube — est — ce que tu — en feras. J'écarquille les yeux sur le minuscule petit bout de bitume où se forment, par un tourbillon d'allumettes, ces mots de si peu et j'ai les larmes aux yeux et je n'en reviens pas de cette magie, il y a même les points sur les i, et un garde qui me dit « vise la foule qui t'acclame » mais je ne regarde pas parce que là-bas, des noms surgissent que je connais, qui sont ceux de la vie que j'emporte.

« Brihx dit : cherche les clives. »

« Slift dit : dirige-toi au son », « Obffs : suis les appels d'air », les conseils se succèdent et je sais bien que personne n'y croit, que tout ça n'est qu'une façon innocente et tremblée de me dire « tiens le coup », qu'ils espèrent juste me donner assez de courage pour mourir debout.

« Ne t'endors pas gros loir ! » J'éclate en sanglots. C'est Boule de Chat.

— Pleure pas, mec, t'es filmé !

Le coptercide vient de virer au-dessus du Cube. Les lettres « Boule de Chat » restent figées sur le bitume et disparaissent derrière l'arête. Le toit du Cube, avec son rebutant quadrillage de poutres brutes, défile au ralenti sous la lumière spectrale. Les puits d'aspiration me donnent le vertige. Violentes salves de vent.

— C'est là que ça se gâte pour ton numéro, gars. Le creuseur a buté à… 380 mètres, tu as déjà gagné 20 mètres ! Bon, on a dû t'expliquer : nous, on ne se pose pas. On te descend à la moulinette jusqu'au fond. On fera ce qu'on peut pour tenir en vol stationnaire au-dessus du puits, mais il se peut que tu sois balancé de droite à gauche contre les parois. Dès que le compteur affiche 380, ton harnais va se déverrouiller. Ensuite le creuseur redescend et remonte en inversion magnétique pour reboucher le puits. On va te laisser huit mètres de plafond. Mais un conseil : dégage de l'axe du puits… Voilà. Tu as dix minutes pour aller chier…

— Monsieur le ministre, une communication prioritaire !

— Passez-la-moi !

— Ici le lieutenant Pko. Nous avons capturé Slift, monsieur le ministre ! Nous l'avons ! Nous avons subi une attaque en horde sur le hangar 6 et il était à sa tête.

— Vous êtes sûr que c'est lui ?

— Affirmatif, son escadron a essayé de nous l'arracher jusqu'au bout ! Il est blessé à la tête. J'attends vos ordres.

— Mettez-le dans le carcéronef avec une dizaine de gardes et faites-le décoller immédiatement pour Cerclon III ! Où en est la situation dans le hangar 6 ?

— Dès que nous avons identifié Slift, nous avons concentré toutes nos forces sur lui…

— Je vois… et vous avez laissé échapper quelques vaisseaux… Combien ?

— Quatre, monsieur le ministre, dont trois qui ont déjà décollé…

— Prenez deux fusées courtes pour escorter la carcéronef.

— Nous manquons d'effectifs…

— Slift est prioritaire. Je vous envoie du renfort.

<Obffs 02:51>

On lui a lancé un camion bourré de fûts à 150, on y a propulsé toutes sortes de liquides et toutes sortes de gaz et de produits, on a essayé de dévier le champ, de passer par-dessous en trouant l'asphalte au marteau-piqueur, mais ce putain de plasmur a résisté à tout ! Il faudrait être héliporté par-dessus… Ou alors…

< Boule de Chat 03:00 >

Sur l'esplanade, le temps s'est virtuellement arrêté. Les écrans géants frémissent et battent au vent à la manière de drapeaux. La tête de Capt est posée un peu partout sur le plateau du sol, offerte, défigurée par la terreur qui la tord et ses mains ne lâchent pas, cramponnées qu'elles sont, le câble qui se déroule interminablement. Je peux sentir son odeur. Il est tout à fait contre moi et il respire. Il n'y a plus d'êtres sur l'esplanade, plus de cris, il n'y a plus d'hélicoptères qui tournent mais seulement des yeux sériels qui scrutent son visage pour en rapiner je ne sais quelle vérité ultime sur la mort. Je sais que je peux encore l'atteindre, ce qui sort, l'amour, va, va, il le ressent si j'y pense assez fort, ça passe la peau, je peux l'aider, lui donner ce qui sort profondément en source de moi vers… Il est là, il est tout proche, j'arrive jusqu'à lui, son odeur… Au moment d'entrer dans le puits, dans un suprême effort, il relève la tête et lève au nom de la Volte un poing qui tremble… Puis, sans autre transition

qu'un sourire qu'il s'arrache, il assemble ses deux mains
en gonflant ses joues, dans un geste incompréhensible
pour quiconque mais qui pour moi, pour moi veut dire,
pour moi... La grotte... Il m'a entendue.

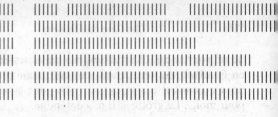

XIX

« Change l'ordre du monde
plutôt que tes désirs »

> À deux mètres du sol, le harnais s'est ouvert. J'ai été lâché comme une pierre sur une dalle de plomb. Les mains entaillées par des copeaux de métal encore brûlants, je me suis relevé. La lumière me parvient dans une clarté pâle de soupirail tant le puits au-dessus de moi s'est déjà déformé sous la houle. Mes pieds crissent et patinent. Je ne sais pas quoi faire, je halète, j'ai comme un tube qui part de la gorge jusqu'au ventre et chaque geste que je fais me fait tourner tel un pantin autour de l'axe tétanique. Sans rien fixer, mon regard saute parois caisses murs piles dalle puits… Je ne me rends pas compte s'il fait froid ou chaud, s'il y a de l'air, est-ce que je saigne ? Un soleil blanc froissé fond de la surface et chute jusqu'à moi, vertigineusement, stoppant à quelques mètres… Un collier de lumière entoure le cône du creuseur et douche la paroi cylindrique qui m'entoure. Il y a un pilote dans le creuseur, le pilote est livide, il me fait un signe incompréhensible de remords, de folie, d'excuse, je ne sais pas, j'ai envie de hurler mais je pivote sans son autour de ma trachée, incapable de mémoriser l'espace qui défile…

Le creuseur commence à remonter tout doucement — et d'un coup, il enclenche l'inversion magnétique : le soleil blanc s'éclipse. En un éclair, des monceaux

de déchets s'arrachent des parois et se jettent dans l'espace vide à quelques mètres au-dessus de moi. Dégage de l'axe du puits ! Dégage ! Le bruit... Le bruit est le plus féroce que j'aie jamais entendu de ma vie. Des tonnes et des tonnes de métal broyé s'entretuent dans le noir, grincent, se froissent, torsion, compact, s'enchâssent et crissent avec la violence d'un brise-glace s'éventrant sur un iceberg. Un croassement d'acier dans les marbrures de la banquise. Qui régresse... Régresse et s'assourdit jusqu'au suturé calme. Le creuseur n'atteindra jamais le sommet. Ou l'a atteint.

( )   (   )   (   )   (   )   ( )

Tout le Cube autour du puits bouge. Une houle solide dont j'entends de proche en proche les brisées sourdes résonner à des profondeurs qui disloquent la mesure. Tout près de moi, de bruit ne subsiste que le crissement des copeaux sous mes pieds. Mais plus loin, à dix mètres, cent mètres peut-être au-dessus, au-dessous, quelque chose, indistinctement, gronde par vagues... Des détonations sourdes se propagent comme à travers des épaisseurs d'eau... Des grincements se forment et m'atteignent lentement, par échos gourds, me parviennent étouffés et enveloppés sous l'ampleur fluide d'une onde sous-marine. Je le sens avec une évidence qui défie la raison : je suis au fond d'un océan de métal lourd qui se parle. La puissance des courants brasse et malaxe l'acier comme de l'eau. Les déchets se laissent porter, mugissent, s'appellent et se regroupent par bandes évanescentes, selon des affinités de textures, de poids, de grain qui échappent, pneu et moquette, meuble requin, tiroirs qui se faufilent, rouleaux d'aluminium se dévidant à travers des strates qui ne communiquent plus, et s'enfoncent, et divergent...

J'allume mon briquet et promène la minuscule flamme dans la cavité que le creuseur m'a laissée. Je respire bien. Je me sens étrangement calme, fataliste, parce que maintenant *j'y suis*, c'est le réel : ces parois briquetées de rebuts et cette dalle exterminent d'un coup la prolifération microbienne des anticipations que j'avais formées. Le réel est là, nu. Il est unique. Je n'ai plus qu'à monter, monter si je peux, ou mourir. J'avais fantasmé l'urgence mais il n'y a pas d'urgence : le plafond est bouché et les parois immobiles. J'ai le temps. Par priorité, il faut que je m'éclaire. Dans le halo du briquet, je discerne les tranches blanchies de livres. Sertie dans la paroi, une caisse forme une manière de rayonnage de bibliothèque. J'arrache un livre comprimé et lui mets immédiatement le feu : il brûle bien, me servant de torche. Un peu partout autour de la dalle, je découvre, encastrées dans le sol, dans ou devant les parois, des caisses similaires. J'ouvre toutes celles que je peux et je jette en tas les livres sur la dalle de plomb en déchirant les couvertures. Mon bûcher est déjà important. J'approche mon livre. Il met le feu à la pile et s'y propage étrangement vite. Sur sa tranche, il y a inscrit : ...*zsche — Considérations intempestives*. J'y vois de mieux en mieux. À sept mètres de haut, à l'appel d'air qui avale la fumée, se devine un boyau. Il semble déboucher plus haut. C'est la seule ouverture… J'entame immédiatement l'escalade.

< Kamio 3:05 >

Au harpon magnétique, Obffs a tiré un câble d'une turbine jusqu'à la paroi de plomb du Cube, à cinquante mètres de hauteur environ. Une dizaine de grimpeurs se hissent sur ce câble en cochon pendu sans que les hélicoptères — par trop ravis d'archiver sur bandes tous ces visages — tentent de les en empêcher. Un magnifique casting policier… Tout cela est maintenant si absurde et si vain… Il n'y a pas le moindre « costumé » en uniforme sur l'esplanade tandis que la déception et la haine s'évacuent sur un mur tout exprès mis à leur disposition.

J'ai perdu la liaison radio avec Brihx et Slift, mais qu'importe ? Mené par des têtes brûlées sans expérience, le combat aérien a tourné court en deux crashs sur la radzone. Combien de morts ? Combien de morts pour UN mort ce soir ? Dix, cent ? Morts pour un idéal ? Pour l'honneur ?

> J'ai atteint l'ouverture, passé la tête et eu l'impression de la plonger dans un seau de glace. Étouffé par les écrans qui m'ont servi d'appui, le feu sur la dalle n'est plus qu'un rougeoiement de concept que mes yeux fixent, fixent compulsivement. Ils refusent de s'en détacher. Qu'est-ce qui m'attend plus haut ? La peur est revenue, elle me comprime les poumons. Creusée à la machine, la cavité au moins me protégeait. À présent je quitte le connu. Rien ne dit qu'il y aura le moindre espace de survie plus haut. J'ai l'impression, subite, viscère prise, qu'il y a quelqu'un dans la faille… Je serre dans ma poche des noyaux durs que j'ai récupérés en grimpant… Vers le haut… je les lance. J'écoute… Tintement de métal. Relance… Ils ricochent, caracolent et retombent. « Bam ! » je crie) Ma voix est tremblante) « Bam ! ») « Bam ! »)) Je me concentre sur la réverbération des ondes sonores))) Mon corps se refroidit intensément. « Bam ! ») obliquement par le haut, le son semble s'échapper… Longtemps encore, l'appréhension d'y voir me retient… mais je sors finalement le livre de ma poche, arrache une page, la tortille et l'enflamme… Il y a quelqu'un ! Un corps ! Non, c'est une ombre de la flamme… Noir.

(((((( )))))))

Dans les profondeurs, une baleine de chrome nage… et j'en perçois le mugissement océanique dans les vibrations liquides du plomb qui reflue sous sa poussée formidable…

J'allume une autre page : la faille est complètement verglacée. Elle est inclinée à 50° environ, fait deux mètres de large et s'élève… Noir. Le froid mord. Flamme : je suis comme au pied d'un terrible couloir d'alpiniste, avec, écroulé de l'espace, comprimé juste au-dessus, le ciel noir givré d'étoiles d'une coque de trans-bordurier. La pente consiste en un amas de bureaux, de terminoras et d'écrans cimentés par la glace. C'est là que je dois trouver mes prises… Un bout de papier dans la main gauche, je brise à coups de pied la mince couche de glace et tente de me hisser…

Quatre mètres plus haut, ma feuille s'est éteinte. Mes prises glissent. J'ai la main droite gelée-crispée sur un tiroir d'acier. Conscience de pouvoir tomber à tout ins-tant en me blessant gravement puisque je n'y vois rien. À tâtons, je désescalade piteusement jusqu'à ma petite plate-forme de départ. Je n'y arriverai jamais. À dix mètres, si je tombe, je me taillade sur une arête ou je me fracasse en bas. Au vu de la taille du vaisseau, la faille peut facilement faire cent mètres de haut. J'ai terrible-ment froid. Il fait noir. Je vais en finir là.

Change, plutôt que tes désirs, l'ordre du monde.

Guidé par la fumée âcre et chaude, je suis revenu jusqu'à l'embouchure du puits. Je me suis assis les jam-bes dans le vide… tandis qu'en bas, les derniers points rouges du feu vacillent dans une nuit définitive. Mes oreilles, déployées en paraboles, écoutent le Cube res-pirer ≈¿·′∞ʃ{μ·d‡ ∞â\‡¶ΠΣL¿‡®ÒʃH‡€Ω¢Δ J'attends ma mort. Sensation d'être au ventre de la planète… d'y être comme une portion de magma, encore tiède, mais qui sera écrasée, dans le futur, et refroidit, comme un cristal de chair…

Quelque part en dessous, des secousses telluriques se répercutent… et se rapprochent… Quelque chose enfle et grince derrière moi vers la paroi de la brèche… Par bris secs, la glace craque… Commence à se convul-

ser mon propre mur, bruit d'écrans projetés se brisant,
je retourne me réfugier dans la brèche — le sol qui se
délite à mesure sous mes pieds, des peut-être sacs de
ciment farine grains s'éventrent et se déversent vers la
cavité… Dans la faille, la chaleur a bondi d'une épaisseur
de degré. Des gouttes froides dé‡®Ò'¡\‡Õ'''‡®Òµʃø≈fl
¬≈goulinent s√∆.fur moi, je me jette sur la paroi,
m'éclaire au briquet et grimpe sans assurer aucune prise.
La plate-forme vient de s'écrouler avec un gros pan de
mu‡®Ò7¡\\∂¥∑∏ Œfi◊©∆ Ò∏¥√ ßÇ±∂Ó•r de la cavité.
Toute la matière compactée se dilate à préÒ◊ÿdû ¢•¿ø
◊÷'Ó'øß∆fl‡√ʃsent spasmodiquement, ouvrant à mes
pieds et sous mes mains des fentes brûlantes que j'empoigne. J'escalade aussi vite que peux pour échapper au
glissement de te> Ò/Ã‡ ®ø¿ §≈•π¬~"¥∆≥rrain… La paroi
se plisse et siffle, stridule, crac¸~'Ωæfl¶/*he du bloc…
Plus je m'élève, plus la faille se couche… Des morceaux
de mur explosent en contrebas et des déchets, descellés
plus haut, me percut§£¢à∆Û≠ìÁΩªʃπdµ≥±∞◊fi,≈q7$#∂¥ent
par séries. Ne pas tomber ! Pas tomber ! Bouillantes, des
bourrasques de gaz remontent à travers la brèche, je n'y
c#∂›€¿¬≈"omprendsfl ‡ªΠ¥≤∞≠Œ¢8ʃ‡¿Ω£§ß√fi‡≈"p plus
rien, j'ai lâché mon briquet pou'ʃ¬‡∆¬r m'accrocher, je
hurle, je rampe dans un volcan en éruption, de l'eau me
cascade sur le front, touffeur de vapeur d'eau, j'agrippe
n'importe quoi dans la furie noire et fuis, vers le haut,
fuis pour échapper à l'écrasement !

Π•¡≈˘#†¿~/(°<°<°<°<°<°<°<°<°<°<°<°<°<°<°<°<°<
<°<°<°<°<°<°<°<°†¸<†˚<°<°<°≠Π¸ °<°<°<°<°<°<°<
<°<'' Π~/(≈˘°<°<ʃ°<°<.   .   .

La tempête est passée. Tête et pieds trempés, je progresse à présent avec lenteur dans un volume en pente
douce. Mon briquet perdu, j'ai abandonné tout espoir de
voir. Une tige de fer ramassée au hasard tinte sur la coque

dès que j'ai peur et elle me rassure. Mes pieds sentent le sol, le palpent, tandis que mon nez inspire des vapeurs lourdes, en pèse l'odeur enivrante, hume, analyse et flaire les appels d'air. J'écoute et j'évite tout ce qui glouglout, suinte, dégoutte, tout ce qui pourrait être... de l'acide. Si peu que j'enfonce un pied dans une flaque d'acide et ce sera l'agonie, atroce... Seuls les sons, les tips ou taps mats qui se rapprochent scandent les distances et me donnent le précieux sentiment d'avancer. Je n'espère plus aller bien loin maintenant mais je veux juste me battre assez longtemps pour pouvoir mourir debout face à moi-même. Tout à l'heure, une carotte d'ox liquide a sifflé parmi l'espace, amenant très vite de l'air frais et plus respirable. Puis la touffeur est revenue par toutes les brèches, — elle irradie du volume mental que je me forme et si je continue à m'enfoncer, ce n'est que pour trouver... rideaux d'air poreux... des nappes matelassées de gaz obsédants que je troue... Des trous de conscience, j'ai Trous blancs De la lumière éclabousse des parois... Des pots de peinture sans arrêt servi qui n'ont jamais disparaissent... Je sens des présences, des mains qui s'agitent à travers mes pieds... J'entends des gorges qui se raclent, toujours sur la gauche, des gorges, des portes qui claquent, qu'on referme, qui reclaquent... C'est entêtant — alors je me concentre sur Boule, le visage fluide de Boule et ça va mieux...

Change, plutôt que tes désirs, l'ordre du monde.

Il suinte du soleil à travers le plafond. Non. Quelqu'un a fermé l'interrupteur. Le sol est vitrifié, vitrifié et phosphore, il se violace doucement et retombe de fatigue. Les moniteurs cachés dans les parois s'allument dans mon dos et s'envoient des signaux que je ne me retourne pas assez vite pour surprendre. Des arcs électriques bleuissent entre les dalles, sautent, çà et là, forment des réseaux de filaments qui courent, ils paraissent

et s'effacent, par ondes successives, comme des frissons... J'avance toujours... Subitement, ça s'ampli-
fie : une traînée de lave bleu glace part sous mes pieds.
Inondant le sol du corridor, elle s'épand en un lacis crépusculaire d'éclairs électriques... je suis complètement
euphorique, elle va me mener au sommet ! à l'air ! je
cours après le courant vagabond, dans le crépitement
des arcs qui claquent sous mes pas, les écrans clignotent
dans le corridor trapézoïdal pendant que des consoles
de virtue se branchent et cherchent à m'inclure dans
leur univers, des robots se déplient, une turbine gronde,
les claviers des terminoras tapent sans doigts des codes
d'ouverture de trappe — La matière est en vie, est avec
moi, me pénètre, m'architecture, elle me porte... Les
déchets ne sont pas mortts, personne n'est mort ! pper-
sonne ne pourra jamais mourir, jammais ! les rebbuts
sont des puissances rôdeuses quie cherchernt un corps
où se réincarner et qqui me poursuivent, mmoi, elles ont
poursuivi Zoorlkl, je suis, j veux être le corps d'incubation de tous ls déchets industriels carr en moi les livres
exigent d'être rééécrits, reeliés, réimprismés, les robots
d'êtr réarticullés, es vaisseauxx reconsstruits, l'acierr ref-
fondu et rettremppé, es solleills nucléaires réactivvés ! J
sui la magmatrice d'absorption d touts ls fores vagbonds
qi nrvurnt 1 Zhext, 1 tore autour eles vont s'acéérer !
Courir ! Corir ! Crr... rrr rrrr rrrrr rr   r. .. . .

      ″‑ ˇ ˜ ˇ ˇˇ ˆ   º   ″˜ ˇˇ‑   ˇºˇ·ˇ ·
       ,   ℓ   ,   ℓ   ,   ,

Je suis retourné sous le puits sans m'en rendre compte.
La dalle de plomb est lisse et bleue. Parfaitement dégagée est le puits avec Saturne qui brille là-haut... Mon
harnais pend avec ce mot : *le président vous a gracié.*
Vous êtes libre. Ah ! Ah ! Ah ! Mais je n'arrive pas à mettre le harnais, à rentrer mes jambes, je n'y arrive pas...
Oui.   . Face à force d'encore que je... Contre

de ce qu'hormis… Il neige. Il neige du verre dans une grande clive verticale que j'ai atteinte. Couché sur le dos, je regarde, entre deux tours de cristal-miroir échouées là, droites, presque debout, fenêtres pulvérisées, se refléter et chatoyer les somptueuses draperies d'une aurore boréale. Pris, je suis, dans un roulis de plasma, il n'y a rien à faire. Électronarcose. Mon corps ne répond plus. Je ne sais même plus fermer les yeux. Alors je contemple l'aurore. Boréale. À l'entour d'à même fleur de quand. Si peu qu'il entre sitôt par-devers dès qu'il… Au-delà jusqu'envers. Flamboient les ions libres… Verre pluie… C'est si beau de se laisser mourir

Le Cube est un océan de métal lourd où nagent des narvals de chrome. Et une ville avec des tours miroirs, des rues défoncées et des turbines à ox qui ne tournent pas. Une montagne avec une pente de glace, un ciel penché dessus, un volcan éruptif, des grottes et une cascade. Et une maison sans fin percée de couloirs avec des portes qui ne ferment pas et des gens dans des chambres qui se raclent la gorge parce qu'ils ne savent plus mourir. Il contient tout. Il pleut, il y neige, il y vente, il y a de la brume et du smog piquant. Il peut y faire soleil. Et on peut éteindre le soleil avec un interrupteur. Tous les climats, tous les espaces possibles et vécus de Cerclon y sont. Mais pliés. Pliés. Chaque zone renferme sa propre structure de dépli qu'il faut trouver, puis actionner, et *vivre* pour passer à la zone suivante. Qui ne déplie sera courbé par l'effroyable densité du lieu. Sphérisé. Il faut déplier, *devenir* avec le dépli et passer avant que la zone ne se compacte à nouveau.

Le Cube est l'exact envers de Cerclon. Sa ride infinie
et véridique. Son autoportrait fractal. Chaque nuit, alors
que la ville se lave, efface les marques du temps et refait
lisse son visage, le Cube, en chacun de ses déchets, prend
un pli. Et dans ce pli, il capture le temps et apprivoise
l'animal… tandis qu'à l'extérieur, la fausse jeunesse qui
se putréfie étale à l'encan ses surfaces de vitre et sa peau
laquée. Le miroir avale l'image. Au Cube, les cadavres
qu'on jette sont des sacs de peau lisse, pourris aux tripes,
que l'acide efface, mais les poutres coudées et les fûts
striés restent — et lorsque tombe le corps et que, sur le
premier angle, il s'ouvre, un dernier sursaut le réveille et
il voit son *vrai visage*, par lui toute une vie repoussé et
gommé, il le voit ride par ride — trait pour trait — gravé
sur le couvercle du fût…

La radioactivité, c'est la seule éternité créée par
l'homme.

Ce que Cerclon fait, elle l'oublie aussitôt — donc le
refait, le répète. Ce qu'elle fabrique, elle le jette — donc
elle fabrique en série, indéfiniment. Mais le Cube, lui,
qui contient tout, ne stocke que la *différence* entre deux
objets, c'est-à-dire son usage, son usure, ce qu'il a retenu
de vie, de mains chaudes, d'entailles d'ongles, de chocs
et de voyages. Chaque copeau est en puissance la frai-
seuse qui l'a usiné. Chaque tour est son propre ensemble de pas, de paroles, de vibrations de lits, de moniteurs
qui s'éteignent, d'ascenseur en panne, de… Mais seulement dans ce qu'ils ont eu d'unique. D'original. Ce qui
s'est répété, ne serait-ce qu'une fois, aucun déchet ne
le conserve. Dans une tour d'immeuble, il reste au final
très peu de mots, très peu d'amour et de pas — lesquels
sont d'autant plus miraculeux. En sorte que quand la
tour déplie sa mémoire et lâche enfin son temps animal,
celui qui monte alors parmi ses escaliers fracassés vit les
instants rares, l'unique foudroyant.

Change, plutôt que tes désirs, l'ordre du monde.

Plus qu'un cerveau qui pense, posé, je crois, dans une rue dallée de fours et de frigos. Les tours s'étirent très haut dans une obscurité que seule la thermoluminescence des poutres empêche d'être parfaite. Je me dis que si je pouvais bouger et grimper un à un les escaliers, je ne serais alors plus très loin du sommet du Cube. Ma pensée coule de mon crâne, visqueuse…

Change, plutôt que tes désirs, l'ordre du monde.

… que la Zhext… la Zhext traduit en matière la pensée. Ce que tu imagines, la Zhext le devient. « Le Cube est ce que tu en feras », a dit Kamio… Cube est masse fluente, pâte métallique que les ondes d'un cerveau ventilant peuvent très bien façonner ? Donc QUOI ? Quoi si un autre homme est vivant quelque part dans les strates ? S'il agonise…

« Il peut fabriquer ma réalité, ici… Il a pu fabriquer la cavité, la faille verglacée, les corridors en trapèze, les vapeurs… et les tours ? Pour moi ? Pour rien ? » « Peut-être sont-ils plusieurs, peut-être des vérificateurs distordent-ils la Zhext avec les terreurs reculées de leur inconscient… Ou est-ce mon subconscient que j'ai traversé ? Ce que je redoutais le plus ? »

Non, ce n'est pas ce que je redoutais. J'aurais été étouffé ou boulotté à l'acide.

« La vérité ultime est que je suis déjà mort — *dead* dans la cavité, sous le puits, dès le début… » Ou bien en train de mourir, immobile dans cette rue qui n'a de tracé que dans un pli de mon cortex, y dévidant ma bobine de neurones ? « Je me suis jeté de la fenêtre de la tour. Je me suis regardé me suicider. »

« Et si j'étais simplement la proie de pensées qui circulent et ne m'appartiennent pas ? Qui pense en moi ? Je ?

Qui est-il ? Sait-il qu'il est mort ? Si on est mort, le sait-on ?
Le sait-on ? Qui dit que le cerveau ne continue pas à penser après la mort, s'il subit des stimulations électriques du
type, justement… d'un plasma boréal ? Alors… »

Change, plutôt que tes désirs, l'ordre du monde.

— P, ici le lieutenant Pko.
— Je vous écoute, Pko. Qu'y a t-il ?
— Slift a échappé à notre contrôle, monsieur le
ministre.
— Il s'est évadé du carcéronef ?!
— Non, il s'y trouve toujours.
— Il n'était pas escorté ?
— Si, monsieur le ministre.
— Il est toujours dans le carcéronef, et solidement
escorté, et il vous a échappé ? Soyez donc plus clair, Pko.
Qu'est-ce qui se passe ?
— Mes hommes flottent actuellement dans l'espace,
en orbite autour de Cerclon III. Nous essayons de les
récupérer…
— Toute l'escorte ?
— Il reste deux policiers dans le carcéronef. Mais…
— Oui ?
— Ce ne sont pas nos hommes…
— Vous êtes absolument incompréhensible, Pko !
Voulez-vous donc m'expliquer ce qui se passe !!
— Pour escorter Slift, j'ai délégué dix hommes, plus les
deux policiers qui l'avaient intercepté et l'empoignaient.
Ils portaient la combinaison de l'escadre 7 avec le casque
Optir. Personne ne s'est méfié. Dans le vaisseau, ils ont
paralysé mes hommes et ils les ont évacués dans l'espace.
Ces deux pirates faisaient partie de l'escadre de Slift. Ils
avaient préparé leur coup. Slift a été libéré et…
— Où se trouve le carcéronef à présent ?
— Ils se sont enfoncés dans la haute atmosphère de
Saturne pour effacer leur trace magnétique. Nous les

avons perdus puis retrouvés au contrôle radar lorsqu'ils
ont pénétré dans l'orbite de Cerclon I. Le vaisseau a
explosé à l'alunissage dans la zone du Dehors. Nous
essayons de retrouver les corps...

— Vous ne les retrouverez pas ! Ils ont dû s'éjecter.
Balayez le Dehors ! Je veux Slift, vous entendez ! Je
le veux ! Trouvez-le ! Vous ne voulez pas que je vous
appelle commissaire Pita, n'est-ce pas Pko ?

>`˥˙˥˜Je suis ˚˳˚˷~˙˚˚ parvenu ˝˝, ' à me ; ˝˝˝˜~˙ ˝˝˥˙,
« lever. J'ai ∞ õ6 ; g. titubé S‹ ;'Òflõ6€˜jusqu'à ?≈æ˝‹∂‹
la Π¡¶√¬=tour et ¥µô√=agrippé la◊Òfi›¿æ rampe
de −¬°•®ßΔΛ'escalator de ;'Ó/òx> secours, encom-
bré /Q > ó"S Ÿïπ > S de¥N^ moniteurs et > ó"ΣµôÎ
de boîtes≠ÆØ∞±≤¥µðæ√ qui ◊÷ÿΩø¡ roulent et
¡¬√ƒ≈Δ"Ωø¡résonnent sur le¬o,·...≠ÀØ[= métal.
fi°œ†ÚJe remonte comme ß~∞ΠÚà la ©¶§£¢ÖÇπnage
un > > ®ê†®Ú°Îê∂torrent de ∫ªºΩæø¿déchets
qui exhale „"[< !#%‰ l'essence, des vapeurs
Ó¥±∞Ø†¶âdétergentes...

¥µ∂Σ Π ∫ªºΩæø¿¡¬√ƒ≈Δ"©¶§£ ¢ÖÇπ"Í°fi‡ ∫√¬o,·...≠
ÀØ[=<!#%‰z_`^z‰"-3 :'≈¬¡ ¿Ó¥≥±∞Ø†¶âfiŸ◊÷ÿΩ
ø¡f≈Δ"∂µ ∞ôû~|

Au sixième palier compté, l'air a fraîchi de façon nette,
me donnant un coup de fouet et l'impression presque
convaincante d'être de chair et pesant. La porte d'accès à l'étage m'est restée dans la main et, derrière, mon
« bam ! » a sonné mat, bon signe... J'ai longé au toucher
le métal froid de l'ascenseur et je me suis éloigné aussi
vite que possible de l'escalier, d'où des relents insis-
tants d'acide, piquetés de plic ! annonçaient le septième
étage... Mes pas s'amortissent sur la moquette d'un
couloir d'où se distribuent des pans laqués au contact
tiède... Vagissements de nouveau-né, couvés de voix
douces. Au moment où j'en ai eu la prescience, l'ascenseur s'est mis en marche et le câble a brusquement cla-

qué. La cabine a raclé sur les parois de la cage, crissante,
puis s'est bloquée. Cris de pompiers maintenant, à travers le vide. Du bout de la coursive, un être s'avance vers
moi… Vibre le sol… Croustille du verre pilé… Piston
hydraulique qui coulisse : un robot ou… un joueur
de virtue avec sa combinaison. Qui va là ? Qui va là ?
« Vous êtes dans le module Proxima IV, créature humanoïde hostile à midi. Arme disponible : gant de force. »
Broiement d'os à quelques mètres, dans les ténèbres,
puis des sirènes, des sirènes… « Créature humanoïde
hostile à midi ? » Je m'en souviens, oui. L'homme avait
brisé les cervicales de sa voisine ; il avait 78 ans et c'était
le centième homicide de l'année dû à la virtue… C'est
dans le même immeuble que, quatre mois plus tard,
Zorlk a été arrêté… J'étais seul avec lui. Il a entendu le
sifflement d'une corde dans le puits d'aération et il a su.
Il s'est levé, a dévissé la plaque et il a balancé un pack
de brax dans le puits. Au son, il a dit : « Ils sont là. Prends
l'ascenseur et sors calmement. Ils ne te connaissent pas.
Aujourd'hui, tu es le chef de l'Évolte. » J'ai pris l'ascenseur au 32e étage et je suis sorti au milieu d'une marée
de flics qui m'ont pressé, en hurlant, de passer…

J'ai atteint l'autre bout de la coursive. Je prie pour que
le second escalier soit dégagé. C'est le cas. Les marches
sont fracassées et collent. Le moyeu du colimaçon a disparu et ce que je lâche dans la béance met de longues
secondes, tout en bas, à percuter le marbre. Uniquement
concentré sur mes sensations physiques, je grimpe. Il faut
que j'empêche le 32e étage de se déplier. Zorlk est mort,
je ne veux pas entendre sa voix. Il est mort, mort, mort !

31e étage : des cordes sifflent… C'est un jet de gaz,
Capt, du gaz ! J'en fais du gaz. Je verglace tout l'escalier en un frisson. Je givre la rampe. Il reste cinq étages
avant le toit. Le 32e est sous la neige, engourdi dans un
silence ouaté. Inexplicablement, j'ai supprimé le cylindre enveloppant l'escalator à partir du 32e. Suspendu

dans l'espace, l'hélice de marches se perd dans le vide...
Impossible de dépasser le 32e... Je me résous donc à
ouvrir la porte de l'étage et avance jusqu'à l'ascenseur.
Je casse la glace qui jointoie les portes, écarte les battants et tend le bras vers le câble... Bon dieu... J'ai
empoigné une épaule — mon pied glisse — je m'affale
sur un corps cryogénisé et l'agrippe de justesse aux
épaules. Il est soudé au câble par le gel.

Le 32e est resté compacté sur sa mémoire. Silence mar-
moréen dans la cage. Je lâche un noyau dur et me prépare à compter les vertigineuses secondes : une seconde,
à peine, plus bas, il toque sur une plaque ! L'ascenseur
est donc bloqué au 31e ! Me lâchant dessus, je perce le
toit et tombe dans la cabine. Machinalement, j'appuie
sur le bouton « 37 ». Il s'allume ! L'ascenseur s'ébranle
et s'élève dans des giclées de glace... Merde, il va percuter le corps juste au-dessus ! Il le percute et l'avale dans
la cabine. 37e étage ! Les portes s'ouvrent, je les bloque
avec un bidon et appuie méthodiquement sur tous les
boutons afin d'obtenir le maximum de lumière.

Un homme à la carrure impressionnante est raidi sur
le sol. On dirait un bronze antique. Avec peine, je le soulève par les aisselles et colle son visage à la rangée de
boutons lumineux. Il porte sur sa figure une expression
de force, une volition terrible que je n'ai jamais vue, de
ma vie, sur un seul autre visage que celui de... Zorlk.

C'est Zorlk.

C'est lui. Il est venu mourir dans cette cage, au
32e étage, à l'endroit même où l'escadre 7 l'avait arrêté de
son vivant. Il est mort debout. Accroché à la vie. Jusqu'au
bout, bordel de Zeus, jusqu'au bout ! il a tenu dans sa poigne ce putain de câble ! Il ne l'a pas lâché, jusqu'au bout !
L'ox liquide l'a percuté là et il a tenu son putain de câble
à – 200 °C ! Il l'a tenu ! Je le sors de l'ascenseur, le mets
debout et je serre comme un fou son corps dur et glacé
dans mes bras, je le serre, je pleure, il est complètement

raide et glacé, je voudrais qu'il soit là, qu'il revienne, qu'il sache que je suis là, qu'il… Peut-être que ses fonctions vitales sont simplement cryogénisées. Zorlk ! Zorlk ! Je suis presque soudé à lui par le froid, mais je le serre encore, le réchauffe, le ramène… Zorlk !! Coup après coup, la glace au thorax casse, je vais le ramener, le ramener ! Lui reste droit, altier, et il me serre comme un frère, je ne sens plus mes poings qui frappent, qui frappent et frappent, Zorlk, reviens, gars ! Zorlk !…

Par-dessus le toit de la tour que je scalpe, des tintements lumineux comme ceux de cloches ouvertes se réverbèrent dans l'espace et sonnent dans la cage thoracique de Zorlk. À travers le bâtiment vide, ramassé en fauve sur ses strates de temps, se dépliant par éclairs et cris, un appel d'air neuf chuinte… avec une mélodie d'enfant calme qui chante pour s'endormir… et Zorlk doucement l'écoute avec moi, il vacille et danse dans mes bras et nous tournons, nous voltons en un lent pogo, son poing serré dans mon poing, voltons dans cette tour d'où il avait eu la grandeur de me laisser partir afin que je vive et que lui, lui affronte sa propre envergure, ici-même, et y retourne… Comme s'il avait fouillé tout le Cube pour retrouver le point où son destin a bifurqué, pour l'annuler, pour… Il l'a retrouvé. Il a repris ce couloir, il a retrouvé l'escadre 7, il a refait le combat… Mais cette fois, ils ne l'ont pas eu. Il leur a échappé, Zorlk, ultimement, pour toujours. Je suis à bout de forces et les cloches battent, battent encore, je sens que je vais tomber, basculer avec Zorlk, des points blancs tapissent l'obscurité, prémice d'évanouissement… Et le murmure de l'air dit :

La sensation d'être couché sur une plaque brûlante de tôle m'a ramené à la conscience. Sur tout le flanc droit en contact avec le sol, j'ai la peau qui, douloureusement, chauffe. Je touche le sol : il est froid. J'ai compris : radiations... Mon œil droit remue une bille bouillante dans son orbite. Mes muscles sont pâteux.

Au murmure de l'air qui s'engouffre par d'invisibles pertuis se superpose maintenant un raclement léger, comme de grains glissant dans un tube, vaste à l'oreille, et incliné. Par intervalles, rappelant la chute chaotique d'une canette dans un vide-ordures, quelque objet métallique tinte. Touchant une dernière fois son visage glacé, je laisse Zorlk reposer dans l'incomparable tombeau — et tâtonne jusqu'à la trappe d'accès au toit, dont je connais l'emplacement. La tour tremble sur ses bases, des vitres se détachent. J'empoigne un long tuyau et parviens, à coups de lance, à briser l'opercule de plexiglas qui recouvre la trappe. Une masse indistincte d'ordures et de poudre, bruyamment, en dégringole. Rafale de vent pétrochimique. Je saute, saute à plusieurs reprises afin de situer le rebord, puis m'élance enfin, m'accroche, me tracte à la force des bras et me hisse sur le toit : l'importance de la brise m'euphorise tout à la fois et me stupéfie : il doit y avoir, tout près, un sérieux appel d'air ! Enfoncé jusqu'aux chevilles dans une sorte d'étang chimique tiède, percutant des bidons, je remonte ce vent qui m'apporte, amplifié, l'écho tintinnabulant de boîtes dans une chambre métallique. Pour chargé d'odeur de pétrole, l'air n'en est pas moins étonnamment vif et clair, presque... décarcéré. J'avance toujours... et le noir, soudain, à la manière d'une focale, s'ouvre au loin... Une lueur brumeuse et délavée rissole au-delà de la nappe d'hydrocarbure... Elle cascade sur des rondins de béton qui prolongent le toit. Hagard, j'enjambe sans crainte le rebord parce que j'y VOIS à présent et j'escalade, sans comprendre et sans y croire, le monticule poudré de limaille jusqu'à la clarté... J'entre dans un tunnel...

Du vent ! Du vent et de la lumière vraie ! Je suis parvenu à un vaste conduit circulaire aux parois de plomb, bien dégagé, qui s'incurve vers le haut. J'avance, je progresse en patinant dans un mélange de sable et de limaille, fou, n'y croyant pas, un puits ! C'est un puits d'aspiration ! Je grimpe, glisse, grimpe, glisse encore, glisse, chute et m'arrête, incapable de continuer... Tout là-haut, à peut-être cent mètres, au bout d'un toboggan vertigineux qui finit vertical, des étoiles brillent... C'est le sommet du Cube ! La sortie ! La vie !

Je mis un incalculable temps à desceller le système de fermeture magnétique de la trappe d'accès au toit, un peu moins à fracasser le cadre, à en extraire les aimants et encore un peu moins à trouver le moyen de les fixer sous la pointe de mes chaussures. Mais j'y parvins pas. Lorsque j'entrai à nouveau dans le puits, mes pas collaient au sol métallique. L'escalade était maintenant possible...

J'ai parcouru la partie inclinée du toboggan avec une facilité enivrante. Il ne me reste maintenant qu'une quarantaine de mètres — ceux à la verticale. Je progresse calmement, avec une obstination incrédule, pieds et mains aimantés au tube d'acier. Crucifié par la peur de dévisser, incapable d'arracher un pied pour le réaimanter plus haut, je fais glisser mes prises... La limaille de fer ne crisse plus sur le tube, elle pleut à présent par bourrasques, me cingle et s'accumule sur mes aimants, les rendant granuleux... Là-haut, dans l'embrasure circulaire, les points blancs des satellites filent comme des étoiles... La pensée de sortir vivant du Cube me perce par rafales, une joie furieuse et absolue me strie la colonne par instants mais la peur nervure tout, la peur et... une terreur plus immatérielle... Celle de rêver...

Des déchets n'arrêtent pas de tomber. L'écho de leur chute fait bourdonner le conduit de bas en haut, telle une cloche. Mes muscles sont proches de la tétanie et la crampe aux doigts s'annonce. C'est quitte ou double maintenant. À la vie, à la mort. Souffle, Capt, relax, appuie-toi sur tes pieds... Vingt mètres encore... Je lève la tête pour oublier le vide qui s'étire en dessous. Il y a... Il y a quelqu'un en haut... Une silhouette dans l'embrasure du puits avec... avec un fusil à la main... Je me suis arrêté. Je tremble. Fugitivement, le flic se distord et flotte à la façon du grand Rupteur. Mais l'illusion s'efface. C'est bien un homme. Un optireur de l'escadre 7. Il a le casque. Il m'attendait. Ils en ont posté un à l'embouchure de chaque puits... Au cas où le Cube n'aurait pas suffi... Il ajuste son fusil à présent. Il va me...

— Vous n'avez pas le droit ! Vous n'avez pas le droit ! Je suis vivant ! Je suis sorti vivant ! C'est la Constitution...

Une détonation effroyable claque.

— Capt, bordel ! Accroche ton cul au câble !

— Slift ? Slliiiifffftttt !

— Caaaaaaappppptttttttttttt !

Un fou rire cascadant débaroule le conduit. C'est la voix saccadée, croque-syllabes, inimitable du Snake qui se réverbère et emplit tout. Un câble pend avec un mousqueton entre mes jambes. Je l'accroche à ma ceinture. Je dérape... Suspendu par la ceinture, je tangue comme le battant d'une cloche dans l'embrasure du puits et mon corps tape les parois qui résonnent. Je n'ai plus aucune force. Slift me hisse jusqu'au sommet. Je reste cloué là, sur la poutre, à fixer ce trésor de rubis et de diamants répandu sur le velours noir profond du ciel et les nuages, indifférents ou espiègles, là-dessus passent avec des traînées d'aquarelles... L'aube est proche. C'est plus que beau. C'est inouï. Slift a relevé la visière de son casque Optir et son visage serpé et là est le plus beau visage d'homme que j'aie jamais vu. Il balaie l'étendue indéchiffrable de poutres et de puits et se perd sur une trombe impressionnante qui lamine le Dehors, tandis qu'au sommet de son casque, avec docilité, l'aileron Optir bruisse toujours et virevolte pour coupler pupille et visée...

— J'ai passé ma nuit à bourlinguer sur les poutrelles ! Je pouvais pas te laisser crever tout seul dans le vide-ordures ! Le captain après Zorlk, c'était pas raccord dans mon plot, ça buggait ! Je me suis fait une enfilade de puits, à descendre jusque dedans le Tas — un putain de chaos terrifiant, mais y en a plus de cent, des toboggans, et je t'appelais, je gueulais hic et hac à chaque coup, mais rien ! et j'étais fracassé à force de remonter à l'équerre alors donc j'ai fini par juste passer ma tronche et gueuler du haut. J'ai tout quadrillé, vingt fois, j'y croyais plus. Et là, je vois un bête de lézard commac scotché à la paroi, j'ai cru au golem, failli te déchirer la face avec une opbullet, mais t'as braillé... Et voilà !

— J'ai vu Zorlk...

— T'es barge. Tu pars à la lessive !

— Solide... Cryogénisé... Rien à faire... Comment tu es là ?

— J'arrive de Saturne, gars... Je me suis largué en stratosphère ! Ils repèrent pas les ailes avec le brouillage magnétique qu'il y a... Tu sais piloter une aile ?

— Une aile volante ? Avec ces tornades ? Tu plaisantes ?

— Alors je vais te ramener. Oh là, ta gueule ! T'as bouffé du becquerel pour dix ans, gars... T'es cramoisi...

— Slift...

— Quoi ?

J'arrive à peine à aligner mes mots.

— Y a un déconnecteur du Terminor... Tout prêt, il est... Angle nord-est... à quatre mètres sous le toit. Faut aller le bousiller...

Slift se marre tellement que son visage s'éparpille.

— Captain, le coup du déconnecteur dans le Cube, en

zénith nord, si je l'ai pas entendu mille fois, je l'ai jamais entendu ! Mes potes vérificateurs, des tenaces de première, et ceux qui pilotent les coptercids à vol tendu, ils t'ont arpenté le kilomètre carré de ce putain de toit des millions de fois — savent qu'il y a rien. C'est prouvé. J'ai toutes les cartes spectro du périmètre. Y a pas de déconnecteur. Y en a jamais eu !

— C'est le Président qui me l'a dit !

— Toi, t'es bon pour faire anime-tout à gogoland ! Oublie ce croque-mort. A est une langue de pute et un pousse-merde.

À travers un vent furieux, marchant sur des poutres d'acier brut, Slift me guida jusqu'au bord est du Cube. J'avais peur à chaque pas de chuter dans un trou. Je frémissais en pensant à ce qu'il y avait au bout de chaque puits : un monde fractal, inconcevable… Cerclon, grise de poussière, se teintait des premières clartés de l'aurore. L'esplanade était vide et morte. Au moment où Slift déplia la voile, j'eus l'impression que nous étions les deux seuls rescapés d'une catastrophe antique dont le souvenir même aurait été dispersé par le vent.

Mousquetonné à son harnais, me sentant étrangement immortel, je sentis la rafale nous arracher du toit du Cube et immédiatement, redressant un début de torche, Slift prit la voile en main avec une maestria que j'étais trop épuisé et bien trop heureux pour ne pas bénir. L'aile plana le long du cercle industriel qu'elle contourna pour aller se poser, quelques kilomètres plus loin, au cœur de la radzone, sur les dunes rehaussées de cabane du Pays. Là, au beau milieu du sable, au flanc d'une petite dune insignifiante et insoupçonnable, il déterra un câble, tira dessus et découvrit une maison souterraine où l'on s'engouffra, laissant le soin à la tempête de recouvrir notre abri.

Au moment de m'effondrer dans le sommeil, il me

sembla entendre la voix chuchotante d'une enfant qui
se mêlait à la brise. C'était une voix très douce, chan-
tonnante, comme une petite mélodie qui se parlait à
elle-même. Et la voix revenait, mélangeait les mots, se
diluait...

Change l'ordre... Change l'ordre du monde plutôt...
Change l'ordre du monde... plutôt que tes désirs... Tes
désirs sont désordres...

XX

Bob Volte et John Norme

> Vivace, la sensation d'être toujours dans le Cube, étendu près de Zorlk, a persisté un long moment dans l'équivoque du réveil. Un grésillement de canal brouillé, aggravé d'insultes et de coups, couvre les sifflements de la tempête. Douloureusement, je tire sur mes paupières scellées de croûte et j'entr'ouvre les yeux. Slift, emmailloté dans un réseau de fils, s'acharne à obtenir d'un téléviseur une image et un son.

— 'percute pas ! Cet aquarium a toujours été carré avec moi ! Mais cette nuit, il a décidé de chier de l'électron !

— Quelle heure il est ?

— Cinq du mat ! T'as fait le double hélico du cadran. Ça fait deux plombes que j'essaie de choper les infos ! Imposs !

Je m'arrache à ma couche et constate que j'ai dormi tout habillé. Les semelles de mes écrase-merdes sont dévorées aux trois quarts et mes chevilles enflées d'une gangue noire qui craque au moindre mouvement. Sous le texnil « indéchirable », des lignes de sang coagulé strient mes cuisses. Pelé, troué et presque coupé en deux, mon parnox gît au pied du lit. Tout empeste l'essence, la sueur et le ciment. Au flanc droit, mes brûlures se sont aggravées. J'ai les cheveux sablés de limaille et une sorte d'œuf brouillé qui cuit à feu doux dans la cavité de mon œil droit.

— Y a un fût plein de pluie dans la pièce à côté. Va foutre tes plaies dedans, décape-moi ça ! Après j'y foutrai de
la glaise pour faire boue, que ça t'éponge les rads.

Il n'a toujours pas tourné la tête. Il est comme ça. Il a
mis sa vie en jeu dans l'espoir infime et braque de sauver
la mienne et il a réussi. À présent, il m'héberge et il va me
soigner et ça lui paraît aussi naturel que de pisser après
avoir bu un pack de brax. Il ne me demandera pas « Ça
va ? » parce qu'il sait que ça ne va pas, que je suis complètement irradié. Il dira juste ce qu'il faut dire et il le dira
vite. Son amitié est d'actes. Elle tombe droit comme un
rideau. Et se fout bien des signes de l'amitié. J'entre donc
dans une salle carrée qu'éclaire, posé au sol et la flamme
nue dirigée vers le fût, un chalumeau. J'enjambe le rebord
du fût et m'installe : l'eau est délicieusement tiède.

— Ça y est, ça marche ! tonitrue Slift.

C'est le générique de Multinfo… Vingt-sept morts
et huit suicides de protestation, aucune perte chez la
police, trois vaisseaux détruits, un milliard de dégâts…
Plus les analyses vaseuses sur la dislocation inéluctable
de la Volte, la perte du père spirituel (bibi !) et la tentation nihiliste… Huit personnes se sont suicidées pour
protester contre ma mort… Et je suis toujours vivant. Je
ne veux pas réaliser ce que ça veut dire.

« Les experts de Cablaxie affirment avoir découvert
dans le noyau dur de l'agent Kohtp une directive men-
tionnant un montage vidéo de nom de code Conviction
intervenant au niveau 3 d'un plan de résorption du chef
de la Volte. Par ailleurs, le vigile supposément assassiné
par Captp, M. Lnpor, retraité de la police, serait décédé
la veille de l'assaut d'une affection pulmonaire. Si ces
informations sont confirmées, elles réhabiliteraient la
version martelée par Captp et son avocat dès le début du
procès et demeurée inchangée, celle d'une machination
commanditée par le ministère de l'Intérieur. P a immédiatement réagi à ces révélations en assignant Cablaxie

en référé pour accusations mensongères, divulgations de documents réservés et atteinte à la crédibilité de l'État. Dans la confusion actuelle, aucune hypothèse ne saurait être écartée, mais une chose est sûre : s'il est prouvé que, de façon délibérée et pour des motifs de basse politique, le gouvernement a exécuté un citoyen innocent, on peut s'attendre à une réaction extrêmement virulente de la Volte, réaction qui pourrait précipiter notre planète dans la guerre civile… »

Slift est venu me rejoindre. Il m'ausculte des pieds à la tête avec un compteur Geiger :

— 87 ! Toi, t'as pris le soleil, gars ! À ce taux-là, je te revendrai même pas trois unités à la brocrade ! Va falloir que tu restes deux plombes dans la boue.

Après avoir versé la terre, il saisit le chalumeau et le passe sur toute la surface du fût pour le réchauffer. Il ajoute des sels et des poudres, de l'herbe bleue et quelques plantes qu'un autoproclamé alchimiste du Pays lui a indiquées.

— Qui sait que nous sommes là, le Snake ?

— Personne. Personne sait même que cette planque existe. T'as gaffé aux parois ? T'es dans un container. Il faisait tache au Pays, les poètes m'avaient demandé de prendre le bull pour l'enterrer. Hermétique comme c'est, que je me suis dit dans mon plot, ça ferait un super QG perso… J'y ai fourré du matos d'au cas où, des armes, de la graille. Et voilà. Qu'est-ce qu'on fait pour Kamion, tête de brique et Obffs ?

— Ils sont sous traceur, c'est ça ?

— Yak. Boule aussi.

— Je vais les prévenir à ma façon, un par un. Je vais sortir demain. Je vais aller hanter cette ville et sentir ce qu'elle a en elle.

— Captain…

— Quoi ?

— Avec la boue, au mieux, je vais te faire redescendre

à 65. À ce taux-là, si tu te fais pas opérer, dans trois jours, t'es un steak sur pied, dans cinq tu pars en grumeaux et à la fin de la semaine, je te ramasse avec une petite pelle pour te mettre dans mon barbecue... Tu percutes ?

— ...

— Je crois capter ce que t'as dans le plot. T'as deux journées devant toi. Maxi. Après, faudra aller toquer à l'hôpirad et demander Agb. J'l'ai vu sauver des soleils ambulants. Je peux te filer une fausse carte mais ils vont comparer avec le code génétique. Ils sauront qui tu es.

— Tu te rappelles ce qu'on voulait faire sur Pluton ? Tous les plans de la cité, l'organisation, les réseaux ?

— Anarkhia ?

— Oui.

— Et alors ?

— On va le faire ici. Dans le Dehors. Tu vas faire courir la rumeur que je suis vivant, que je suis revenu, que quelque chose de fabuleux se prépare que tu ne peux pas dévoiler. Mais qu'ils doivent se tenir prêts. Tous. À tout lâcher.

En longeant la première vitrine d'un costel de transit, je me suis regardé : j'ai le visage inquiétant de Janus avec une face blanche et l'autre de brique enflammée. Un glaucome élargit mon œil droit et au milieu du front une veine à l'allure de tuyau monte irriguer mon crâne rasé. Sanglé ainsi dans mon parnox déchiré, je ressemble à un cyborx. J'en ai la puissance meurtrie et l'allure digne qu'impose malgré elles la dureté des parties mécaniques.

J'ai pris le tube sous l'antirade et j'ai continué à pied, sans but précis, droit devant moi par le boulevard central. Je n'ai pas fait vingt mètres que mes jambes ont stoppé net et que je me suis mis à reculer : toute la longueur du bâtiment à ma gauche n'est qu'un vaste mirécran de huit mètres sur trois qui filme et reprojette, en gommant subtilement les défauts et les rides, tous les individus passant sur le trottoir (inutile de dire qu'il n'y a pas une femme, pas une ! qui ne se tourne discrètement vers la « glace » et ne sourit en voyant son reflet embelli…). Un pur réflexe de proie. J'ai attendu que mon cœur redescende. Je me suis préparé à secouer la tête, à me moucher sans arrêt, bref à faire toutes ces épuisantes grimaces de clown traqué qui étaient mon lot avant l'incubation. Puis j'ai souri de ma bêtise et j'y suis allé tranquillement, front haut et visage franc — en regardant ostensiblement le mirécran, pas fâché non plus à l'idée de voir mon radieux portrait quelque peu arrangé ! Le résultat m'a coupé le souffle : une longue traînée fantomatique d'électrons libres s'est mise à défiler sur l'écran, dissolvant tout sur son passage, êtres et choses, dans un intense brouillard rougeoyant. J'ai savouré mon bonheur : radioactif comme je suis, il n'y a plus d'image possible de moi ! Plus d'identification qui puisse mordre sur le cadre de mes pommettes ! Je suis devenu un pur bruit vidéo qui passe…

J'ai continué à marcher sous un soleil intermittent. J'éprouve à présent quelque chose de si neuf que c'en est douloureux : je me sens libre. Totalement et absolument libre, comme libéré de la liberté même et de son épuisante conquête. Personne ne m'attend aujourd'hui. Personne n'attend plus rien de moi. Il n'y a plus d'étudiant dont je sois le professeur, plus de femme dont je sois l'amant, plus de militant dont je sois le chef ou le gourou, plus d'ami dont je sois l'ami, plus de passé — plus rien qu'un homme irradié qui marche sur un planétoïde dont l'avenir oubliera jusqu'au nom et qui sait qu'il n'y a rien de plus incroyable que d'être vivant ! Vivre encore, vivre quand l'univers entier me croit mort me dispense d'avoir à être ! D'ailleurs, ma vie vient de commencer ! Hop ! Je viens de n'être !

— Je n'ai plus à être !

— Pardon ?

— Je n'ai plus à être, Madame ! C'était bon avant. J'ai à exister ! Je n'ai même plus à… « Avoir à » est débile, hein ? J'existe ! J'existe !

— Je le vois bien !

Dans les avenues, des volutes de sable et de poussière lointaine dressent de hautes flammes aux carrefours. Les glisseurs glissent avec prudence pour éviter les sautes magnétiques tandis qu'à leur droite, sur la piste parallèle, de petits groupes de patineurs pressés, alourdis de limaille, raclent l'acier à chaque rupture de portance. Quelle humeur vagabondissante je me sens ! Les trottoirs roulants roulent, les caméras filment, les turbines soufflent, les feux clignotent et donnent leurs cocasses consignes, les poteaux calculent les vitesses et décomptent les infractions et les murécrans diffusent, en boucle, des conseils de santé civique pour la pratique des jeux… Des gens passent leur index devant des bornes de granit et en ressortent une feuille bariolée avec mon nom, une foule, le Cube, des émeutes, la lisent aussi distraitement que possible, puis la froissent et la rendent à l'aspiro-broyeur qui la défroissera pour la replacer, lisse, sur la pile du distrib…

Il y a quelque chose de merveilleux à regarder vivre cette ville ! À suivre ces gens, à les voir faire si vite et si bien les gestes justes qui leur sont nécessaires ! Cette ville est faite pour les gens qui l'habitent. Elle est fluide. Elle est commode. Et les gens ? Les gens semblent perpétuellement ailleurs. Ils ne sont pas à eux — et moins ils le sont, plus ils font, vont et sont vite. Vite. C'est extraordinaire ce détachement qu'ils ont, presque fatigué, et pourtant cette vitesse ! Comme si carter le journal, se bioscanner, traverser, hop ! manger une protorange et récupérer leur gosse étaient des actes en deçà ou au-delà de toute conscience. N'étant pas à eux, je me dis, boutade, pirouette, ils n'ont pas à être ! Comme moi ! Ils sont comme moi ! Je joue, enchaîne les mots, et laisse ma pensée vagabondir telle une bille balle, bouboule bleue, bilboquet, belle… Toujours en avance d'une fraction/seconde. Empêcher — en allant vite — vite — plus vite, que conscience puisse prendre. Avoir ainsi, le moins possible dans une journée, à être. Être, on sait ce que c'est, hein, on sait : c'est difficile, c'est un métier. Il faut s'en décharger sur des gens compétents, non ? La vie ici est un sport de glisse, d'insertion, toujours, sur une onde préexistante qui dispense d'avoir la force automotrice nécessaire au déplacement. L'existence précède l'essence. Et l'enflamme.

J'ai sauté de trottoir roulant en suspensiège, ballotté par les bourrasques de poussière avant d'atteindre Subvirtue, le plus gros complexe de jeux virtuels de Cerclon. Les portes mâchoires me laissent entrer et je m'engouffre dans l'allée centrale, brouillant tous les écrans à la volée sur mon passage. Sensation superbe. Je me monte-charge à l'étage et je suis les panneaux « Immersion », inspecte les hologrammes flottant devant les box et trouve enfin Capturez Captp. Muni de la combinaison, un jeune cadre recule et tente, selon toute apparence, de parer des coups qui pleuvent. Il tombe à terre. J'en profite pour pénétrer dans le box, le relever et lui enlever le casque.

— Eh ! qui va là ? Qui êtes-vous ? J'ai payé pour une heure !

Je l'ai pris par les épaules et l'ai plaqué contre le mur.

— Qui êtes-vous ? Qu'est-ce que vous voulez ?

— 0 ou 1 ? 0 ou 1 ?

— Je ne comprends pas ! Lâchez-moi !

— 0 ou 1 ? Tu as voté 0 ou 1 ?

Il a les yeux fixés sur ma face de feu. Il respire difficilement.

— J'ai voté 1… Pour l'acquittement…

— Qui je suis ? Regarde-moi bien. Tu n'as jamais vu ce visage ? Jamais ?

La pupille du jeune homme se dilate comme un anus sous l'émotion. Il ne sait absolument plus dans quelle strate de réel il se trouve, s'il est immergé dans la tour ou sorti, s'il cauchemarde, si le scénario comporte un faux retour au réel — illusion classique mais toujours terrifiante des jeux d'angoisse. Il hurle « Halte ! Stop ! » par deux fois pour sortir de l'univers mais constate que mon visage de brique est toujours là.

— Je suis… dans le réel ?

— Oui. Tu es à Subvirtue. Qui je suis ?

— Vous êtes… Capt. Vous êtes… sorti du jeu… Vous vous êtes extrait de la matrice virtuelle…

— Oui. Écoute-moi bien : le tain saigne de l'image qu'il grave… Je me clone à chaque utilisation, partout où l'on joue avec moi dans cette ville. Mon corps est mort dans le Cube mais mon âme en est sortie intacte avec un nouveau pouvoir… Je peux libérer le virtuel dans le réel, je peux désincarcérer mes images de l'imaginaire. Capt… Capt commence à proliférer…

Le jeune cadre est tout à sa terreur. Il me croit. Il est acclimaté à ces foutaises et aussi délirantes soient-elles, ma poigne féroce et surtout mon visage, ce visage vrai de Capt qu'il reconnaît, ont suffi à le faire basculer. Un éclat de rire me dévore la figure. Je ris, je me tords et recule vers la porte tandis que lui, à mesure, se glace et se délave. Il articule une nouvelle fois « Halte ! Stop ! » d'une voix éteinte et nouée, il ferme et rouvre les yeux et il finit par se signer avant que je disparaisse dans le dédale compliqué des couloirs.

— Ksa, veuillez me faire monter P, je vous prie.

— Bien, monsieur le Président.

> Laissant les préliminaires rouler sur les tractations politiciennes en cours, je le coupe avec une brutalité mesurée :

— Bien. Où en sont vos recherches sur Slift ? Aurait-il quitté le Cercle bleu ?

— Il y a de fortes probabilités qu'il soit toujours sur notre territoire. Mais nos fourmis civiles n'ont pas recueilli d'informations infirmant ou confirmant cette hypothèse…

— S'il n'était pas à bord du carcéronef qui s'est écrasé dans la zone du Dehors, comment a-t-il pu atterrir sans que vos « aériennes sentinelles » le repèrent ?

Il y a décidément une pointe d'ironie trop sensible dans ma petite inversion pour que P ne sente pas, dans l'espace que j'ouvre, exigu, à sa réponse, le froid contact de l'étau. Avec une prudence qui l'honore, il se refuse toutefois à biaiser et opte pour une certaine compacité :

— Nous l'ignorons.

Confortablement, je m'assieds sur mon fauteuil de commande et effleure la touche Play.

— Ne serait-ce pas de cette manière-ci ?

La voile rectangulaire d'une aile volante se découpe au-dessus de l'astroport, qu'elle longe, et vient se perdre dans la radzone. L'horodateur indique 8:14.

— Je ne sais où vous avez obtenu ces images, monsieur le Président, mais aucun satellite de surveillance n'est à ce jour capable d'interpoler des images aussi précises par une nuit d'orage magnétique !

— Vigital 5…

— Pourquoi ces informations ne nous sont-elles pas parve…

— Vigital 5 est encore à un stade expérimental. Mais l'aile en question était tout à fait visible du sol. Encore eût-il fallu, naturellement, songer à y placer quelques hommes…

— Les escadres étaient littéralement épuisées par les émeutes. Pko les a libérées à sept heures.

— Je sais tout cela, je sais. Je voudrais à présent vous poser une autre question : pensez-vous que Capt soit encore vivant ?

> Je pousse la porte et quatre visages se tournent vers moi en chuchotant. L'hôtesse m'accueille et me demande avec gentillesse ce qui m'est arrivé.

— Les émeutes. J'ai essayé de traverser le plasmur…

Accoudé au bar, je me retourne lentement. Une homme d'une quarantaine d'années, lourd, grosse voix, vient d'ouvrir sa grande gueule de son canapé.

— Vous savez, il n'en vaut pas la peine ! Vous auriez dû rester chez vous…

— Qui n'en vaut pas la peine ?

— Captp ! Ce fouteur de merde, ce manipulateur qui veut foutre notre système en l'air ! Il est à sa place au milieu des ordures ! Qu'on n'en parle plus !

— Vous avez voté pour son incubation ?

— Et comment, Monsieur ! Pas vous ? Ces gens-là sont des virus, il faut s'en débarrasser avant qu'ils nous contaminent tous !

J'ai posé délicatement mon verre sur le comptoir. Je me lève et j'avance vers lui. La salle, exception faite des deux hôtesses qui l'entourent et d'ailleurs le quittent, et de la barmaid, est vide. Je m'assois bien en face de lui, sur le fauteuil. Il me regarde. Je le fixe.

Les secondes passent.

Sa grande gueule est close mais il ne détourne pas les yeux. Il me dévisage avec un malaise inquiet qui s'accentue, cran après cran, jusqu'à l'appréhension. Puis vire à la peur. Il se recule et sa gorge comprime un spasme.

Il a compris qui je suis.

Il s'apprête à se lever, il est blanc, il voudrait fuir… Mais il faut qu'il passe devant moi pour sortir… Il hésite, veut articuler… Mais se tait, bloqué. Au moment où il se lève d'un bond, espérant me surprendre, et s'élance, j'ai déjà anticipé et je le tacle sans pitié. Emporté par sa vitesse et par son poids, il s'écroule dans les tabourets du bar et s'y fracture le nez. Il n'a pas le temps de se relever que je lui écrase la gorge avec mes semelles crantées. J'appuie… Des sons abstrus sortent de sa bouche. De l'autre pied, je lui broie littéralement le groin.

— N'oublie pas mon visage.

> Après un premier mouvement instinctif, P s'est ravisé. La trivialité de ma question est par trop manifeste pour ne point voiler une révélation plus grossière encore que P, qui en pressent la teneur, devine être potentiellement fatale à son portefeuille. Il anticipe habilement :

— Vos informateurs auraient-ils identifié le pilote de cette aile volante ?

— Ils ont identifié une personne de façon certaine. L'autre — puisqu'ils étaient deux — n'a laissé qu'une traînée radioactive sur le spectrographe. Ce qui l'a identifiée, pour ainsi dire, par défaut…

> J'ai à peine fait trois pas dans le cosmarché qu'un Caddie® autoroulant se présente à mes mains. Je refuse le fauteuil, choisis le pilotage manuel, baisse au minimum le volume du téléviseur intégré et entre à la voix une dizaine d'aliments. Le Caddie® calcule le trajet optimal (le plus fainéant) et débite sa litanie roublarde : « Cher client, bonjour et bienvenue au Cosmarché Gandhi. Souhaitez-vous bénéficier d'une remise de 3 % sur l'ensemble de vos achats ? C'est simple ! Ajustez sur vos yeux les lunettes Topvision qui se trouvent sous la poignée de votre Caddie® et le tour est joué ! En faisant ce simple geste, vous permettez à nos ordinateurs de suivre la trajectoire exacte de vos yeux sur nos rayons et de mesurer très précisément l'attraction de nos produits. Vous contribuez ainsi à l'amélioration constante de la qualité de nos emballages… » Petite musique sexy : « Avec Topvision, nous voyons mieux ce que vous désirez… »

Par petites impulsions, mon Caddie® me guide dans le labyrinthe circulaire du magasin. De son bras articulé, il saisit automatiquement au passage les boîtes les moins chères, les pèse et les dispose rationnellement dans le chariot. Chaque rayon abordé déclenche sur l'écran une vomissure sonore et visuelle de pub et de promos. Dans d'impeccables allées courbes, criblées de capteurs, des consommateurs, lunettes chaussées, le buste tassé sur le fauteuil dépliable de leur Caddie®, se laissent lentement rouler à travers le cosmarché. Ils pianotent des codes, écoutent les descriptifs produits, demandent les nouveautés, regardent les pubs, arbitrent, parlent à leur Caddie® et tout cela presque silencieusement, avec une concentration sage et un peu hagarde de joueur de virtue… Il y a du plaisir sur ces visages, une volupté visible à manipuler et à trancher, à élire et à exclure, quelque chose de la félicité du pouvoir — et plus étonnant encore, plus émouvant : une sensation de liberté qui émane des gestes esquissés. Personne ne regarde ni ne parle à personne — il y a les centres de rencontres pour ça, mais ce n'est pas par manque de désir, plutôt par excès de stimulus, de choix à faire, par excès de bien-être, par autosuffisance. Pareils à des voitures d'enfant, les Caddies® roulent et s'évitent langoureusement, et quoique se touchant presque, les hommes qu'ils conduisent semblent pris dans une bulle d'image-son qui les isole et les contente pour les acheminer enfin, après quelques boucles, jusqu'aux bornes de sortie où, sans même sortir leur carte et sans que le Caddie® s'arrête jamais de rouler, ils passent… et voient la facture débitée leur couler dans les mains.

Lenteur ou fatigue, je ne sais — ou plus profond, ce drôle de sentiment de revenir de l'envers du monde et d'être ici par hasard, d'y passer, d'être le passeur de l'envers du monde, qui sait sa chance et ne force plus rien, mais regarde, regarde, mieux, avec des ralentis, involontaires, qui détaillent, toujours est-il que je n'arrive plus à le penser. Quoi ? Eh bien que ces gens sont aliénés. C'est comme si je voyais ce cosmarché pour la première fois.

Je me suis arrêté dans l'allée parce que j'ai les larmes aux yeux. Cent fois je suis venu dans ce cosmarché, bouclier devant, l'œil aux aguets, démontant les pubs et éventant chaque astuce mercatique et j'en étais, sinon fier, du moins convaincu de faire acte d'homme libre... Du haut de ce combat répétitif et sans gloire, j'apercevais sans les voir les autres : les consommateurs « passifs », portés par leurs Caddies® autoroulants et je me disais « les pauvres aliénés ! ». J'éprouvais pour eux ce mélange de colère piquée de mépris parce qu'ils se laissaient faire, qu'ils n'étaient pas, comme moi, claquemurés dans la méfiance. Puis aussitôt, suivant le mouvement ordinaire de ma réflexion, je les excusais. Je les « comprenais » : la facilité ou la fatigue, le manque d'éducation à la critique, l'innocence des enfants... Alors montait la révolte, cette fois-ci contre les mercateurs, contre ces diplômés agressifs usant de leur capital culturel pour asservir des consciences inaptes à déjouer leur pouvoir intellectuel. Enfin, au bout de cette révolte, y apportant sa solution active, j'apparaissais, moi Capt, le philosophe Robin des Bois, ami des pauvres et des cerveaux manipulés, homme du peuple par goût et seigneur disposant de ses terres dans le pays Intelligence, capable donc de comprendre les manœuvres des seconds et d'aider les premiers à y échapper ! Tout finissait pour le mieux : j'avais devant moi le problème et en moi la solution. D'où découlait très évidemment la tâche de ma vie, mon but, ma partition épineuse mais enthousiasmante à jouer ! J'avais de l'amour à donner, le courage pour combattre et ce sentiment un peu puéril, mais terriblement réjouissant, d'être bon. Bon. Puisque j'allais les sortir, avec la Volte, de leur « aliénation ». Les libérer ! Magnifique, non ? J'alpague :

— Excusez-moi monsieur, vous ne vous sentez pas aliéné ?

— Aliéné ? Pourquoi ? J'ai une tête de fou ?

— Je veux dire esclave de ce cosmarché, de ces pubs, manipulé par ce Caddie® qui vous dit... Enfin, vous vous sentez libre ?

— Pas vous ? Il y a le choix, non ? Regardez les abricoings par exemple : il y en a dix variétés ! Qu'est-ce que vous voulez de plus ?

— Vous ne vous sentez pas manipulé, téléguidé ?

— Par qui ? Par les pubs ? Je ne les écoute même pas. Je suis incapable de vous citer un seul produit qui soit passé sur cet écran ! Il y en a trop ! On prend ce qu'on connaît ! Et puis avec le Caddie®, on ne se fait plus avoir puisqu'il prend le moins cher si on le lui demande, alors...

L'homme m'a demandé si j'étais incitateur pour une autre chaîne de supermarché et je l'ai remercié... Je pourrais en interroger vingt pour m'en convaincre mais l'abîme ouvert est déjà pour moi vertigineux. Accepter l'idée que ces gens soient libres et heureux, ici, n'est-ce pas reconnaître que la Volte ne sert à rien ?

— Je suppose que je n'ai plus qu'à remettre ma démission...

— Vous la remettrez en temps utile, P... Pour être très précis, dès que Cablaxie aura établi les preuves de votre culpabilité — ce qui ne devrait plus être très long désormais. Mais auparavant, je souhaiterais : premièrement, que vous intensifiiez votre pression sur tous les hôpirads ; deuxièmement, que vous orientiez vos services sur de fausses pistes afin de prévenir toute découverte intempestive.

— Je ne suis pas sûr de comprendre...

— Sous peu, le gouvernement va subir une crise de confiance dont l'impact peut nous être fatal. Captp, innocent, martyr et héros, va devenir un Intouchable. Toute surenchère répressive, même visant Slift, aurait des effets catastrophiques qui précipiteraient notre destitution. Il faut donc tenir vos services à l'écart de la vérité. S'ils capturent Slift, nous serons obligés, sauf à ridiculiser la justice, d'appliquer sa condamnation. De par votre fonction, vous êtes le fusible idéal, P, et nous vous utiliserons à ce titre, étant entendu que votre reclassement sur Cerclon III, à un poste très enviable, vous dédommagera des désagréments de l'opprobre public. Est-ce clair ?

> J'ai la cervelle trop pleine de sensations pour aborder cela avec sérénité. Je m'approche de la ligne de caisses, montre mon index, en me demandant ce qui va se passer... Comme je le craignais, le cylindre vitré se referme sur moi... Aïe... Un haut-parleur très courtois, détachant les syllabes, articule : « Nous a-vons le re-gret de vous in-for-mer que vo-tre i-den-ti-fiant n'est pas va-li-de, pour les mo-tifs sui-vants : (autre voix) vous êtes décédé. »

Une voix imparfaitement modulée, c'est-à-dire humaine, sort d'un second haut-parleur :

— Vous rencontrez un problème avec votre identité, Monsieur ?

— Oui, je suis mort !

— Pardon ?

— Je suis mort ! c'est la machine qui le dit !

— Pouvez-vous me donner votre nom, s'il vous plaît ?

— C, A, P, T, P.

— Je vérifie...

Elle ne bronche absolument pas. Le haut-parleur distille une musique...

— Effectivement, je confirme.

— Que je suis mort ?

— Oui, que le Terminor vous répertorie au titre de décédé...

— Comment est-ce possible ?

— Vous savez, Monsieur, vous êtes le trentième client de la journée à qui ça arrive ! Le Terminor a été piraté lors de l'incubation. Douze mille personnes ont été transcodées dans la base Décès !

— Alors j'ai été informatiquement « assassiné » ? C'est ça ?

— Correct. Puisque leur chef est mort, les Voltés pensent que tout le monde doit mourir, vous comprenez le raisonnement ? Enfin si l'on peut appeler ça un raisonnement... Je vous fais passer. Excusez-nous pour le dérangement et à bientôt chez nous monsieur... C-A-P-T-P !

— Prononcez Capt, c'est plus élégant !

Il y a un flottement dans le haut-parleur, des neurones qui tournent, mais le cylindre s'est ouvert et je sors rapidement avec mes courses.

— Sauf votre respect, monsieur le Président, je ne vois pas en quoi la politique de laisser-faire que vous envisagez pourra nous sauver de la débâcle ! Il faut éliminer Captp, incarcérer Slift et nier en bloc la machination !

— Rien de ce qui se décide dans l'urgence n'y survit au-delà. C'est une leçon qu'aucun des politiciens de votre génération n'a comprise. Vous êtes, et malheureusement restez, mon cher P, à l'image de la population que vous dirigez : vous réagissez aux stimuli et décidez sur des symptômes. C'est pour cette raison que vous ne durez pas. Je suis plus que las de vous remplacer tous les trois mois ! Dès qu'une décision vous paraît forcée, P, je vous donne ce conseil pour l'avenir : ne la prenez pas. Il faut parfois attendre deux, trois, quatre coups enchaînés par l'adversaire avant de pouvoir reprendre le trait. Mais lorsque vous le reprenez, vous avez la tête froide et votre coup, même infime, suffit, et fait mat. Laisser faire, comme vous dites, n'est pas un signe de passivité. C'est la marque d'une activité supérieure pour qui les mouvements de l'adversaire, pour peu qu'ils soient prévisibles — et ceux qui s'annoncent dans la Volte le sont — peuvent être infiniment plus efficaces que les siens propres. Prise à la sauvette et sans visibilité, une décision est, dans ses effets, toujours incertaine, et susceptible d'allumer des contre-feux qui l'annulent ou la renversent. Laissez le privilège du mouvement à ceux qui sont en position de le faire et, plutôt que de le rendre ou le parer, servez-vous du coup qu'on vous porte pour amorcer une prise sûre. Laissez à Captp la lumière et l'ivresse… Et puis enfin, P : on ne tue pas deux fois un innocent…

— Mais quelle est la différence avec Capturez Captp ?

— Tout est différent ! D'abord, dans Capt au Cube, vous êtes Capt ! Ensuite la combinaison : Virtuoze a conçu un bijou technologique : c'est une englobante de type scaphandre avec raréfaction d'ox, variateur thermique intégré — vous passez de 50 °C à – 20 °C en dix secondes — vent interne et générateur d'odeur. Le moteur 3 D a été accéléré et la génération des déchets a été faite à partir de photos prises par des vérificateurs. Dans la tour télé, le décor ne changeait pas : vous étiez dans la tour, un point c'est tout.

— C'est vrai.

— Ici non seulement l'espace se modifie sans cesse, mais l'humidité, le vent, la température, la qualité de l'air et surtout, surtout, les sons, parce que vous jouez dans un noir presque absolu. Honnêtement, j'ai testé plus de deux cents jeux pour Virtuoze mais je n'avais jamais eu une telle impression d'immersion, de basculement total en jouant. Vous êtes comprimé en permanence par la combinaison, ça vibre, ça bouge, ça craque, vous suez, vous suffoquez : c'est fantastique !

— Qu'est-ce qui se passe dans ce Cube ? Comment ça se déroule ? Alléchez-moi !

> L'incitatrice sourit. Elle a devant elle un client enthousiaste et elle le sent. Elle me regarde d'un air coquin, incline la tête de façon très séduisante et continue. Officiant dans les centres de rencontres, elle joue de sa confusion avec les hôtesses. Elle doit cibler un public exclusivement masculin auquel elle fait espérer — et concrétise sans doute parfois — une aventure qui facilite la vente. C'est, dans le jargon du métier, une charmeuse. Ses concurrentes diraient : une pute.

— D'emblée, vous êtes attaqué par des hybrides ! Des composés robot-rat, des tuyaux serpents et des dragons réacteurs qui vous poussent vers un puits rempli d'acide. Vous les combattez avec une lance. Il y a des squelettes partout qui craquent sous vos pas mais vous suivez cette piste d'ossements et vous parvenez dans un laboratoire, une sorte d'usine blanche où sont recyclés des corps. Des humanoïdes à la peau écaillée de pneu en sortent, avec des têtes d'extincteur ou de scie circulaire soudées à l'armature d'une combinaison de virtue. Ils marchent en colonne et se dispersent dans le Cube.

— Il faut les affronter ?

— Il faut choisir son camp ! Zorlk a survécu. Il est devenu un monstre mutant, une matrice qui enfante les Voraces…

— Qui sont les Voraces ?

— Des protoviscères qui dévorent les ordures et menacent d'absorber le Cube, puis Cerclon ! Le gouvernement ne peut les arrêter qu'avec les hybrides, qu'il fabrique en série et lance à travers la Zhext pour les donner en pâture. Mais les Voraces prolifèrent…

— Qu'est-ce qu'il faut faire ?

— Ah ! Je ne vais pas tout vous dévoiler…

— Soyez gentille !

— Capt est mené par la carotide de Zorlk jusqu'à son cerveau qui lui promet la vie sauve s'il l'aide à saboter l'usine à hybrides. Mais il ne faut pas accepter ! Il faut

prendre le contrôle de l'usine tout en donnant des gages
de fidélité à Zorlk, puis le trahir…

— Est-ce qu'il y a des immeubles entiers dans le
Cube ? Des baleines qui nagent, des aurores boréales ?

— On voit bien que vous ne connaissez pas le Cube !

> Peut-être à cause du traceur qui les obligeait à éviter
leurs amis, peut-être simplement parce qu'ils éprouvaient le besoin d'être seul, mais je les avais retrouvés
un à un, sans grande difficulté, hantant leur lieu habituel.
Oh, je n'avais même pas eu à me cacher pour les approcher, tant, chacun à leur façon, ils avaient les yeux tour-
nés vers l'intérieur d'eux-mêmes, vers un passé qu'ils
ressassaient ou un futur dont ils ne distinguaient qu'une
série indistincte et peut-être vaine de combats. Leur
tristesse n'avait rien de spectaculaire et, n'était qu'à
présent n'importe quel citoyen connaissait leur visage,
elle n'aurait pas attiré l'attention plus que ces milliers
d'êtres que l'amour laisse brisés et qu'on croise sans
soupçonner leur douleur, tous les jours et partout. Mais
pour moi, il y avait quelque chose de bouleversant dans
la manière dont Obffs, chaussures noires, pantalon noir,
chemise et lunettes noires et jusqu'au béret de combat
noir, feuilletait *Visions de Pluton*, encore et encore, en
se tournant contre le mur pour ne pas qu'on le voie
pleurer ; quelque chose de terrible dans les gestes usés
de Brihx qui promenait sa fillette sans l'écouter, sans
la voir, comme il aurait traîné un cadavre, dans la rêve-
rie torve de Kamio que j'avais aperçu en voleur par les
vitres de son atelier, assis sur un tabouret bas avec, sur
les épaules, un T-shirt qu'il avait fait de ses mains avec
des morceaux de toile arrachés à leur cadre et sur lequel
il avait écrit, en minuscules : « je le peins » et le T-shirt
était, partout autour, blanc néant… Je n'avais pas eu le
courage de chercher Boule et j'avais même craint de la
croiser par mégarde. Je l'avais espéré aussi. Tellement

hâte de la revoir, tellement de remords de la laisser deux
jours encore à sa douleur et de me promener là, tranquille, peut-être sadique aussi et honteux de mettre la
Volte, la Volte encore qui ne m'avait sauvé de rien et
coûté la vie, au-dessus de tout, d'elle, de sa bouche et de
son corps souple et chatoyant, de son intelligence des
êtres et des instants, bondissements et écarts nomades,
insaisissable fraîcheur, avec, pour les lieux ou les choses,
aucune habitude ou stagnation, étant de nature et de
goût éternellement vagabonde, avide de découvrir et
d'éprouver le neuf — et que ma mort ne pouvait, à cela,
rien changer, sauf à l'accentuer jusqu'à la folie.

D'ailleurs, tous, je regrettais de les avoir vus. À la
pulsion trop voluptueuse de voir la vérité de ce que
j'étais pour eux à travers ma mort, je n'avais pas résisté.
L'œil de Zeus. Et j'en ressortais dérouté, ému tout à la
fois par l'impact profond et lourd de ma perte en eux
et déçu en même temps, presque mélancolique de les
voir, eh bien, tout simplement, eux, vivants, capables
encore de lire, de marcher et de peindre... Capables
d'être encore quand je n'étais plus... Heureux aussi de
cela, de cette puissance de vivre qui venait à bout de
tout. Et édifié.

Pour prévenir Brihx, j'avais utilisé une clameur, placée sur un arbre. Nul besoin de faire appel à un secret,
ma propre voix, même sur dix secondes, suffisait :
« L'Antéchrist parlera Jeudi. Préparez les briques. »

> J'ai entendu la friction d'un papier sous la porte de
mon atelier. Je me suis retourné et j'ai vu la silhouette
d'un cyborx s'effacer rapidement derrière les vitres.
Mon premier et seul réflexe a été de l'interpeller mais
il a été si tardif, ce réflexe, il a cheminé si lentement que
ma voix s'est éteinte avant même de sortir de la glotte.
Mollement excité, je me suis traîné jusqu'à la porte et je
me suis baissé. J'ai ramassé l'enveloppe. Je l'ai décache-
tée grossièrement avec un doigt.

Un plan de Cerclon… Sur la radzone Est, dans le secteur dit « Le Pays », est inscrit en rouge : Kamio, Brihx,
Obffs, Slift… et Capt. Une grande flèche tirée d'un seul
trait part du Pays et se tend vers le Dehors : « Poutres,
briques, ciment magnétique, tractopelles, masques à
ox… », a-t-il été noté en marge. Interloqué, je déplie le
reste de la carte. À l'emplacement du Cube, je découvre une dernière inscription en rouge : « Coucou, le
revoilà ! » C'est l'écriture de Capt. J'en mettrais ma
main au broyeur ! Il est vivant !

Je suis resté là un long moment suspendu, debout,
frissonnant avec la carte qui tremblait dans mes mains,
à pleurer de joie sous l'emprise riante des petites lettres rouges et j'avais l'impression de les voir s'étirer, se
délier, se former à mesure dans la main vivante de Capt.
Il est encore de ce monde ! Il est encore avec nous !
Il marche en ce moment dans les rues de la ville, il est
heureux.

À ce moment précis, je l'ai vu ! Je l'ai vu m'apparaître
d'un seul coup, entièrement — une vision — il riait, il
riait et regardait des enfants jeter, du haut de leur suspensiège, des poignées de sable sur les passants.

Je suis immédiatement sorti de mon atelier et j'ai
couru jusqu'à la bibliothèque, les mains couvertes de
couleur, le cœur en ébullition, avec le sentiment d'un
miracle absolu, je ne touchais même plus le sol, je volais,
j'avais envie de remercier tout le monde, d'embrasser
toutes les femmes, de jeter les gosses en l'air comme des
feux d'artifice et je me suis mis à crier et tous les gens
me regardaient amusés, m'ont reconnu, et je m'en fou-
tais, j'ai hurlé qu'il était avec nous ! Vivant ! Vivant !

— Qu'est-ce qu'il y a, papa ? Qu'est-ce qu'il dit, monsieur l'arbre ?

> Kamio n'était plus à son atelier, si bien que j'ai foncé
à la bibliothèque en déposant ma fille chez moi. Je suis

tombé sur Obffs et Kamio à la sortie du bâtiment. À voir
leur gueule, j'ai su immédiatement qu'ils savaient !

> Tous les trois, nous avons opté pour un petit bout
de plaine dans la radzone afin de voir venir de loin toute
oreille indiscrète. Les trois traceurs clignotant au même
endroit ne pouvaient qu'entraîner le dépêchement d'un
écoutant. J'avais trouvé Obffs tellement cafardeux que
ma propre joie en avait été ternie. Il avait trouvé sur sa
table de bibliothèque un mot : « Virevolte » qu'il avait
attribué à la cruauté d'un mouchard. Son interprétation
paranoïaque avait fini par m'entamer. Mais l'enthousiasme qui brillait dans les yeux de Brihx, la vision réma-
nente que j'avais eue à l'atelier, plus les rumeurs, tout
cela avait balayé mes derniers doutes. Lors même, Obffs
demeurait dubitatif. Il cherchait la preuve :

— Il a bien dit « l'Antéchrist » ?

— Oui.

— C'est comme ça que signait Nietzsche quand il est
devenu fou.

— Et « préparez les briques », ça doit être en rapport
avec la carte. Il nous a donné à chacun une pièce du
puzzle pour que, réunis, on puisse reconstituer l'ensemble mais qu'isolés, ça reste incomplet. Non ?

— « Virevolte », vous savez ce que c'est ?

— Non.

— C'est un projet de communauté que nous avions
élaboré pour Anarkhia.

— Il va parler, ça c'est sûr. Mais où ?

— Au Pays, évidemment. Il parlera d'une dune. Et
nous, on le relayera des autres dunes. La foule sera au
milieu. Il faut se préparer pour la polyphonie !

— Bon dieu, tu as raison ! Ça fait combien de temps
qu'on n'a pas répété ?

— Depuis le lac, au moins.

La « polyphonie » était une marotte de Capt et moi

que nous avions mise en pratique sept, huit fois lors
de réunions au vaisseau. Elle consistait à faire un discours à quatre voix (Slift trouvait le procédé « prise
de plot ! ») sur un thème dont nous discutions collec-
tivement. Quelqu'un commençait une tranche de discours et les autres, soit enchaînaient, soit plaçaient des
« fusées » dans les pauses de l'autre, soit encore lui
répondaient — mais toujours en contrepoint et parfois
en empiétant. Le résultat variait du génial au cacophoni-
que mais nous nous étions toujours juré, si nous devions
un jour haranguer les Cerclonniens, de le faire en poly.

— Et après ? Qu'est-ce qui se passe ?

— Il faut profiter de la situation pour prendre le gouvernement ! Mettre Capt président !

— Apparemment, il a une autre vision. Si seulement
on pouvait le rencontrer avant qu'il parle…

— On ne pourra pas. Les flics nous empêcheront de
nous réunir. Il faut qu'il sorte et qu'il parle sur-le-champ.
Sinon, c'est foutu. Et nous, notre rôle, c'est de préparer
son arrivée, de régler la polyphonie et de colporter la
rumeur pour que l'effet d'attraction soit maximal. Qu'il
revienne comme le Messie !

— L'Antéchrist…

— Oui.

En cinq minutes, nous avions tout dit. Et en cinq
autres minutes, organisé l'essentiel, réparti les missions
et les réseaux. Puis, comme de jeunes comédiens, n'ar-
rêtant pas de rire à chaque bide, nous nous exerçâmes à
toute une série d'enchaînements polyphoniques !

Un an auparavant, une telle réunion aurait duré
une semaine. Je savourais la maturité que nous avions
acquise. Plus que sur l'expérience et le fruit de nos
erreurs, cette efficacité reposait tout entière sur un sentiment très simple mais terriblement long à conquérir :
la confiance. J'avais confiance en moi, en Obffs et en
Brihx et eux se fiaient totalement à moi. Mais surtout,

La Zone du Dehors

cette confiance, comme un filet d'or calme, s'étendait à l'ensemble de la Volte. Elle baignait l'ensemble du réseau kaléidoscopique d'artistes engagés, d'associations culturelles, de groupes d'action et d'individus solitaires que nous connaissions et sans lesquels aucune action ne pouvait prendre l'ampleur qu'elle exigeait.

Médiatisé, le mouvement s'était, de façon presque inévitable, alourdi d'une nuée de coléoptères que la lumière seule attirait et qui, plutôt qu'aux exigences de l'action, préféraient s'adonner à la spéculation sur les signes extérieurs de révolte : provocation, fausse fureur et clinquantes clameurs du style « j'encule l'alphabet ! » dont un couturier avait fait le nom générique d'une ligne de parnox. Pour autant, les « vrais » Voltés n'avaient pas voulu surenchérir dans la distinction et ne tiraient de ces plagiats aucune amertume, y étant, par l'histoire du XXIᵉ siècle, que trop habitués. « Nous les vrais Voltés » ? Il n'y avait pas de « vrais » Voltés, il n'y avait que des gens qui voulaient libérer la vie partout où elle se trouvait bloquée et d'autres qui se contentaient de reproduire et d'ânonner.

> Au cours de la journée du jeudi, la rumeur s'était propagée comme un souffle : il avait survécu. Il marchait quelque part dans Cerclon. Une caissière l'avait fait passer au cosmarché du secteur 5. Il avait déclenché une bagarre dans un centre. Il se serait extrait d'une matrice virtuelle à Subvirtue. Il aurait été aperçu à la sortie du Parc bleu, dans une avenue du secteur 4, sur un glisseur, dans une tour panoptique. On l'avait vu jouer au football avec des enfants sur l'antirade. Discutant avec un clochard. Interpellant un groupe de Voltés qui bloquait une avenue. Interrompant une minute de silence. En quelques heures, la police avait itéré un nombre si impressionnant de démentis que l'espoir, fou, qui m'avait soulevé la poitrine à cette annonce — avant de

monter et refluer au gré d'une marée épuisante s'enflant
au fil des heures — avait fini par prendre possession de
tous mes organes. Complètement déboussolée, écoutant
télé et radio à la fois, sur le réseau pianotant, appelant
tous mes amis en même temps, les mettant en attente,
bouleversée, tournant, fumant, priant, j'étais finalement
descendue dans la rue, laissant mon appartement à son
tohu-bohu de mouchoirs trempés et de chevauchée
wagnérienne, totalement électrisée, à courir sans but
en tapant sur les épaules des hommes, les retournant,
croyant à chaque instant le reconnaître, mais non, pas
lui, vous n'auriez pas vu ?...

Partout où j'entrais, on ne parlait que de ça. La ville
entière bruissait de la rumeur. Elle se répandait sans
effort de quartier en quartier et il me semblait, dans
ma course effrénée, que les avenues et les tours de
verre se teintaient à la vitesse d'un décor recolorisé par
palette graphique. Pourpre et feu. La même mélopée
sous-tendait toutes les discussions et finissait par tinter
aux oreilles des plus obtus, lesquels, d'un haussement
d'épaule amusé, disaient maintenant, à l'entrée des
bars :

— Ce n'est pas impossible, après tout.

— De toute façon, si c'est vrai, la police va l'arrêter...

— Ils n'ont plus le droit, mon gars ! S'il sort du
Cube vivant, il redevient un citoyen libre. C'est dans la
Constitution !

— Tu plaisantes ?! Alors ça veut dire qu'il peut refou-
tre sa merde où il veut quand il veut, c'est ça ? Et les
flics ne pourront que se croiser les bras ?!

— Tu as tout compris.

— Et on appelle ça une démocratie !?

Vers 17 heures, après deux heures passées à errer de
rue en rue et de bar en centre de rencontres, au-devant
des nouvelles, j'ai eu un profond moment d'abattement.
Le sentiment d'une vaste et cruelle plaisanterie. La

rumeur se dissipait comme une buée matinale sur une vitre. Les gens me reconnaissaient et détournaient les yeux, certains par gêne, d'autres par franche hostilité. Ceux qui me répondaient au comptoir étaient adorables mais je ne sentais que trop qu'ils n'y croyaient pas, ou plus. Je suis ressortie d'un énième bar, décidée à rentrer chez moi, et c'est là que je les ai vus… Des grappes de jeunes parlant vite et nerveusement défilaient sur le trottoir d'en face. Ils avaient l'attitude de gens se précipitant pour aller voir un incendie et je leur emboîtai instinctivement le pas…

— Il a été repéré sur le boulevard Bentham. Tout le monde le suit, il y a des kilomètres de gens derrière lui, c'est Jésus, c'est la folie !

> Lorsque j'avais débouché sur le carrefour du Centaure et que j'étais tombé sur ce déploiement silencieux de drapeaux noirs, avec ces Voltés assis en cercle pour bloquer toute circulation et les conducteurs sommés de la boucler et de respecter le deuil, je n'avais été, pendant un moment, plus du tout sûr d'être Capt. Il y en avait un deuxième, que créaient ces gens, et qui était tout aussi réel que moi. Il me doublait. Il voulait me remplacer pour être tout à fait le seul. Il m'a fallu quelques minutes pour chasser le frimas mortuaire qui commençait à m'engourdir — c'est la colère qui m'a réveillé.

En un sens, j'étais heureux d'être encore de ce côté-ci du cosmos pour saisir à quel point le respect des morts était une vaste foutaise qui insultait le cadavre. Je me sentais sali par ce rituel ininventif qui sentait la poussière d'église. C'était ça mon héritage ?! J'avais laissé derrière moi ces idées de tête basse et de gueules qui la ferment ? Mon sang n'a fait qu'un tour et je me suis avancé effrontément au centre de la place. Nez dans leurs godasses, aucun communiant n'a vraiment fait attention à moi. J'en ai profité pour atteindre le socle de la sculpture. En quelques secondes, je me suis retrouvé assis tel un vieux guerrier grec sur la croupe de bronze du Centaure, surplombant la foule pleurnicheuse, l'horizon ouvert sur l'enfilade de véhicules s'étoilant de la place. La minute de silence devait bien en faire dix ! J'ai réfléchi à toute vitesse : j'ai senti que j'en étais capable.

Il me fallait couper le silence.

Au moment où le son sortait de mon ventre, j'ai su que tout ce que j'allais dire et faire à partir de cet instant resterait à jamais gravé dans l'esprit de cette ville. Et que la volution y était suspendue. J'avais cru hier être délivré d'être et d'incarner, et au fond de moi-même, je l'étais. Je n'avais plus peur d'exister — et d'avancer par bonds sauvages. Mais je sentis aussi, sans pouvoir du tout le réaliser à ce moment-là (et m'empêchant même de le réaliser pour n'en être pas écrasé), à quel point mon destin public se jouait ici, aujourd'hui, sur cette place et sous cette lueur parme que le soleil laissait sur les pierres cet après-midi-là. J'allais surgir de ma tombe et personne ici, personne encore ne le savait ! C'était vertigineux.

— Connaissez-vous l'histoire de l'homme qui arrive en retard à son propre enterrement ?

Ma voix s'est abattue telle une masse sur le silence cimenté de la place. Simultanément, une forêt de têtes s'est tournée vers moi et je me suis senti très mal. Il y a dans ces visages toute la gamme des sentiments hostiles, de la consternation à la colère. Je n'ai pourtant pas encore été assez loin pour que l'un d'entre eux sorte de son mutisme et participe à son tour à la ruine du silence…

— Il s'excuse auprès des proches assemblés autour du cercueil, se fait tant bien que mal une place et il écoute poliment le sermon du curé… Commence alors la minute de silence… L'homme hésite, n'ose pas, puis finalement se décide à intervenir. Le curé réagit immédiatement et dit…

— Ce serait trop vous demander de respecter la mémoire d'un mort ! Taisez-vous donc !

— C'est précisément ce que dit le curé… Alors l'homme se…

— Ce n'est pas fini, vos conneries ! Fermez votre gueule !

— Personne ne vous oblige à respecter le mort, monsieur ! Mais respectez au moins ceux qui communient en sa mémoire !

— Incroyable ! Quel mépris !

— L'homme se place devant son cercueil et dit à l'assemblée médusée : « Je suis désolé, chers parents et amis, mais je suis toujours de ce monde et vous prie de m'excuser d'interrompre ainsi une si gracieuse cérémonie »…

— Il continue !

La foule placée sur la dalle du rond-point essaie en vain de m'oublier. Son agacement va croissant… Je crois bien que je vais me faire casser la tête…

— Les visages se tournent, s'irritent et s'étonnent. Le curé ne veut rien savoir. Mais il faut bien admettre que la ressemblance entre l'homme et le défunt est frappante. Pour en avoir le cœur net, on se décide finalement à déclouer le cercueil et on l'ouvre…

— Et toi, mon gars, tu vas la fermer, j'te l'promets !

— Le cercueil, à la grande surprise de l'homme, n'est pas vide : il est occupé par un corps. Mais ce corps est… celui du curé ! qui crie d'abord au diable ! Le curé ne se démonte cependant pas : il enlève sur-le-champ son cadavre de la boîte et il saisit notre homme pour le mettre à sa place. Et toute la famille de l'aider à reclouer le cercueil ! Notre homme crie, hurle, mais bientôt l'épaisseur de terre est suffisante pour qu'on ne l'entende plus — et tout rentre dans l'ordre. La minute de silence peut recommencer…

Je ne suis pas sûr que tout le monde ait suivi mon histoire mais l'attitude des gens a sensiblement changé.

Le groupe de Voltés qui voulait me lyncher s'est agglu-
tiné au pied du centaure et me regarde maintenant avec
circonspection. Autour de ce premier cercle, la foule,
par curiosité ou pressentiment, a afflué. Des grappes et des grappes de gens convergent à leur tour des
avenues...

— Dis donc, là-haut, tu te prends pour qui au juste ?
Pour le Prophète ?

— Qui t'envoie ? Qui ? Réponds ou on te fait descendre du cheval cul par-dessus tête ! Qui es-tu ?

— Je suis celui dont vous saluez la mémoire...

— C'est-à-dire ?

— Je suis... Capt.

Un tonnerre de rire roule sur le premier cercle cependant qu'au second, qui bénéficie d'un meilleur angle,
c'est, presque instantanément, le saisissement...

— Bon, on a assez rigolé, on va venir t'apprendre le
respect !

— Ne le touchez pas ! C'est lui !

— C'est Capt ! Regardez-le, regardez son visage !
Vous ne le reconnaissez pas ?

Mais le cerbère s'est déjà agrippé à une patte du
Centaure. Il essaie de me tirer par le pied. Je me penche
vers lui. Je lui tends tranquillement la main :

— Vas-y. Vas-y, je te dis ! Fais-moi tomber !

L'homme, qui doit avoir la trentaine, a levé les yeux sur
mon visage. En un éclair, on dirait qu'il vient de croiser
sa grand-mère morte il y a dix ans. Il reste tétanisé, incapable de me lâcher des yeux, puis son visage se métamorphose successivement de la sidération à la révélation, de
la révélation à la joie, et de la joie à la parole :

— C'est... Lui ! C'est Capt ! C'est Capt ! Il est ressuscité parmi nous ! Capt est vivant !

Son hystérique hurlement a fait accourir des gens de
partout, et partout le choc frappe les visages. Un étage-
ment fantastique d'émotions nues se fait jour et me bou-

leverse. Des gens se mettent à pleurer, à hurler, à parler tout seul, se prennent le visage, restent figés, dansent, c'est un mélange indescriptible de stupeur et de jubilation, d'incrédulité et d'extase, « C'est pas possible ! C'est pas possible ! », il y a même des gens qui se jettent au pied du cheval pour se signer…

Je me sens complètement désemparé, incapable de rien dire et je souris benoîtement. J'ai presque peur. Il faut maintenant que j'amène tous ces gens au « Pays » pour leur parler. Des dizaines de voix m'interpellent, me pressent de questions, il faut que je dise quelque chose, n'importe quoi… C'est effectivement du n'importe quoi… Badaboum !

— Voltés, aujourd'hui la volution est en marche ! Et vous êtes la volution ! Là où nous allons, seuls les braves pourront suivre ! Mais vous êtes braves, et vous êtes prêts ! Alors suivez-moi !

Dans un geste absolument ridicule, j'ai donné deux coups de talon dans les flancs du centaure (« bling ! ») et fait mine de faire volter la bête dans la direction de la radzone… Le centaure n'a pas bougé. Peu importe, la foule a rugi sous ma harangue et un hymne à quatre tons, scandant mon nom, a éclaté sur l'esplanade !

Je me résous à descendre du Centaure et je retrouve avec bonheur des têtes bien connues qui se jettent dans mes bras. Très vite, je leur explique où on va et leur donne les consignes : drainer toute la ville derrière nous, dégager flics et médias qui voudraient nous escorter et me laisser seul devant.

À la vitesse et à la violence avec laquelle mes ordres se répercutent dans le cortège, je comprends que l'instant est pour tous historique et qu'en une apparition, je suis devenu un authentique dieu vivant. Une escorte de quarante hommes verrouille la pointe de la flèche dont je suis le tranchant. La fierté avec laquelle ils me regardent et me protègent m'a fait monter l'orgueillomètre à 200. Je ne me suis jamais senti aussi fort de ma vie — plein comme un baril de fierté, prêt à exploser. Lorsqu'ils m'ont demandé comment j'ai survécu au Cube, j'ai répondu : « Grâce à Zorlk. » Puis je n'ai plus répondu à aucune question, laissant le mythe se construire tout seul et grandir, jusqu'à la démesure. Ce que ces gens éprouvent pour moi dépasse le respect, dépasse l'admiration. Il y a une indescriptible solennité dans la façon dont ils me parlent et se taisent. Cela touche à la vénération. Je suis devenu un être sacré.

Dès que les bataillons de flics, les caméras et les journalistes sont apparus sur les abords du cortège, ils ont été littéralement submergés par la vague de fureur qui a déferlé sur eux. Les camions ont été renversés sous la marée humaine, fracassés à mains nues et enflammés. Je ne pense pas qu'un seul reporter ait pu en réchapper. La meute derrière moi résonne de coups, de cris et de bris. Le feu crépite en colonnes noires sur toute la longueur du défilé. Je l'ai appris à l'instant, Cablaxie a apporté cet après-midi la preuve de mon innocence ! Et maintenant, c'est la revanche, terrible, sans pitié, la révolte viscères au poing ! La foule s'est métamorphosée en une horde sauvage que rien ni personne ne peut désormais arrêter. Derrière moi, je sens comme la traîne immense d'une capeline de roi qui serait faite d'hommes et de chair vibrante. Dégagez le barrage devant ! Brûlez ce bus ! Je veux que ce putain d'hélico crashe sa gueule sur le bitume ! Je bous d'un véritable feu intérieur, cible et source du chaos, bloc d'uranium bombardé par des particules N à haute énergie, irradié, que je répercute, pour précipiter la réaction en chaîne. Il y a entre la foule et moi un cercle intime et terrible qui à chaque tour de cyclotron intensifie la fusion tout en boostant au-dehors les fissions. Toute la puissance libérée converge sur moi et moi je la relance en ordre, en cri de Dieu, aussitôt obéi et agi, tout passe, tout se casse devant nous, et la température grimpe, la fusion dégage toujours plus d'énergie, d'identification et de fièvre…

Juste avant de monter par la butte de l'antirade, nous sommes tombés sur un barrage massif à triple rideau de barricades et de bus, avec des optireurs placés en tête d'immeubles et l'escadre 7 dans des niches de tir au sol. Le bout de la route ? J'ai juste articulé : « En avant ! » Le peuple n'a même pas marqué une seconde d'arrêt… Il a continué à avancer tout droit, debout, comme un seul homme alors que les balles paralysantes commençaient à crépiter et les corps à tomber par dizaines sur le bitume… Mais on a avancé encore et toujours, sans fléchir, sans chercher à se protéger et le barrage a littéralement volé en éclats. L'escadre 7 a été massacrée sur place, les crânes cabossés sous le casque à coups de pavés. L'hélico que j'avais désigné a été touché au lance-câble. Ce qui s'est passé après est à peine concevable : une centaine d'hommes se sont arc-boutés sur le câble, tandis que l'hélico tentait une embardée désespérée. Et ils ont tiré, mètre par mètre, à la force des bras l'hélico vers le sol — finissant par le faire se poser et l'achevant à la barre de fer…

Après le déchaînement du barrage et après avoir grimpé la butte de l'antirade, le cortège, fatigué ou repu, est redevenu plus calme et plus digne. Nous continuons à présent notre progression en suivant la crête de l'antirade. Les coptères nous survolent désormais de très haut.

C'est alors qu'au bout de l'allée désertée, en plein sur notre trajectoire, est apparue une jeune femme, et j'ai commencé par dire :

— Qui c'est cette dingue ?

Cette dingue est Boule de Chat. J'ai chancelé sous le choc. Une torche de douceur flamboyant sur le pavé. Elle n'est maintenant plus qu'à une centaine de mètres, absolument seule, et sublime, et droite sur la jetée impeccable.

> Je ne le vis pas tout de suite. Je ne voulus pas le reconnaître. Il était à la tête d'une marée humaine qu'il halait comme une lune et son visage me paraissait bien dur et si vilainement blessé... Mais c'était lui... Lui quand même...

> Un frisson de surprise excitée s'est propagé dans mon sillage comme un prolongement somptueux de mon propre frisson. J'ai continué à avancer vers elle, trois photographes giclant sur mon passage, incapables de comprendre que je perdais à chaque pas des éclats de mon marbre pour devenir homme et qu'il n'y avait pas de photo possible de cela. Elle se tenait comme toujours au milieu des choses, fondue, partie prenante et oscillante des morceaux du cosmos en elle apprivoisés et rendus proches. Et moi qui étais toujours à côté des choses, contre ou face à, butant et luttant, je devenais grâce à elle un peu de l'allée bleue qui me portait. Ma statue en marche retrouvait quelque chose du bronze en fusion trop tôt figé. Je changeais de forme à mesure, j'embarquais des morceaux de paysage avec moi — me dissolvais avec les rafales, je devenais à nouveau ours, enfantin, relié, grâce à elle...

> Il a commencé à sourire et la horde s'est évaporée derrière lui. Je l'aimais. Tout cru, immensément. Il ne mourrait jamais. Il ne pouvait pas mourir.

> Boule de Chat, cette façon de se lover... Chat-Ourse en blottissement...

Ses lèvres ont avalé l'armure. Derrière nous, le cosmos tout entier tournait dans une limpide farandole. Le vent a retenu son souffle. Un silence miraculeux et inespéré s'est fait dans mes troupes de combat. C'était comme si l'autre moitié du monde — celle où l'amour ou quelque chose de bizarre et de bien lointain comme ça avait droit d'existence — était soudain réapparue par la présence alcyonienne de Boule. Les cœurs s'étaient mis à battre plus doucement.

Lorsque nous nous sommes retournés, la foule a clamé un phénoménal « Hip ! Hip ! Hip ! Hourrrrrrrra ! » avant d'entonner dans la foulée l'hymne de la Volte.

Portés par l'enthousiasme populaire, nous avons dévalé d'une traite les pentes de l'antirade pour entrer en triomphateurs sur les terres amies de la radzone. Arrivés en vue des dunes orangées du Pays, Brihx, Obffs, Kamio et Slift sont venus à notre rencontre, accueillis par une prodigieuse clameur qui les guérit aussitôt de la nostalgie de n'avoir pu être de l'émeute.

> La foule s'étire de l'antirade jusqu'à Capt, sur plus de trois kilomètres, en une masse compacte et gonflée à bloc d'hommes et de femmes de tout âge qu'on sent prêts à tout. Magistral et terrifiant à la fois. La sonorisation est prête, tout est prêt.

> Il y a là sept cent mille personne, à la louche — 10 % de Cerclon. Les autres sont terrassés par la peur, chez eux, à regarder les images qu'on leur donne en pâture. Le tri s'est fait de lui-même. La plupart de ces gens n'ont jamais milité de leur vie. Pourtant, ils sont venus. Ce que je vais dire, j'espère qu'ils le comprendront. Calme man, calme…

> Poutres, tôles et sacs de ciment sont en place. J'arrive pas à croire qu'on va pouvoir les convaincre d'habiter là-bas, dans le Dehors… Il y a un foutu vent aujourd'hui. On risque tous d'y passer. Pourtant, c'est maintenant ou jamais. Ceux qui ont des mômes en bas âge vont hésiter à sauter le pas…

> Ils ont crashé un copter au câble ! J'aurais voulu voir ça ! À la poigne ! Faut que Captos parle et qu'il aille direct à l'hôpirad — il est carbonisé. Me sens tout drôle. On touche au but et j'ai presque les boules… J'aurais trop triqué de défoncer ce barrage avec eux ! Est-ce qu'on va pas s'faire chier tout seuls posés dans la plaine avec nos cabanes à trois sous et nos chiards ? Sans costumé à fracasser ?

> Ensemble, nous nous sommes retirés un moment pour ajuster nos violons et se rappeler les gestes. Main droite levée : je te prends la parole ; le poing levé : laisse-moi placer une fusée. Et pour l'orateur, les deux mains sur le micro : me coupez pas les gars ! Slift a accepté d'être de la polyphonie. Le trac le dispute à la surexcitation qui tend nos visages.

J'ai donné le signal et nous sommes tous les cinq montés au sommet orangé de nos dunes. Boule a voulu rester avec moi. Ébauchant un pentagone assez compact, nos cinq dunes se répondent en un système de tours génoises. Je me suis tourné pour les regarder tour à tour et ils m'ont tous fait sentir, par leurs mimiques, à quel point ils sont là, avec moi, soudés ensemble. Les cinq doigts.

De là où je me tiens, je domine tout le Pays jusqu'à l'anneau et j'aperçois même au-delà la plaine du Dehors qui rougeoie. La gigantesque foule s'est répartie dans le désert et déborde en une vaste flaque sur toute la radzone Est. De partout parvient la même clameur, unique et entêtante : « Capt président ! Capt président ! » Boule me regarde. Elle a senti mon désarroi et me glisse :

— Parle d'une traite sans t'arrêter. Ne fais pas un discours de circonstance. Dis ce que tu crois au fond de toi, au plus profond. Ne parle pas à ce qu'ils croient vouloir, parle à ce qu'ils veulent vraiment. Et ils veulent comme toi : être libres et mener leur propre vie.

— Oui, oui, d'accord…

Je n'ai pas bien compris ce qu'elle m'a dit et d'ailleurs je n'ai pas écouté parce que je suis tétanisé. Je balaie du regard la foule à mes pieds puis je remonte et lentement pivote sur mon axe en vue d'embrasser toute l'étendue noire de monde. 700 000 personnes… Comment parler à 700 000 personnes à la fois ? Comment prétendre parler en leur nom ? En une seconde, je comprends l'absurdité de toute politique… Il aurait fallu que chacun, chaque point noir que je discernais dans la masse

brownienne qui scande mon nom puisse disposer de sa
petite dune et parler. Il aurait fallu un immense désert
de 700 000 dunes et 700 000 micros et 70 millions de
haut-parleurs disséminés dans le sable — et que tout le
monde parle en même temps — et que tout le monde
s'écoute… Par une longue habitude « démocratique »
(religieuse), ces gens attendent de moi que je dise tout
haut la vérité muette de chacun et de tous. Mais je ne la
connais pas, bordel de Zeus ! Pas du tout !

J'empoigne le micro et les clameurs cessent presque
aussitôt. On n'entend plus que le frottement des pas
dans le sable. Ma voix s'est élevée par vagues :

— Vous voudriez sans doute que j'aligne quelques
phrases — et je vais en aligner, qui, à ce qui se passe ici et
maintenant, en vous, entre nous et hors de vous, donnent
valeur et sens. Certains ici attendent un mot d'ordre — ou
de désordre — qui leur dise quoi faire. D'autres espèrent
un message, une lumière, une bonne blague ou un sermon. N'importe quoi, pourvu que ce soit appropriable,
qu'on puisse s'y identifier et que ça se laisse répéter sans
effort. Mais je crois que vous méritez mieux !

(Aie, aïe, aïe, ça commence bien… J'ai douché tout le
monde !)

« On se doutait que notre gouvernement triche. On
a… (Merde, Obffs a levé le poing sans que je le voie !
Puis Kamio derrière !)

— On a vu qu'il tue !

— On sait maintenant qu'il ment…

— Alors vous vous dites, ce petit gars-là, qui parle
bien, qui a dirigé la Volte (fusées de Kamio, Brihx, Obffs
et Slift en rafale !)

— Qui est philosophe et humaniste, il s'est toujours
battu pour nous !

— Il a risqué sa peau pour nous !

— Il nous a toujours dit la vérité, il est droit et il est
bon…

— Et il a survécu au Cube ! Si ce gars-là, on le fout président, tout changera : ses costumés seront des Voltés...

— Et aussi les hauts-fonctionnaires !

— Et les bureaucrates aussi, les amis !

— Tous, des Voltés...

— Nos intérêts seront donc représentés ! Vous nous faites confiance pour cela...

— Eh bien, vous avez tort !

Le silence s'est encore épaissi. Il faut enfoncer le clou :

— Je ne suis pas votre chef. Votre seul chef, c'est vous ! Je ne veux pas être votre président ! (Remous, mécontentements dans la foule.) Et je vais vous dire pourquoi. Il y a ici un citoyen de Cerclon sur dix. Les neuf autres sont digicodés chez eux. Ils nous regardent sur leur écran, à travers la nuée d'hélicoptères que vous entendez bourdonner au-dessus de nous...

— Ils ont peur...

— Ils ont un peu froid...

— Ils montent le chauffage...

— Si nous dirigeons Cerclon, c'est à ces gens-là qu'il va falloir commander... On peut leur imposer des lois bien sûr, on peut leur couper le chauffage et démonter les digicodes. On ne les empêchera pas d'avoir peur. Et que ce soit leur peur à eux qui finisse par devenir notre politique. Ce n'est pas que le pouvoir corrompt, qu'il grise...

— Il corrompt et il grise...

— C'est plutôt qu'il ne peut s'exercer sans obéir. Obéir à qui ? vous allez me dire, puisque nous gouvernerons !

— Obéir aux culs plombés qui ronquent partout !

— À ceux qui ne font rien, qui bougent peu, ne parlent guère et ne pensent pas ! Mais pèsent...

— À ceux pour qui la plus belle journée de demain est celle qui ressemble à celle d'hier !

— La démocratie est une médiocratie…

— Relayée par la médiacratie…

— Et vous voudriez que nous devenions les bergers de ce troupeau-là ?

Un « noooon ! » tonnant en coup de tambour sur l'étendue du désert a ponctué la question d'Obffs. Ils sont enfin réveillés ! J'ai récupéré le boomerang et je serre le micro à deux mains :

— Ce que je veux, ce que nous voulons, ce n'est pas le pouvoir : c'est la puissance ! Dans chacun des radieux qui vit ici, sur ces terres, dans chaque étudiant marqué au fer rouge du savoir, cultivé et labouré, dans chaque cal de la main d'un métallo, dans chaque œil qui contrôle, dans chaque sein d'hôtesse et jusqu'au fond des corps usés et comprimés par le stress du Clastre et le vérin d'une architecture qui nous serre, il y a encore cette puissance ! Encore cette flamme têtue qui brille et fait son feu des pires conditions ! C'est la puissance de désirer ce qu'on subit et de rendre intense ce qui est sans vie ! C'est la puissance de jouir des mêmes parties du cerveau, utilisées et exploitées à l'exclusion totale des autres, et presque insensibilisées, des mêmes parties du corps, sourire, toujours sourire ! C'est la puissance étrange et vertigineuse de prendre plaisir à se soumettre, à sentir sa personnalité qui part en tranches notées, lissées, gaussées, qui se délite et devient poudre pour retourner à l'anonymat grandiose de la rue et du cosmarché où, à nouveau, on décide et coupe et tranche — libre enfin et si paradoxalement. Vous n'êtes pas là à m'écouter parce que vous souffrez. Vous n'avez pas renversé tous ces barrages et bousculé vos vies pour prendre le pouvoir. Le pouvoir est une farce ! Ce n'est que du désir crispé qui tétanise ! Vous êtes là parce que vous sentez qu'en vous quelque chose veut sortir. Quelque chose auquel vous devez faire passage, vous le savez, donner enfin ampleur, temps et libre cours… Quelque chose qui, par-delà la jouissance

puérile de répéter le même, de dupliquer vos journées
bien nettes, déborde… pisse de partout… et veut l'autre,
veut que ça diffère, bifurque, que ça fuie comme un fût
d'ox percé…

— Quelque chose que personne ne possède…

— Qui ne peut donc ni se conquérir, ni se donner…

— Qu'on ne peut pas vous prendre ou vous rendre…

— Mais que pourtant vous avez…

> Le couplet est parti comme ça, réminiscence…
Kamio a levé le poing, j'ai suivi serré et Brihx a conclu…
On s'en souvient tous ! Je ne sais pas combien de nuits
nous avons joué à ça dans l'atelier de Kamio, à improviser des discours — on rêvait de foules énormes ! —, l'un
commençait, l'autre enchaînait et on notait sur un tableau
les tirades les plus flamboyantes — c'était devenu à la
longue un jeu, un pur délire sans espoir qu'il serve — et ce
soir, voilà : c'est arrivé ! Tout ça remonte à la conscience
par salves… Nous retrouvons nos automatismes…

Le second couplet, dédoublé par l'écho, a fusé dans la
foulée :

— L'homme est un robot pensant qui ne sait plus
plier,

— Une machine qui ne désire que ce qu'elle a désiré,

— Vive la Volte qui met du sang dans l'huile !

— Qui rouille nos moteurs pour mieux…

Brihx a bloqué sur sa phrase — le trou ! La foule se
marre…

Capt va reprendre quand Kamio, fulguramment, lève
la main droite et serre des deux mains son micro :

— Ce matin, le réveil a sonné et votre homme endormi
se tenait près de vous. Vous l'avez caressé et vous aviez
envie qu'il vous fasse l'amour. Il le voulait aussi. Mais
c'était l'heure pour vous. Vous vous êtes donc levée et
au lieu de jouir avec lui, vous avez joui de cette coupure
sèche du sol froid et du devoir respecté. Vous avez pré-

féré le pouvoir à la puissance. Mais ce soir, quelque chose pousse. Quelque chose s'est levé en vous et a subverti l'ordre du corps. Vous pouvez le refouler, comme toujours. Ou mieux : l'épancher un ou deux soirs et le tenir en laisse le reste de vos jours. Vous pouvez. Vous l'avez fait. Vous n'avez même fait que ça : agir en responsable, rester sérieux… Jusqu'à maintenant. Ce quelque chose, ça peut être aussi infime que l'envie de se promener à la fraîche alors que le soir tombe et qu'il faut rentrer. Ça peut être le désir d'un homme, d'une femme ou de plusieurs femmes. Ça peut être cette envie de tout lâcher, sans raison, au beau milieu d'une journée de travail comme les autres. De faire une sieste au milieu du Parc bleu. De revenir sur Terre. De partir pour Pluton. De faire une fête démente et incontrôlable avec des inconnus… C'est toujours, quand ça monte, violent et doux à la fois, infime. Une simple déchirure dans le tissu peigné de l'existence. Une simple craquelure. Mais c'est par là que le désir passe. Qu'il vous dit qui vous êtes et où aller. Que ça paraît éphémère et volatil, quand ça vient ! Comme ça passe vite, comme ça n'a l'air de rien, d'une lubie comme on dit ! C'est pourtant la puissance qui, toujours intempestive, à ce moment-là, passe… et qu'il faut saisir !

> La foule, c'était fantastique, la foule m'est apparue à ce moment-là comme une vague d'un seul tenant qui épousait le mouvement de ma voix. La sonorisation de la radzone fonctionne au-delà de toute espérance. Ça réagit sur plusieurs kilomètres ! Obffs vient d'enchaîner sur mon signal… Sa voix irrégulière danse sur le crépitement des mains jointes pour applaudir… Il va attaquer le Discours du Combat, cœur de doctrine de la Volte, un classique qui exige une voix de contrepoint : eh bien, oui, la mienne !

— C'est un fabuleux combat que je voudrais vous présenter ce soir ! Un match que vous pouvez suivre entre Bob Volte et John Norme et leur équipe !

— Il a lieu où, ce match ?

— EN VOUS ! DANS VOTRE ARÈNE DE PEAU !

— D'un côté, les forces de l'ordre, les contrôleurs de vie, les juges et les clastreurs…

— Ceux qui structurent, quadrillent, confortent, organisent et centralisent.

— De l'autre les puissances du chaos et du Dehors…

— Qui subvertissent ce que les autres ordonnent…

— Qui accroissent les écarts que les autres corrigent…

— Et deviennent autres quand les autres restent ce qu'ils sont.

— John Norme et son équipe aiment les fauteuils, les hiérarchies stables, les identités claires, le déjà-vu et le déjà-fait, ce qui est su et sûr — et qu'un chat reste un chat !

— Bob Volte préfère inventer que répéter, et le sang qui circule aux os qui charpentent. Il aime l'incertain et l'inconnu. Il est dangereux pour les autres et pour lui-même. Il change — et change ce qu'il a changé — toujours ! Il aime qu'un chat soit aussi chatte et femme et fauve et qu'on ne sache plus à la fin ce qu'il est !

— Bob et John ne s'aiment pas beaucoup, bien sûr, ils s'entendent mal, et parfois pas du tout.

— Et pourtant ils sont frères ! Frères de sang !

— Cet après-midi, les deux frères se sont affrontés et l'équipe de Bob Volte, pour une fois, a mis sa trempe à John ! (« Ouuuaaiiis ! », confirme la foule)

— Alors vous vous dites : ça y est, on a gagné ! John est mort et enterré ! Vive Bob ! Mais pendant que vous gueuliez ça, John et son équipe ont ressuscité. Ou plutôt, ils n'ont fait que se replier dans une place forte d'où il sera maintenant difficile de les déloger… Car ils se sont repliés… (Fusée de Slift !)

— Où donc ?

— EN VOUS ! Cet après-midi, vous avez chassé

les flics, oui ! Mais ce soir commence un nouveau combat, plus intime et plus difficile, contre le flic qui est en vous !

— Vous le connaissez bien, ce flic. C'est lui qui vous fait lever tous les jours, qui vous met la cravate et qui vous fait coucher de bonne heure... Il ne connaît que deux mots, mais il vous les a si souvent répétés que vous avez fini par croire que c'étaient ceux de votre conscience, ceux du Moi, bref les vôtres : « Tu dois ! » Tu dois te coucher !

— Mais les enfants en vous lui répondent simplement : « Je veux ! » Qui va l'emporter ? Les enfants savent que le flic a toujours gagné jusqu'ici, qu'il a l'habitude, la peur, la paresse, les parents, la matraque...

— Et la raison...

— ... de son côté ! Les enfants n'ont aucun pouvoir, mais ils ont la puissance ! Ils savent qu'ils ne gagneront pas seuls. Ils savent qu'ils vont rester debout ce soir, dans la nuit et dans le désert, avec toutes les autres bandes d'enfants qui se sont levés dans tous les corps de tous les adultes qui sont là, que vous êtes et qui m'écoutez. « Nous voulons vivre ! » disent les enfants. Mais qui osera tuer John Norme ?

> L'assistance a frissonné tout le long de mon discours avant d'exploser dans un vacarme d'applaudissements et de cris. Capt a levé la main. Il attaque aussitôt :

— Savez-vous pourquoi les volutions n'aboutissent jamais ? Parce que chaque Volté répète sur ses propres groupuscules de désirs ce que le pouvoir fait des citoyens : le pouvoir pompe la plus-value vitale des corps et il la recycle pour en faire du ciment social ! Alors cessez de vous penser comme un petit État unifié dont votre conscience serait président ! Décentralisez vos émotions ! Laissez vos groupuscules de désirs prendre les armes et la parole ! Laissez-les filer ! Cerclonniens, encore un effort si vous voulez être volutionnaires !

Coupez l'autocensure, les rétrocontrôles, la fausse maîtrise ! Crevez votre sac à conscience et descendez un
cran plus profond, sous l'individu que vous croyez être,
jusqu'aux mouvements qui vous font ! Et vous n'y per-
drez pas votre identité, au contraire, vous l'atteindrez
dans ce que ses puissances ont d'unique ! Nous portons
tous en nous des zoos intimes dont il faut ouvrir les
cages ! Libérez le moineau, le tigre pourpre, libérez le
rhino et les éléphants, libérez les singes, l'ours et le lynx
qui sont en vous !

— À moins, bien sûr, que vous ne souhaitiez rester
gardien de zoo toute votre vie ?

> Des rires et du charivari témoignant d'une surexci-
tation bon enfant ont éclaté à travers le public. Ç'a été
au tour de Brihx, que je sentais vaguement nerveux sur
sa dune. Il prenait pas mal de poussière dans la gueule là
où il était et les bourrasques ne se calmaient que lentement dans le soir finissant. Mais sa voix ample et grave,
son ton simple, se sont imposés immédiatement :

— Gueuler et casser ne sont qu'une étape. C'est simplement dire « Ça suffit ! » à ceux qui nous cognent la
tête contre les murs ! Si c'est juste pour gueuler un bon
coup et se défouler que vous êtes là, alors ce qu'on a fait
cet après-midi ne sert à rien ! Ils feront sauter P, feront
passer trois réformes et tout recommencera comme
avant ! Nous devons construire maintenant ! En finir
avec cette guéguerre contre le pouvoir. On lui répond
coup par coup sans jamais prendre l'initiative. On n'a
jamais fait que réagir, jamais agir. Jamais on ne s'est dit :
maintenant, on prend les choses en main, on ne s'occupe
plus d'eux et on y va ! Alors ce soir, eh bien moi, je vous
le dis… Allons-y !

C'était exactement ce que je voulais dire. Il l'avait dit
simplement quand moi, il m'aurait fallu trois concepts
imbriqués pour dire la même chose… Je l'ai laissé déve-

lopper, puis nous avons invité tous ceux qui le voulaient
à venir parler en haut des dunes. Ça a duré jusqu'à la
nuit. Boule est montée pour parler du sacré et de la
noblesse des instants où une communauté s'élève au-
dessus de ce qu'elle peut. Elle avait récupéré un vlaser
et a improvisé une longue plainte endiablée qui a ému
tout le monde. Tous les discours étaient des cris du cœur,
beaux souvent, parfois pathétiques. Les hélicoptères
continuaient à tourner, inlassablement, mais personne
ne leur prêtait attention.

Je me suis promené au milieu de la foule pour prendre
le pouls de tout ça et j'ai suggéré à tous les Voltés que je
rencontrais de faire de même. Le déclin du soleil était
bien entamé sur l'horizon. Des nuages rapides fuyaient
devant ses griffes fauves. Des satellites apparaissaient
çà et là. J'étais étonné par le profond enthousiasme des
gens. Un effet de masse, me suis-je dit, de champ électrique généré par la succession folle des événements.
J'étais très atteint physiquement. Je me sentais brûlé
par une longue torche diffuse à l'intérieur. Des familles
entières venaient me serrer la main avec chaleur et
respect ; même des vieilles dames, venues seules, me
saluaient en me félicitant et en rougissant.

> Nous étions confrontés à très grande échelle au même
problème que pour les réunions de la Volte. Dès que les
ténors — nous — avions parlé, les gens se dispersaient et
n'écoutaient plus ceux qui prenaient le micro. Ils parlaient
entre eux, avec leurs voisins, des groupes spontanés se
formaient — et c'était ça la vraie démocratie. Mais d'une
certaine façon aussi, peu perceptible, l'intensité qui se
dégageait dans ces débats était retirée du flux général. Elle
se fragmentait en une multitude de discussions souvent
enflammées, mais dont les flammes mêmes ne se propageaient qu'alentour, sur le groupe. Capt avait bien fait d'attendre avant de proposer le grand exode dans le Dehors.
Ç'aurait été artificiel avant que les gens n'en discutent

entre eux. L'idée circulait bien. Elle enthousiasmait les groupes à qui je la soumettais mais, passée l'excitation, les difficultés techniques, au premier rang desquelles l'alimentation en air, occupaient les esprits. Beaucoup étaient prêts à relever le défi. L'envie de construire et de créer enfin était un parfum qu'exhalaient toutes les chairs. J'ai donné le signal pour sortir la nourriture et les braseros et j'ai encouragé les musiciens (surtout des batteurs de fût) à jouer. Les gens avaient faim et envie de prendre un peu de recul. Des danses éclataient de-ci, de-là, au rythme des percussions, au milieu des coques de vaisseaux, en haut des cuves, là où la densité des débris aménageait des formes de scènes, des espaces d'échange. J'ai rejoint Capt qui était assis avec Boule, visiblement épuisé, et je lui ai simplement dit que c'était le moment.

— Obffs m'a dit la même chose. Il le sent bien ; Brihx un peu moins. Slift est en train de faire construire une adduction d'ox pour la nuit à deux cents mètres de l'anneau. Bon, je vais le faire…

— Vas-y.

— Monsieur le Président, le conseil ici réuni ne comprend plus, je crois, à quel jeu vous jouez. Un demi-million de personnes sont en passe de bafouer notre autorité et de mettre en péril les règles les plus élémentaires de la sécurité civile. Cerclon II et III, ainsi que Starlight, nous ont réaffirmé leur total soutien politique et militaire et vous reculez !

— Je ne recule pas, B. J'avance seulement un peu plus vite que vous…

— Expliquez-vous !

— B, si je vous ai nommé Premier ministre, ce n'est pas pour répondre à vos injonctions verbales, que je vous suggère de modérer, mais pour que vous appliquiez la politique que je mène au nom d'un peuple qui m'a confortablement élu et dont j'ai su garder, depuis neuf ans, la confiance. Aussi insolite que vous paraisse ma stratégie de laisser-faire, et je parle à présent à l'ensemble des ministres ici présents, je vous prie de croire qu'elle résulte d'une analyse prospective poussée qui intègre des paramètres psychologiques dont, apparemment, vous ne prenez pas la mesure…

— Vous sous-estimez Capt !

— Je pense au contraire que c'est vous qui le sous-estimez, D ! Capt est infiniment plus honnête que vous ne l'imaginez. C'est, comme on disait autrefois, un Pur. C'est pour cela qu'il n'est pas dangereux. J'avancerais même qu'il est le meilleur garant de la réussite de notre politique. Il est, vous le constaterez plus tard, notre meilleur allié…

— Et Slift ? Il est sous le coup de la justice !

— Slift est moins prévisible. Nous le cueillerons dans quelques mois — quand il se sera relâché… Pour l'instant, laissez-les vivre…

> Je suis remonté avec peine en haut de ma dune, du sable plein les chaussures. La nuit était presque tombée. Les joues me brûlaient à hurler. Je flageolais de fatigue. Un peu partout, des feux étincelaient dans le désert, au pied des décharges. La foule était devenue calme, presque mélancolique. Elle décompressait. Je n'étais pas sûr que c'était bien le meilleur moment mais j'ai fait confiance à Kamio. Et dès que j'ai demandé l'écoute, j'ai compris qu'une fois encore, il avait eu raison : la foule, dès mes premiers mots, s'est retendue et s'est orientée dans la même direction, comme sous l'effet d'un champ magnétique. L'intensité est remontée d'un coup. J'ai rassemblé mes dernières forces et j'y suis allé :

— Nous avons beaucoup parlé. Tous, et depuis des années. Nous avons des catalogues entiers de critiques sur Cerclon, sur son architecture, les tours panoptiques, le clastre, sa vitesse asséchante et le contrôle abject, car continu, du gouvernement sur nos vies. Nous avons tous appris à renoncer — et l'on nous a appris à croire que renoncer, c'était sage, c'était bien. Que ne pas exercer sa puissance, c'était mieux que de l'exercer. Mais ce soir, nous ne renoncerons pas.

Je l'ai dit exactement comme je voulais le dire : calmement, comme un fait.

— Nous vivons dans une démocratie. Ne riez pas, c'est vrai ! Nous n'avons pas d'excuse si nous souffrons. Nous n'avons pas à nous plaindre. Nous n'avons qu'à nous lever, sortir et claquer la porte. Et c'est ça que je vous propose !

Il faut cracher le morceau, Capt, maintenant, il faut le cracher…

— Je vous propose que tous ensemble, nous construisions une nouvelle cité qui ne doive plus rien à Cerclon, une cité qui poussera dans le Dehors vierge !

— Et plus qu'une cité, des villages !

— Et plus qu'une société, des communautés libres, unies entre elles, avec leur propre économie, leurs propres lois, leurs propres écoles !

— JE VOUS PROPOSE DE PARTICIPER À LA FONDATION D'ANARKHIA I, PREMIÈRE POLYCITÉ VOLUTIONNAIRE DU COSMOS HABITÉ !

Une fraction de seconde — vitesse du son. Puis ce fut inoubliable. En un éclair, la surface du désert fut balayée par le rugissement torrentiel d'une unique et prodigieuse clameur qui devait s'entendre jusqu'à Saturne ! Des masses et des masses de gens, partout, sur l'anneau, sur l'antirade, en haut et en bas des dunes, au bord du canyon, sur les cuves, sur le toit des cabanes et dans toute la radzone, se mirent à exulter ! Le peuple était avec nous ! Je me suis tourné vers Boule qui pleurait de joie et je l'ai serrée dans mes bras. C'était inouï. C'était ce que j'avais toujours espéré — tous les combats, toutes les réunions et les plans d'action et les luttes, des spectaculaires jusqu'aux plus minables, tout ça me revenait dans une même bouffée de souvenirs, comme des pierres entassées dont je savais à présent qu'elles n'avaient pas été entassées en vain, car maintenant ça y était ! j'y étais ! on y était ! on était au bout du chemin ! On avait gagné ! Je ne peux pas expliquer tout ce que j'ai ressenti à ce moment-là, sauf que c'était le plus beau moment de ma vie, un moment de plénitude absolue, cosmique. Et aussi que j'ai eu la vision de Zorlk qui courait dans le corridor cryogénisé du trente-deuxième étage de la tour miroir, au fond du Cube, poursuivi par l'escadre 7, son escadre, son destin, je l'ai vu plonger distinctement dans l'ascenseur, empoigner le câble et tenir, s'accrocher, se battre encore, alors que son sang gelait net dans ses veines sous la sifflée d'oxygène liquide... Et que j'ai su alors qu'il n'était pas mort pour rien, que, d'une façon ou d'une autre, il nous avait donné sa vie. Son courage solitaire extrême. Sa volte. J'ai repris le micro dans un état euphorique et j'ai dit :

— Nous avons tous été mis au carré. Zorlk et moi avons été mis au cube. Aujourd'hui, il nous faut nous élever à notre propre puissance !

Orage d'applaudissements ! J'ai continué :

— Ce que je vous propose, c'est un monde dangereux, inconfortable et fou ! Un monde sans règles autres que celles que nous forgerons ! Un monde multiple, éclaté, bigarré, sans gouvernement parce que fait de maîtres ! Un monde de pionniers, de chercheurs, d'aventuriers ! Un monde d'inventeurs de nouvelles possibilités de jouir, de sentir et de voir qui n'aura pas peur d'essayer ou d'échouer ! Un monde où il faudra apprendre à respirer dans le vide, où il faudra savoir poser une brique sur une brique et faire pousser des tomates dans le sable !

Missile d'Obffs :

— Un monde où le couple ne sera plus la forme ultime et intouchable du carrelage social. Où l'amour sortira de prison ! Ne sera plus un bien, un droit ou un dû, juste une offre, un présent… Enfin ce que j'en dis, faites ce que vous voulez !! (Rires.)

— Un monde sans Clastre, sans juge, sans flic et sans incitateur ! Vous vous rendez compte ?

— Un monde où les enfants pourront crier dans les rues à silence parce qu'il n'y aura pas de rues à silence !

— Un monde lié et tissé, direct, sans média, sans publicité mais avec des espaces publics, des agoras partout où l'on pourra.

— Ce monde sera ce que vous en ferez. Ni plus ni moins. Mais je sais qu'il sera beau, parce qu'il sera fait à la main. Peut-être vous êtes-vous demandé un jour pourquoi il fallait se battre pour changer Cerclon, ce qui clochait. Quand je suis revenu du Cube, je me suis rendu dans un cosmarché et j'ai vu tous ces gens heureux avec leur Caddie®. C'est incroyable, mais j'ai failli renoncer…

J'ai senti tout le Bosquet et Boule qui me regardaient, inquiets.

— Parce que j'ai compris alors à quel point vous étiez libres. Personne n'est aliéné, ce n'est pas vrai. Il n'y a pas d'aliénation ! Ce n'est pas le critère qui décide de la valeur des vies qu'on mène. Le vrai critère, c'est la vitalité. C'est être capable de bondir, de s'arracher sans cesse à soi-même pour créer, s'accroître, devenir autre, et autre qu'autre, sans cesse. Sentir le neuf. « Qui ne sent pas la bombe cuite et le vertige comprimé n'est pas digne d'être vivant », a dit Artaud. Je voudrais bâtir un monde qui sente la bombe crue et le vertige de vivre — et que vous le bâtissiez avec nous…

> Capt lâcha alors le micro… Il fit quelques pas en zigzaguant dans le sable, accompagné par des hourras

étourdissants, puis il s'écroula. Boule, aidée de quelques Voltés, l'emmena immédiatement à l'hôpirad pour
qu'il se fasse opérer d'urgence. « Vive Capt ! », « Vive
la Volution ! », « Au-dehors ! Au-dehors ! » furent sans
doute les dernières clameurs qu'il entendit avant de
sombrer dans le coma.

Je ne sais pas combien de personnes ont participé
cette nuit-là à la construction des toutes premières cabanes dans la zone du Dehors. Peut-être cinquante mille.
Alimentés en air par un pipe-line artisanal qui fuyait,
en rupture totale de masques à ox, mais poussés par
une fièvre héroïque, les pionniers du premier village
du Dehors, bâti de brique et de sable à un kilomètre
de Cerclon, méritent de figurer dans l'épopée de ce
qu'on appellera bientôt les Hornautes, comme des pré-
curseurs fous. Vingt-quatre héros moururent asphyxiés
cette nuit-là pour que sorte de terre la première preuve
tangible d'une volution qui allait faire des petits dans
tout le système solaire : trois petits hameaux de plein
vent, aux toits rouges, qui ressemblaient à un village de
Schtroumpfs.

XXI

Virevolte

> Les trois premiers mois qui suivirent la volution — et lui donnèrent sa véritable envergure — furent les plus intenses de ma vie. Aucun des trente-cinq tableaux et aquarelles que je peignis durant cette période n'est jamais parvenu à rendre l'éclat profus et la prolixité inouïe d'actes et d'émotions, d'effervescences et de chocs qui accompagnèrent et comme scandèrent la construction épique et bariolée des cités qui s'élevèrent sur la plaine de sable pourpre et les collines carminées du Dehors.

Anarkhia I ne ressembla que d'une manière lointaine aux images que nos longues années de combats avaient fini par en former — mais la réalité dépassa en richesse et en âpreté ces visions finalement pauvrettes de villages unis par la douceur et l'amitié…

Tout autour de Cerclon, à des distances parfois audacieuses, le premier mois vit essaimer une multitude de chantiers fiers, splendidement isolés au bord d'un cratère, au pied des dunes voire au beau milieu de la plaine ! Mais la puissance des rafales de Nox eut tôt fait de favoriser des regroupements sans lesquels le simple fait de respirer fût devenu impossible. La soif d'espace le céda donc aux exigences de la survie et l'entraide, inhabituelle chez quelques-uns, devint, sous l'empire de la nécessité et du désir, la règle joyeuse de tous. Une première structuration de l'espace en découla : le rayon de soleil. Bâti le long des adductions d'oxygène qui partaient de Cerclon et se prolongeaient le plus loin possible, les premières cités ressemblèrent à des villes de western. Puis, à mesure que la guerre de l'air remporta ses premières batailles, les rayons disposés autour de Cerclon (et comme émanant de son soleil paternel), se ramifièrent plus subtilement. L'espace se diversifia et la géométrie perdit de son emprise pour une anarchie de forme plus en accord avec celle des communautés qu'elle abritait.

À un monde de solives et de maîtresses poutres, de rouges briques et de sacs percés d'où s'envolait la poussière du ciment magnétique, succéda bientôt la stridence des ciseleuses et les chocs sourds des percotrons soudant toits et poutres et aboutant les parois. L'expérience des radieux en ce domaine, leur aide précieuse et plus encore leur esprit, permirent à ce qui nous aurait pris un an, ou n'aurait peut-être jamais vu le jour, d'aboutir et d'exister. Non seulement transportèrent-ils leurs cabanes une par une, sur d'énormes remorques, de la radzone jusqu'au Dehors, permettant ainsi un peuplement rapide, mais ils y hébergèrent des vagues de pionniers. Ils entreprirent en outre de vider la radzone de tous les matériaux utiles dont elle était jonchée pour les mettre à disposition des Hornautes. Les métallos, quant à eux, apportèrent à l'édifice des tonnes de matériel volé et le savoir-faire qui l'accompagnait. Inutile d'y insister : emmenés par Slift et Brihx qui travaillaient main dans la main, les radieux et les métallos furent les vrais bâtisseurs d'Anarkhia.

En moins de trois mois sortirent ainsi de terre Magnitogorsk, Gomorrhe, Virevolte, Horville et Mirajeu, accompagnées d'une foultitude de petits villages et de hameaux indépendants qui suivaient leurs propres règles : des groupes d'amis, des adolescents en rupture, des sectes saturniennes, greffistes ou cloniques, des groupes de virtués ou de drogués, des lesbiennes amoureuses de la terre et des musiciens cyberock, des poètes noirs, des rouges, des bleus, des développeurs de virus informatiques avec des pirates de réseau, des éleveurs de chiens et même des lanceurs de boomerang...

Commençons par Magnitogorsk. Magnitogorsk, référence mythique des métallos, était des cinq « grandes » cités, sur un plan strictement architectural, la plus impressionnante. Construite sur le modèle d'une forteresse en hexagone, avec deux cuves empilées à chacun des six angles pour servir de châteaux d'eau, elle était « protégée » par une enceinte d'échafaudage (la tôle s'arrachait au vent) qui servait surtout de promenade. Au pied de l'enceinte couraient des douves à oxygène qui ne fuyaient pas (une rareté !) et qu'enjambaient, sur chacune des arêtes, six ponts-levis. Magnitogorsk s'enorgueillissait de l'unique « immeuble » de tout le dehors : un transporteur gris de quinze mètres de haut sur cent de long, percé d'ouvertures au chalumeau, qui servait de rempart au vent cosmique. Derrière s'éparpillaient des maisons brutes, de facture très personnelle, et dont le seul point commun était que tout ce qui n'était pas métallique en avait été expulsé. Une esthétique d'industrie lourde se dégageait de tout ça, mais comme sublimée par le velours rouge du sable espaçant le bâti. Les structures d'acier y ressortaient telles des bagues d'argent massif sur un écrin.

Non loin de Magnitogorsk, au milieu de la plaine, se trouvait la cible favorite des médias. Gomorrhe, puisqu'il s'agit d'elle, avait été construite à base de cuves retournées et assainies. À l'intérieur, la générosité de mécènes anonymes avait permis d'aménager des salles marquetées de bois rares et tendues de somptueuses draperies de soie, avec au sol, parsemés, des couches et des lits « enrichis » pour le plaisir de tous. Certaines cuves ouvraient sur de savants labyrinthes de marbre rose où la chair s'y courbant tranchait sur la dureté minérale. D'autres recelaient un équipement virtuel sophistiqué qui permettait l'immersion dans le réel des autres et la bascule de salle en salle — sans bouger, grâce aux caméras. Des combinaisons autojouissantes amenaient sous vos yeux, par simple commande vocale, ceux qui les enfilaient à des orgasmes à répétition…

Gomorrhe était, à peine modifiées, la transcription des maisons de débauche républicaines imaginées par le marquis de Sade. Chaque habitant pouvait, sans résistance ni excuse à y opposer, soumettre la ou les personnes de son choix à son bon plaisir — et ce, un jour sur deux, le second était consacré à se soumettre à celles ou ceux qui vous réclamaient.

D'une redoutable simplicité et d'une séduction imparable, le système social de Gomorrhe avait attiré, à ses débuts, plusieurs milliers de personnes. La plupart n'achevèrent pas leur seconde journée, écœurés de ce qu'il avait fait ou fait faire… Il était possible que j'eusse eu de la chance en tombant sur cette 3-lettrée de cinquante ans qui voulut que je peigne sur ses seins tout en l'enfourchant, puis que j'éjacule sur une de mes toiles tandis qu'elle m'enfonçait, avec une certaine délicatesse, mon pinceau dans le cul… Les autres récits qu'on m'avait rapportés n'étaient guère plus audacieux mais les gens s'en retournaient avec le sentiment d'avoir été souillés ou salis. Ceux qui restèrent, près de deux mille personnes, permirent l'éclosion d'une myriade de pratiques et de plaisirs autrement inconcevables. C'étaient des hommes et des femmes souvent calmes et équilibrés qui aimaient faire l'amour et qu'on le leur fasse, obéir et subjuguer, trouvant dans l'alternance une certaine harmonie.

Les vraies difficultés ne survinrent que plus tard, avec l'apparition d'abord d'une surdemande sur certaines

femmes et certains garçons qui occasionnait tirage au
sort et donc jalousies. Puis les « surdemandés » exigè-
rent des contreparties à leur « surtravail » et l'économie grignota petit à petit sur l'échange : les dominants
se mirent à payer les soumis et les soumis à faire monter les enchères. L'argent s'infiltra entre les corps et
gaina les verges. Un véritable marché de l'offre et de
la demande se mit en place. Le déséquilibre s'amplifia.
C'est sur cette errance prostitutive que la mafia allait
bientôt faire une entrée fracassante.

À l'opposé, Horville s'imposa très vite comme la cité
majeure du Dehors, à la fois par sa situation enviable et
par la diversité des âges et des origines sociales de ceux
qui s'y implantèrent. D'abord cantonnée sur le pourtour
du Bol ébréché, la ville s'éleva très vite sur le flanc des
collines jusqu'aux pierriers qui précédaient le Chaos,
antichambre du Dehors sauvage.

Renonçant à tout plan d'urbanisme, malgré les cris
des architectes voltés, nous laissâmes les foyers s'installer où et comme ils le désiraient. Le résultat ? Insolite.
Ça commençait anthracite près du cratère avec des sortes d'igloos taillés dans la roche légère et poreuse qui
tapissait le volcan. Puis on trouvait de la brique rouge
et des toits de tôle avec des murs droits et des angles
nets. Plus haut, de petits palais ingénieux utilisaient la
pierre ocre et des joints de sable pour se fondre dans
le paysage. Encore plus haut, éblouissants sous le soleil,
des tronçons de fusée et des containers polis calés sur
des blocs. Enfin, campées dans le pierrier et dominant
le tout, d'authentiques maisons de montagne en pierre
apparente qui semblaient issues d'une recomposition
magique de celles qui gisaient à leur pied !

Le système social d'Horville était un pur modèle
d'anarchie éclairée : pas de chef ni de représentant de
qui que ce soit auprès de quoi que ce soit. Donc pas de

maire ni de mairie évidemment, pas de police, pas de fonctionnaire, pas de juge ni de loi, pas de Clastre et pas de Carte. Et surtout : pas d'argent ! Parce qu'avec l'argent, toute la Volte en était convaincue, et plus encore après les dérapages de Gomorrhe, la qualité d'un acte se quantifiait. Devenue quantité, elle perdait sa valeur originale, référée à un lieu et à un être, pour entrer sur un marché où tout devenait échangeable avec tout. Avec l'argent commençait la dépossession, la fluidité inhumaine du travail abstrait. Avec l'argent s'ouvrait la possibilité de l'accumulation, donc le capitalisme — et la formidable machine à fabriquer de l'inégal, à le stocker et à l'amplifier se remettrait en marche. Pas d'argent donc : une économie de troc et d'échange direct : tes pierres contre mon ciment, un cours à ma fille pour un repas, ton eau pour mon air, etc.

C'était, qu'on ne s'y trompe pas, un système très exigeant où les tricheurs et les fainéants s'asphyxiaient d'eux-mêmes. Car pour ta maison, il fallait pouvoir offrir quelque chose à ceux qui t'apportaient les pierres, coulaient le ciment ou posaient la toiture. Ils t'avaient aidé, il fallait les aider à ton tour, peu importe de quelle façon — peindre un tableau, enseigner l'astronomie, câbler la maison ou porter des poutres, pourvu qu'elle convînt aux parties en présence. Les liens ainsi créés, pacte de chaleur, de sueur et de sang, étaient forts et dans certains cas éprouvants. Parce que c'étaient des rapports d'homme à homme, frontaux, à vue, qui ne permettaient pas la fraude ou l'esquive. Presque toujours par ailleurs, les gens travaillaient ensemble, formant des groupes pour une tâche précise ou pour une mission plus large. Ils soudaient les adductions d'ox pour tous ou enseignaient sans demander de contrepartie. Certains rendaient service par pure sympathie : ils allaient faire les courses aux cosmarchés de Cerclon et les rapportaient à chaque habitant du quartier, ils creusaient des puits pour la communauté — bref, ils donnaient sans attendre de recevoir et sans même y penser.

Le plus réconfortant à Horville fut pour moi la spirale positive qui très vite découla de ces comportements. Le bien généra du bien dans les cœurs. La confiance répondit à la confiance. Être juste devenait une évidence. Je m'y rendais toutes les semaines pour discuter avec les habitants et tempérer les conflits quand il en survenait. Eh bien, même aux pires journées venteuses où respirer demandait un effort conscient, l'ambiance restait excellente. Les crémaillères se fêtaient par dizaines tous les jours !

Tout cela me confortait dans mon intuition, souvent moquée par mes amis, que l'homme était fondamentalement bon — à condition d'être en rapport direct et vital avec d'autres hommes. Impersonnel, un système social écarte l'homme de l'homme. Dans la lézarde ainsi creusée, la plante du ressentiment pousse et nourrit la fraude, le parasitisme et l'abus — puisqu'on ne voit jamais qui paie ni qui souffre de nos abus. On espère que c'est le système qui paie quand lui se contente de répartir les coûts et d'inoculer ce que chacun, par sa rancœur, fait subir de manière diffuse à tous. Les dysfonctionnements s'accroissent, les honnêtes gens s'en prennent aux saboteurs et bientôt les imitent... On se retrouve contraint, pour maintenir la cohésion sociale, d'instaurer un contrôle maniaque et vétilleux sur le moindre petit comportement potentiellement fautif de chaque citoyen. Et ça donne Cerclon : la démocratie comme liberticide collectif...

> Chaque fois que je retournais au Dedans, je n'y pouvais rien : j'allais compulsivement à la bibliothèque pour y lire sur place le seul exemplaire du *Zarathoustra* de Nietzsche qui existait sur la planète. Puis je ne pouvais m'empêcher de jeter un œil sur quelques journécrans pour m'enquérir de la manière dont le Dedans parlait

du Dehors. Je finissais toujours par fracasser l'écran sur un coin de table et par repartir furieux ! Putain, on avait réussi à construire en trois mois plus de soixante mille maisons ! À inventer de toutes pièces des modèles de société dont personne avant nous n'aurait même imaginé la grandeur ! On avait éradiqué le vol, le viol et la bassesse et redonné aux gens le goût de vivre ! Et eux ne cancanaient que sur les sectes « en forte expansion », le foirage de Gomorrhe et les « poubelles radioactives dans lesquelles s'entassent trois familles avec leur dix enfants » ! Bien sûr, il y avait des morts ! (trois ou quatre par jour à tout casser : des asphyxies) et des blessés durant les travaux parce que la plupart d'entre nous n'avaient jamais soulevé une pierre de leur vie ! Mais le gouvernement n'avait qu'à ouvrir les vannes ! Les journalistes ne bougeaient pas leur cul de Cerclon et ils se contentaient, par pure complaisance, d'interroger ceux qui revenaient : les fameux « déçus de la volution ». Des vieux à qui on n'avait pas eu le temps de brancher l'ox et qui disaient qu'il n'y avait aucune solidarité ! Des femmes enceintes qui revenaient accoucher « dans la civilisation » ! Et puis inévitablement, des vrais déçus, des gens qui espéraient autre chose (personne ne savait au juste quoi !) mais qui, dans la centaine de cités que comptait le Dehors, n'avaient pas trouvé leur content ! Soit ! Mais combien étaient-ils ? Cinquante mille ? Et combien nous avaient rejoints depuis le 16 avril ? Au moins deux cent mille ! Alors ?

Le plus exaspérant était la critique récurrente sur notre « petit monde » prétendument « replié sur lui-même » et « coupé de la réalité ». Je croyais rêver ! Les culs-posés qui disaient cela vivaient dans une ville de sept millions d'habitants dont ils connaissaient peut-être, allez : cent personnes et en fréquentaient, disons : dix ! Toujours les mêmes ! Le même cercle d'amis, je t'invite, tu m'invites, couple à couple, combien t'as eu en sociabilité ? Tu penses que ton patron t'a saqué ? Mon fils a des bonnes notes, et le tien ? Etc. ! Ils ne disaient même pas bonjour à leur voisin pour la bonne raison qu'ils ne savaient même pas si la personne qu'ils croisaient sur le tapis roulant était leur voisin ! Et ils avaient l'impression d'être ouverts sur l'ensemble de la société ?! Pourquoi cette impression ? Parce qu'ils la regardaient tous les jours sur leur écran, voilà pourquoi ! Parce que les médias leur donnaient l'illusion d'être toujours en contact avec tous les autres citoyens ! Téléfilm, reportage sur ceci, cela, tel commerçant, tel incitateur qui pense ceci sur cela — et ils se disaient : je suis relié, je fais partie d'une société bien plus vaste que mes dix amis ! Mais que dal ! En quinze jours, m'avait dit une femme partie avec ses trois gosses, j'ai côtoyé et discuté avec plus de gens qu'en quinze ans au secteur 5 ! J'ai découvert à quel point les êtres sont différents et à quel point on peut se sentir proches aussi ! Comme c'est riche, l'homme, elle disait ! Mais celle-là, aucun porte-micro n'avait été l'interroger !

De toute façon, il suffisait de voir le temps d'antenne consacré au Dehors pour mesurer la fascination/répulsion que notre volution engendrait. Quels que fussent les critiques et les mensonges éhontés, chaque citoyen du Dedans pouvait sentir que c'était là-bas, de l'autre côté de l'anneau, que ça se passait ! C'était nous, les Hornautes, qui faisions le mouvement ! Face à une ville qui ronronnait d'ennui, le Dehors étincelait d'une multitude de chantiers qui touchaient et bouleversaient tous les aspects de la vie humaine, de l'architecture au sexe, de l'art à la poly-tique (comme écrivait Drakf) ! Et tout ce qu'on avait toujours cru savoir sur l'économie, l'impérieuse nécessité du marché et toutes ces conneries volaient en éclats sous le torrent des faits ! L'aventure commençait à quatre kilomètres de l'anneau ! Elle était ouverte à tous !

Ma plus grande exaltation touchait évidemment à ce qu'avec Capt et Kamio nous élaborions pour Virevolte. Sans le charisme dont nous jouissions, autant le dire, nous n'aurions jamais pu convaincre les vingt mille courageux qui nous avaient suivis d'habiter au-delà d'Horville, sur ce plateau magnifique mais terrible d'où s'étirait à perte de vue le Dehors sauvage. Notre cité était la seule qu'on ne pouvait voir de Cerclon, étagée qu'elle était sur le versant opposé, à l'endroit précis où, lors de nos virées dans le Dehors, on s'était promis de la bâtir. Plus que toute autre cité, nous souffrîmes du manque d'oxygène, des tornades et de la cruauté indifférente du Dehors. Inaccessible en véhicule, la construction de Virevolte se fit avec les pierres et les rochers récupérés dans le gigantesque éboulis derrière nous. Le ciment magnétique et les outils furent acheminés à dos d'homme.

Il est difficile de décrire l'ébullition qui régnait à Virevolte ou d'en résumer l'organisation sociale. Le nom seul pouvait donner la sensation presque physique de ce que c'était : un geste vif — un salto, le mouvement de se dégager, hop ! — une turbulence… Virevolte avait drainé en quelques mois la quasi-totalité des acteurs, comédiens, écrivains, poètes, peintres, sculpteurs, danseurs, muses et musiciens en bonne condition physique qui vivaient sur la planète ! Et arrivaient chaque jour par fusée des artistes des autres Cerclons, la plupart jeunes et inconnus, qui venaient apprendre et inventer avec nous. Inventer quoi ? Des nouvelles possibilités de vie. Virevolte était pour la philosophie une sorte de jardin d'Épicure, pour la peinture une manière, modeste certes mais enthousiaste, d'école florentine et pour le reste, comme disait Captp aux sociologues qui venaient de tout le système solaire pour l'interroger : « un cyclotron de concepts en fusion, que l'on bombarde d'électrons libres pour atteindre les hautes énergies ». Arracher

les particules d'art à leurs noyaux, puis regarder, émer-
veillés, la gerbe d'éclatement des quarks dans le noir
éphémère, fulguramment, se tracer…

L'activité principale de Virevolte n'avait aucune
importance. Pour l'instant, c'était la construction de la
cité qui fédérait toutes les imaginations et les mettait à
l'épreuve du vent et des ruptures de charge. Demain ce
serait autre chose. Ce qui comptait : NOVER. Faire ce
qu'on ne savait pas faire. Toujours se tenir à la pointe
extrême de son savoir, là où tout nouveau pas, droit vers
le gouffre, créait le sol qui le soutiendrait. Naturellement,
Virevolte était un vaste bordel (« un club de vacances
pour artistes déchus », ironisait Cablaxie !) qui frisait le
chaos — en tirait et y perdait ses forces tout à la fois.
Mais j'avais prévu ces errances dès l'origine et proposé,
pour en canaliser l'influx, une répartition des citoyens
en trois groupes égaux, que l'on tirait au sort au début
de chaque mois : les Terreurs, les Ouvreurs et les Liants.

Les Terreurs, si vous voulez, avaient pour mission
de rendre concret ce qu'imaginaient les Ouvreurs. Ils
jetaient les ponts vers la pratique. Ils enracinaient les
idées au réel. C'étaient également ceux qui tranchaient
parmi les options proposées (par exemple sur l'architecture d'un hameau) et qui imposaient leur décision. Ils
avaient le pouvoir et ils devaient en user. C'était au fond
des réducteurs de bruit. Des bouchers ! Des fafs ! C'était
(d'où le nom) les garants de la Terre — des reterritoria-
lisateurs, aurait dit un Guattari.

Les Ouvreurs, rôle que beaucoup adoraient endosser, étaient les créateurs. Par eux devait advenir le neuf,
l'invu et l'inouï ! Plus tard, quand la cité aurait pris ses
petites habitudes, l'Ouvreur était appelé à devenir le
personnage clé : c'est lui qui devrait rompre le train-
train, fausser les règles établies, percer les normes implicites et réinjecter le vif là où le confort trônerait. Mais
pour l'instant, son rôle était strictement positif — rien

de critique : juste des idées, des modèles ou des mélo-
dies — si possible originales !

Enfin les Liants, qui pour Kamio étaient fondamen-
taux (et comment !). Leur fonction ? Plus que de modérer les ardeurs ou de réconcilier les partisans du palais
byzantin avec les croisés du bâti rural, lancer des pas-
serelles. Trouver des liens cachés sous les oppositions
radicales. Associer les différences. Entrelacer les projets.
Réunir, agencer et conjuguer. Des Liants dépendaient
aussi l'accueil des nouveaux habitants, les fêtes et la qualité de l'ambiance — afin que les convictions des écoles
ne deviennent pas des principes d'éviction.

> Depuis la volution, avec leurzigues, on se fréquen-
tait plus trop. Ils s'éclataient le plot à Voltigeville-Sur-
Je-Refais-Le-Monde tandis qu'avec Tas de Brique, on
se coltinait les costumés et qu'on menait pour eux la
guerre de l'ox. C'était pas fini, la castagne, fallait qu'ils
percutent ! Nous, c'était tous les nocturnes à la frontale
à creuser les tranchées pour caler les pipe-lines et tous
les matins, Brihx allait négocier avec O le rachot pour
obtenir un tuyau de plus, un raccordement sur le central,
un meilleur taux d'ox pour Horville et tutti quanti ! Il se
laissait pas mettre le bois, Brico, sous sa dégaine d'ours
faux-calme. Il tenait la route ! O savait que fallait lâcher
du lest s'il voulait pas qu'on aille tout casser au secteur 1,
qu'avait maintenant vue sur Magnitogorsk…

Le blême, c'était qu'on avait pas d'usine à ox à nous !
Et qu'on n'en aurait pas avant un bout de temps ! On
dépendait toujours des turbines de Cerclon qui nous
refilaient de l'air usé, qu'avait déjà été respiré par cent
mille gogos qui t'y soufflaient leurs miasmes et du CO_2,
en veux-tu en voilà ! Sûr qu'après, quand on allait char-
mer les vioques, les familles à petits mômes et les asth-
matiques, ils faisaient une drôle de grimace, genre : ça me
tente mais j'ai pas envie de clamser, gars ! Fallait com-

prendre ! Mais les têtes chercheuses de Pirouetteville se foutaient bien de sniffer de la merde en brume et qu'un tas de gus fassent la navette en oxycentre pour se nettoyer les bronches. Pas que c'était la mort quand même, ce qui sortait des vannes — mais ça collait au Dehors une sale image de bidonville pollué qui puait — après quoi les médias jouaient sur du velours en entretenant la trouille par des ragots et le discours Carrelage-Blanc Achtung-Hygiène ! vos mômes vont tous y passer et blablabli... Ç'aurait pas coûté plus cher à O de nous refiler de l'air pur (vu qu'il allait le chercher dans le Dehors et que son usine tournait pas à plein pot) mais c'était son match de nous rationner. Vous avez voulu vous démerder ? Démerdez-vous maintenant ! Il nous sciait à tous les niveaux au point que parfois tête de Brique revenait en disant qu'il fallait tout péter !

> Cinq cent mille Hornautes travaillaient la journée dans le Dehors. Mais deux cent mille seulement y restaient pour dormir... Il n'y avait pas de miracle. Avec ma femme, on se réveillait plusieurs fois par nuit en haletant, tellement l'oxygène manquait. Pour montrer l'exemple, je faisais dormir ma fille à Magnitogorsk, mais à cinq ans, ses petits poumons n'avalaient pas grand-chose à chaque inspiration. Je faisais régulièrement des cauchemars où je me levais le matin pour la réveiller et je la retrouvais morte, le visage tordu par un spasme d'asphyxie... Je n'en parlais à personne ici parce que je représentais quelque chose et que les métallos ne se confiaient pas. Mais j'avais peur. Je m'en voulais de prendre ces risques pour elle.

L'enthousiasme pionnier et la chaleur des rapports faisaient que la population hornaute continuait à augmenter — mais je craignais qu'un jour la tendance ne s'inverse. Quelques morts spectaculaires d'enfants, et les migrations pouvaient stopper net : des familles entières

retourneraient habiter dans Cerclon. Il y avait déjà très
peu de personnes âgées… Alors, sans enfants, est-ce que
ça serait encore une société digne de ce nom ? Quand
j'en parlais à Capt, il répondait toujours que l'air serait
bientôt un problème résolu. Ce n'était pas évident.
Lorsqu'il venait avec moi (trop rarement) négocier avec
O, O lui faisait des courbettes et les choses avançaient
un peu. Capt avait obtenu pour Virevolte l'air des parcs
de Cerclon (le meilleur, ce qui était normal étant donné
les conditions qu'ils avaient là-haut) mais aucun ingénieur de sa cité ne travaillait sur une alimentation autonome pour le Dehors.

Ce que Capt ne voulait pas voir, c'était que sans air
pur, la sensation même de liberté, qui nous avait tant
fait rêver, se trouvait dégradée. Certains jours, et malgré
l'espace que nous avions autour de nous, je suffoquais
comme un poisson dans un aquarium vide. J'avais l'impression qu'un sac enveloppait mes poumons. Le gouvernement le savait. Et il espérait finir, par sa politique
d'inertie, par nous user les bronches, puis le cœur, puis la
volonté pour nous voir tous, troupeau de brebis égarées,
rentrer au bercail…

> Après cinq mois de travail acharné apparu-
rent les premiers signes d'essoufflement de la fougue
volutionnaire.

— Certaines personnes commencent à douter. Ils perdent le sens de ce qu'ils font. Tu devrais saisir cette fête
symbolique du 200e jour pour leur parler…

Boule m'avait cueilli à la fin d'une journée de débats
sur l'éducation à donner aux enfants de Virevolte. Assise
entre mes jambes, son dos effleurait ma poitrine. Nous
nous reposions sur un matelas posé à même le sol dans
notre gîte aux pierres couleur d'abricot. Devant nous,
par la fenêtre sans vitre, l'ovale du cratère sans fin laissait voir, plus de mille mètres plus bas, l'étroite griffure
des canyons qui fuyaient vers l'horizon.

— Parler de quoi ? Les Voltés n'ont pas besoin de moi pour savoir quoi faire. Ils se sont surpassés depuis le premier jour !

— C'est justement ça qu'il faut leur dire…

— Bravo, les gars ! Vous êtes sensationnels ! C'est ça ?

— Tu refuses d'admettre ce que tu incarnes… Tu restes un mythe pour eux…

— Les gens sont fatigués. Ils ont besoin de marquer une pause. C'est tout. Le Dehors ne nous a fait aucun cadeau et le gouvernement encore moins !

— Il y a beaucoup de départs ces derniers temps… Je reviens de Mirajeu. Leur population diminue.

— Ils ont essuyé deux pluies de météores cette semaine. Ça fait réfléchir !

— Ils ne savent pas quel thème adopter pour le septième mois. Ils ont fait les Touaregs après l'apocalypse, la radzone en 2500 et le Moyen Âge… À présent, ils ont épuisé les univers de bricolage. Ils voudraient passer à des mondes plus étoffés, mieux construits…

— Je sais.

Mirajeu était peut-être ma cité préférée après Virevolte. Chaque mois s'y enflammait une fresque historique avec plus de trois mille personnages et autant de joueurs. Ils basculaient tous pendant un mois dans l'univers et sous les lois et coutumes d'une époque choisie (un mois de préparation, un mois de jeu était leur rythme). Mirajeu était un fabuleux jeu de rôle grandeur nature avec un scénario principal connu d'une poignée de créateurs et une nuée d'histoires secondaires où se trouvaient immergés les joueurs. L'effet de réel devenait en quelques jours impressionnant. Mirajeu se métamorphosait en un désert australien d'après la bombe avec des hordes de prêcheurs et de dieux fous en haillons qui balayaient le vide crépusculaire… Comme à Gomorrhe, des mécènes apportaient leur concours. De nombreux dons en nature avaient permis d'atteindre une certaine vraisemblance dans les costumes et les décors. Pour le reste, l'existence s'y écoulait exactement comme dans l'univers choisi : on y travaillait pour survivre, on plantait des céréales... à cette différence que dans la trame quotidienne surgissaient immanquablement des événements majeurs — véritables tempêtes historiques auxquelles il fallait faire face ! Sous son fatras de règles et sa minutie, Mirajeu regroupait sans doute les citoyens les plus libres qui soient. Là-bas, les désirs les plus hétéroclites s'exprimaient à l'état pur, avec une fluidité et une légèreté qui surclassaient Virevolte. L'atmosphère y était d'une impayable gaieté, piquetée de gags et d'extravagances, aérée d'anachronismes et de poursuites rocambolesques qui finissaient en éclats de rire.

Risquer de voir cet enthousiasme se tarir me serrait la poitrine.

— Je vais demander aux architectes et aux scénographes d'ici de leur donner un coup de main. Il ne faut pas qu'ils se découragent.

— J'ai vu Brihx à Magnitogorsk. Il pense que l'écart se creuse entre les cités, que les chemins divergent, et divergeront de plus en plus. Il pense aussi qu'on se coupe de plus en plus des Cerclonniens et qu'à ce rythme, il n'y aura bientôt plus d'échange, plus d'émigration et qu'on risque de se refermer sur nous-mêmes...

— Pourquoi il ne me parle jamais de ça, à moi ?

Mes rapports avec Brihx et Slift s'étaient espacés depuis la volution et je commençais à en souffrir. J'en souffrais. D'ailleurs le Bosquet dans son ensemble avait comme éclaté sous l'ampleur des tâches à accomplir, des gens à rencontrer et des projets à initier et à suivre. Même avec Kamio et Obffs qui habitaient Virevolte, bien que je les croisasse souvent, nous avions rarement le temps de nous parler. Kamio passait beaucoup de temps à circuler dans les cités. Obffs consacrait ses journées à Virevolte. Slift m'accueillait à chaque visite plus froidement. Il ne comprenait pas ma réticence à la milice qu'il formait et entraînait et dont il m'assurait qu'elle servirait bien plus tôt qu'on ne le pensait. Quant à Brihx, c'était une découverte douloureuse pour moi, mais j'avais l'impression que nos espoirs et nos désirs ne se recoupaient pas. Ou plus.

Boule, plus affective que moi sans doute, plus animale dans sa façon de sentir les êtres, était demeurée très proche de nous tous ; elle nous écoutait ; elle donnait des nouvelles de chacun à chacun ; elle nous reliait. Les deux mois qu'ils avaient passés ensemble sous l'antirade, pendant la traque policière, les avaient bien plus intimement soudés que je ne l'avais imaginé. Je ne pouvais pas partager ça avec eux : j'étais absent de ces souvenirs...

— Kamio et moi avons eu une excellente idée aujourd'hui...

— Ah ? dis voir...

— Ce qui cloche en ce moment, c'est qu'il y a d'un côté les Cerclonniens à qui les médias racontent des horreurs sur notre mode de vie et qui les croient, et de l'autre les Hornautes qui sont plongés jusqu'au cou dans leur maison à finir, leurs champs à faire pousser, leur école à bâtir et qui ne communiquent plus du tout avec la ville.

— C'est vrai. Mais qu'est-ce que tu veux y faire ? Nous faisons notre vie !

— Capt, si ça continue, l'image de la volution qui est en train de se cristalliser dans la tête des gens va se ternir. À tel point que plus personne n'aura envie de nous rejoindre ! C'est ça que tu veux ? D'autant que si notre population baisse, O va en profiter pour fermer des vannes. Ça accélérera encore l'exode — jusqu'au retour à la case départ !

— Je n'arrête pas de donner des interviews, mais ça ne sert à rien ! Comment veux-tu lutter contre la propagande des médias !

— Avec Kamio, nous avons trouvé un moyen…

— Je t'écoute.

— Nous sommes à peu près deux cent mille Hornautes convaincus, non ? Si chaque Hornaute rend visite à un foyer de Cerclonnien chaque jour, en moins d'un mois, nous aurons rencontré toute la population ! Nous aurons pu discuter avec chacun, leur expliquer ce que nous faisons, la réalité de ce qu'on vit et faire passer un peu de notre enthousiasme.

— Pas bête. En plus, ça nous fera recoller à la réalité de Cerclon. Ça nous permettra de comprendre ce qu'attendent les gens et de quoi ils ont peur…

— Ça montrera surtout que nous sommes ouverts et à l'écoute, pas du tout des illuminés ni des sauvages ! Qu'est-ce que tu en dis ?

— C'est très bon. Les médias vont être court-circuités par le bouche-à-oreille. Les gens vont en parler entre eux. J'aime beaucoup.

\> Le captain s'était enfin réveillé ! Il t'avait remué les cités à sa façon bien léchée et maintenant c'était reparti ! Il était temps, parce qu'à Gomorrhe commençait à débarquer la racaille russe qui déblayait le terrain pour installer ses putes et ramasser la monnaie. La mafia popov s'était déjà récupéré trois cuves où ils faisaient raquer les Ricains pleins aux as qui débarquaient tout droit de Starlight pour prendre leur pied. Ça devenait une usine à blé ! La gangrène menaçait déjà de s'étendre aux casinos tout neufs que Mirajeu avait eus on ne sait comment !

Enfin j'avais retrouvé le Captain ! Le 14 octobre au soir, on partit ensemble, comme au temps d'avant, déambuler dans le secteur 5 pour écumer les immeubles. On fit les premiers apparts ensemble : les gens ouvraient des billes commac quand ils voyaient qui c'était ! Ils nous accueillaient comme des stars de ciné en nous sortant les meilleurs pinards que j'avais jamais bus ! Au deuxième immeuble, on était déjà déchirés et on se sépara pour en faire plus.

Lorsque j'en eus ma claque, à minuit et quelques, je sortis dans une avenue qui sentait bon l'ox pur. Un gars très sympa qui avait vu que j'étais un peu fait me proposa de me ramener à l'anneau. J'acceptai de bon cœur. Δ

> Le 15 octobre au matin, alors que je passais devant un groupe de radieux qui soudaient une adduction, ils me demandèrent :

— Hé Brihx ! T'aurais pas vu Slift ?

— Non, pourquoi ?

— C'est bizarre, il vient tous les jours nous entraîner et ce matin, il n'est pas passé !

Un drôle de pressentiment me traversa alors l'esprit. Je passai à son vaisseau. Je remarquai que la vaisselle était faite… Pas de linge sale qui traînait… Quelque chose clochait. Je ressortis, mal à l'aise, et tombai sur Poltergeist, l'un de ses plus proches lieutenants qui le cherchait aussi depuis ce matin. Personne ne l'avait vu. Il n'était pas rentré cette nuit. Capt était revenu seul. Alors que je rentrais à Magnitogorsk, une sentinelle débaroula du haut de l'échafaudage jusqu'en bas, tout essoufflée :

— Ils l'ont embarqué !

— Qui ça ? Qu'est-ce que tu dis ? Slift ?

— Slift ! Ils l'ont embarqué cette nuit, incognito, pour le Cam !

— Le camp d'éducation civique de Cerclon III ?

— Ouais !

— A avait promis sa grâce ! C'était en cours !

— A a annoncé ce matin qu'il avait renoncé à la grâce. En conséquence de quoi la peine de Slift devait être appliquée ! Ils ont fait ça en douce, vite fait bien fait !

— Les enculés…

L'annonce de la capture de Slift tomba sur les Hornautes comme une pluie glacée. Son escadre réagit en incendiant un centre commercial mais il n'y eut pas de mouvements de masse. Tout le monde savait que Slift avait tué deux flics dans l'assaut de la tour Télé et qu'en un sens, son inculpation était méritée. Mais le coup porté était rude. Les camps, c'était presque pire que le Cube. Parce qu'il reviendrait. Mais méconnaissable et vide.

Sa capture tombait au plus mauvais moment. La milice de mille hommes qu'il avait entraînée et encadrée se trouvait privée de son chef au moment où la mafia commençait à trouver ses marques. L'absence de Slift les favorisa. Fondée sur la liberté et l'accueil de tous, Anarkhia se trouvait démunie contre l'arrivée de bandits qui, dans cette absence de lois dont nous étions fiers, ne voyait qu'une opportunité rêvée d'asseoir leurs magouilles. Seul Slift et son escadre avaient anticipé ce risque et compris qu'il fallait former une milice contre les attaques extérieures. Mais personne n'avait voulu croire que ça nous arriverait.

Ça nous arriva. La mafia prit bientôt possession de toutes les cuves de Gomorrhe. Elle en construisit de nouvelles. Les citoyens furent d'abord sommés de payer pour se soumettre, puis de leur reverser la moitié de ce qu'ils recevaient en tant que soumis. Les plus courageux se rebellèrent. Ils subirent des menaces puis ce fut l'affrontement, des blessés et huit morts. En un mois, la mafia purgea Gomorrhe de tous ses habitants pour en faire le pôle saturnien de la prostitution. Puis ils s'intéressèrent à Mirajeu où ils installèrent casinos et salles de jeux.

C'est là qu'on se décida à réagir vraiment. Certains voulurent faire appel à la police de Cerclon qui nous proposait son aide mais c'était hors de question ! Affaire d'honneur ! Une milice de métallos, dont on me bombarda chef, vit le jour. Trois mille hommes. L'escadre de Slift nous forma et les cyborx se joignirent à nous.

Mirajeu fut assainie. Forts de notre victoire, nous nous attaquâmes à Gomorrhe… Nous allions le payer très cher. Surtout moi. Le 3 décembre, après un raid à moitié manqué sur la Cuve aux Plaisirs, j'appris qu'ils avaient kidnappé ma fille. Le soir même, ils m'appelèrent :

— Qu'est-ce que tu dirais si on sodomise ta petite ? Si on lui déchire sa jolie fleur ? Il va falloir apprendre à être raisonnable…

— Vous voulez quoi ?

— Stoppez les raids et laissez-nous le champ libre à Gomorrhé. On ne tentera plus rien sur Mirajeu.

— Papa ! Papa !

La voix d'Arcadia résonna longtemps dans l'écouteur. Immédiatement, j'ai su que je les tuerais. Un par un. Qu'ils y passeraient tous, même si ça devait me mener jusqu'au bout du système solaire. Je les égorgerais de mes mains.

J'avais imaginé que ça puisse arriver. Je l'avais fait protéger, mais en vain. Restait qu'elle avait sur elle le minuscule émetteur que je lui avais glissé sous une bague en toc. Et que je savais grâce à lui où ils la gardaient : secteur 1, Parc bleu, hameau du Lac, sur l'île centrale. Je ne réfléchis plus. Je pris les sept meilleurs hommes de l'escadre de Slift. On s'arma jusqu'aux dents. Et on partit pour le hameau du Lac, accompagnés de vingt gars en second rideau et de quarante en troisième. Ils tenaient Arcadia dans une chambre à l'étage d'une villa tout à fait banale pour l'endroit. Ils n'avaient même pas pris la peine de fermer le portail, sûrs qu'ils étaient que personne n'aurait eu l'idée d'aller les chercher là. À 22 heures, le commando se dispersa sur les pelouses tandis qu'une Voltée se présentant comme voisine sonnait à la porte centrale… Δ

> L'assaut de Brihx au hameau du Lac fut une tragédie. Pas un mafieux n'en réchappa. Dans la fusillade qui

éclata à l'intérieur de la √illa Giotto, une balle perdue, qui pouvait avoir été tirée par Brihx, finit sa trajectoire dans la poitrine d'Arcadia. La petite fille fut retrouvée par Brihx le visage crispé par un spasme, avec, à la place des poumons, un sac de sang.

Brihx ne se remit jamais de la mort de sa fille. La possibilité qu'il eût tué sa propre chair le rongea comme l'acide. Il fut traité par les meilleurs psychanalystes voltés. Il fut soutenu par ses amis, entouré et épaulé. Sa femme fit preuve d'un courage exemplaire. Elle surmonta son chagrin, elle le consola. Elle fit tout ce qu'elle pouvait pour effacer le drame. Elle conçut un second enfant, un garçon, mais une fausse couche, courante dans le Dehors, les en priva. Très rapidement, Brihx sombra. L'alcool lui fit descendre les premières marches de la déchéance ; la drogue, importée par cette Mafia même qui lui avait coûté sa fille, lui fit débarouler l'escalier. Après un mois et plusieurs suicides avortés, il devint étrangement calme : Arachnas 06, une version moins virulente que la 09 mais tout aussi détersive… Sa femme le quitta. Ses amis métallos l'abandonnèrent. Lorsque nous allions le voir avec Kamio et Capt, toutes les semaines, au centre de désintoxication, il nous reconnaissait à peine. Ses yeux bleus mi-clos s'étaient singulièrement décolorés… Il fixait un point à travers la vitre de nos corps. Entre des plages de silence et de vide, il finissait par dire : « Elle appelle… J'entends, oui… J'entends… Papa !… Papa !… Donne ta main… ta main… Voilà… »

Après un léger repli, la mafia réaffirma son emprise. Foin de l'honneur et de notre indépendance chèrement conquise, nous cédâmes à l'offre du gouvernement et nous acceptâmes, dans les cités menacées, la présence d'une police trop heureuse de bénéficier par ce truchement d'un observatoire de choix sur notre volution.

L'effondrement de Brihx et l'exil forcé de Slift renforcèrent les liens avec Boule et ce qui restait du Bosquet.

Capt prit lui-même en charge les négociations sur l'air avec O et, soit qu'il fût plus habile que Brihx, soit que, par sa stature, O lui lâchât plus de lest, dès janvier la plupart des cités étaient dotées d'une alimentation convenable.

Kamio se concentra exclusivement sur Horville qui avoisinait maintenant les cinquante mille habitants. Persuadé que les citoyens du Dedans étaient au fond notre ultime dehors, il multiplia les rencontres et les échanges avec les Cerclonniens : accueil pour la journée à Horville, à la semaine, explication du mode de vie, invitation aux fêtes, aux spectacles et aux concerts… Et dans Cerclon, fidèle à ce qu'il avait toujours fait, il continua à arpenter les centres de rencontres pour parler et parler encore aux gens, soulever le couvercle des habitudes et laisser un peu de ce vent du dehors qu'il amenait avec lui, sous les crânes usinés, trouver son chemin… Il était à peu près le seul à le faire. À ceux qui lui disaient, avec condescendance ou plus sèchement, « Tu perds ton temps, Kamion ! », il souriait toujours de son sourire mutin. Une fois, il eut cette étonnante réponse : « Vous êtes comme ces peintres qui dessinent de mémoire. Ils croient se souvenir d'une pomme… Ils la peignent. Mais ils oublient la résistance du fruit, sa persistance vibratoire. La pomme, même coupée, même piégée dans une corbeille, résiste. Vous, vous mangez vite ce qui vous résiste ou alors vous vous empressez de l'oublier en disant : "Je sais ! Je sais !" Mais vous n'attendez pas que la pomme libère son univers et qu'elle vous y englobe. Vous êtes sans patience. Vous ne croyez pas en l'homme. »

Son invention la plus admirable restait tout de même les « Périodiques », qu'on rencontrait toujours quelque part à déambuler sur les places et dans les rues et qu'on reconnaissait facilement à leur maillot blanc bariolé de lettres. Circulant de place en place, tantôt ici et tantôt

là, les Périodiques, hommes ou femmes, étaient les seuls
journaux d'Horville. On venait les voir pour les aviser
d'un événement, d'une histoire ou d'une fête — ou à
l'inverse pour obtenir des nouvelles fraîches et eux,
toujours disponibles, mémorisaient ou répondaient, se
chargeant ensuite de répercuter l'information ailleurs
et pour d'autres, selon les demandes. C'était, comme
disait Kamio, des médias immédiats. Sous une idée
d'apparence mineure, comme toujours avec lui, Kamio
avait ainsi substitué, au monologue d'un écran froid
s'adressant pareillement à tous, la circulation collective
et locale, de chaleur à chaleur, des moments forts de la
cité. Personnellement, chaque fois que j'en croisais un,
je lui demandais les trois ou quatre choses importantes
que je voulais savoir. Je n'avais pas besoin de zapper
ni de tourner des pages, il me disait ce que je voulais,
directement et sans baratin. Certains Périodiques faisaient même des analyses, complétaient les faits bruts, ils
donnaient du volume et des détails de terrain et synthé-
tisaient les réactions des gens qu'ils avaient rencontrés.
C'était tout simplement épatant !

Pour ma part, je me consacrai moitié à Virevolte, moitié à Mirajeu, saturant mes journées pour tenter de mettre, entre l'avenir que j'espérais aider à construire et le
passé proche qui me plombait, le maximum d'actes et de
sensations. La déchéance de Brihx, pour moi, c'était pire
que Brihx mort, c'était comme un portrait de Dorian
Gray de ce que nous n'avions pas fait… comme l'image
en lente déliquescence d'un mal qui peut-être, déjà, dans
le Dehors, invisiblement — une mafia, un cancer, une
secte — défigurait ce que nous enfantions.

En février, une pernicieuse série de rumeurs dont
nous ne parvînmes pas à localiser la source, s'attaquè-
rent à Capt. Les Périodiques répercutèrent cette remarque que Capt était avec Slift le soir où il avait été arrêté.
La rumeur notait aussi qu'il était avec Brihx lors de

la réunion secrète qui précéda le tragique assaut. Or des médecins, trois bons mois après, déclarèrent que l'autopsie d'Arcadia, dont tout le monde s'était désintéressé, révélait qu'elle ne serait pas morte au moment de l'assaut mais « dans une fourchette comprise entre une heure trente à deux heures auparavant ». Mais la rumeur allait plus loin. Elle remettait en question l'exploit de Capt et le fait — il est vrai incroyable, donc louche — qu'il était sorti vivant du Cube. Et elle posait cette vertigineuse question : est-ce qu'il n'y avait pas eu une transaction secrète entre Capt et A ? La vie sauve contre un rôle, disons, d'agent double ou de suprême taupe au sein de la volution ? À cela s'ajoutait, pour faire bonne mesure, des ragots insinuant que durant nos deux mois de planque sous l'antirade, Boule se serait offerte à tout le Bosquet et que Capt, l'ayant appris, aurait décidé de se venger en donnant Slift…

Boule et Capt furent profondément blessés par ces rumeurs. Ils y répondirent mal et ne parvinrent pas vraiment à les dissiper.

Pendant une quinzaine de jours, en partie pour enquêter, en partie pour croiser nos intuitions et en partie parce que nous éprouvions le besoin de nous retrouver ensemble et unis devant cette menace diffuse qu'aucun de nous quatre ne prenait à la légère, nous fîmes le tour des cent vingt communautés du Dehors. Partout, les Périodiques que nous rencontrions montraient le même embarras : soit qu'ils ne se rappelassent pas, parmi le flot d'informations et de visages qu'ils traitaient chaque jour, qui leur avait susurré ces ragots, soit qu'ils s'en souvinssent, mais qu'il fût impossible ensuite de retrouver « l'émetteur » de ce bruit. Cependant, une certitude émergea assez vite : la rumeur était savamment entretenue par des individus mystérieux et éphémères qui l'inoculaient aux Périodiques puis disparaissaient aussitôt des cités qu'ils traversaient…

À l'évidence, Anarkhia, hétéroclite par essence et fragile parce que fragmentée, était un terrain de conquête idéal pour les appétits les plus divers. Quiconque souhaitait s'installer dans le Dehors et profiter de l'anarchie régnante était sûr d'y trouver un territoire propice. Les seules limites à la voracité d'un État étranger, d'une mafia, d'une secte religieuse ou même d'ennemis internes étaient : 1. la résistance propre des Voltés (mais plus le confort des cités s'améliorait, plus notre proportion relative diminuait dans la population totale des Hornautes)... et 2. le Bosquet ! Nous l'avions vérifié dans chaque cité : à tort ou à raison, nous étions pour les gens le symbole vivant de la Volte. C'est principalement autour de nos idées que parvenait à s'unifier un peu ce feu d'artifice débridé qu'ils appelaient l'esprit de la Volution. À partir de là, salir nos réputations et tailler le Bosquet, devenait, pour qui voulait s'annexer le Dehors, un préalable — d'où vraisemblablement les rumeurs. Mais qui, qui était derrière tout cela ? Starlight, comme le pressentait Boule de Chat ? Les Solariens de l'Église universelle, dont les communautés hystériques pullulaient autour de Gomorrhe, comme le craignait Kamio ? Ou encore les Moités, majoritaires à Horville, comme le croyait Capt ? À moins que ce ne fût, encore une fois, et c'est ce que je pensais, une manœuvre de la mafia israélienne ?

Toujours est-il que nous rentrâmes à Virevolte le cœur lourd et le moral bas. Pour chasser les mauvais nuages et reprendre confiance avant le premier anniversaire d'Anarkhia (qui avait lieu dans un mois), nous décidâmes avec Capt de participer une semaine aux Chroniques martiennes qu'organisait ce mois-ci Mirajeu. Très gentiment, on nous confia chacun un sablonef de Martien, poétique machine qui nous permettait de planer sans bruit au-dessus des canyons... Notre rôle consistait à décourager l'installation d'un vendeur de hot-dogs sur nos terres... Il devait arriver

ce soir-là, 18 mars. Capt était tout excité à l'idée du discours énigmatique qu'il devait tenir au brave commerçant américain… Δ

> Le 18 mars, vers neuf heures du soir, dans l'am-
phithéâtre de pierre sèches aménagé dans l'éboulis, la
majorité des Virevoltés assistaient à la première représentation d'*Œdipe à Cerclon*. La pièce ne dura pas cinq
minutes. Un homme surgi de nulle part fit irruption sur
la scène en criant :

— Obffs a eu un accident ! Il est tombé dans le
canyon ! Vite, c'est une question de minutes !

On trouva un câble d'un kilomètre de long. On l'ar-
rima à un portique au bord de la falaise et on le lesta
avec un poids et deux harnais. Presque mille mètres
plus bas, sur le premier plateau du Cratère sans Fin,
deux ailes de papillon bleues se détachaient sur l'étendue ocre. C'étaient les sablonefs de Capt et d'Obffs. Un
quinquagénaire bonhomme, la casquette vissée sur la
tête et trempée de sueur, suffoquant à chaque phrase,
nous expliqua ce qui s'était passé :

— J'étais… sur le rebord… à installer mon stand,
comme prévu pour mon personnage… et voilà que je
vois arriver… du ciel… des ailes bleues… Ils sont passés tout près de moi… pour m'effrayer… si bien que je
les ai tout de suite reconnus ! Tu penses ! Puis… Ils ont
tourné… tourné… À un moment… j'ai entendu comme
un sifflement… Pffffiiii… Comme ça… Et le vaisseau
d'Obffs a commencé à piquer du nez… en feuille
morte… Capt l'a appelé… Il a gueulé… Mais Obffs a
continué à chuter vers le cratère… Alors Capt l'a suivi…
Il a essayé de le rattraper… L'autre a percuté le fond…
J'sais pas s'il est vivant… Il est pas tombé vite… Enfin
de là, ils sont tellement loin en bas… c'est difficile…

Grâce aux jumelles, on vit Capt extraire Obffs des
débris éparpillés du vaisseau et le traîner en direction

du câble. Anxieusement, on attendit : l'inclinaison de la falaise nous empêchait de les suivre sous l'aplomb. Quand la tension du câble indiqua deux cents kilos, nous commençâmes à avaler. Le portique trembla et grinça. Toquèrent les minutes, rythmées à cent vingt battements par mon cœur. Puis Capt apparut, livide, avec contre lui un corps désarticulé dont la tête oscillait sur la poitrine selon le ballant. On détacha Obffs et on l'allongea immédiatement sur un matelas. Un médecin s'affaira :

— Il n'a aucune fracture. Ni blessure. L'arrêt cardiaque doit être récent. Je vais essayer de le ranimer. Approchez-moi le matériel...

On amena une cardiopompe. Des électrochocs. Des drogues diverses. Beaucoup d'oxygène. On actionna la pompe. On la réactionna. On la réactionna une seconde fois. Une troisième. Une quatrième fois. On brancha le masque à oxygène. On le débrancha. On le rebrancha.

Tout fut vain.

Obffs avait rejoint Arcadia de l'autre côté du monde.

Capt se tenait à genoux dans le sable.

— Je ne comprends pas... On rigolait tous les deux en suivant les ascendances... Il était comme un gamin... Il me montrait les manœuvres... Puis il y a eu ce bruit, un bruit de flèche... Son vaisseau a commencé à tanguer... Si j'avais su piloter, je l'aurais...

L'autopsie diagnostiqua une asphyxie. Due à un dysfonctionnement du masque à oxygène. Le tuyau d'alimentation avait été traversé de part en part par un projectile qu'on ne retrouva pas, mais qui s'apparentait à un minuscule missile.

Dans la cache sous l'antirade, nous avions plusieurs fois évoqué la mort. Obffs avait demandé qu'on porte son corps le plus loin possible de Cerclon, au plus profond du Dehors « pour que j'aie une chance de nourrir les tigres pourpres », avait-il dit. Avec Boule et Capt, nous partîmes très tôt le matin, accompagnés par des milliers de Voltés, de Cerclonniens et d'inconnus. Le soleil n'était pas encore levé quand le cortège nous laissa continuer seuls, avec la civière et les bonbonnes d'oxygène. Nous longeâmes le Cratère sans Fin toujours à droite, jusqu'à l'extrême limite de nos réserves, poussant là où personne n'était encore jamais allé — et n'irait sans doute jamais. Longtemps muré par une montagne à gauche, le paysage s'ouvrit vers la fin de notre marche. Une sorte de plateau karstique, creusé de peu profondes dolines et rehaussé d'arches de pierres rousses apparut devant nous. C'est dans ce paysage presque humain que l'on déposa Obffs. On plaça son corps sous une petite arche où le vent, s'engouffrant, hululait et lui parlait doucement. Boule lui fit un oreiller de pierre. Capt grava.

Au moment de repartir, il me sembla entendre sa voix irrégulière qui chantait d'arche en arche en riant, avec une longue plainte immémoriale de tuba… Plusieurs fois, je me retournai, comme s'il allait se lever et courir derrière nous en nous disant « Ce mois-ci, je suis Ouvreur, Ouvreur, les gars, vous allez voir, on va rigoler ! » et je l'entendais rire dans ma tête, rire comme l'enfant fou et somptueux qui courait toujours sur son visage et éclairait ses yeux clairs d'une lueur que vous n'auriez même pas trouvée aussi vive chez un môme de cinq ans.

« La maturité de l'homme, c'est d'avoir retrouvé le sérieux qu'on avait au jeu lorsqu'on était enfant. » C'était sa devise, tirée de Nietzsche, qu'il adorait. Capt, avec le couteau de Slift, l'avait gravée sur l'arche. Je l'avais vu regarder au loin, avec Boule. Je l'avais vu guetter quelque chose, et je savais ce que c'était sans qu'il me le dise : c'était ce fameux tigre pourpre qu'aucun homme n'avait jamais vu, qu'il espérait voir apparaître au loin dans l'embrasure d'une arche, apparaître et approcher pour accomplir le souhait d'Obffs, de vivre dans un… de devenir fauve… particule de fauve comme un ultime et bondissant destin.

XXII

Les Tigres Pourpres

> Ni la police de Cerclon venue enquêter sur place, ni nos propres équipes de balisticiens n'élucidèrent l'attentat qui coûta la vie à Obffs. La nature du projectile, capable de percer une telle épaisseur de tuyau, mais beaucoup plus encore la précision ahurissante du tir laissa tous les experts cois. Mais pas les Périodiques qui se firent caisses de résonance des théories les plus diverses sur l'accident. Ni, évidemment, les journalistes de Cerclon... Parmi ces théories, « le soupçon Capt », comme le titrait un journal, avait les faveurs malveillantes d'une certaine presse. Elle avait le mérite de la simplicité et l'éclat du fratricide. Elle écartait les spéculations plus âpres sur la stratégie occulte des sectes ou la colonisation par la bande des Américains. En outre, elle disculpait la mafia israélienne.

Avec Capt et Boule, nous décidâmes de renoncer à tous les projets en cours à Virevolte, Horville et ailleurs, pour nous focaliser de manière exclusive sur cette série noire qui décimait le Bosquet. Et qui nous visait peut-être à présent.

De toute façon, nous le constatons et l'acceptions avec une certaine nostalgie : depuis plusieurs mois, Anarkhia I n'avait plus vraiment besoin de nous. La

mort d'Obffs, l'exil de Slift et la déchéance de Brihx
n'avaient tracé qu'une cicatrice temporaire, vite refermée, sur la peau du Dehors. Les quatre cent mille
Hornautes qui peuplaient à présent l'étendue rousse du
désert avaient d'autres préoccupations et, plus louable,
celle de faire vivre la volution. Le premier anniversaire
de la polycité, ponctué de gigantesques fêtes, eut pour
nous trois un secret parfum de tristesse.

Il y avait maintenant des rues dans les villages et
des routes entre les cités. Étanches étaient devenues
les adductions d'oxygène. Nous garantissant une précieuse autonomie, notre première usine à air avait vu
le jour. Le moindre hameau avait aujourd'hui l'eau
courante, l'air et un toit qui ne se soulevait plus au gré
du vent cosmique. L'accroissement de la population et
la hausse de la natalité avaient suivi une courbe parallèle à cette amélioration du confort. Horville s'était
embourgeoisée. Magnitogorsk tolérait même les arbres
et les fleurs… Bref, nous avions réussi… Nous avions
passé le flambeau. Il brûlait aujourd'hui un peu partout dans les cheminées de pierre des bâtisses d'Horville, paisiblement, pour réchauffer des familles qui, le
plus souvent, avaient déjà oublié de combien de sacs
d'espoir et de seaux de sueur était faite la route qui les
éloignait d'une ville de verre et de glace où, six mois
encore auparavant, ils broyaient le sable de leur rancœur pour quelques places de Clastre. Naturellement,
en se propageant, le feu volutionnaire avait cette sin-
gularité qu'il perdait en puissance ce qu'il gagnait en
pouvoir. Et qu'il gagnait en extension ce qu'il perdait
en intensité.

Il n'y avait toutefois pas à faire la fine bouche. Même
adouci, même dilué dans l'eau des habitudes prises, le
suc vital qui coulait dans les veines des Hornautes faisait honneur à l'espèce humaine. Nos écoles de pleine
nature qui entrelaçaient sport et art, culture et critique

érigeaient des hommes et des femmes. Elles ne fabriquaient pas des pièces, elles ne formataient pas des cerveaux durs pour les programmes informatiques du Clastre ! Nous commandions notre économie — nous ne la subissions pas comme une loi dont ceux qui en profitent font croire aux autres qu'elle est naturelle et implacable ! Enfin, l'art avait été arraché à la prison dorée de la Culture-pour-fesses-de-riches et ramené à la vie. Et la vie était faite, autant que possible, œuvre d'art.

À dire vrai, l'indépendance du mouvement vis-à-vis de ses origines était une garantie de sa pérennité. Ceux qui voulaient nous éliminer, qui qu'ils fussent, se trompaient de méthode et de cible — parce que les deux arbres restant du Bosquet, Capt et moi, pouvaient bien être coupés, on ne tuerait pas ce qu'ils incarnaient — et que bien d'autres déjà avaient, eux aussi, fait chair. Devenir libre est une maladie qui se transmet par le sang et le sperme. Une fois contractée, aucun patron, aucun gouvernement, aucune prison ni aucune arme ne vous en guérissent. C'était cela qui me rassurait quand je voyais les enfants courir dans les villages : ils étaient déjà atteints, ils étaient tous malades, gangrenés de liberté…

— Quel intérêt auraient les Américains à s'implanter ici ? Rien ne peut s'acheter ! Rien ne peut se vendre ! Il n'y a pas d'argent ! On paiera leurs produits en quoi ? En heures de cours ? En repas cuisiné ? Ils ne sont pas fous !

— Boule, l'objectif est certainement militaire. Le gouvernement de Cerclon n'est propriétaire que du cercle de la ville. Rien n'empêche les Américains d'installer une base stratégique dans les collines du Dehors…

— Pour quoi faire ? Pour assiéger Cerclon ? À l'heure de la guerre spatiale !

— La Mafia n'avait aucune raison de tuer Obffs. Le procédé ne leur ressemble pas…

— Il y a de plus en plus de Solariens qui participent à Mirajeu. Ils se servent du paravent ludique pour diffuser leur doctrine.

— Pourquoi ne pas imaginer que les Solariens travaillent pour la Mafia ?

— Ou qu'ils sont alliés avec eux… Avec la branche israélienne.

— Il se passe de drôles de choses à Mirajeu…

— Moi, je pense que la Mafia n'est qu'une pièce dans un échiquier plus vaste. La diaspora israélienne a été voulue par Urania. Urania a toujours eu des vues sur les bases saturniennes qui peuvent leur servir de relais pour Jupiter… Le micromissile qui a touché Obffs est une merveille technologique. Il ne peut venir que d'une nation militairement très avancée, vous ne croyez pas ?

— Pas sûr. Il a pu être tiré de Cerclon et, comme l'a expliqué Fza, téléguidé par un relais posté au bord du canyon. Il suffit de placer un homme avec des jumelles filmantes à visée laser. Il regarde Obffs, il reste sur lui au moment où le missile part de Cerclon et l'informatique derrière recalcule en temps réel la trajectoire à partir des coordonnées spatiales de Obffs. C'est très facile, en fait. Et bam ! Ça touche ! Tu es certain de n'avoir vu personne sur le bord du cratère quand vous voliez ? À part le vendeur de hot-dogs ?

— Il n'y avait personne, Kamio. Je pourrais le jurer. C'est pour ça que c'est si étrange.

— Peut-être que c'est toi qui guidais le missile !

Nous rîmes de la boutade de Boule et nous allâmes tous les trois nous coucher. Je les laissai dans leur baraque de pierre et je rentrai pensif chez moi, ce 29 mai 2085, avec l'impression que nous n'avancions pas. Mes amis n'étaient pas à l'atelier. J'en profitai pour poser une toile vierge sur le chevalet et je me mis à dessiner machinalement Virevolte, le bord du Cratère sans Fin et les deux vaisseaux à voile de Capt et Obffs au-dessus :

la scène qui nous hantait. Mais où pouvait être placé le guideur ? Où ?

> À deux heures du matin, cette nuit-là, je me réveillai en sursaut en entendant des pierres s'entrechoquer sur l'éboulis qui menait jusqu'à notre maison. Boule reposait en un lac souple et chaud à mes côtés. Par la fenêtre sans vitre se décalquait une silhouette chétive, rendue comme spectrale par l'intensité blonde du soleil de Saturne. La silhouette avançait sans précaution. Je restais tétanisé.

— Capt ! C'est moi ! C'est Kamio !

— Entre, tu m'as fait peur…

Kamio vint s'asseoir sur le lit, en zigzaguant de façon insolite et en me tournant le dos…

— Ferme les yeux, ne me regarde pas…

— Pourquoi ?

— Ferme les yeux, surtout, ne réfléchis pas et écoute-moi ! Je crois que j'ai trouvé. Nous allons rendre visite aux Déconnectés.

— Maintenant ?

— Maintenant. Boule va venir avec nous. Est-ce que tu peux marcher en fermant les yeux ? En aveugle ?

— Je crois.

— Bien, allons-y tout de suite. Ils travaillent toujours la nuit. Ce sont des allumés. Eux seuls auront le matériel pour vérifier ce que je crois.

— Mais qu'est-ce que tu crois, bon sang ? Explique-toi ! Tu débarques comme un fantôme au milieu de la nuit !

— Il faut faire très vite. Ils peuvent frapper absolument n'importe quand.

— C'est qui ça, les Déconnectés ? Mettez-moi au courant.

> Boule s'était éveillée avec une langueur qui accentuait sa grâce. Sa voix sans apprêt, assouplie de sommeil, était envoûtante. Capt avait bien de la chance…

— Les Déconnectés sont une communauté informatique qui regroupe les meilleurs pirates de réseau de la Volte. Ce sont des jeunes transfuges des services de I pour la plupart. Des pros du Terminor. Ils peuvent mettre en marche ton grille-pain avec trois lignes de code, n'importe où dans Cerclon. Ils se font de petits transferts bancaires quand ils n'ont plus assez de poudre. Des pros, mais des fous…

Entre Gomorrhe et Mirajeu, une petite flaque de néon nous guida directement sur le hameau des Déconnectés. Trois des leurs étaient des Voltés de la première heure, en particulier Blusq qui venait de Défordre et qui avait reprogrammé les portes mâchoires lors de notre action contre les accès sélectifs. Leurs logements semblaient des plus sommaires. Mais à l'intérieur, sur des tables ou par terre, derrière des meubles, du matériel high-tech dégorgeait nonchalamment. Blusq nous accueillit avec beaucoup de chaleur. Il fit ouvrir son frigo en disant « brax », son bar en articulant « verre » et demanda au bras mécanique de nous servir. Il héla ensuite quelques acolytes qui sniffaient dans la pièce d'à côté.

— Qu'est-ce qui t'arrive, Captain ? T'as les yeux qui piquent ?

Ils étaient manifestement tous un peu partis et ils se bidonnaient en charriant Capt qui avait gardé, depuis le départ, les yeux clos. Mais quand je leur exposai mon hypothèse, ils balayèrent la poudre d'un revers de main, se mouchèrent et branchèrent immédiatement les bécanes, en essayant de décuver au plus vite à coups de café et de pastilles blanches jetées dans des verres d'eau…

— Toi, quand tu viens, c'est qu'une bombe nucléomagnétique va nous tomber sur la tronche dans trois minutes ! Mais tu réalises ce que tu avances ? Si Capt a effectivement une nanocaméra greffée sur le nerf optique, ça veut dire qu'ils ont tout filmé, gars, tout ! Depuis le début de la volution, même quand tu pissais, même quand tu baisais ! Ils savent absolument tout sur toi, tous tes projets, tous tes amis, tout ce que tu as fait ! Je savais que les services de P plaçaient ces bijoux sur les cyborchats et que certains espions militaires en portent mais de là à en greffer une sur Capt, il faut qu'ils soient gonflés ! Tabernacle ! Enfin, on va vite en avoir le cœur net !

> Je sentis Boule à mes côtés qui se tendait. Je ne pouvais pas croire que Kamio eût raison. S'ils m'avaient implanté cette caméra, ce ne pouvait être que durant mon opération à l'hôpirad, ou alors… Ou alors dans ma cellule, avant le Cube.

— Bien. Captain, nous avons calé le fréquenceur vidéo. On va lancer la routine. Tout ce qui émet un signal vidéo dans un rayon de trois kilomètres autour de cette bécane va défiler sur l'écran. Pour l'instant, tu gardes les yeux fermés.

> Sur l'écran se succédèrent, à raison d'un toutes les deux secondes, les canaux des chaînes câblées de Cerclon — puis d'innombrables plans de centres de rencontres, d'images d'immeubles, de rues, de ponts, de couloirs qui correspondaient aux caméras de surveillance du péri-mètre de Cerclon englobé dans la recherche — puis des images brouillées et illisibles… Ça dura bien un quart d'heure.

— Ça y est, la bécane vient de trier tous les canaux cryptés. Il y en a deux cent cinq. Je vais lancer le décryp-tage. Accrochez-vous !

Alors sur l'écran apparurent des partouzes dans des décors somptueux, des femmes se masturbant et des hommes enculés par des femmes équipées de godemi-chés, bref, tous les canaux vidéo internes de Gomorrhe. Ensuite s'affichèrent des scènes d'allure insignifiante : un évier où coulait de l'eau, une télé allumée dans un salon et d'autres plus délicates à situer, des vues subjec-tives, des détails au ras du sol…

— Regardez celle-là : elle est filmée par les yeux d'un cyborchat, non ?

Blusq arrêta ensuite la machine, se moucha une énième fois et nous dévisagea gravement tous les trois.

— Je ne sais pas si vous l'avez noté, mais il y a trois écrans noirs dans la série. Trois. Un écran noir n'est pas un canal vide, c'est une caméra qui filme du noir, vous pigez ? Je vais me recaler sur ces trois fréquences. Capt, voilà un bouquin. Tu vas ouvrir les yeux et fixer ce putain de bouquin et rien d'autre, d'accord ? Au cas où, il ne faut pas qu'ils puissent repérer où tu te trouves ! Attention, j'y vais !

Premier écran : noir. Deuxième écran : noir. J'ai respiré plus amplement et je me suis dit que je m'étais trompé. Mais au troisième écran, la page imprimée qui apparut en gros plan nous fit sursauter de terreur. C'était le livre que Capt tenait dans les mains, et qu'il fixait…

— Ferme les yeux… Ouvre… Bouge un peu la tête…

La mine de Blusq trahissait la plus saisissante frayeur… Son silence dura bien une minute.

— Je n'arrive pas à le croire… Ils l'ont fait… Ils t'ont transformé en taupe électronique. C'est grâce à ta caméra, grâce à tes yeux qu'ils ont cueilli Slift comme une fleur… Et c'est toi qui sans le savoir, juste parce que tu regardais Obffs, a guidé le micromissile sur son tuyau à oxygène… Mon dieu… Mon dieu, Captain… Si on y avait pensé plus tôt…

Dans la salle ronronnante d'écrans, un silence terrible, à perdre pied, nous prit à la gorge. Capt, plié sur sa chaise, laissa le livre lui échapper des mains. Il se mit à hoqueter des sanglots étranglés. Un sentiment d'horreur blanche, de clinique carrelée… Le cliquetis d'un scalpel sur une table métallique. Il appelait à l'aide…

— UN STYLO ! DONNEZ-MOI UN STYLO !

> Mon temps de réaction fut infiniment trop lent. Déjà, Capt n'était plus à lui. Il, frénétiquement, tremblait des pieds à la tête, prit, déchirantes, plusieurs inspirations et — sans que personne dans la pièce ne devine ce qu'il allait faire, sans que personne ne puisse l'arrêter — il commit l'acte atroce. Répétant, répétant, avec une sauvagerie que je n'oublierai jamais, à grands coups, il... Il se creva les yeux. Il s'enfonça le stylo dans la pupille, laboura la cornée, la ratura sans que ça veuille jamais finir. Bientôt, ses yeux verts ne furent plus que deux trous d'encre qui poissaient comme des limaces sur ses joues... des larmes de pus et de sang crémeux... Puis Capt se jeta le crâne contre le mur pour s'assommer. Ses yeux bougeaient à chaque choc, se déglinguaient dans leur orbite charcutée sans qu'on puisse l'aider, et lui, hystérique, qui hurlait et se fracturait le crâne à chaque coup de tête jusqu'à ce qu'il n'en puisse plus... Il tomba sans connaissance sur le sol.

Le chirurgien que nous appelâmes en avait vu d'autres. Il avait fait la guerre chimique en Ukraine et de voir ces deux puits de sang dans le visage de Capt ne lui arrachèrent qu'un modeste « ma foi... ». Il nettoya et il désinfecta Capt, remit ses yeux dans leur cavité, mais avant de le ramener à la conscience, il incisa l'arcade sourcilière, dégagea un fouillis de chair et de veines, observa un long moment et dit enfin :

— La caméra est encore en fonctionnement ! Elle a dû filmer toute la scène !

— Vous pensez qu'ils savent où nous sommes ?

— Je n'en sais foutre rien. Je ne suis pas spécialiste de ces choses !

— Blusq ?

— Il faut moins d'une heure pour localiser l'émission d'un signal vidéo au mètre près. À quelle heure Capt a ouvert les yeux ?

— Il y a trois quarts d'heure à peu près...

— Alors ils peuvent être en position de tir dans dix minutes. Ils ont là le moyen idéal d'en finir avec le Bosquet et d'éliminer d'un coup tous les témoins. Il suffit qu'ils chargent un missacide... De nos corps, il restera à peine de quoi remplir une canette de brax ! Il faut s'enfuir d'ici au plus vite !

— Attendez ! On n'a qu'à débrancher la caméra !

— Impossible ! Elle est enkystée dans l'œil même. Si je la retire, Capt sera aveugle pour le restant de ses jours...

— Borgne...

— Aveugle ! Il y en a une dans chaque œil !

— Il faut réveiller Capt. C'est lui qui doit décider !

Le chirurgien réveilla Capt et lui expliqua la situation. Capt demanda simplement s'il y avait ici un véhicule. Blusq lui répondit qu'il avait un glisseur. Il se leva. Il annonça, à la stupeur générale, qu'il pouvait encore discerner les formes ! Seul le chirurgien acquiesça : « Greffe organique, c'est normal : la caméra et l'œil sont devenus indissociables ; tant que la caméra marchera, tu y verras. » Capt enfourcha le glisseur, mit le contact et s'enfuit à travers le désert en traçant de gigantesques zigzags. Au moment où il franchit la première dune, mon imagination panique me fit voir un missile à tête chercheuse partir d'une tour panoptique et filer comme un éclair jusqu'à nous... Kek ! Il ne se passa rien.

Blusq sonna la sirène dans tout le hameau. Il réunit l'ensemble des Déconnectés et leur demanda de se brancher sur le réseau P du Terminor. Objectif : s'assurer qu'aucune procédure d'urgence n'était en cours. Apparemment, le calme plat régnait au cube gouvernemental. Rien ne disait par ailleurs qu'un contrôleur suivait Capt en temps réel. Il pouvait fort bien enregistrer les heures de sommeil et se passer la bande en accéléré le lendemain. C'étaient vraisemblablement les consignes. Principe d'économie. Je ne sais si ce fut ce que

Capt pensa aussi, mais une heure plus tard, après avoir
torturé le sable du Dehors, il revint au hameau le visage
fermé et déterminé. Il entama tout de go :

— Est-ce que vous pouvez avoir accès au système de
régulation d'air de la ville ? C'est le Terminor qui pilote
les adductions d'ox, non ?

— Oui. Qu'est-ce que tu as en tête ?

— Notre usine à ox est bien reliée au réseau de
Cerclon ? Il est possible de leur turbiner de l'oxygène ?

— Bien entendu. À condition de stopper leur venti-
lation. Sinon les deux flux d'air vont se percuter. Tu vas
créer une surpression qui fera péter toutes les canalisa-
tions du Dehors !

— Quelle est la puissance de poussée de notre usine ?
Notre ox peut pulser jusqu'où ?

— Jusqu'où tu veux ! On a la puissance…

— Jusqu'au cube gouvernemental ? Peut-on propulser notre ox à l'intérieur du cube ?

— Le Terminor gère à part ce réseau. Il est vraisemblablement très protégé. Tu penses bien… Mais qu'est-
ce que tu veux faire, nom d'un chien ?

— Je veux en finir avec eux. Il reste quatre heures avant l'aube. Débrouillez-vous ! Trouvez le moyen
d'ouvrir ces putains de vannes du cube !

Afin de brouiller toute localisation, Capt repartit
tourner dans le désert. Je ne peux pas dire que Boule
et moi entendîmes grand-chose à la discussion qui
s'ensuivit entre les experts et les pirates les plus pointus du réseau. Un jargon incompréhensible où même
les verbes semblaient traduits du silicium fusa dans
la pièce. Après s'être connectés sur des terminoras
de Cerclonniens pris au hasard, ils se répartirent l'assaut — les uns enfilant une combinaison virtuelle, les
autres devant des écrans, parlant très vite, par mocodes,
à leur ordinateur qui leur répondait sur des tons variés,

selon les goûts féminins de chacun… En une heure, ils
avaient réussi à acheminer l'oxygène de notre usine
jusqu'au pied du Cube. Des plans 3-D scintillaient sur
les écrans puis s'effaçaient, zoom avant, zoom arrière,
lignes de code proches de runes magiques… Mais ils
butaient sur un problème « d'accès physique ». Capt
revint. Il titubait. Il ne voyait presque plus rien. Blusq
lui décoda la situation :

— L'ouverture des vannes ne peut pas être comman-
dée de l'extérieur. Il faut passer par un terminora situé
dans le cube. Il nous manque un point d'entrée physique,
tu comprends ? Un simple câble par lequel pourraient
transiter nos mocodes, pour accéder à un terminora
interne et le piloter…

— D'accord… Quelle est votre solution ?

— Le téléphone. Il faut que tu appelles un ministre,
que tu l'obtiennes et que son terminora soit connecté.
Et nous aurons notre pont-levis pour la forteresse…

— Je vais appeler le Président.

À 7:04, debout au centre d'une pièce surchauffée où
s'affairaient des experts carburant aux capsules, assistés
de quatre Saturniens immergés dans une combinaison
spatiale, Capt demanda la ligne présidentielle. Ils lui
firent signe qu'ils étaient prêts. Capt passa par deux
secrétaires de direction, puis obtint Af, le porte-parole,
puis Ksa, qui le reconnut, pour atteindre finalement A.
Aucun d'entre eux — je le compris à la grimace agacée
de Blusq — n'avait son terminora allumé.

> D'entendre la voix du président, le trac s'intensifia
dans mes intestins. Mais aussitôt monta à ma conscience
l'image insoutenable de la tête d'Obffs tintinnabulant
autour de son cou, son corps désarticulé dans le harnais
qui nous remontait… J'imaginai Slift la cervelle découverte dans un camp, quelque part sur Cerclon III. Je

revis la face laiteuse de Brihx dans sa chambre d'hôpital.
J'eus une injection de haine. La voix de A était, à son
habitude, chantante mais ferme :

— Monsieur Captp ! Que me vaut cet honneur mati-
nal du Président des Hornautes ? Auriez-vous quelque
requête à me soumettre ?

— Avez-vous consulté votre terminora ce matin ?

— Pas encore. Y aurait-il un événement qui se serait
produit en Anarkhia dont je n'aurais pas été tenu
informé ?

— Constatez par vous-même...

(Nous n'entendîmes qu'un très léger clic au bout du
fil mais l'agitation soudaine des écrans et des virtuoses dans leur combinaison nous le confirma aussitôt :
A venait de brancher son terminora... Blusq ouvrit
trois fois sa main droite : « Il faut tenir quinze minutes,
quinze ! » La tension monta de plusieurs crans dans la
salle. Des séquences de codes cliquetaient à toute vitesse
sur les claviers, doublées, pour certains, de phrases dictées en mocodes. Les virtuoses enchaînaient, par salves,
des gestes indéchiffrables...)

— Je ne vois là rien qui accroche mon attention...

— Je crois que nos balisticiens ont élucidé l'assassinat
d'Obffs...

— Vraiment ? Quel est leur verdict ?

— Le missile a été téléguidé par une taupe...

— Oui...

— Et la taupe, cette nuit, a ouvert les yeux...

— Je vois...

— Vous voyez en effet très profondément et très loin,
bien que ce ne soit pas par vos propres yeux...

— Vous êtes en retard, monsieur Captp, par rapport
aux meilleures évaluations du Terminor, d'environ deux
mois. Je vous aurais cru plus perspicace...

— Comment avez-vous pu commanditer une telle...

— Ne croyez pas que ce soient là mes décisions. J'ai

dû faire, sur ces sujets, bien des concessions politiques à l'aile dure du Parti bleu…

— Vous avez commis deux meurtres gratuits !

— Gratuits ? Je m'en voudrais. Une chose est certaine : l'influence et le rayonnement du Bosquet étaient et restent bien plus importants que vous ne l'imaginez. Pas pour les Voltés paradoxalement, mais pour ceux, les plus nombreux parmi nos citoyens, qui ont besoin de modèles et d'idoles. Votre polycité, en tant que telle, ne nous poserait aucune difficulté. Elle s'intègre très bien à notre politique générale et j'avancerais même qu'elle l'optimise. Votre banlieue, si je puis oser le terme, joue à plus grande échelle et de façon plus efficace le rôle de trop-plein que nous avions dévolu à l'origine à la radzone. Un système comme le nôtre n'est jamais tout à fait capable d'anesthésier la contestation. Il gagne cependant en stabilité si cette contestation, quelles qu'en soient ses formes, se structure d'elle-même, draine tous les éléments dangereux qui grippent nos procédures et aménage une zone tampon où peuvent s'absorber tous ces cris qui nous sont contraires. Notre stratégie se borne ensuite à encadrer ces camps afin qu'ils ne contaminent plus nos paisibles citoyens. Cependant, des intérêts étrangers, et de surcroît militaires, veulent abuser de votre naïveté pour implanter dans le Dehors des infrastructures que nous n'y pouvons tolérer. Par conséquent, l'émiettement du Bosquet et la perte du crédit dont vous jouissez encore sont devenus un préalable à une déstabilisation d'Anarkhia. Il nous sera plus facile de reprendre vos cités en charge si les héros fondateurs sont hors d'état de fédérer la volution.

— Vous avez bien confiance en votre politique pour la dévoiler si facilement…

— Si je le fais, c'est que son dévoilement renforce son efficacité : nous aurons besoin de votre colère pour déclencher les émeutes nécessaires à une intervention policière…

— ...

— Monsieur Captp, comprenez bien pour qui nous faisons toutes ces manœuvres un peu désagréables : pour les Cerclonniens eux-mêmes. L'essence de la politique, c'est le désir des citoyens. Vous rêvez d'un type d'homme, monsieur Captp, pire : d'un type d'assemblage d'hommes et de femmes, dont les actes et les désirs seraient non seulement différents de ce qui est et fonctionne dans leur société, mais ne cesseront de différer pour repousser toujours plus loin, vers un désert toujours plus raréfié, cette zone du Dehors, pure et virginale, qui est selon vous la grandeur potentielle de l'espèce humaine. Me trompé-je ?

— Vous avez parfaitement exprimé ma pensée.

— C'est que j'ai étudié vos discours avec minutie, croyez-le bien. Mais ce type d'homme, dont vous fantasmez l'avènement, n'existe pas ! Ou s'il existe, nous le tuerons.

— Vous ne tuerez plus personne !

— Ou plutôt, ils le tueront...

— Qui ?

— Les gens, monsieur Captp, le peuple ! L'histoire est pleine de cette ironie sublime de hautes âmes, révolutionnaires ou artistes, que la société qui les abritait a suicidés. Avant de les canoniser post mortem — ce qui reste la plus élégante façon de les enterrer. Et ne croyez pas que ce soient des personnalités de mon rang qui préparent la tombe et dressent la pierre, nous ne sommes que de joyeux spectateurs ! Ce sont les millions de petites craintes communes et sans gloire qui creusent de leurs ongles la terre — oh, très peu — si peu qu'ils en ont à peine le petit doigt noirci — mais cela suffit par la loi des grands nombres. Un peu de terre sale sous des millions de petits doigts, un peu de gêne ou de peur d'être gêné par la lumière d'un soleil « qui leur donne chaud », à peine un minuscule accroc dans la trame du toujours-

pareil, une esquisse de changement dans la couleur du
ciel et vous les voyez gratter… Bien entendu, autour du
trou, vous trouverez toujours des individus qui amènent
des pelles. Vous verrez toujours des prêteurs de bulldozers qui s'enrichissent, des assistants qui soignent les
ongles et des voix pour encourager tout ce beau monde.
Mais ce ne sont, à mon image, que les catalyseurs d'un
processus qu'ils accompagnent sans le déclencher.

(« 6 minutes ! » m'indiqua Blusq en apposant une
main et un pouce sur mon front en sueur, mais j'y fis
à peine attention. Le temps était passé à l'arrière-plan
de ma conscience : j'avais complètement basculé dans la
conversation.)

— J'admire les êtres de votre trempe, monsieur Captp,
parce qu'ils veulent l'impossible et le tentent, mais je
vous méprise un peu parfois parce que vous détournez
vos yeux chastes lorsqu'on vous montre la part putride
de l'homme. Vous croyez aux êtres d'exception — et
vous avez raison : ce sont eux qui font l'histoire. Moi, je
crois à la loi des grands nombres, à la statistique et aux
agrégats des petites peurs des petites gens. Car ce sont
eux qui sont l'histoire. Et qui ramènent ceux qui la font
et ce qu'ils ont fait à la juste proportion grégaire et ven-
tre-mou de nos sociétés bonhommes — que des mortels
tels que moi gouvernent et régulent. Accepter restera
toujours plus facile, sécurisant et agréable que de différer d'une façon toujours différente de ce qui est — et
encore une fois fonctionne, se tient, a fait ses preuves !

— Question d'éducation, A ! D'élévation des aptitudes…

« et de confiance en l'homme », murmura Kamio qui
ne perdait pas une miette de la conversation, et dont je
ne voyais plus qu'une flaque sombre dans l'espace. Je me
rendis compte, au moment où Boule me toucha l'épaule
pour m'encourager, que je prenais un plaisir fou à cette
conversation. Peut-être qu'en énonçant toutes ces idées

qui étaient nôtres, peut-être qu'en entendant A justifier aussi clairement et aussi cyniquement les meurtres
de son gouvernement, leur donner une telle logique,
que je comprenais, et qui me fascinait presque, je trouvais phrase après phrase des raisons supplémentaires
à l'acte démesuré que j'avais d'abord imaginé dans la
fureur et qui m'apparaissait à présent, à mesure que
nous confrontions nos visions du pouvoir et de l'homme,
comme le coup de grâce d'un combat sans merci qu'avec
la courtoisie de chevaliers du langage et l'intercession
de milliers de citoyens qui s'affrontaient à travers nous,
nous avions mené depuis ma naissance dans ce monde.
Ce n'était pas seulement l'individu A, avec tout son gouvernement d'alphabet, qui allaient finir en torche, c'était
par-delà leurs pratiques toute une conception basse et
paresseuse de l'humain qu'ils entretenaient que la Volte
allait enfin transfigurer et enfin rendre, pour une génération au moins, caduque !

— À la Volte, nous ne croyons ni à votre répression
qui n'a d'effet positif que sur une élite, ni aux miracles
de votre libre expression qui ne fait sortir des enfants,
même des adultes, que le jus insipide des normes qu'ils
ont ingurgitées. Nous ne voulons pas dans Anarkhia de
votre oppression du consensus, du diktat d'une majorité
qui ne s'obtient qu'en ajoutant la paresse à la graisse !
Entre la répression qui bloque, l'oppression qui lisse et
l'expression qui s'épanche, nous affinons chaque jour
une quatrième manière, pour une collectivité, de se gouverner : la compression. Qui tout à la fois condense et
fait fuir. Écoutez-moi bien, A ! Écoutez-moi !

J'étais pris d'un accès de fureur.

— Je vous écoute, mon ami…

— Retenez ma leçon parce que vous ne savez rien !
Vous n'avez jamais rien su des hommes que vous dites
gouverner ! Une société, c'est un animal qui court. Elle
n'est vivante que si son corps comprime l'air, l'eau et le

sang ! Que si son cœur imprime une pression telle que
ce sang fuse et surmonte la gravité universelle, la retom-
bée de tout ! Elle vit surtout si, en dépit de cette pression terrible et grâce à elle, l'air vital, cette eau cruciale,
trouve à siffler par des ouvertures qui les reprojettent
au dehors, alimentent le cycle et accroissent l'énergie !
Mais la répression empêche le fauve de boire et de
respirer ; la libre expression lui crève stupidement les
poumons en croyant qu'il en respirera mieux ; et votre
oppression lui apprend à éviter de courir pour marcher
toujours au pas.

— Je ne suis pas certain de vous suivre, monsieur
Captp...

— Personne n'avait cru jusqu'à nous à la puissance
positive du dissensus. Vous en avez fait l'ennemi de la
démocratie, son secret démon. Mais nous commençons à
prouver, dans ces cités que vous voulez détruire...

— Disons réorganiser, reprendre en main...

— ... que le dissensus est une formidable force de
compression sur le gaz des divergences individuelles.
Loin de couper le lien social, il l'intensifie. Il resserre les
liens tout en les tendant. Il accroît le seuil de tolérance à
l'étrange et à l'étranger. Il fait de l'originalité une valeur
et non plus un défaut. L'écart, la différence de comportements, le désaccord, pour peu qu'on les fasse tenir
ensemble par l'estime qu'un être libre a naturellement
pour un être libre, dressent le sang et mettent la vie au
cœur du système. Vous savez quelle était la devise politique d'Obffs...

J'allais enchaîner quand il me coupa le souffle.

— « On a toujours à défendre les forts contre les
faibles. »

— Comment vous ?...

— C'était dans son fichier sur Nietzsche...

— Oui... (un temps...) Parce que ce sont les faibles
qui, en répétant la norme, coupent les créateurs de ce

qu'ils peuvent ; les faibles qui, en faisant de subir et d'obéir une vertu, ont transformé un régime de maîtres — la démocratie — en une gérance où des esclaves commandent à des esclaves. Même vous qui êtes le sommet de la pyramide, A, vous justifiez vos meurtres par l'obéissance, l'obéissance aux petites gens qui sont le dernier mot de votre politique ! C'est la faiblesse qui crée la répression, quand un homme n'a pas la force de supporter les couleurs de son voisin, quand sa liberté lui fait peur et qu'il fait appel à papa-maman, police-justice, pour faire cesser les fêtes diurnes de ceux qui vibrent quand lui se traîne ! La volution n'a qu'un but : que ceux qui peuvent puissent ! Que les actifs deviennent enfin acteurs ! L'essence de votre politique, A, son carburant, ce n'est pas le désir des gens, c'est le ressentiment. Vous l'infusez dans votre sociétasse tiède par ces manques et ces distances que vous aménagez entre les êtres. Nos cités, elles, carburent au sentiment ! Elles dégagent de la chaleur !

> Capt avait dépassé les quinze minutes ! Sur l'écran en face de nous, un plan du cube gouvernemental se mit à clignoter subitement ! Des segments bleus envahissaient progressivement toutes les salles qui apparaissaient à coups de zaps rapides sous les ordres de Blusq… Ils avaient réussi ! Ils avaient réussi, bon Dieu ! Derrière moi, des experts fiévreux se tapaient dans les mains et avalaient une rasade de capsules avant de replonger sur leurs claviers. Notre oxygène se diffusait à présent par toutes les bouches d'aération des vingt-six étages ministériels… Ils respiraient notre air…

— Monsieur Capt, je loue votre optimisme. Quoi que vous fassiez toutefois, il subsistera toujours dans une société cette aspiration à l'ordre, cette abdication à ce qui est, ce plaisir de l'habitude et du familier dont la compréhension — et la maîtrise — subtile ou grossière, s'appelle le pouvoir. Je ne suis que peu de chose, je ne m'illusionne aucunement. Je n'entrerai pas dans l'histoire de cette façon noble et clinquante des empereurs d'autrefois. J'occuperai plutôt la place tranquille et convenue, mais combien convoitée ! que l'histoire, eu égard à ma fonction, m'aménagera — et qui suffit. Dans la machinerie du pouvoir, comme vous dites à peu près, je me prétends régleur. Personne ne possède, personne ne détient la machine. Là réside sa force et sa suprême coquetterie puisqu'elle n'est faite que des millions de petites bouches banales qui réclament humblement mais obstinément, de la même voix monocorde, qu'on sépare pour leur esprit confus le vrai du faux et le permis du défendu…

— Vous exercez le pouvoir, oui. Au-dedans. Mais nous, nous libérons les puissances du Dehors. Nous sommes une magmatrice de forces en fusion !

— Vous devenez quelque peu emphatique, Captp ! Votre volution, ne l'oubliez pas, n'a été possible que par le rôle que nous voulions lui faire jouer dans notre propre politique. Nous aurions pu la juguler à sa source. J'aurais pu ne jamais vous guider dans le Cube. Vous faire écraser comme une mouche…

— Pardon ?

— Vous ne vous êtes jamais demandé comment vous avez pu sortir si facilement du Cube ? Les grandes failles qui se succédaient ? L'immeuble de Zorlk ? Slift que nous avons laissé seul en haut à circuler sur les poutres ? Nous avions besoin de vous, Captp ! Besoin, non d'un martyr encore plus encombrant mort que vivant, mais d'un joueur de flûte qui débarrasse Cerclon de la peste voltée qui commençait à contaminer jusqu'aux 3-lettrés. Vous avez joué votre rôle, merci. Vous avez emmené tous ces rats-dieux hors de la ville ! Merci bien. Vous étiez tellement prévisible ! Tellement droit ! Ce fut un vrai plaisir !

> Je ne sais pas quelle mine je fis à ce moment-là, mais j'avais l'impression d'avoir le visage en sang sous une

série implacable de gifles et de coups de poing enchaînés. Je vacillai littéralement sous le choc. Je me retournai vers Boule et Kamio dont je sentais le souffle coupé
devant moi et je faillis hurler « Vous allez cramer comme
une torche, vous allez cramer, fils de pute ! », mais dans
un ultime sursaut de sang-froid, je respirai profondément et je me rendis compte que je pouvais répondre. Je
le pouvais. Mieux : je compris, du cœur même de l'humi-
liation qu'il m'infligeait et grâce à elle, pourquoi la Volte
leur resterait à jamais supérieure. Il avait cru m'achever.
Il avait cru me crucifier par ses révélations. Mais moi je
sus alors, avec une certitude absolue, qu'il avait perdu. Il
avait décalé sa garde. Il était mort. C'était fini. J'aurais
pu le découper à la hache rhétorique, le tronçonner
sur place en trois phrases, mais quelque chose de plus
profond, qui ne devait plus rien à l'orgueil blessé, quelque chose d'humble, d'émouvant et d'actif me remonta
du fond des tripes... Je revis toutes les cabanes, tous les
palais fiers de Virevolte, je revis Horville, Magnitogorsk
et Mirajeu et la beauté rare et altière des gens qui s'installaient et qui créaient, qui discutaient et qui construi-
saient leur vie pierre après pierre, et je compris que de
tout ça, il ne savait rien... Il allait mourir sans l'avoir
jamais su... Je dégainai une dernière fois mon épée et
presque avec calme, je lui arrachai la tête.

— Monsieur le Président, vous pensez et vous parlez avec distance. Ce que deviendra notre volution, qui
l'autorise, qui la récupère, qui la fait jouer comme pièce
dans une stratégie plus globale, ne dit rien du devenir
volutionnaire des gens qui la vivent. De ce qu'ils ont
éprouvé, et gagné, dans ce combat, et que personne ne
pourra jamais venir leur reprendre. De loin, du cube
hermétique d'où vous toisez Cerclon, tout paraît simple,
n'est-ce pas, risible — déjà vu. Parce que la distance
efface les reliefs. Que vue d'un satellite, Virevolte n'est
qu'un jet de dés sur une nappe rouge. On n'entend pas

les voix, on ne sait pas que chaque point sur le dé est une fenêtre. Que savez-vous, A, de ce que chaque femme en fuite est allée chercher et a trouvé dans notre Dehors ? Que saurez-vous jamais, vous, de l'or neuf qui a coulé dans ses veines, des micromondes qui sont nés, çà et là, partout, par la simple beauté d'un combat qu'on mène, soi ? Que saurez-vous « d'un certain bleu d'eau dans la couleur des ciels intimes qui nous servent, pour planer, de voilier vélivole » ?

« Il vaut mieux que vous mouriez dans vos costumes avec ce nez sec qui coupe votre vieux visage comme une barre de pourcentage. Vous auriez trop de regrets. Vous aurez ignoré jusqu'au bout ce que peut être l'amitié, ce que peut l'amour, ce qu'éprouve une femme qui a vécu vingt ans incitatrice pour des antirides et qui plaque parents, amis, travail, tout ! pour venir visser quatre planches dans le Dehors. Vous ne saurez jamais quelle étrange voix fruitée avait cette enfant qui avait fugué de Cerclon, quitté ses parents pour l'appel, quand elle est venue me voir et qu'elle m'a dit : « À quoi sert le Clastre, puisqu'on meurt après ? » Vous avez toujours bien respiré, A, et toujours bien dormi, sans avoir pourtant beaucoup de poumons. Et vous ne devinerez jamais de quel rire s'éclaire le visage d'un Hornaute qui, après avoir tourné trente ans dans votre cage ronde, ouvre grand la porte du cosmos et devient capable d'aimer la vie, qu'avec son propre courage, il s'offre.

— Et bien souvent, c'est le même homme qui, six mois plus tard, revient piteusement dans Cerclon demander sa réinscription au Clastre…

— Le même ? Le même ? Vous m'avez définitivement montré vos limites, A. Je n'ai plus rien à apprendre de vous.

Lorsque je raccrochai, ce fut un hurlement d'allégresse !

— Il est foutu ! Carbone ! Baisé ! On le tient ! Tu as été fantastique !

Boule et Kamio se jetèrent dans mes bras et nous nous mîmes tous les trois à pleurer d'excitation et de joie. Blusq se joignit à nous, puis dit :

— Allons-y tout de suite. Achevons le travail !

> Au soleil levant, nous nous rendîmes tous les quatre à l'usine d'oxygène qui se trouvait à un kilomètre. Boule guidait Capt par le bras. Nous fîmes évacuer les ouvriers, bloquer la production et verrouiller toutes les trappes des adductions d'ox d'Anarkhia. Il ne fallait laisser ouverte que la ligne de canalisation qui reliait à présent l'usine au cube. Ceci accompli, Blusq nous amena à l'extérieur et dévissa la grille du premier puits à oxygène qui se trouvait sur la trajectoire. Six mètres plus bas, un flux bleuté chuintait à la manière d'un ruisseau. Blusq sortit une vieille boîte d'allumettes et nous regarda en souriant :

— Qui veut entrer dans l'histoire ?

Boule regarda Blusq qui me regarda. Alors Capt dit simplement :

— Pourquoi pas tous ensemble ?

Nous craquâmes donc chacun notre allumette et dans un même mouvement, nous la lançâmes dans le puits.

On ne sut jamais laquelle enflamma le gaz la première…

Un geyser jaillit de la bouche du puits, puis le torrent de flammes se propulsa tel une fusée liquide à travers la canalisation. Capt ne vit pas le sol trembler sous la torpille de feu pur qui perforait la terre épaisse — mais il le sentit, il le sentit certainement jusqu'au tréfonds de ses entrailles.

> Sans plus attendre, nous escaladâmes la grande colline. Derrière nous s'étendaient les maisons de Virevolte, encore assoupies, tandis qu'à nos pieds, Horville la

sage s'ébrouait doucement aux premières clartés du jour.
Plus loin, au bout de la plaine, les bâtiments sombres
de Cerclon, serrés les uns contre les autres comme s'ils
grelottaient, se dressaient dans un oppressant contre-
jour. Je tenais Capt par la main. De ses yeux coulait un
pus translucide. Nous suivîmes la ligne de crête jusqu'à
nous trouver dans l'axe du cube gouvernemental. Dès
qu'il fut en vue, Capt demanda à Kamio de lui décrire
ce qu'il voyait. Le peintre contempla la scène un long
moment, puis il dit :

— La ville est gris anthracite, les volumes flottent.
Droit devant toi, une ligne jaune pâle file. Au bout de
cette ligne, tu sais ce qu'il y a d'habitude : un petit cube
noir, mat, qui abrite un président et vingt-cinq ministres.
Eh bien, là… à la place… tu as un petit volcan de verre,
incroyablement lumineux, qui s'immole par le gaz. On
dirait une torchère. Les flammes sont bleu clair, elles se
détachent par leur intensité sur le ciel encore indécis…
Des hélicoptères tournent dans le panache d'éclats et de
fumée qui s'envole au-dessus du cube. Tout le reste de la
ville n'est qu'une esquisse, d'un gris presque uniforme et
au centre brille cette fureur…

— Tu ne vois pas autre chose ? Au milieu de la fumée,
tu ne vois pas…

— Des coptercids ? Si… Il y a même des transborduriers qui font couler des rideaux de sable… Il y a…

> Il ne le voyait pas, bien sûr, mais moi je le voyais…
Je le voyais distinctement à travers mes yeux crevés… Je
le voyais sans qu'il me le dise, sans que personne d'autre
puisse jamais le voir, hormis moi… Le Grand Rupteur.

Je le vis distinctement déplier sa structure de lame
noire. Il était né du ventre de l'incendie, comme enfanté
par la joie crue. Avec pour toute arme le pur mouvement, la stricte fulgurance. L'éclair de ses gestes ne brilla
qu'un instant mais tout fut tranché à la fois : verre, vent,

terre, air, flamme, fumée. Puis il se dissipa à nouveau dans les volutes de cendres… esquissant un dernier signe… Ce fut comme un sourire fugitif et si rapide qu'il me rappela celui de Slift. Aussitôt après, le tonnerre sourd d'une explosion signa son départ définitif.

— Il n'y a plus rien à présent, Capt. Plus rien ! Tu verrais ça ! Le cube s'est liquéfié !

> Je me retournai vers Capt, qui me parut à cet instant entrer en transe, comme illuminé par une intuition absolue. Il chercha Boule de la main et il lui dit, transfiguré :

— Ils arrivent, Boule, ils arrivent !

Et Capt aveugle se mit à dévaler la pente qui menait à Virevolte ! Il traversa l'éboulis à toute vitesse, chuta plusieurs fois, se releva, demanda des bonbonnes d'oxygène, attrapa un sac et se mit à courir de plus belle, réveillant toutes les maisons, hurlant, hélant, alpaguant de sa voix enthousiasmée les enfants et les femmes assoupies tandis que Kamio et moi, interloqués, nous le suivions ! Nous le poursuivions à présent sur les bords orangés du Cratère sans Fin, avec une foule émerveillée et ébahie qui nous demandait ce qu'il y avait — et nous sans plus de réponse qu'un rire ! Capt, Capt dégorgeant de vie, hilare, jovial, chialant et riant tout en courant, qui dépassait tout le monde, irrattrapable et fou, Capt à la poursuite du Dehors sauvage, hors de lui, sublime, et tout autour, les Virevoltés comme des troupeaux de zèbres galopant avec nous, sans mieux savoir pourquoi ! Nuages poussés, haleines d'un même souffle, comètes échevelées vagabondissantes à travers l'espace à mesure avalé et laissé tel, derrière nous, en lambeaux d'étoiles et de poussières opalines, nous tous, droit devant, qui courions vers le plateau karstique où reposait Obffs, pour voir qui arrivait, qui venait du fin fond du Dehors inexploré à notre rencontre, qui, que seul Capt devinait et sentait dans l'air, qui ? quel avenir ? quelle puissance

qui nous arracherait à nous-mêmes ? Alors, aux confins
de l'horizon, sous l'arche où gisait Obffs, pour la première fois, on les vit — tant de puissance ramassée
dans le velours, tant de sereine cruauté entre chaque
coussinet, et les muscles impériaux, les griffes déchi-
reuses d'espace, camouflées dans le drapé savoureux de
la fourrure des pattes, la tendresse pourtant — tout au
bout, un dernier trait, l'ultime Volte : les Tigres Pourpres.

Postface de la première édition

Ce livre a été écrit dans un but, unique : comprendre, en Occident, à la fin du vingtième, pourquoi et comment se révolter. Contre qui ? ajouteront certains en guise de prolongement, mais déjà ça glisse, ça devient incertain et flaqué, car la question, que posent ces nouveaux pouvoirs auxquels chacun de nous est aujourd'hui confronté, dans son corps, aux tripes même, sans le vouloir, sans s'en dépêtrer, d'où qu'il se tienne, hautain même, indifférent ou narquois, cette question est devenue : contre quoi ?

Le livre a cette prétention, cette fougue froide, de répondre. Et de proposer. La Volte, telle que soudainement elle se désincarcère — et s'excentre, m'apparaît comme un coup, d'avance, que reprendrait, sur l'échiquier, ceux qui croient que la vie se propage en joie et feu dense, face à ceux qui ordonnent, distribuent, hiérarchisent et quadrillent, qui anesthésient et qui paralysent, qui attristent et qui plombent.

À gauche, en Europe tout au moins, le combat contre les boîtes de conserve s'est éteint. Nos usines humaines, écoles petites et grandes, en produisent chaque année un peu plus. Ceux qui crient ont la voix enrouée. Leur fils est agent d'assurances. Leur fille cadre.

La relève, pourtant, arrive. Haut les cœurs ! Elle doit beaucoup aux anciens, à Nietzsche, Foucault et Deleuze

*terriblement, à Lyotard et à Virilio, — elle leur doit encore
trop.*

   *Du disciplinaire au normé, au mort-né, au morne ;
du répressif au « compréhensif » ; de l'imposé au « proposé », un peu insistamment, un peu sournoisement, un
peu casse-couilles quoi, ce qui s'oppose à la vie a changé
de forme et de fonction. Société de contrôle, oui, de codes
souples et de normes poisseuses, qui désamorce, rogne la
rage, adoucit, assoupit, régule et strangule. Qui dévitalise.
Au double sens : dentaire et vital.*

   *On ne parle jamais autant d'une chose qu'au moment
où elle disparaît, suggère Baudrillard. Ainsi des fafs, rési-
duels, même si forts en gueule. Oubliez le FN et leurs
conneries, mais oubliez-les, bordel de merde ! et regardez devant, qui nous arrive : les sociaux-démocrates...
Souriez, vous êtes gérés ! Il ne s'agit plus d'aboyer maintenant, mais bien d'entrer, avec votre salaire minimum
de croissance, dans l'atermoiement illimité des sociétés
sécurisées.*

   *Née en 1969, ma génération n'a rien de spontanée : trop
lourde, trop vieille à vingt ans à peine, déjà embourgeoisée, même ou surtout avec un érémi. Moi-même, à trente,
je sais, pour l'éprouver, que la guérilla commence contre
moi — enfin contre l'alter ego engrossé au ventre, qu'ils
m'ont inséminé et qui cherche ses pantoufles, ses gosses et
son couple rassurant, qui s'endort devant Internet et me
met des fauteuils aux fesses quand je veux rester debout.
Debout. Juste pour voir, hein. Pour garder des perspectives sur la guerre lasse des glutons.*

   *J'avais d'abord dédié ce livre aux anars, de tous
pays et de tous poils, aux gauches extrêmes et aux militants — bref à tous ceux dont la révolte dépasse le périmètre de leur peau. Mais c'était encore trop facile, ou
trop tard. Lié à un régime de pouvoir, la révolte se trouve*

aujourd'hui nue face à ce qui l'aliène, l'enkyste et la dilue.
Quoi donc, que c'est, ce truc ? On lui cherche des noms :
ultralibéralisme, néocapitalisme, mondialisation, crypto-
fascisme — mais ce sont de vieux noms pour un ennemi
extérieur désigné, quand le combat se déroule d'abord
intestin et flou, en chacun, mais relayé par tous (every-
body is a cop…).

Business perso alors, la révolte, now ? Collective, mec,
au contraire, et dès les tripes, dès la prise carcéviscérale
qui t'empoigne. On ne s'en sortira qu'ensemble, par une
déprise de soi, reliés, en se tenant les pognes, en parlant
nos langues et en hissant nos couleurs, par la danse, les
saltos, allegro, en cognant nos rythmes bâtards des estives
et des hauts plateaux.

C'est dur à expliquer, la Volte. Quand on ne s'arc-boute
plus, qu'on s'extrait du pleurnichard et du réactif, mais
pas pour participer à la kermesse des sociaux-démons,
plutôt pour leur faire la nique, avec nos dés, en tirant des
combinaisons actives : jouer-jouir.

Le nomadisme, lui-même, ils en ont déjà fait une
rengaine, pour leur existence portative et mange-tout.
Pourtant le mouvement reste, pour qui s'y tient — et le
déport, la dérive de qui fuit et fait fuir, s'arrache aux égo-
centres, quitte à laisser sa mue pour s'écorcer loin de chez
soi, elle est encore ventrale et bondie chez les bédouins
que nous sommes, à gauche de toute gauche, barrés à
l'ouest, ouais, libres et vibrés, à la cherche…

J'ai mis longtemps à comprendre ce que je ne sup-
portais pas, de ce monde. J'ai mis un livre, cinq ans.
Maintenant je le sais. Plutôt mieux qu'avant. L'espèce
humaine, en pays riche, est en passe de devenir inverté-
brée. Voilà. Plutôt strange *comme intuition, non ? Tenez-*
vous-en à votre vertébrale colonne et suivez sa flèche,
gothique ! Il y a longtemps, ça se prolongeait en bas

par une queue, pour l'équilibre et les bonds. Depuis, ça s'est soudé en haut, sous le crâne, et ça nous tient droit, vertical — pour qu'on y voie un peu plus loin que la langouste.

Je pourrais continuer. On est tous comme ça, les écrivants : impossible d'arrêter le livre : la dernière page saigne toujours et elle est décidément longue à la coagule…

Mais je vois d'ici Mathias et Olivier, l'éditeur, qui vont couper, comme au cinéma. Fondu, ils diront. Fondu le gars ! Ils ont leur raison à eux.

Mais moi, ça m'a fait du bien.

À la vôtre, combattants !

Bob Volte, an 2000.

Postface de la deuxième édition

Puisque j'ai mis ce livre, voulu sabre, pour sa tierce édition, à retrempe dans ma forge — moins pour durcir que pour en affiler la lame —, permettez que je m'en serve, mes frères d'armes, pour éventrer une actualité qui nous rapproche, à pas chassés mais sûrs, d'un Cerclon quotidien.

J'avais commencé la Zone en 1992, à Kiev, à 22 ans. Je croyais voir loin, être en avance... Aujourd'hui l'ADN sert à retrouver un scooter volé, le mobile nous localise au mètre près et, dans la rue, on vous demande par haut-parleur de ramasser un papier jeté parce que votre ville (anglaise) est quadrillée de caméras... Avec les puces RFID, bientôt logées dans chaque produit, ce sont vos chaussures qui vous diront quand elles sont assez usées pour mériter un nouvel achat. Ils n'ont pas seulement neutralisé Rimbaud, à force de recyclage massif. Ils ont inventé l'homme aux semelles de vente.

Heureusement, la politique progresse, grâce aux consultants. L'affecting arrive en douceur à maturité. On ne manipule plus seulement mots, images et événements. On travaille désormais sur le timbre des voix et sur leur débit, les respirations et les silences, sur la gestuelle du candidat, sur l'inconscient des postures... D'un pitbull sec et glaçant dont les crocs claquaient à chaque syllabe, ils ont

*fait en six mois un labrador rouge et bleu à la voix grave
et posée qui nous aboie en continu la France de demain.
J'appelle ça la narcose Sarkozy. C'est votre sommeil qui
l'entretient, citoyens, quand ce n'est pas votre propre désir
de chefs, de pères et de contrôles. J'exagère ? Parce que je
n'accepte pas qu'on nous « gère » (disent-ils) pour mieux
nous piétiner ensuite. La liberté n'est pas le monopole des
riches. Je trouve juste important, ça : reprendre la main,
ensemble.*

*La liberté, elle est pour moi ce dehors, intérieur à cha-
cun de nous, dont ceux qui nous gèrent voudraient tant
faire une Zone. Ou mieux : une norme.*

*Sachons nous ouvrir pour agrandir cette poche, qui est
poumon — et vent pulsif. Osons même, parfois, élargir la
cicatrice et refuser le cocon consumériste, les consolations
et les soins.*

Parce que ça fait mal, d'être libre.

Alain Damasio, 18 février 2007.

DU MÊME AUTEUR

Aux Éditions la Volte

AUCUN SOUVENIR ASSEZ SOLIDE (Folio Science-Fiction n°474)

LA HORDE DU CONTREVENT (Folio Science-Fiction n°271

LA ZONE DU DEHORS (Folio Science-Fiction n°350)

LE DEHORS DE TOUTE CHOSE

LES FURTIFS (Folio Science-Fiction n°674)

«Sam va mieux», nouvelle dans LE JARDIN SCHIZOLOGIQUE : NOUVELLES APPARUES DANS LE MIROIR

«Le Chamois des Alpes bondit», nouvelle dans FAITES DEMI-TOUR DÈS QUE POSSIBLE : TERRITOIRES DE L'IMAGINAIRE

«Serf-made-man ? Ou la créativité discutable de Nolan Peskine», nouvelle dans AU BAL DES ACTIFS, DEMAIN LE TRAVAIL

Aux Éditions Gallimard

SO PHARE AWAY et autres nouvelles (Folio 2€ n°5897)

Chez d'autres éditeurs

EL LEVIR. Nouvelle graphique, APDRAMA-Organic

MONDIALE TM. Illustrations de Beb-Deum, Les Impressions nouvelles

«Définitivement», nouvelle dans APPEL D'AIR, Éditions ActuSF

«Disparitions», nouvelle dans APPEL D'AIR, Éditions ActuSF

«Étranger, ici on aime les étrangers», nouvelle dans DÉCAMPER : DE LAMPEDUSA À CALAIS, La Découverte

« Hyphe… ? », nouvelle dans ÉLOGE DES MAUVAISES HERBES : CE QUE NOUS DEVONS À LA ZAD, Les Liens qui libèrent

« Trois nuances de jaune », nouvelle dans GILETS JAUNES : POUR UN NOUVEL HORIZON SOCIAL, Au Diable Vauvert

*Tous les papiers utilisés pour les ouvrages
des collections Folio sont certifiés
et proviennent de forêts gérées durablement.*

*Composition : IGS-CP à L'Isle-d'Espagnac (16)
Impression Novoprint
à Barcelone, le 20 janvier 2022
Dépôt légal : janvier 2022
1er dépôt légal dans la collection : janvier 2021*

ISBN : 978-2-07-292752-2 / Imprimé en Espagne

433944